문학을 잡는 자가 수능까지 잡는다

문학 공부도 똑똑하게!
문학 DNA를 깨우자

문학을 공부하는 학생들의 흔한 고민

고민 1

Q 문학은 작품 수도 많고 공부할 범위도 너무 넓어요.

A

교과서에서 다루고 있는 작품과 학습 요소를 중심으로 문학 공부를 시작해 보세요.

교과서는 각 학년의 학습 목표와 중학생의 수준 등을 고려하여 다양한 작품을 수록하고 있어요. 문학 공부를 어떻게 해야 할지 막막하다면 교과서 또는 교과서 내용을 다룬 문제집을 활용하는 것도 좋은 방법이에요.

고민 2

Q 낯선 작품을 만나면 갑자기 머리가 하얘져요.

A

낯선 작품이 나오더라도 작품을 감상할 수 있는 능력을 길러야 해요.

시, 소설, 수필, 극 갈래별로 작품 감상에 꼭 필요한 개념과 감상 원리가 있어요. 이러한 이론을 익히고 작품에 적용해 보는 연습을 해 보세요. 그러면 생소한 작품이 나와도 작품의 주제, 내용, 특징을 잘 파악할 수 있답니다.

고민 3

Q 작품을 읽고도 막상 문제를 풀려고 하면 너무 어려워요.

A

작품을 분석하여 핵심 내용을 파악해 보는 습관을 길러 보세요. 또 시, 소설, 수필, 극 갈래별로 시험에 자주 나오는 문제 유형과 해결 방법을 익혀 보세요. 그런 다음에 실제로 작품을 읽고 문제를 많이 풀어 보는 연습을 하는 것도 중요해요.

문학 공부가 고민일 때,
<문학 DNA 깨우기>가 그 해결책을 제시합니다!

이 책을 검토해 주신 분들

기획·편집 고명선, 권소영, 김현아, 박유리, 임명준, 장수원, 조소은
표지 디자인 김희정, 윤순미, 김지현   내지 디자인 박희춘, 한유정, 김지혜
조판 대진문화(구민범, 권재원)

해법 중학 국어

문학 DNA
깨우기

2
감상 원리

문학 갈래별 감상 원리를 차근차근 익히고,
실전 문제 풀이를 통해 문학 감상 능력을 향상한다!

1 감상 원리

문학 감상에 꼭 필요한 갈래별 감상 원리를 간단하고 명확하게 제시하였습니다.

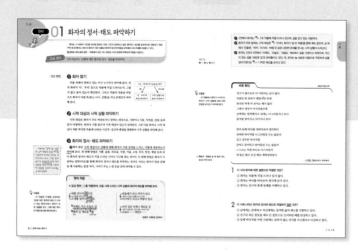

- **감상 원리와 방법** 갈래별 감상 원리를 2~3개의 세부 감상 방법과 함께 제시하였습니다.
- **원리 적용** 감상 원리와 방법을 적용하는 과정을 예로 보여 줍니다.
- **바로 확인** 학습한 내용을 적용하여 스스로 작품을 감상하고 확인 문제를 풀어 봅니다.

2 감상 실전

중·고등 교과서에 수록된 문학 작품 가운데 꼭 읽어야 할 작품 23편을 선정하고, 중요 부분을 발췌하여 수록하였습니다. 감상 원리를 적용하여 실제로 작품을 감상하고 실전 문제까지 풀 수 있도록 구성하였습니다.

- **핵심 짚기** 감상 원리를 중심으로 작품을 분석하여 핵심 내용 파악하기
- 문학 갈래별 대표 문제 유형 익히기
- **주관식**, **고난도**, **고1 학력평가 기출** 등 다양한 유형의 실전 문제로 학교 시험 대비하기

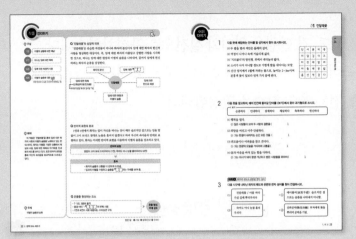

· 작품 정리하기
작품의 구성, 해제, 주제, 핵심 내용을 한눈에
볼 수 있게 제시하였습니다.

· 어휘 다지기
작품과 관련된 어휘의 뜻과 쓰임을 간단한
문제를 풀면서 다시 한 번 확인해 볼 수 있게
하였습니다.

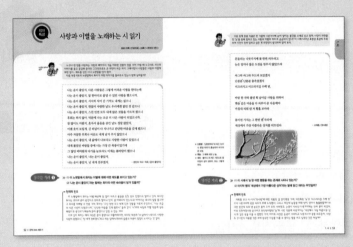

· 테마 특강
앞에서 학습한 작품과 엮어 읽기에 좋은 작
품들을 소개하여 작품 감상의 폭을 넓힐 수
있도록 하였습니다.

· 생각할 거리
작품 내용과 관련하여 생각할 거리를 제시하
여 사고력을 기를 수 있게 하였습니다.

정답과 해설

본문에 수록된 지문에 대한 자세한 해설을 제시
하고, 문제에 대한 정답과 오답의 이유를 상세
하게 설명하였습니다.

이 책의 차례

1 이 책은 문학 갈래별로 단원을 정하고, 각 단원을 **원리**와 **실전**으로 구성하였습니다.

2 실전의 각 지문은 중·고등학교 국어 교과서에 많이 수록된 작품으로 선정하였습니다.

3 1일 원리 2개 또는 실전 1개 학습, 전체 30일 학습을 권장합니다.

문학?! 감상 원리를 정확히 알면 실전은 문제 없지!

2 소설

3 수필·극

작품 찾아보기

감상 원리를 차근차근 익히고,
실전 문제 풀이로 실력 쌓기!

1 시

원리 01 화자의 정서·태도 파악하기

화자는 시 속에서 시인을 대신해 말하는 이로, 시인이 표현하고 싶은 생각이나 정서를 효과적으로 전달하기 위해 꾸며 낸 존재이다. 따라서 화자가 처한 상황과 화자의 정서적 반응을 파악해야 시의 주제를 이해할 수 있다.

📖 **중학교 국어 문학 영역** • 작품에서 보는 이나 말하는 이의 관점에 주목하며 작품을 수용한다.

감상 원리 시적 대상이나 상황에 대한 화자의 정서·태도를 파악하자.

| 감상 방법

❶ 화자 찾기

작품 속에서 말하고 있는 이가 누구인지 파악해 본다. 먼저 화자가 '나', '우리' 등으로 작품에 직접 드러나는지, 그렇지 않고 숨어 있는지 확인한다. 그리고 작품의 내용을 바탕으로 화자가 어떤 특성(例 나이, 성별)을 지닌 존재인지 파악해 본다.

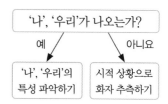

'나', '우리'가 나오는가?
예 → '나', '우리'의 특성 파악하기
아니요 → 시적 상황으로 화자 추측하기

❷ 시적 대상과 시적 상황 파악하기

시적 대상은 화자가 주로 바라보거나 말하는 대상으로, 사람이나 사물, 자연물, 관념 등과 같이 다양하다. 따라서 시를 읽으며 시적 대상이 있는지 살펴본다. 그런 다음 화자나 시적 대상이 처한 처지와 작품에 나타난 시간적·공간적 배경을 종합하여 시적 상황을 파악해 본다.

❸ 화자의 정서·태도 파악하기

❷에서 찾은 시적 대상이나 상황에 대해 화자가 어떤 감정을 느끼고, 어떻게 대응하는지 파악해 본다. 첫 번째 방법은 기쁨, 슬픔, 외로움, 사랑, 미움, 소망, 의지, 반성, 체념 등과 같이 화자의 정서나 태도가 직접 드러난 시어나 시구를 찾는 것이다. 두 번째 방법은 화자가 사용하는 말투(어조)를 통해 화자의 정서나 태도를 추측하는 것이다. 어조는 화자가 말을 끝맺을 때 사용하는 종결 어미, 시어가 주는 느낌 등을 살펴 파악할 수 있다.

> 시에서는 '껍데기는 가라'와 같이 명령형 종결 어미를 사용하여 화자의 의지를 강조하기도 하고, '고운 봄의 향기가 어리우도다.'와 같이 감탄형 종결 어미를 사용하여 감정을 강하게 드러내는 경우도 있어요.

원리 적용

● 감상 원리 01을 적용하여, 다음 시에 드러난 시적 상황과 화자의 태도를 파악해 보자.

내를 건너서 [숲]으로
❷ 숲, 마을을 향해 걷고 있는 화자
고개를 넘어서 [마을]로
□: 목적지

❸어제도 가고 오늘도 갈
쉬지 않고 나아가려는 화자의 의지
❶나의 길 새로운 ❷길
화자   시적 대상

민들레가 피고 까치가 날고
❷ 길에서 다양한 존재를 만나는 화자
아가씨가 지나고 바람이 일고

나의 길은 언제나 새로운 길
❸ 새로운 마음으로 나아가려는 화자의 의지
오늘도…… 내일도……

– 윤동주, 〈새로운 길〉에서

💡 **도움말**

이 작품은 인생을 상징하는 '길'에 대한 화자의 태도가 드러나 있는 현대시이다. 화자가 처한 상황을 찾고, 그에 대한 화자의 대응 방식을 확인해 본다.

❶ 2연에서 화자는 '❶(ㄴ)'로 작품에 직접 드러나 있으며, 길을 걷고 있는 사람이다.

❷ 화자가 주로 말하는 시적 대상은 '❷(ㄱ)'이다. 화자가 '숲'과 '마을'을 향해 계속 걸으며, 길 위에서 '민들레', '까치', '아가씨', '바람'과 같은 다양한 존재를 만나는 시적 상황이 드러난다.

❸ 화자는 2연과 4연에서 '어제도', '오늘도', '내일도' 계속해서 길을 가겠다고 하였으며, 자신이 걷는 길을 '새로운 길'로 받아들이고 있다. 즉, 화자는 늘 새로운 마음으로 꾸준하게 길을 걸어가겠다는 ❸(ㅇㅈ)적인 태도를 보이고 있다.

빈칸 답
❶ 나 ❷ 길 ❸ 의지

바로 확인

정답과 해설 2쪽

도움말
이 작품에서 화자가 누구인지, 화자가 시적 상황에 대해 어떤 반응을 보이는지 파악해 본다.

친구가 원수보다 더 미워지는 날이 많다
티끌만 한 잘못이 맷방석˙만 하게
동산만 하게 커 보이는 때가 많다
그래서 세상이 어지러울수록
남에게는 엄격해지고 내게는 너그러워지나 보다
돌처럼 잘아지고 굳어지나 보다

멀리 동해 바다를 내려다보며 생각한다
널따란 바다처럼 너그러워질 수는 없을까
깊고 짙푸른 바다처럼
감싸고 끌어안고 받아들일 수는 없을까
스스로는 억센 파도로 다스리면서
제 몸은 맵고 모진 매로 채찍질하면서

– 신경림, 〈동해 바다–후포에서〉

● **맷방석** | 맷돌을 쓸 때 밑에 까는, 짚으로 만든 방석.

1 이 시의 화자에 대한 설명으로 적절한 것은?

① 화자는 작품에 직접 드러나 있지 않다.
② 화자는 바다를 바라보며 생각에 잠겨 있다.
③ 화자는 친구와 함께 동해를 여행하고 있다.

2 이 시에 나타난 화자의 정서와 태도로 적절하지 않은 것은?

① 남에게는 관대하고 자신에게는 엄격한 삶의 태도를 지향하고 있다.
② 친구의 작은 잘못을 매우 큰 잘못으로 인식하던 때를 반성하고 있다.
③ 동해 바다처럼 어떤 시련에도 굴하지 않는 의지를 지니겠다고 다짐하고 있다.

원리 02 시어·시구의 의미와 기능 파악하기

시를 쓸 때 시인은 자신의 의도에 맞게 일상 언어를 다듬어 독특한 의미를 부여한다. 이러한 과정을 거쳐 시어와 시구는 함축적 의미를 지니게 된다. 따라서 시어와 시구의 함축적 의미를 파악해야 시인의 의도와 본뜻을 알 수 있다.

📖 **중학교 국어 문학 영역** • 비유와 상징의 표현 효과를 바탕으로 작품을 수용하고 생산한다.

감상 원리 ▶ 시의 맥락과 연관 지어 주요 시어나 시구의 의미와 기능을 파악하자.

| 감상 방법

> 상징을 활용하면 추상적인 내용을 압축하여 전달할 수 있기 때문에 주요 시어는 상징적 의미를 띤 경우가 많아요.

❶ 주요 시어나 시구 찾기

시인이 작품의 내용을 함축적으로 표현하는 데 활용한 주요 시어나 시구를 찾는다. 즉 작품 속에서 시적 대상이나 시적 상황, 화자의 정서·태도와 관련되면서도, 사전적 의미만으로는 해석할 수 없는 시어나 시구를 찾아본다.

❷ 시의 맥락과 연관 지어 의미 파악하기

> 시어·시구의 앞뒤에 쓰인 표현을 살피거나, 다른 시어와의 의미 관계(⑩ 유의, 대조 등)를 단서로 하면, 시어나 시구의 의미를 쉽게 파악할 수 있어요.

동일한 시어·시구가 사용되었다 해도 시의 맥락에 따라 그 의미가 달라질 수 있다. 그러므로 ❶에서 찾은 시어·시구의 의미를 시의 맥락과 연관 지어 파악해 본다. 이때 시의 맥락은 화자, 시적 상황, 화자와 시적 대상의 관계, 어조나 분위기 등과 같은 내적 요소일 수도 있고, 시가 창작된 시대적 배경이나 시인의 삶과 같은 외적 요소일 수도 있다.

❸ 시어나 시구의 기능 파악하기

시어나 시구는 궁극적으로 주제를 효과적으로 표현하는 데 기여한다. 또한 시의 분위기를 조성하고, 화자의 정서·태도를 생생하게 전달하고, 운율을 형성하기도 한다. 따라서 시를 감상할 때에는 주요 시어나 시구가 작품 속에서 어떠한 기능을 하는지 파악해 본다.

원리 적용

● 감상 원리 02를 적용하여, 다음 시에 쓰인 시어의 의미와 기능을 파악해 보자.

💡 **도움말**
이 작품은 '공'을 통해 화자의 마음가짐을 표현하고 있는 현대시이다. 시의 내적 맥락을 고려하여 주요 시어인 '공'이 지닌 의미를 파악해 본다.

❷그래 살아 봐야지
　　삶에 대한 화자의 의지
너도나도 ❶공이 되어
　　　　주요 시어
❷떨어져도 튀는 공이 되어
　공의 특성 ①: 실패해도 다시 도전함.

살아 봐야지
❷쓰러지는 법이 없는 둥근
　공의 특성 ②: 결코 좌절하지 않고 굳건함.
공처럼, 탄력의 나라의

왕자처럼

가볍게 떠올라야지
❷곧 움직일 준비되어 있는 꼴
　공의 특성 ③: 언제든 움직일 준비가 되어 있음.
둥근 공이 되어

옳지 최선의 꼴

지금 네 모습처럼
떨어져도 튀어 오르는 공
쓰러지는 법이 없는 공이 되어

－ 정현종, 〈떨어져도 튀는 공처럼〉

❶ 이 시의 주요 시어는 '공'이다. '공'은 화자가 바라보는 시적 ❶(ㄷㅅ)이면서, '둥글게 만들어진 운동 기구'라는 사전적 의미만으로는 해석할 수 없는 시어이기 때문이다.

❷ '공'은 '그래 살아 봐야지 / 너도나도 공이 되어'라는 시구로 보아, 화자가 본받으려는 삶의 태도를 드러내는 시어임을 알 수 있다. 또 '공'은 '떨어져도 튀'고 '쓰러지는 법이 없는 둥'글며, '곧 움직일 준비되어 있'는 모습으로 그려진다. 이로 보아 '공'은 ❷(ㅅㅍ)나 어려움에도 좌절하지 않고 다시 일어서는 삶의 자세를 의미한다고 이해할 수 있다.

❸ 이 시에서는 '공'을 통해 실패나 어려움을 긍정적으로 이겨 내는 삶의 자세 추구라는 주제를 드러내고, ❸(ㅇㄷㅈ)이면서도 활기찬 시의 분위기를 조성하고 있다.

빈칸 답
❶ 대상 ❷ 실패 ❸ 역동적

바로 확인

정답과 해설 2쪽

도움말

이 작품은 박팽년이 상징적인 시어를 활용해 임금에 대한 자신의 마음을 표현한 시조이다. 시의 내적, 외적 맥락을 살펴 주요 시어의 의미를 파악해 본다.

까마귀 눈비 맞아 희는 듯 검노매라
야광명월(夜光明月)이 밤인들 어두우랴
㉠임 향한 일편단심(一片丹心)이야 변할 줄이 있으랴

– 박팽년, 〈까마귀 눈비 맞아〉

● **야광명월** ː 밤에 밝게 빛나는 달. 또는 밤에도 빛나는 구슬인 야광주와 명월주.

● **일편단심** ː 한 조각의 붉은 마음이라는 뜻으로, 진심에서 우러나오는 변치 아니하는 마음을 이르는 말.

1 이 시조에 쓰인 시어에 대해 이해로 적절하지 <u>않은</u> 것은?

① '까마귀'는 눈비라는 고통을 꿋꿋이 견디는 대상이다.

② '야광명월'은 밤에도 밝게 빛나는 긍정적인 대상이다.

③ '밤'은 어둡고 부정적인 현실 상황을 의미한다.

2 다음은 이 시조가 창작된 시대적 배경에 대한 설명이다. 이를 고려할 때, ㉠을 통해 화자가 궁극적으로 말하고자 한 바가 무엇인지 빈칸에 들어갈 알맞은 말을 쓰시오.

이 시조는 1455년 조선 초기, 수양 대군(세조)이 어린 조카인 단종의 왕위를 빼앗고 왕이 된 역사적 상황을 배경으로 하여 창작되었다. 이때 세조의 왕위 찬탈에 동조한 이들도 있었지만 그렇지 않은 사람들도 있었는데, 작가인 박팽년은 후자에 속했던 인물이다. 그는 성삼문 등과 함께 단종의 복위 운동을 펼치다가 결국 감옥에서 죽게 되었다.

➡ (   )을 향한 (   )은 결코 변하지 않을 것이다.

원리 03 표현상 특징 파악하기 _ 운율, 심상, 수사법

시를 쓸 때 시인은 머릿속에 떠오르는 생각(시상)을 시의 언어로 표현하는 과정을 거친다. 이때 시인은 시상을 효과적으로 드러내기 위해 운율, 심상, 수사법 등 여러 가지 표현 방법을 사용한다.

📖 **중학교 국어 문학 영역** • 자신의 가치 있는 경험을 개성적인 발상과 표현으로 형상화한다.

감상 원리 시어·시구에 나타난 표현상 특징과 그 표현으로 강조되는 의미를 파악하자.

| 감상 방법

❶ 시어·시구에 나타난 표현상 특징 파악하기

(1) **운율**: 운율은 시를 읽을 때 느껴지는 말의 가락을 의미하는데, 주로 같거나 비슷한 소리가 반복될 때 형성된다. 따라서 작품에서 규칙적으로 반복되는 부분을 찾아 운율을 파악하면 된다.⊕

⊕ **운율 형성 방법**
- 음운, 음절
- 시어, 시구, 시행 ⎱ 반복
- 문장 구조
- 글자 수
- 음보 (호흡의 단위)

(2) **심상(이미지)**: 심상(이미지)은 시를 읽을 때 마음속이나 머릿속에 떠오르는 영상이나 감각을 이른다. 특히 인간의 오감과 관련된 심상을 감각적 심상이라고 한다. 시어나 시구가 오감 중 어떤 감각을 불러일으키는지, 이를 통해 어떤 대상을 생생하게 표현하는지 살펴 작품에 쓰인 감각적 심상을 파악해 본다.

개념➕ 감각적 심상의 종류와 예

시각적 심상	청각적 심상	촉각적 심상	후각적 심상	미각적 심상
새빨간 노을	새가 슬피 운다	서느런 옷자락	매화 향기 아득하니	눈물은 왜 짠가

(3) **수사법**: 시인은 자신만의 독특한 개성을 발휘하여 시의 언어나 표현을 꾸미는데, 이를 수사법이라 한다. 수사법의 종류와 그 쓰임을 이해한 뒤, 작품에 쓰인 수사법을 파악해 본다.

개념➕ 작품에 자주 등장하는 수사법

⊕ **원관념과 보조 관념**
- **원관념**: 비유를 통해 표현하고자 하는 대상.
- **보조 관념**: 원관념을 표현하기 위해 빗댄 대상.

📋 쟁반같이 둥근 달
보조 관념 · · · · 원관념

비유	직유법	'~처럼, ~같이, ~듯이' 등의 표현을 통해 원관념을 보조 관념에 직접 빗대어 표현하는 방법.⊕ 📋 쟁반같이 둥근 달
	은유법	'A는 B이다.'와 같은 형식으로 원관념을 보조 관념과 동일한 것처럼 표현하는 방법. 📋 사랑은 날아가는 파랑새
	의인법	사람이 아닌 대상을 사람이 행동하는 것처럼 표현하는 방법. 📋 꽃이 아프다고 외친다.
	영탄법	놀라움, 기쁨, 슬픔 등과 같은 감정을 감탄의 형태로 표현하는 방법. 📋 아아, 늬는 산새처럼 날아갔구나!
	설의법	쉽게 판단할 수 있는 사실을 일부러 의문문의 형식으로 표현하는 방법. 📋 가난하다고 해서 사랑을 모르겠는가
	반어법	원래 표현하려는 의미와 반대로 표현하는 방법. 📋 나는 누워서 편히 지냈다 / 사랑하는 사람을 잃어버린 이 겨울
	역설법	겉보기에는 모순되는 표현처럼 보이지만, 그 속에 중요한 진실을 담고 있는 표현 방법. 📋 찬란한 슬픔의 봄 → '봄이 주는 아름다움, 봄이 짧음에서 오는 슬픔'을 표현함.

❷ 표현에 담긴 의미와 효과 파악하기

❶에서 파악한 표현상 특징이 작품 속에서 어떠한 기능을 하는지 파악해 본다. 각각의 표현이 의미하는 바가 무엇인지, 작품의 내용을 인상적이고 참신하게 표현하였는지, 작품의 주제를 전달하는 데 어떤 역할을 하는지 등을 중점적으로 살펴 시인의 의도를 짐작해 본다.

개념➕ 표현 방법의 사용 효과 → 궁극적으로는 주제를 전달함.

운율	• 시에 규칙적인 질서를 부여하여 리듬감을 느끼게 함. • 낭송의 호흡을 조절하거나 특정 내용을 강조함.
심상	시적 대상, 시적 상황, 시의 정서나 분위기를 구체적으로 형성함. 예 밤 → 어두운 시각적 이미지로 부정적 상황이나 분위기를 드러내는 경우가 많음.
수사법	시적 상황을 참신하게 드러내고, 화자의 정서와 태도를 강조함.

원리 적용

● 감상 원리 03을 적용하여, 다음 시에 쓰인 표현상 특징과 효과를 파악해 보자.

열무 삼십 단을 이고
시장에 간 우리 엄마
안 오시네, 해는 시든 지 오래
　　　　　시각적 심상
나는 찬밥처럼 방에 담겨
　　촉각적 심상
아무리 천천히 숙제를 해도
엄마 안 오시네, 배춧잎 같은 발소리 타
　　　　　　　　　청각적 심상
박타박
안 들리네, 어둡고 무서워
금 간 창틈으로 고요히 빗소리
시각적 심상　　　청각적 심상
빈방에 혼자 엎드려 훌쩍거리던
시각적 심상　　　　　청각적 심상

아주 먼 옛날
지금도 내 눈시울을 뜨겁게 하는
그 시절, 내 유년의 윗목
　　　　　　촉각적 심상

■ : 시구 반복 → 운율 형성
■ : 비유법

– 기형도, 〈엄마 걱정〉

도움말

이 작품은 감각적 심상과 비유의 활용이 돋보이는 현대시이다. 시어나 시구에 어떠한 표현 방법이 사용되었는지 확인하고, 이를 통해 어떤 내용이 강조되는지 파악해 본다.

● **유년** : 나이가 어린 때.
● **윗목** : 온돌방에서 아궁이로부터 먼 쪽의 방바닥. 불길이 잘 닿지 않아 아랫목보다 상대적으로 차가움.

❶ • 운율: 시구 '안 오시네', 이와 유사한 '안 들리네'를 ❶(ㅂㅂ)하여 운율을 형성한다.
　• 심상: '해는 시든 지 오래', '금 간 창틈', '빈방'에는 시각적 심상이, '찬밥', '눈시울을 뜨겁게 하는', '윗목'에는 ❷(ㅊㄱ)적 심상이, '발소리 타박타박', '고요히 빗소리', '훌쩍거리던'에는 청각적 심상이 느껴진다.
　• 수사법: '나는 찬밥처럼', '배춧잎 같은 발소리'에는 ❸(ㅈㅇ)법이, '내 유년의 윗목'에는 은유법이 쓰였다.

❷ 같거나 비슷한 시구를 반복하고, 감각적 심상과 비유법을 사용함으로써 어린 시절에 엄마를 기다리던 화자의 처지와 정서를 생생하고 구체적으로 드러내고 있다. 이를 통해 '가난하고 외로웠던 어린 시절을 떠올리며 느끼는 ❹(ㅅㅍ)'이라는 주제가 효과적으로 드러나며, 외롭고 슬픈 분위기가 형성되고 있다.

빈칸 답
❶ 반복 ❷ 촉각 ❸ 직유 ❹ 슬픔

정답과 해설 2쪽

○높은 가지를 흔드는 매미 소리에 묻혀
내 울음 아직은 노래 아니다.

○차가운 바닥 위에 토하는 울음,
풀잎 없고 이슬 한 방울 내리지 않는
○지하도 콘크리트 벽 좁은 틈에서
숨 막힐 듯, 그러나 나 여기 살아 있다
귀뚜르르 뚜르르 보내는 타전°소리가
누구의 마음 하나 울릴 수 있을까.

지금은 매미 떼가 하늘을 찌르는 시절
그 소리 걷히고 맑은 가을이
어린 풀숲 위에 내려와 뒤척이기도 하고
계단을 타고 이 땅 밑까지 내려오는 날
발길에 눌려 우는 내 울음도
누군가의 가슴에 실려 가는 노래일 수 있을까.

– 나희덕, 〈귀뚜라미〉

● 타전 | 전보(전기 신호를 이용한 통
신이나 통보)나 무전(전파를 이용
하여 전기 신호를 주고받는 통신
방식을 침.

1 이 시에서 **운율을 형성하는 방법**으로 적절하지 <u>않은</u> 것은?

① 동일한 시어를 반복하고 있다.
② 음보를 규칙적으로 반복하고 있다.
③ 비슷한 문장 구조를 반복하고 있다.

2 ○~○에 대한 이해로 적절한 것은?

① ○: 청각적 심상을 활용해 화자의 소망을 드러내고 있다.
② ○: 촉각적 심상을 활용해 화자의 고달픈 처지를 부각하고 있다.
③ ○: 시각적 심상을 활용해 생기 넘치고 활기찬 분위기를 조성하고 있다.

3 이 시의 **표현상 특징**으로 적절하지 <u>않은</u> 것은?

① 영탄법을 사용하여 화자의 기대감을 드러내고 있다.
② 자연물을 사람처럼 표현하여 주제 의식을 표현하고 있다.
③ '매미'와의 대조를 통해 화자의 열악한 처지를 강조하고 있다.

04 표현상 특징 파악하기 _ 시상 전개 방식

시를 쓸 때 시인은 여러 시어·시구를 한 편의 시로 조직하는 과정도 거친다. 이때 시인은 행과 연을 나누고, 시어나 시구를 일정한 질서에 따라 규칙적으로 배열하여 시의 구조를 만든다.

감상 원리 시 전체에서 변화하는 내용을 살펴 시상 전개 방식의 특징과 효과를 파악하자.

| 감상 방법

> 한 작품에 여러 가지 시상 전개 방식이 쓰일 수도 있어요. 예를 들어 화자가 공간을 옮겨 다니면서 시상을 전개하는 경우에는 시간도 필연적으로 흐르기 때문에 시간의 흐름에 따른 시상 전개 방식도 나타나게 되지요.

❶ 시상 전개 방식의 특징 파악하기

작품의 내용이 어떤 질서나 규칙에 따라 전개되는지 파악해야 한다. 시상 전개 방식은 변화와 관련이 깊다. 따라서 시가 전개되면서 공간, 시간, 시선, 화자의 정서나 태도 등이 변화하는 부분에 주목하여 시상 전개 방식의 특징을 파악해 본다.

개념➕ 대표적인 시상 전개 방식의 유형

시간의 흐름	시간의 변화, 계절의 순환, 시대의 흐름 등 시간의 흐름에 따라 시상을 전개하는 방식. 자연적인 시간의 흐름을 따르는 순행적 구성 방식(예 과거 → 현재)과, 시간의 흐름이 뒤바뀐 역순행적 구성 방식(예 현재 → 과거)이 있음.
공간의 이동	화자가 공간을 옮겨 다니면서 시상을 전개하는 방식. 예 A 장소 → B 장소
시선의 이동	화자는 한 공간에 있으면서, 화자의 시선이 이동함에 따라 시상을 전개하는 방식. 예 가까운 곳 ⇄ 먼 곳, 왼쪽 ⇄ 오른쪽, 위 ⇄ 아래
대비	이미지나 의미가 서로 대조되는 시어를 배치하여 그 둘의 대립 관계를 중심으로 시상을 전개하는 방식. 예 낮(밝은 이미지)-밤(어두운 이미지)
수미상관	시의 처음과 끝에 동일하거나 유사한 시구를 반복하는 시상 전개 방식.

❷ 시상 전개 방식의 효과 파악하기

시상 전개 방식을 통해 시인이 표현하려는 생각이나 정서가 효과적으로 드러난다. 그러므로 ❶에서 파악한 시상 전개 방식이 작품의 주제를 구현하고, 화자의 정서와 태도를 드러내는 데 어떤 역할을 하는지 살펴본다.

원리 적용

● 감상 원리 04를 적용하여, 다음 시에 쓰인 시상 전개 방식을 파악해 보자.

꽃가루와 같이 부드러운 ❶고양이의 털에
▓ : 관찰 대상
❷고운 봄의 향기가 어리우도다.
▓ : 고양이의 각 부분에서 떠올린 봄의 분위기

금방울과 같이 호동그란 ❶고양이의 눈에
❷미친 봄의 불길이 흐르도다.

고요히 다문 ❶고양이의 입술에
❷포근한 봄 졸음이 떠돌아라.

날카롭게 쭉 뻗은 ❶고양이의 수염에
❷푸른 봄의 생기가 뛰놀아라.

- 이장희, 〈봄은 고양이로다〉

🔍 **도움말**

이 작품은 매 연마다 고양이의 부위와 그로 인해 연상되는 봄의 분위기를 제시하고 있다. 시 전체적으로 변화하는 내용에 주목하여 이 작품에 쓰인 시상 전개 방식의 특징을 파악해 본다.

빈칸 답
❶ 시선 ❷ 동적 ❸ 분위기

도움말

　이 작품은 화자의 심리 변화를
크게 세 부분으로 나누어 제시하
고 있다. 규칙적으로 반복되는
시어가 있는지 살피고, 시 전체
적으로 변화하는 내용 요소를 파
악하여 시상 전개 방식의 특징을
살펴본다.

바로 확인

정답과 해설 3쪽

죽는 날까지 하늘을 우러러
한 점 부끄럼이 없기를,
잎새에 이는 바람에도
나는 괴로워했다.
별을 노래하는 마음으로
모든 죽어 가는 것을 사랑해야지.
그리고 나한테 주어진 길을
걸어가야겠다.

오늘 밤에도 별이 바람에 스치운다.

– 윤동주, 〈서시(序詩)〉

1 다음은 이 시의 시상 전개 방식을 정리한 것이다. ㉠, ㉡에 들어갈 알맞은 말을 쓰시오.

[1연] 1행~4행		[1연] 5행~8행		[2연]
부끄러움이 없는 삶을 소망하며 끊임없이 괴로워했던 화자의 모습	➡	자신에게 주어진 길을 걸어가겠다고 다짐하는 화자의 모습	➡	오늘 밤에도 별이 바람에 스치는 모습
과거		㉠		㉡

2 이 시에 나타난 시상 전개 방식의 특징으로 적절하지 <u>않은</u> 것은?

① 시간의 이동에 따라 삶에 대한 화자의 고뇌와 의지를 표현하고 있다.
② 과거와 미래의 모습을 대비하여 화자의 소망이 변화했음을 드러내고 있다.
③ 의미상 대조되는 시어를 사용하여 화자가 처한 시적 상황을 제시하고 있다.

원리

05 다양한 관점으로 작품 감상하기

문학 작품은 창작 주체인 '작가'와 작품을 수용하는 '독자'와의 관계 속에서 존재한다. 또 문학 작품에는 창작 당시의 사회·문화적 상황이 반영되기도 한다. 이와 같은 작품의 소통 구조를 고려하여 문학 작품의 의미를 파악하면 작품을 좀 더 깊이 있게 감상할 수 있다.

중학교 국어 문학 영역 · 근거의 차이에 따른 다양한 해석을 비교하며 작품을 감상한다.

감상 원리 다양한 관점으로 작품의 주제를 파악해 보자.

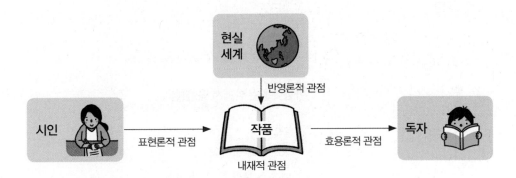

| 감상 방법

❶ 내재적 관점으로 읽기

내재적 감상은 작품 자체의 내적 특성에만 주목하여 작품을 감상하는 방법이다. 즉, 감상 원리 01~04에서 파악했던 화자의 정서·태도, 시어·시구의 의미, 표현 방법, 시상 전개 방식 등과 같이 작품을 구성하는 내적 요소를 중심으로 작품을 감상해 본다.

❷ 외재적 관점으로 읽기

외재적 감상은 작품의 외부에 있는 요소(시인, 현실 세계, 독자)를 고려해 작품을 감상하는 방법이다. 따라서 작품을 창작한 시인의 삶은 어떠했는지, 작품이 어떤 시대적 상황에서 창작되었는지, 독자는 작품을 통해 어떤 교훈을 얻을 수 있는지를 고려하여 작품을 감상해 본다.

개념+ 외재적 감상의 유형

표현론	시인의 생애와 사상, 시적 경향, 창작 동기 등과 관련지어 작품을 감상하는 방법.
반영론	작품이 창작된 시기의 시대적·사회적 상황을 고려하여 감상하는 방법.
효용론	작품이 독자에게 미치는 영향, 독자의 반응이나 평가, 교훈 등을 중심으로 감상하는 방법.

❸ 종합적으로 주제 파악하기

주제는 작품을 통해 시인이 독자에게 궁극적으로 전달하려는 바이므로, ❶에서 감상한 내용과 ❷에서 감상한 내용을 종합하여 작품에 드러난 주제를 정리해 본다. 특히 시는 상징 등을 활용하여 의미를 압축적으로 드러내므로, 특정한 시인의 삶이나 시대적 상황과 밀접한 관련이 있는 작품의 경우에는 작품의 외적 요소를 함께 고려하여 주제를 파악해야 한다.

● 감상 원리 05를 적용하여, 다음 시를 다양한 관점으로 감상해 보자.

도움말

이 작품은 '겨울', '봄'이라는 상징적 시어를 사용하여 평화적인 통일을 바라는 화자의 소망을 드러내고 있는 현대시이다. 작품의 내적 요소, 외적 요소를 종합적으로 고려하여 작품의 주제를 파악해 본다.

봄은

남해에서도 북녘에서도
└ 우리나라 밖(외세)┘
오지 않는다.

너그럽고

빛나는

봄의 그 눈짓은,

제주에서 두만까지
우리나라의 최남단과 최북단 → 우리나라 전체를 비유함.
우리가 디딘
화자
아름다운 논밭에서 <u>움튼다</u>.
: 봄이 올 것을 단정적으로 표현함.

겨울은,
시적 상황. 남북 분단의 현실
바다와 대륙 밖에서
우리나라 밖(외세)
그 매운 눈보라 몰고 왔지만

이제 올
┌ 화자가 바라는 상황. 통일의 시대
너그러운 봄은, 삼천리 마을마다
우리나라 전체를 비유함.
우리들 가슴속에서 / <u>움트리라</u>.

움터서,

강산을 덮은 그 미움의 쇠붙이들
우리나라를 덮은 부정적인 대상
눈 녹이듯 흐물흐물

<u>녹여 버리겠지.</u>

– 신동엽, 〈봄은〉

두만 | 우리나라 동북부를 흐르는 강. 백두산에서 시작하여 동해로 흘러 들어간다.

삼천리 | 함경북도의 북쪽 끝에서 제주도의 남쪽 끝까지 삼천 리 정도 된다고 하여, 우리나라 전체를 비유적으로 이르는 말.

❶ 이 시의 화자는 '겨울'이 바다와 대륙 밖에서 매운 눈보라 몰고 온 부정적 상황에서 '너그러운 ❶(ㅂ)'이 올 것임을 확신하는 태도를 보이고 있다. 이러한 내용을 효과적으로 전달하기 위해 '겨울'과 '봄'을 대립시켜 시상을 전개하고, '움튼다', '이제 올' 등과 같은 표현을 사용하여 ❷(ㄷㅈㅈ)인 어조로 화자 자신의 믿음을 강조하고 있다.

❷ 이 시를 쓴 신동엽 시인은 외세에 저항하고, 민족의 자주성을 회복할 것을 노래하는 작품을 많이 썼다. 이 시가 창작된 당시에는 남북한 모두 정권을 유지하기 위해 서로를 불신하고 적대적으로 대했다. 이를 고려할 때, 이 시에는 분단 현실을 비판하고 자주적인 ❸(ㅌㅇ)이 이루어지길 바라는 시인의 생각이 반영되어 있다고 해석할 수 있다.

❸ 이 시에서 화자는 계절이 순환하는 것처럼 '겨울'이 가고 '봄'이 오기를 소망하고 있다. 시어 '겨울'과 '봄'을 창작 당시의 시대적 상황을 고려하여 해석하면, '겨울'은 남북한이 분단된 상황을, '봄'은 민족 통일을 의미한다. 따라서 이 시의 주제는 자주적이고 평화적인 통일에 대한 ❹(ㅅㅁ)이라고 정리할 수 있다.

빈칸 답
❶ 봄 ❷ 단정적 ❸ 통일 ❹ 소망

💡 도움말

　이 작품은 거미 가족이 뿔뿔이 흩어진 상황을 통해 일제 강점기에 우리 민족이 겪은 비극적 상황을 형상화하고 있는 현대시이다. 내재적 관점과 외재적 관점을 활용해 작품을 종합적으로 감상해 본다.

거미 새끼 하나 방바닥에 나린 것을 나는 아무 생각 없이 문밖으로 쓸어 버린다

차디찬 밤이다

언제인가 새끼 거미 쓸려 나간 곳에 큰 거미가 왔다

나는 가슴이 짜릿한다

나는 또 큰 거미를 쓸어 문밖으로 버리며

찬 밖이라도 새끼 있는 데로 가라고 하며 서러워한다

이렇게 해서 아린 가슴이 싹기도 전이다

어데서 좁쌀알만 한 알에서 가제 깨인 듯한 발이 채 서지도 못한 무척 작은 새끼 거미가 이번엔 큰 거미 없어진 곳으로 와서 아물거린다

나는 가슴이 메이는 듯하다

내 손에 오르기라도 하라고 나는 손을 내어미나 분명히 울고불고 할 이 작은 것은 나를 무서우이 달아나 버리며 나를 서럽게 한다

나는 이 작은 것을 고이 보드러운 종이에 받어 또 문밖으로 버리며

이것의 엄마와 누나나 형이 가까이 이것의 걱정을 하며 있다가 쉬이 만나기나 했으면 좋으련만 하고 슬퍼한다

– 백석, 〈수라(修羅)〉

● **싹다** ｜ '삭다'의 방언. 긴장이나 화가 풀려 마음이 가라앉다.
● **가제** ｜ '갓', '방금'의 평안도 방언.
● **아물거리다** ｜ 작거나 희미한 것이 보일 듯 말 듯하게 조금씩 자꾸 움직이다.
● **수라** ｜ 아수라의 줄임말로, 불교에서 싸우기 좋아하는 신을 의미한다. 여기서는 혼란스럽고 어지러운 상태에 빠진 곳이나 그러한 상태를 비유하는 말로 쓰인다.

1 이 시를 내재적 관점에서 감상한 내용으로 적절하지 <u>않은</u> 것은?

① 시적 대상을 의인화하여 주제 의식을 강조하고 있다.

② 시간의 흐름에 따라 변화하는 화자의 정서를 드러내고 있다.

③ 반복적인 행위를 통해 화자의 현실 극복 의지를 부각하고 있다.

2 이 시에 대한 선생님의 설명을 참고하여, ㉠, ㉡에 들어갈 알맞은 학생의 말을 쓰시오.

선생님: 이 시의 제목인 '수라'는 '아수라'의 줄임말로, 싸움 등의 일로 큰 혼란을 겪는 상태를 뜻해요. 이 시가 창작된 1930년대에는 일제의 탄압으로 인해 우리 민족은 흩어져 살거나 고향을 떠나야만 했습니다. 이를 고려할 때 이 시의 제목인 '수라'와 '거미'가 의미하는 것은 무엇일까요?

학생: '수라'는 끔찍한 (　㉠　)의 상황을, '거미'는 가족이 해체된 (　㉡　)을 의미합니다.

실전

01 진달래꽃 | 김소월

∞ 교과서 **중2** _ 지학사, 동아 **중3** _ 창비, 교학사
고1 _ 비상(박안), 천재(박), 동아 외 4

이 작품은 '진달래꽃'을 소재로 하여 임에 대한 화자의 정서를 표현하고 있는 현대시이다. 임을 떠나보내는 화자의 말에 담긴 속마음은 무엇일지 추측하며 작품을 읽어 보자.

 핵심 짚기

● **화자와 시적 상황**
· 화자: 나
· 시적 대상: '나'를 떠나는 임
· 시적 상황: '나'가 '임'과 이별하는 상황을 ❶ㄱㅈ 하고 있음.

● **시어의 상징적 의미**

진달래꽃	· 화자의 ❷ㅂㅅ · 임에 대한 화자의 헌신적 사랑

● **표현상 특징**
· ❸ㅂㅇㅂ 을 써서 임과의 이별로 슬픈 화자의 속마음을 반대로 표현함.
· 7·5조, 3음보 율격, 종결 어미의 반복, 수미상관 구조 등을 통해 운율을 형성함.

⌐ 빈칸 답
❶ 가정 ❷ 분신 ❸ 반어법

나 보기가 역겨워°
가실 때에는
말없이 고이 보내 드리우리다

영변(寧邊)에 약산(藥山)°
[진달래꽃]
아름° 따다 가실 길에 뿌리우리다

가시는 걸음걸음
놓인 그 꽃을
사뿐히° 즈려밟고° 가시옵소서

나 보기가 역겨워
가실 때에는
죽어도 아니 눈물 흘리우리다

● **역겹다** | 역정이 나거나 속에 거슬리게 싫다.
● **약산** | 평안북도 영변 서쪽에 있는 산으로, 진달래가 곱기로 유명하다.
● **아름** | 두 팔을 벌려 껴안은 둘레의 길이.
● **사뿐히** | 소리가 나지 아니할 정도로 가볍게 발을 내디디는 모양.
● **즈려밟다** | '지르밟다'의 방언형. 위에서 내리눌러 밟다.

화자의 정서와 태도 파악
하기

1

이 시의 화자에 대한 설명으로 적절하지 않은 것은?

① 임이 떠나는 상황을 가정하고 있다.

② 미래에 임과 재회하기를 소망하고 있다.

③ 이별의 상황에 체념하는 모습을 보이고 있다.

④ 이별의 슬픔을 절제하는 태도를 보이고 있다.

⑤ 임을 위해 자신을 희생하려는 자세를 드러내고 있다.

시어의 의미와 기능 파악
하기

2

시어 진달래꽃 의 의미와 기능으로 적절하지 않은 것은?

① 화자의 분신과도 같은 자연물이다.

② 임을 향한 화자의 헌신적인 사랑을 상징한다.

③ 색채 대비를 통해 애상적 분위기를 강화한다.

④ 떠나는 임을 축복하는 화자의 자세를 드러낸다.

⑤ 구체적 지명과 연결되어 향토적 분위기를 자아낸다.

● **애상적** | 슬퍼하거나 가슴 아파
  하는.
● **향토적** | 고향이나 시골의 정취
  가 담긴.

운율 파악하기

3

고난도

이 시에 나타난 운율의 특성으로 적절하지 않은 것은?

① 전체적으로 4음보 율격이 나타나 있다.

② 대체로 7글자, 5글자의 배열이 반복되고 있다.

③ 수미상관의 구조를 통해 주제를 강조하고 있다.

④ 종결 어미 '-우리다'의 반복을 통해 운율을 형성하고 있다.

⑤ 행에 따라 호흡의 속도를 조절하여 리듬에 변화를 주고 있다.

➕ **운율**
  운율은 같거나 비슷한 음운,
단어, 구절, 문장 구조의 반복, 일
정한 음절 수의 반복, 일정한 음
보의 반복을 통해 형성된다.

시구의 의미와 표현상 특
징 파악하기

4

주관식

다음은 이 시의 4연에 대한 설명이다. ⓐ, ⓑ에 들어갈 알맞은 내용을 각각 쓰시오.

(단, ⓐ는 한 단어, ⓑ는 세 어절로 쓸 것.)

> 4연에서 '죽어도 아니 눈물 흘리우리다'라는 화자의 말은 임이 떠나면 몹시 슬프고 고통
> 스러울 것이라는 속마음을 (ⓐ)을 사용하여 나타낸 것이다. 이는 (ⓑ)
> 을/를 바라는 화자의 간절함을 드러내는 말이자, 이별의 슬픔을 참고 견디겠다는 다짐을
> 나타내는 말이라고 이해할 수 있다.

💡 **도움말**
  화자가 처한 상황을 고려하여
시구에 담긴 화자의 속마음을 짐
작해 본다.

구성

1연 — 이별의 상황에 대한 체념

2연 — 떠나는 임에 대한 축복

3연 — 임에 대한 희생적 사랑

4연 — 이별의 슬픔에 대한 승화
어떤 현상이 더 높은 수준으로 발전하는 일.

'진달래꽃'의 상징적 의미

'진달래꽃'은 단순한 자연물이 아니라 화자의 분신이자 임에 대한 화자의 헌신적 사랑을 형상화한 대상이다. 즉, 임에 대한 화자의 아름답고 강렬한 사랑을 시각화한 것으로, 떠나는 임에 대한 원망과 이별의 슬픔을 나타내며, 끝까지 임에게 헌신하려는 화자의 순종을 상징한다.

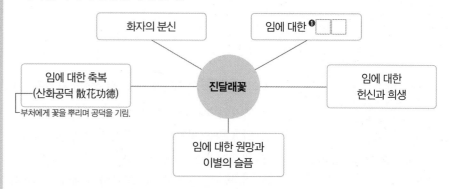

화자의 분신

임에 대한 ❶☐☐

임에 대한 축복
(산화공덕 散花功德)
부처에게 꽃을 뿌리며 공덕을 기림.

진달래꽃

임에 대한
헌신과 희생

임에 대한 원망과
이별의 슬픔

해제

이 작품은 '진달래꽃'을 통해 임에 대한 화자의 사랑과 이별의 슬픔을 노래하고 있는 현대시이다. 화자는 이별을 가정한 상황에서 체념과 수용, 임에 대한 축복과 자기희생, 인내 등의 태도를 보이고 있다. 또한 반어적 표현을 통해 자신의 속마음을 효과적으로 드러내고 있다.

반어적 표현의 효과

1연과 4연에서 화자는 임이 자신을 떠나는 것이 매우 슬프지만 겉으로는 임을 말없이 고이 보내고 절대로 눈물을 흘리지 않겠다고 하며 자신의 속마음과 반대로 표현하고 있다. 화자는 이러한 반어적 표현을 사용하여 이별의 슬픔을 강조하고 있다.

반어적 표현
말없이 고이 보내 드리우리다 (1연), 죽어도 아니 눈물 흘리우리다 (4연)

▼

효과
• 화자의 슬픔과 고통을 더 강하게 드러냄. • 임과의 이별을 수용하고 슬픔을 ❷☐☐하는 자세를 보여 줌.

운율을 형성하는 요소

• 7·5조, 3음보 율격 • 종결 어미 '–❸☐☐☐'의 반복 사용 • 1연과 4연이 서로 대응되는 수미상관 구조

▶ 운율 형성, 주제 강조

주제

이별의 슬픔과 승화

빈칸 답 ❶ 사랑 ❷ 절제/인내 ❸ 우리다

1 다음 뜻에 해당하는 단어를 말 상자에서 찾아 표시하시오.

(1) 두 팔을 벌려 껴안은 둘레의 길이.

(2) 역정이 나거나 속에 거슬리게 싫다.

(3) '지르밟다'의 방언형. 위에서 내리눌러 밟다.

(4) 소리가 나지 아니할 정도로 가볍게 발을 내디디는 모양.

(5) 산간 양지에서 4월에 자라는 꽃으로, 높이는 2~3m이며 분홍색 꽃이 잎보다 먼저 가지 끝에 핀다.

진	사	뿐	히	죽
미	달	갑	다	즈
터	전	래	발	려
아	들	레	꽃	밟
름	산	역	겹	다

2 다음 뜻을 참고하여, 예의 빈칸에 들어갈 단어를 〈보기〉에서 찾아 과거형으로 쓰시오.

● 보기 ●

순종하다   인내하다   절제하다   체념하다   축복하다   헌신하다

(1) 행복을 빌다.
　　예 많은 사람들이 모여 두 사람의 결혼을 (　　　　　).

(2) 희망을 버리고 아주 단념하다.
　　예 그는 판결이 내려지는 순간 모든 것을 (　　　　　).

(3) 괴로움이나 어려움을 참고 견디다.
　　예 그는 영광의 오늘을 기다리며 고통을 (　　　　　).

(4) 몸과 마음을 바쳐 있는 힘을 다하다.
　　예 그는 의사가 되어 평생 가난하고 병든 사람들을 위하여 (　　　　　).

어휘 ➕ 화자의 태도와 관련된 한자 성어

3 다음 시구에 나타난 화자의 태도와 관련된 한자 성어를 찾아 연결하시오.

(1) ┌ 진달래꽃 / 아름 따다 가실 길에 뿌리우리다 ┐　·　　·① ┌ 애이불비(哀而不悲): 슬프지만 겉으로는 슬픔을 나타내지 아니함. ┐

(2) ┌ 죽어도 아니 눈물 흘리우리다 ┐　·　　·② ┌ 산화공덕(散花功德): 부처에게 꽃을 뿌리며 공덕을 기림. ┐

실전

02 나룻배와 행인 | 한용운

∞ 교과서 중2 _ 천재(박), 교학사 중3 _ 금성

이 작품은 '나'와 '당신'의 관계를 '나룻배'와 '행인'의 관계에 빗대어 표현하고 있는 현대시이다. 화자가 처한 상황을 파악하고 '당신'의 의미, '나'와 '당신'이 보이는 상반된 태도에 주목하며 작품을 읽어 보자.

✎ 핵심 짚기

● **화자와 시적 상황**
· 화자: 나. ❶ ㄴ ㄹ ㅂ
· 시적 대상: 당신. 행인
· 시적 상황: '나'가 '당신'을 계속 기다리고 있음.

● **시어의 상징적 의미**

급한 여울, 바람, 눈비
❷ ㅅ ㄹ , 고난, 역경

● **표현상 특징**
· '나는 나룻배', '당신은 행인'과 같이 ❸ ㅇ ㅇ 법을 사용하여 화자와 시적 대상을 빗대어 표현함.
· 수미상관 구조로 이루어짐.

빈칸 답
❶ 나룻배 ❷ 시련 ❸ 은유

나는 나룻배
당신은 행인.

당신은 흙발로 나를 짓밟습니다.
나는 당신을 안고 물을 건너갑니다.
㉠나는 당신을 안으면 깊으나 옅으나 급한 여울이나 건너갑니다.

만일 당신이 아니 오시면 나는 바람을 쐬고 눈비를 맞으며 밤에서 낮까지 당신을 기다리고 있습니다.
당신은 물만 건너면 나를 돌아보지도 않고 가십니다그려.
그러나 당신이 언제든지 오실 줄만은 알아요.
나는 당신을 기다리면서 날마다 날마다 낡아 갑니다.

나는 나룻배
당신은 행인.

● **행인** | 길을 가는 사람.
● **여울** | 강이나 바다 따위의 바닥이 얕거나 폭이 좁아 물살이 세게 흐르는 곳.

표현상 특징 파악하기

1 이 시에 대한 설명으로 적절하지 <u>않은</u> 것은?

① '-ㅂ니다'를 반복하여 운율을 형성하고 있다.
② 상징적 시어를 통해 시적 의미를 전달하고 있다.
③ 1연과 4연을 반복하여 주제 의식을 강조하고 있다.
④ 설의적 표현을 활용하여 화자의 의지를 부각하고 있다.
⑤ 은유법을 사용하여 화자와 시적 대상의 관계를 표현하고 있다.

화자의 정서와 태도 파악하기 **2**

이 시의 화자에 대한 설명으로 가장 적절한 것은?

① 자신을 함부로 대하는 '당신'을 원망하고 있다.
② '당신'이 겪는 고통을 함께 나누기를 바라고 있다.
③ '당신'이 영영 돌아오지 않을까 봐 걱정하고 있다.
④ '당신'이 자신의 마음을 알아주지 않는 것에 괴로워하고 있다.
⑤ '당신'의 무심한 태도에도 불구하고 절대적인 믿음을 보이고 있다.

화자의 태도 파악하기 **3**

㉠에 나타난 화자의 태도와 가장 유사한 것은?

① 강나루 건너서 / 밀밭 길을 //
　　구름에 달 가듯이 / 가는 나그네　　　　　　　　　　　　　　– 박목월, 〈나그네〉에서

② 모가지를 드리우고 / 꽃처럼 피어나는 피를 //
　　어두워가는 하늘 밑에 / 조용히 흘리겠습니다.　　　　　　– 윤동주, 〈십자가〉에서

③ 구름이 꼬인다 갈 리 있소. / 새 노래는 공으로 들으랴오.
　　강냉이가 익걸랑 / 함께 와 자셔도 좋소.　　　　　– 김상용, 〈남으로 창을 내겠소〉에서

④ 돌담에 속삭이는 햇발같이 / 풀 아래 웃음짓는 샘물같이
　　내 마음 고요히 고운 봄 길 위에 / 오늘 하루 하늘을 우러르고 싶다.
　　　　　　　　　　　　　　　　　　　　　　　　　– 김영랑, 〈돌담에 속삭이는 햇발〉에서

⑤ 님이여, 당신은 백 번이나 단련한 금(金)결입니다.
　　뽕나무 뿌리가 산호(珊瑚)가 되도록 천국(天國)의 사랑을 받읍소서.
　　　　　　　　　　　　　　　　　　　　　　　　　　　　　– 한용운, 〈찬송〉에서

외재적 관점으로 감상하기 **4**

💡 **도움말**
일제 강점기 당시 시인의 삶에 주목하여 시어의 의미, 주제 등을 해석해 본다.

[고난도]

〈보기〉는 이 시를 쓴 시인에 대한 설명이다. 밑줄 친 부분에 주목하여 이 시를 감상한 내용으로 적절하지 않은 것은?

> ● 보기 ●
>
> 　　만해 한용운(1879~1944)은 독립운동가 겸 승려이자, 시인이다. 그는 3·1 운동 때 민족 대표 33인 가운데 한 사람으로 독립 선언서에 서명하였고, 이 때문에 3년간 복역하며 고난을 겪었다. 시집 《님의 침묵》을 출판하여 저항 문학에 앞장섰고, 불교를 통한 청년 운동을 강화하여 불교의 현실 참여를 주장하였다.

① 도윤: '나'는 독립을 바라는 독립운동가로 해석할 수 있어.
② 지민: '당신'은 깨우치기 힘든 불교의 진리 또는 부처로 해석할 수 있어.
③ 현우: '급한 여울', '바람', '눈비'는 시인이 겪었던 일제의 탄압으로 해석할 수 있어.
④ 수영: '나'가 바람을 쐬고 눈비를 맞는 모습은 3·1 운동 때 고난을 겪은 시인의 모습과 연결 지을 수 있어.
⑤ 가은: 시인의 삶을 고려할 때 이 시는 조국의 광복에 대한 믿음과 희생에 대해 노래한 작품으로 해석할 수 있겠어.

구성

1연	'나'와 '당신'의 관계
2연	'당신'의 무심함과 '나'의 희생적 자세
3연	'당신'이 돌아올 것을 확신하며 기다리는 '나'
4연	'나'와 '당신'의 관계 확인

해제

이 작품은 '나룻배'라는 구체적인 사물을 통해 임에 대한 기다림과 헌신적 사랑을 노래하고 있는 현대시이다. '나'와 '당신'의 관계를 '나룻배'와 '행인'의 관계로 설정하여 '당신'을 위해 희생하고 인내하는 화자의 태도를 강조하고 있다. 또한 떠난 사람은 반드시 돌아온다(거자필반 去者必返)는 불교 사상에 바탕을 두고 임이 돌아올 것이라는 절대적인 믿음을 보이고 있다.

주제

희생과 믿음을 통한 진정한 사랑의 실천 의지

화자와 시적 대상, 시적 상황

이 시에서는 화자와 시적 대상의 관계를 각각 구체적인 대상인 '나룻배'와 '행인'에 비유하여 나타내고 있다.

| 화자 | = | 나 | = | 나룻배 | | 시적 상황 |
| 시적 대상 | = | 당신 | = | 행인 | | '나'가 '당신'을 안고 물을 건너가고, '당신'이 오기만을 기다리면서 낡아 감. |

(은유법)

'나'와 '당신'의 행동과 태도

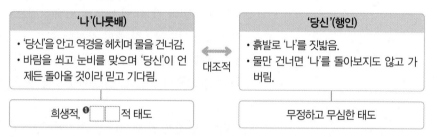

'나'(나룻배)		'당신'(행인)
'당신'을 안고 역경을 헤치며 물을 건너감. / 바람을 쐬고 눈비를 맞으며 '당신'이 언제든 돌아올 것이라 믿고 기다림.	대조적	흙발로 '나'를 짓밟음. / 물만 건너면 '나'를 돌아보지도 않고 가 버림.
희생적, ❶[ ][ ]적 태도		무정하고 무심한 태도

시어의 상징적 의미

이 시에 쓰인 '나룻배', '행인' 등과 같은 시어는 작품이 창작된 시대적 배경이나 시인의 삶을 고려할 때 다양한 상징적 의미로 해석할 수 있다.

나룻배	• '당신'을 기다리는 사람 • 승려, 독립운동가 등을 상징함.
행인	• '나'가 사랑하는 절대적인 대상 • 불교적 진리, 중생, 조국의 ❷[ ][ ] 등을 상징함.
급한 여울, 바람, 눈비	• '나'가 '당신'을 기다리면서 겪는 시련, 고난, 역경 • 번뇌, 일제의 탄압 등을 상징함.

└ 불교에서, 마음이나 몸을 괴롭히는 노여움이나 욕망 등의 생각.

시상 전개 방식의 특징

| 1연의 '나는 나룻배 / 당신은 행인.'이 4연에 반복되는 ❸[ ][ ][ ][ ] 구조로 이루어짐. | ▶ | • 구조적 안정감을 부여함.
• '나'와 '당신'의 관계를 강조함.
• 운율을 형성하고 시적 여운을 줌. |

빈칸 답 ❶ 헌신 ❷ 독립/광복 ❸ 수미상관

어휘 다지기

1 사다리 타기에 따라, 빈칸에 들어갈 단어의 뜻을 〈보기〉에서 찾아 그 번호를 쓰시오.

┌─ 보기 ─────────────────────────────────────┐
① 흙이 많이 묻어 흙투성이가 된 발.
② 남의 일에 걱정하거나 관심을 두지 않다.
③ 강이나 바다 따위의 바닥이 얕거나 폭이 좁아 물살이 세게 흐르는 곳.
④ 다른 사람이나 어떤 목적을 위하여 자신의 목숨, 재산, 명예, 이익 따위를 바치거나 버리다.
└──┘

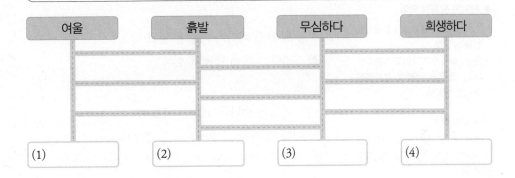

여울   흙발   무심하다   희생하다

(1)   (2)   (3)   (4)

어휘 ➕ 화자의 생각과 관련된 한자 성어

2 다음 뜻에 해당하는 한자 성어를 〈보기〉에서 찾아 쓰시오.

💡 **도움말**
3연의 '당신이 언제든지 오실 줄만은 알아요.'에 나타난 화자의 생각과 관련된 한자 성어를 찾아본다.

┌─ 보기 ─────────────────────────────────────┐
거자필반(去者必返)   새옹지마(塞翁之馬)

전화위복(轉禍爲福)   회자정리(會者定離)
└──┘

(1) 만난 자는 반드시 헤어짐. 모든 것이 무상함을 나타내는 말. ………… (   )

(2) 떠난 사람은 반드시 돌아오게 된다는 뜻으로, 만남과 이별이 반복되는 세상의 이치를 들어 헤어짐에 대한 아쉬움을 달래는 말. ………………………… (   )

어법 맞춤법에 맞는 표기

3 〈보기〉를 참고하여 다음 괄호 안에서 맞춤법에 맞는 표기를 고르시오.

➕ 합성어
둘 이상의 실질 형태소가 결합하여 하나의 단어가 된 말.
📝 꽃＋잎 → 꽃잎
돌＋다리 → 돌다리

┌─ 보기 ─────────────────────────────────────┐
〈한글 맞춤법〉 제30항에 따르면 순우리말로 된 합성어로서 뒷말의 첫소리가 된소리로 나는 경우, 사이시옷을 받치어 적는다. 📝 나뭇가지, 바닷가
└──┘

(1) 배를 기다리는 사람들이 (나루가, 나룻가)에 모여 있었다.

(2) 그는 이 (나루배, 나룻배)로 마을 사람들을 강 저편으로 실어 날랐다.

실전

03 청포도

| 이육사

이 작품은 '청포도'를 소재로 하여 화자가 소망하는 바를 표현한 현대시이다. 작품의 창작 시기와 시인의 특성을 고려해 시어의 함축적 의미를 파악하며 작품을 읽어 보자.

핵심 짚기

● 화자와 시적 상황
- 화자: 나
- 시적 대상: 청포도
- 시적 상황: 고향에서 익어 가는 청포도를 떠올리며 ❶ ㅅ ㄴ 이 오기를 기다림.

● 시어의 상징적 의미
- ❷ ㅊ ㅍ ㄷ : 평화롭고 풍요로운 삶을 상징함.
- 손님: 화자가 기다리고 소망하는 대상. 조국의 광복과 평화로운 세계를 상징함.

● 표현상 특징
색채 대비를 통해 평화롭고 풍요로운 세계에 대한 소망을 감각적으로 드러냄.

| 푸른색 | ↔ | ❸ ㅎ ㅅ |

빈칸 답
❶ 손님 ❷ 청포도 ❸ 흰색

- **주저리주저리** | 물건이 어지럽게 많이 달린 모양.
- **청포** | 푸른 색깔의 도포. 도포는 예전에 남자들이 입던, 소매가 넓고 길이가 긴 겉옷이다.
- **함뿍** | '함빡(물이 쪽 내배도록 젖은 모양)'의 북한어.

내 고장 칠월은
청포도가 익어 가는 시절

이 마을 전설이 주저리주저리 열리고
먼 데 하늘이 꿈꾸며 알알이 들어와 박혀

하늘 밑 푸른 바다가 가슴을 열고
흰 돛단배가 곱게 밀려서 오면

내가 바라는 손님은 고달픈 몸으로
청포(青袍)를 입고 찾아온다고 했으니

내 그를 맞아 이 포도를 따 먹으면
두 손은 함뿍 적셔도 좋으련

아이야 우리 식탁엔 은쟁반에
하이얀 모시 수건을 마련해 두렴

화자의 특성 파악하기

1

이 시의 화자에 대한 설명으로 가장 적절한 것은?

① 아이가 자신을 찾아오기를 바라고 있다.

② 시련을 겪은 뒤 고향에 돌아와 쉬고 있다.

③ 힘겹고 가난한 고향의 모습에 실망하고 있다.

④ 손님을 헌신적으로 맞이하려는 자세를 보이고 있다.

⑤ 손님과의 이별을 운명으로 받아들이며 체념하고 있다.

- **헌신적** | 몸과 마음을 바쳐 있는 힘을 다하는 태도.

시어의 의미와 기능 파악 **2**
하기

'청포도'에 대한 설명으로 적절하지 않은 것은?

① 화자에게 고향의 모습을 떠올리게 하는 대상이다.

② '마을 전설'에 비유되어 신비로운 분위기를 형성한다.

③ '주저리주저리' 열린 모양을 볼 때, 풍족함을 상징한다.

④ '하늘'이 박혀 있는 대상으로, 화자에게 부끄러움을 유발한다.

⑤ 손님을 맞이해 함께 따 먹으려는 대상이므로, 화자의 소망을 나타낸다.

표현상 특징 파악하기 **3**

이 시의 표현상 특징으로 적절하지 않은 것은?

① 각 연을 2행씩 배열하여 형태적 안정감을 주고 있다.

② 아이에게 말을 건네는 방식으로 독자의 주의를 끌고 있다.

③ 시적 허용을 통해 글자 수를 맞추어 운율감을 형성하고 있다.

④ 의태어를 활용하여 시적 대상의 모습을 생생하게 표현하고 있다.

⑤ 계절의 흐름에 따라 시상을 전개하여 청포도의 생명력을 드러내고 있다.

⊕ 시적 허용
  시에서 일정한 표현 효과를 얻기 위해 띄어쓰기나 맞춤법에 어긋나는 표현을 허용하는 것.

시상 전개 방식 파악하기 **4**

이 시의 전체 구조를 다음과 같이 정리할 때 ⓐ, ⓑ에 해당하는 시어를 모두 찾아 쓰시오.

| 푸른색 | ⓐ _____ | 희망찬 느낌 |

↕

| 흰색 | ⓑ _____ | 순수한 느낌 |

외재적 관점으로 감상하기 **5**

〈보기〉는 이 시를 쓴 시인에 대한 설명이다. 시인의 삶을 고려할 때 '손님'의 의미로 가장 적절한 것은?

> ● 보기 ●
>
>   이육사는 시인이자 독립운동가이다. 선비의 집안에서 나고 자란 그는 나라가 위기에 처했을 때 나가서 싸우는 것이 바른 도리라고 생각해 일제 강점기 때 적극적으로 독립운동에 참여하였다. 그는 여러 차례 옥살이를 하였지만 자신의 신념을 꺾지 않았으며, 일제에 저항하는 시를 써 광복에 대한 의지를 드러냈다.

① 평화   ② 부와 명예   ③ 조국의 광복

④ 시인의 가족   ⑤ 사랑하는 연인

구성

 1~2연 청포도가 익어 가는 풍요로운 고향의 모습

 3~4연 손님에 대한 기다림

 5연 손님과 함께 청포도를 따 먹고 싶은 소망

 6연 손님맞이를 위한 준비와 기다림의 자세

시어의 상징적 의미

이 시의 화자는 '청포도'가 익어 가는 고향 마을을 떠올리며, 자신이 기다리는 '손님'과 함께 풍성한 청포도를 먹기를 기원하고 있다. 이러한 작품의 내적 맥락을 작품의 외적 요소와 연관 지을 때, 다음과 같은 시어의 상징적 의미를 파악할 수 있다.

청포도	풍요로움, 희망, 평화, 평화롭고 풍요로운 삶
하늘	이상, 꿈, 소망, 동경
손님	평화로운 미래 세계, 조국의 ❶☐☐
은쟁반, 하이얀 모시 수건	손님에 대한 화자의 순결한 정성과 경건한 마음가짐

시상 전개 방식의 특징

이 시는 시어의 색채 대비를 통해 평화롭고 풍요로운 세계에 대한 화자의 순수한 소망을 감각적으로 드러내고 있다.

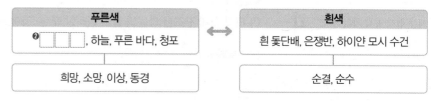

푸른색	흰색
❷☐☐☐, 하늘, 푸른 바다, 청포	흰 돛단배, 은쟁반, 하이얀 모시 수건
희망, 소망, 이상, 동경	순결, 순수

해제

이 작품은 청포도를 소재로 하여 풍요롭고 평화로운 미래 세계를 소망하는 마음을 표현한 현대시이다. 독립운동가인 시인의 삶을 고려할 때, 화자가 바라는 평화로운 세계는 일제 강점기의 억압을 벗어난 조국의 광복으로 해석할 수 있다. 한편 이 시는 '청포도', '손님' 등의 상징적 시어, 푸른색과 흰색의 색채 대비를 통해 주제를 효과적으로 드러내고 있다.

작품의 종합적 감상

이 시를 지은 이육사가 독립운동가였고, 이 시의 창작 시기가 일제 강점기임을 고려할 때, 이 시의 주제가 독립과 관련되어 있음을 알 수 있다.

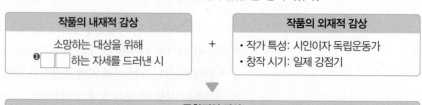

작품의 내재적 감상	작품의 외재적 감상
소망하는 대상을 위해 ❸☐☐하는 자세를 드러낸 시	• 작가 특성: 시인이자 독립운동가 • 창작 시기: 일제 강점기

종합적인 감상
작가나 창작 시기를 고려할 때, 조국 광복의 염원과 의지를 주제로 볼 수 있음.

주제

• 평화롭고 풍요로운 삶에 대한 소망
• 조국 광복에 대한 소망

빈칸 답 ❶ 광복/독립 ❷ 청포도 ❸ 헌신

어휘 다지기

1 다음 뜻과 예를 참고하여 해당하는 단어를 말 상자에서 찾아 표시하시오.

(1) 한 알 한 알마다.
　　예 먼 데 하늘이 꿈꾸며 (　　　　　) 박혀.

(2) 푸른 색깔의 도포.
　　예 (　　　　　)를 입고 찾아온다고 했으니.

(3) 사람이 많이 사는 지방이나 지역.
　　예 내 (　　　　　) 칠월은 청포도가 익어 가는 시절.

(4) 오래전부터 전해 내려오는 이야기.
　　예 이 마을 (　　　　　)이 주저리주저리 열리고.

은	돚	알	알	이
쟁	단	곱	전	달
반	배	다	픈	설
고	청	포	함	뿍
장	모	시	수	건

2 다음 문장의 괄호 안에 들어갈 알맞은 말을 고르시오.

(1) 실수로 물을 엎질러서 새로 산 바지를 (적시고 , 말리고) 말았다.

(2) 하기 싫은 일을 억지로 하려고 하니 몸과 마음이 (고달프다 , 유쾌하다).

(3) 나무에 열매가 (듬성듬성 , 주저리주저리) 열린 것을 보니 올해는 풍년이겠다.

(4) 손님을 대접하기 위한 음식을 (마련하려고 , 빠뜨리려고) 아침부터 바삐 움직였다.

> **개념어**

3 다음 표현 방법에 해당하는 뜻과 예를 찾아 바르게 연결하시오.

 도움말
　표현 방법의 뜻과 해당하는 예를 찾지 못하겠다면, 문제 3~4번을 복습해 본다.

(1) 시적 허용　・

　・㉠ 둘 이상의 색을 나란히 견주어 시각적 심상을 강조하는 방법.

　・ⓐ 예 나는 파아란 꿈을 꾸었어.

(2) 색채 대비　・

　・㉡ 시에서 띄어쓰기나 맞춤법에 어긋나는 표현을 허용하는 것.

　・ⓑ 예 푸른 바다 위 흰나비

이 작품은 '봄'에 상징적 의미를 부여하여 화자의 소망을 표현하고 있는 현대시이다. '봄'의 상징적 의미와 '봄'에 대한 화자의 태도를 파악하며 작품을 읽어 보자.

핵심 짚기

● 화자와 시적 상황

- 화자: 나
- 시적 대상: 너.❶ㅂ
- 시적 상황: 봄이 올 것이라 확신하며 봄을 기다리고 있음.

● 시어의 상징적 의미

너(봄)
화자가 간절하게 기다리는 대상

↕

뻘밭, 물웅덩이
봄이 오는 것을 가로막는 ❷ㅈㅇㅁ

● 표현상 특징

- 시적 대상을 '너'로 의인화하여 표현함.
- '❸ㅇㄷ'라는 단정적인 표현을 반복하여 화자의 믿음을 강조함.

빈칸 답

❶ 봄 ❷ 장애물 ❸ 온다

㉠기다리지 않아도 오고
㉡기다림마저 잃었을 때에도 너는 온다.
어디 뻘밭 구석이거나
썩은 물웅덩이 같은 데를 기웃거리다가
한눈 좀 팔고, 싸움도 한판 하고,
㉢지쳐 나자빠져 있다가
다급한 사연 들고 달려간 바람이
흔들어 깨우면
눈 부비며 너는 더디게 온다.
더디게 더디게 마침내 올 것이 온다.
㉣너를 보면 눈부셔
일어나 맞이할 수 없다.
입을 열어 외치지만 소리는 굳어
나는 아무것도 미리 알릴 수가 없다.
㉤가까스로 두 팔을 벌려 껴안아 보는
너, 먼 데서 이기고 돌아온 사람아.

- **뻘밭** | 갯바닥이나 늪 바닥에 있는 거무스름하고 미끈미끈한 흙으로 이루어진 밭.
- **한눈** | 마땅히 볼 데를 보지 아니하고 딴 데를 보는 눈.

화자의 정서와 태도 파악하기

1 이 시에 나타난 화자의 정서와 태도로 적절하지 <u>않은</u> 것은?

① 봄이 오기를 간절히 바라고 있다.
② 반드시 봄이 도래할 것이라 확신하고 있다.
③ 온갖 시련을 이겨 낸 봄의 모습에 감탄하고 있다.
④ 봄에 대한 자신의 생각을 단정적으로 말하고 있다.
⑤ 봄을 본받아 따뜻한 마음을 지니기를 소망하고 있다.

- **단정적** | 딱 잘라서 판단하고 결정하는 것.

표현상 특징 파악하기 **2** **이 시의 표현상 특징으로 가장 적절한 것은?**

① 화자의 시선의 이동에 따라 대상을 묘사하고 있다.
② 대상을 의인화하여 상징적 의미를 부여하고 있다.
③ 명령형 문장을 사용하여 주제 의식을 부각하고 있다.
④ 역설적 표현을 활용하여 화자의 간절함을 강조하고 있다.
⑤ 자연물에 감정을 이입하여 화자의 정서를 심화하고 있다.

시어의 의미 파악하기 **3**

주관식

시어를 상징적 의미에 따라 다음과 같이 정리할 때 ⓐ, ⓑ에 들어갈 알맞은 시어를 쓰시오.

화자가 기다리는 대상	시적 대상이 겪는 시련, 역경	화자의 소망을 전달하는 대상
너	뻘밭, (ⓐ)	(ⓑ)

시구의 의미 파악하기 **4**

● **당위성** | 마땅히 그렇게 하거나 되어야 할 성질.

㉠~㉤에 대한 설명으로 적절하지 않은 것은?

① ㉠: 겨울이 지나면 봄이 오는 자연의 당위성을 의미한다.
② ㉡: 희망을 품을 수 없는 절망적인 상황을 나타낸다.
③ ㉢: 봄을 기다리다 지친 화자의 심리가 담겨 있다.
④ ㉣: '너'를 맞이한 화자의 벅찬 마음이 드러난다.
⑤ ㉤: 마침내 온 봄을 승리자로 표현하고 있다.

감상 방법의 유형 구분하기 **5**

고난도

〈보기〉에 나타난 작품 감상 방법(ⓐ~ⓓ)과 그 예가 바르게 짝지어진 것은?

보기

• 시를 구성하는 내적 요소를 중심으로 감상하는 방법 ································· ⓐ
• 시가 창작된 시대적·사회적 상황을 중심으로 감상하는 방법 ·············· ⓑ
• 시를 쓴 시인의 생애나 작품 경향을 중심으로 감상하는 방법 ·············· ⓒ
• 시가 독자에게 미치는 영향, 독자의 반응을 중심으로 감상하는 방법 ·············· ⓓ

① ⓐ: 이 시에는 소박한 언어를 주로 사용하는 시인의 작품 경향이 잘 드러나 있어.
② ⓐ: 누군가를 짝사랑하는 독자는 '봄'을 사랑이 이루어지는 것으로 해석할 수 있겠어.
③ ⓑ: 이 시가 독재 정권이 국민을 통제하던 1970년대에 쓰였다는 것을 고려할 때, '봄'은 민주주의나 자유를 의미한다고 볼 수 있어.
④ ⓒ: 나는 이 시를 읽고 부정적 상황에 절망하기보다 희망을 잃지 않는 태도를 지녀야겠다고 다짐하게 되었어.
⑤ ⓓ: 이 시는 화자의 행동을 통해 시적 대상과 만난 기쁨을 실감 나게 드러내고 있어.

구성

1~2행 봄이 오는 자연의 당위성

3~10행 봄이 오기까지의 더딘 과정

11~16행 봄을 맞이하는 감격과 기쁨

해제

이 작품은 '봄'에 상징적 의미를 부여하여, 새로운 시대가 올 것이라는 강한 신념을 노래하고 있는 현대시이다. 이 작품은 1970년대 유신 독재 체제의 억압이 진행된 시기에 창작되었다. 이러한 시대적 배경 속에서 시인은 지금은 비록 겨울처럼 춥고 힘든 시대이지만, 민주주의와 자유가 물결치는 시대 역시 자연의 섭리처럼 반드시 올 것이라는 기대감을 강하게 드러내고 있다.

주제

다가오게 될 새로운 시대에 대한 강한 신념

'봄'의 상징적 의미

이 시에서 '너'로 의인화된 '봄'은 단순한 계절의 의미를 넘어서 화자가 기다리는 대상으로, 현재는 부재한 상태지만 언젠가는 반드시 도래할 희망이라고 할 수 있다. 또한 이 시가 창작된 시대적 배경을 고려할 때 '봄'은 민주주의와 자유를 상징하는 것으로도 이해할 수 있다.

주요 시어 및 시구의 의미

시어 및 시구	의미
뻘밭 구석, 썩은 물웅덩이	봄이 오는 것을 가로막는 장애물, ❷◻◻과 역경
다급한 사연	봄이 어서 오기를 바라는 화자의 간절한 소망
바람	화자의 간절한 소망을 전달하는 매개체

화자의 태도

화자는 '(너는) 온다'와 같은 단정적 어조를 반복하여 사용함으로써 기다림의 대상인 '너' 즉, 봄이 반드시 올 것이라는 ❸◻◻을 강하게 드러내고 있다.

> • 기다림마저 잃었을 때에도 너는 온다.
> • 눈 부비며 너는 더디게 온다.
> • 더디게 더디게 마침내 올 것이 온다.

▼

화자의 태도
'너(봄)'가 올 것이라고 확고하게 믿으며 기다리고 있음.

1 다음 밑줄 친 단어의 뜻을 〈보기〉에서 찾아 그 번호를 쓰시오.

> ● 보기 ●
> ① 애를 써서 매우 힘들게.
> ② 어떤 움직임이나 일에 걸리는 시간이 오래다.
> ③ 마땅히 볼 데를 보지 아니하고 딴 데를 보는 눈.
> ④ 갯바닥이나 늪 바닥에 있는 거무스름하고 미끈미끈한 흙으로 이루어진 밭.

(1) 어디 뻘밭 구석이거나 썩은 물웅덩이 같은 데를 기웃거리다가 ············· (   )

(2) 한눈 좀 팔고, 싸움도 한판 하고 ·· (   )

(3) 눈 부비며 너는 더디게 온다. ·· (   )

(4) 가까스로 두 팔을 벌려 껴안아 보는 너 ··· (   )

2 다음 괄호 안에 공통으로 들어갈 말로 알맞은 것은?

(1)
> • 어린아이가 뛰어가다가 돌부리에 걸려 (   ).
> • 피곤했던 우리는 침대 위에 (   ) 잠이 들었다.

① 기웃거리다   ② 나자빠지다   ③ 달려가다   ④ 맞이하다   ⑤ 흔들다

(2)
> • 지수가 강아지를 품에 꼭 (   ).
> • 아이는 엄마를 꽉 (   ) 사랑한다고 말했다.

① 굳다   ② 껴안다   ③ 눈부시다   ④ 다급하다   ⑤ 맞이하다

개념어

3 다음 괄호 안에 들어갈 알맞은 말을 쓰시오.

(1) 이 시는 '봄'을 '너'라고 부름으로써 사람처럼 대하고 있다. 이처럼 사람이 아닌 대상을
   사람에 빗대어 사람이 행동하는 것처럼 표현하는 수사법을 (   )이라고 한다.

(2) 이 시의 화자는 봄이 올 것이라는 사실을 '너는 온다', '마침내 올 것이 온다'라고 단호하
   게 말하고 있다. 이와 같이 딱 잘라서 판단하고 결정하듯 말하는 어투를 (   )
   어조라고 한다.

실전 **05** 가난한 사랑 노래 | 신경림

∞ 교과서 **중3** _ 천재(노), 금성 **고1** _ 비상(박안)

'이웃의 한 젊은이를 위하여'라는 부제가 붙은 현대시로, 일자리를 찾아서 고향을 떠나 도시로 온 젊은 노동자의 삶이 드러나 있다. 반복되는 시구의 의미와 작품에 반영된 당시 시대적 상황을 종합해 시인의 창작 의도를 파악하며 읽어 보자.

가난하다고 해서 외로움을 모르겠는가
너와 헤어져 돌아오는
㉠눈 쌓인 골목길에 새파랗게 달빛이 쏟아지는데.
가난하다고 해서 두려움이 없겠는가
㉡두 점을 치는 소리
방범대원의 호각 소리 메밀묵 사려 소리에
눈을 뜨면 멀리 육중한 기계 굴러가는 소리.
가난하다고 해서 그리움을 버렸겠는가
어머님 보고 싶소 수없이 뇌어 보지만
집 뒤 감나무에 까치밥으로 하나 남았을
㉢새빨간 감 바람 소리도 그려 보지만.
가난하다고 해서 사랑을 모르겠는가
㉣내 볼에 와 닿던 네 입술의 뜨거움
사랑한다고 사랑한다고 속삭이던 네 숨결
㉤돌아서는 내 등 뒤에 터지던 네 울음.
가난하다고 해서 왜 모르겠는가
가난하기 때문에 이것들을
이 모든 것들을 버려야 한다는 것을.

핵심 짚기

● 화자와 시적 상황
· 화자: 나(고향을 떠나 도시로 온 **❶**ㅈㅇㅇ)
· 시적 대상: 화자가 느끼는 감정들
· 시적 상황: 늦은 겨울밤 사랑하는 사람과 헤어짐.

● 표현상 특징

가난하다고 해서 …겠는가

❷ㅅㅇ적인 표현을 통해 시적 의미를 강조하고 화자의 정서를 강하게 드러냄.

● 작품에 반영된 당시 상황

창작 시기가 드러난 시구

두 점을 치는 소리, 방범대원의 호각 소리, 육중한 **❸**ㄱㄱ 굴러가는 소리

→ 1970~1980년대 산업화가 한창 진행 중이던 창작 당시 상황을 드러냄.

빈칸 답
❶ 젊은이 ❷ 설의 ❸ 기계

● **점** | 예전에, 시각을 세던 단위. 괘종시계의 종 치는 횟수로 세었다.
● **방범대원** | 범죄를 막는 일을 하는 대원. 이 시가 지어진 당시에는 통행금지를 실시해, 방범대원들이 밤늦게 사람들이 돌아다니는 것을 막았다.
● **호각** | 불어서 소리를 내는 신호용 도구.
● **육중하다** | 투박하고 무겁다.
● **뇌다** | 지나간 일이나 한 번 한 말을 여러 번 거듭 말하다.
● **까치밥** | 까치 따위의 날짐승이 먹으라고 따지 않고 몇 개 남겨 두는 감.

화자의 정서 파악하기 **1** **이 시의 각 부분에 드러나는 화자의 정서로 적절하지 <u>않은</u> 것은?**

① 1~3행: 달빛 아래에서 느끼는 외로움

② 4~7행: 고달픈 현실 생활에서 느끼는 두려움

③ 8~11행: 어머니와 떠나온 고향에 대한 그리움

④ 12~15행: 사랑하면서도 헤어질 수밖에 없는 아픔

⑤ 16~18행: 모든 것을 버려야 하는 현실에 대한 저항 의지

표현상 특징 파악하기 **2** **이 시의 표현상 특징으로 적절하지 <u>않은</u> 것은?**

① 설의법을 활용하여 시적 의미를 강조하고 있다.

② 비슷한 문장 구조를 반복하여 운율감을 형성하고 있다.

③ 도치법을 사용하여 화자의 안타까운 상황을 부각하고 있다.

④ 묻고 답하는 형식을 통해 무심해진 화자의 모습을 드러내고 있다.

⑤ 화자가 포기해야 하는 감정들을 나열하여 화자의 고통을 나타내고 있다.

➕ 도치법
일반적인 어순을 따르지 않고 말의 차례를 바꾸어 표현하는 방법.
㉐ 빵을 먹자. (일반적인 어순)
먹자 빵을. (도치법)

감각적 심상 파악하기 **3** 고난도

㉠~㉤에 대한 설명으로 적절한 것은?

① ㉠: 촉각적 심상을 대비해 차갑고 쓸쓸한 느낌을 드러내고 있다.

② ㉡: 청각적 심상을 활용해 통행금지를 실시했던 당시 상황을 나타내고 있다.

③ ㉢: 공감각적 심상을 활용해 화자가 싫어하는 대상을 형상화하고 있다.

④ ㉣: 미각적 심상을 활용해 화자가 느낀 사랑의 감정을 표현하고 있다.

⑤ ㉤: 후각적 심상을 활용해 화자가 이별하는 상황을 드러내고 있다.

➕ 공감각적 심상
한 감각을 다른 감각으로 바꾸어 표현(전이)하여 둘 이상의 감각이 동시에 떠오르는 심상.
㉐ <u>향기로운 님의 말소리</u>
　　후각　　　청각

외재적 관점으로 감상하기 **4** 주관식

다음은 이 시에 대한 설명이다. ⓐ, ⓑ에 들어갈 알맞은 말을 쓰시오.

이 시는 '이웃의 한 젊은이를 위하여'라는 부제를 붙여 (ⓐ)을 떠나 도시에서 노동자로 생활하는 1970~1980년대 젊은이의 삶을 그려 내고 있다. 이들은 일자리를 찾기 위해 도시로 왔지만, 밤늦게까지 일해도 월급이 턱없이 부족하여 인간다운 삶을 누릴 수 없었다. 시인은 이러한 젊은이의 삶을 안타까워하며, 젊은이들의 입장에서 이들을 (ⓑ)하기 위해 이 시를 썼다.

구성

 1~3행 '너'와 헤어져 돌아오는 길의 외로움

 4~7행 고달픈 현실 생활의 두려움

 8~11행 어머니와 고향에 대한 그리움

 12~15행 사랑하면서도 헤어질 수밖에 없는 아픔

 16~18행 가난 때문에 모든 것을 버려야 하는 서러움

해제

이 작품은 '이웃의 한 젊은이를 위하여'라는 부제가 붙은 현대시이다. 1970~1980년대 우리나라 도시 노동자들을 대표하는 화자를 내세워 이들에 대한 안타까움을 표현하고 있다. 설의적 표현을 반복함으로써 가난 때문에 인간적인 감정을 포기해야만 하는 상황에 처한 화자의 아픔을 강조하고 있다.

주제

가난하고 소외된 도시 노동자들의 삶에 대한 공감과 연민

작품에 반영된 시대적 상황

이 시의 부제인 '이웃의 한 젊은이를 위하여'에서 알 수 있듯, 이 시에는 산업화가 한창이던 1970~1980년대 도시 노동자의 삶이 반영되어 있다. 이들은 일자리를 찾기 위해 고향(농촌)을 떠나 도시로 왔지만 밤늦게까지 열심히 일해도 가난을 벗어나지 못해 인간적인 감정마저 포기하며 힘겹게 살아야 했다.

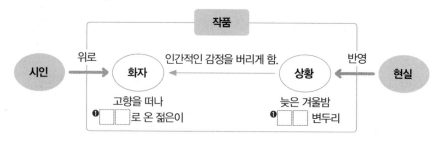

설의적 표현의 효과

'가난하다고 해서 …겠는가'란 설의적 표현이 쓰인 시구를 반복해 운율을 형성하고, 화자가 가난해도 인간적인 감정을 절실하게 느끼고 있음을 강조하고 있다. 또한 독자에게 쉽게 답을 짐작할 수 있는 질문을 건넴으로써 시가 쓰인 당시 현실을 비판하고 그런 현실에서 살 수밖에 없는 화자에 대한 안타까움을 느끼도록 유도하고 있다.

시구		표현상 특징과 효과
• 가난하다고 해서 외로움을 모르겠는가 • 가난하다고 해서 두려움이 없겠는가 • 가난하다고 해서 그리움을 버렸겠는가 • 가난하다고 해서 사랑을 모르겠는가 • 가난하다고 해서 왜 모르겠는가	▶	• 비슷한 문장 구조를 반복하여 운율을 형성함. • ❷□□적 표현을 통해 화자가 가난해도 외로움, 두려움, 그리움, 사랑과 같은 인간적인 감정을 느끼고 있음을 강조함.

다양한 감각적 심상의 활용

이 시는 다양한 감각적 심상을 활용해 시적 상황과 화자의 정서를 구체적으로 표현하고 있다.

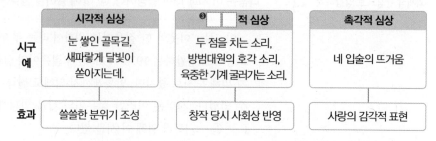

빈칸 답 ❶ 도시 ❷ 설의 ❸ 청각

어휘
다지기

1 다음 초성에 해당하는 단어를 뜻과 예를 참고하여 쓰시오. (단, 용언은 기본형을 쓸 것)

💡 **도움말**

　동사, 형용사처럼 문장에서 그 형태가 변하는 단어를 사전에서 찾을 때에는 형태가 바뀌지 않는 부분에 '–다'를 붙여야 한다. 이를 기본형이라 한다.

(1) ㅇㅈㅎㄷ : 투박하고 무겁다. ……………………………… (　　　　　)

　예 (　　　　　) 기계 굴러가는 소리.

(2) ㅎㄱ : 불어서 소리를 내는 신호용 도구. ……………………… (　　　　　)

　예 방범대원의 (　　　　　) 소리.

(3) ㄴㄷ : 지나간 일이나 한 번 한 말을 여러 번 거듭 말하다. ………… (　　　　　)

　예 어머님 보고 싶소 수없이 (　　　　　) 보지만.

(4) ㄲㅊㅂ : 날짐승들이 먹도록 따지 않고 몇 개 남겨 두는 감. ……… (　　　　　)

　예 집 뒤 감나무에 (　　　　　)으로 하나 남았을 새빨간 감.

2 다음 밑줄 친 말과 바꾸어 쓰기에 가장 알맞은 말을 〈보기〉에서 찾아 쓰시오.

┌─ 보기 ─────────────────────────────────┐

　　　연정　　　증오심　　　혐오감　　　고독감　　　공포심

└─────────────────────────────────────┘

(1) 가난하다고 해서 <u>외로움</u>을 모르겠는가 ……………………………… (　　　　　)

(2) 가난하다고 해서 <u>두려움</u>이 없겠는가 ………………………………… (　　　　　)

(3) 가난하다고 해서 <u>사랑</u>을 모르겠는가 ………………………………… (　　　　　)

개념어

3 다음 표현 방법에 해당하는 뜻과 예를 찾아 바르게 연결하시오.

💡 **도움말**

　이 시의 16~18행에서는 쉽게 답할 수 있는 질문을 통해 뜻을 강조하는 설의법, 말의 순서를 일부러 바꿔 의미를 강조하는 도치법이 쓰였다.

(1) 설의법 ・

・㉠ 일반적인 어순을 따르지 않고 말의 차례를 바꾸어 표현하는 방법.

・ⓐ 예 공든 탑이 무너지랴?

(2) 도치법 ・

・㉡ 쉽게 판단할 수 있는 사실을 의문의 형식으로 표현하는 방법.

・ⓑ 예 가자, 산과 들로!

실전 **06 꽃** | 김춘수

이 작품은 '꽃'을 소재로 하여 진정한 관계에 대한 화자의 소망을 표현하고 있는 현대시이다. 시어의 상징적 의미와 화자의 소망이 무엇인지 파악하며 작품을 읽어 보자.

✎ 핵심 짚기

● 화자와 시적 상황

· 화자: 나
· 시적 대상: 그
· 시적 상황: ❶ ㅇ ㄹ 을 불러 주는 행위를 통해 '그'가 '나'에게 의미있는 존재가 되었음을 말하고 있음.

● 시어의 의미

몸짓
무의미한 존재

⇣

❷ ㄲ , 무엇, 눈짓
의미 있는 존재

● 표현상 특징

· 의미상 대조되는 ❸ ㅅ ㅈ 적 시어가 쓰임.
· 의미를 점층적으로 확대하며 시상을 전개함.

빈칸 답
❶ 이름 ❷ 꽃 ❸ 상징

● **몸짓** | 몸을 놀리는 모양.
● **눈짓** | 눈을 움직여서 상대편에게 어떤 뜻을 전달하거나 암시하는 동작.

내가 그의 이름을 불러 주기 전에는
그는 다만
하나의 몸짓에 지나지 않았다.

내가 그의 이름을 불러 주었을 때
그는 나에게로 와서
꽃이 되었다.

내가 그의 이름을 불러 준 것처럼
나의 이 빛깔과 향기에 알맞는
누가 나의 이름을 불러 다오.
그에게로 가서 나도
그의 꽃이 되고 싶다.

우리들은 모두
무엇이 되고 싶다.
너는 나에게 나는 너에게
잊혀지지 않는 하나의 눈짓이 되고 싶다.

표현상 특징 파악하기

1 **이 시에 대한 설명으로 적절하지 <u>않은</u> 것은?**

① 상징적 의미를 지닌 시어를 사용하고 있다.
② 소망을 간절히 염원하는 어조가 나타나 있다.
③ 동일한 시구를 반복하여 의미를 강조하고 있다.
④ 자연물을 활용하여 추상적인 내용을 제시하고 있다.
⑤ 구체적 체험을 바탕으로 하여 존재의 의미를 추구하고 있다.

시어의 의미 파악하기 **2**

이 시에 쓰인 시어에 대한 설명으로 적절하지 않은 것은?

① 1연의 '몸짓'은 '나'에게 의미가 없는 존재이다.

② 2연의 '꽃'은 '나'에게 의미를 부여받은 존재를 나타낸다.

③ 3연의 '빛깔과 향기'는 '나'라는 존재가 지니고 있는 본질이다.

④ 4연의 '무엇'은 서로가 서로에게 의미가 있는 존재를 의미한다.

⑤ 4연의 '눈짓'은 서로의 본질을 인식하기 이전의 상태를 의미한다.

화자의 태도 파악하기 **3**

이 시에 나타난 화자의 태도로 적절하지 않은 것은?

① 진정한 관계 맺기를 소망하고 있다.

② 자신의 참모습을 알아봐 주기를 바라고 있다.

③ 누군가가 자신에게 도움을 주기를 기다리고 있다.

④ 서로가 서로에게 중요한 존재가 되기를 원하고 있다.

⑤ 자신도 누군가에게 의미 있는 존재가 되기를 염원하고 있다.

시상 전개 방식 파악하기 **4**

💡 **도움말**

문장의 뜻을 점점 강하게 하거나, 크게 하거나, 높게 하여 마침내 절정에 이르도록 시상을 전개하는 것을 '점층적 시상 전개 방식'이라 한다.

다음은 이 시에서 의미가 확대되는 과정을 나타낸 것이다. 빈칸에 들어갈 시어로 적절한 것은?

> 몸짓 → 꽃 → 무엇, (   )

① 나   ② 이름   ③ 빛깔   ④ 우리   ⑤ 눈짓

시어의 의미 파악하기 **5**

💡 **도움말**

이 시에 쓰인 시어와 의미가 유사한 구절을 〈보기〉에서 찾아 대응시켜 본다.

이 시의 '이름 부르기'와 유사한 의미를 지닌 표현을 〈보기〉에서 찾아 명사형으로 쓰시오.

> ● 보기
>
> 여우가 어린 왕자에게 말했다. "넌 나에게 아직은 수없이 많은 다른 어린아이들과 조금도 다를 바 없는 한 아이에 지나지 않아. 그래서 나는 네가 별로 필요하지 않아. 너 역시 내가 필요하지 않고. 나도 너에게는 수없이 많은 다른 여우들과 조금도 다를 바 없는 한 마리 여우에 지나지 않아. 하지만 네가 나를 길들인다면 우리는 서로가 필요하게 되는 거야. 너는 내게 이 세상에서 하나밖에 없는 존재가 되는 거야. 난 네게 이 세상에서 하나밖에 없는 존재가 될 거고……."
>
> – 생텍쥐페리, 〈어린 왕자〉에서

구성

1연   '나'가 '그'의 이름을 부르기 전의 '그'와 '나'의 관계

2연   '나'가 '그'의 이름을 불러 주었을 때의 '그'와 '나'의 관계

3연   누군가 자신의 이름을 불러 주기를 소망하는 '나'

4연   서로에게 잊히지 않는 눈짓이 되기를 소망하는 '우리'

'이름 부르기[명명(命名)]'의 의미

'나'가 '그'의 이름을 불러 주기 전	→	**'나'가 '그'의 이름을 불러 준 뒤**
'그'는 '하나의 몸짓'에 지나지 않음.		'그'가 '나'에게로 와서 '꽃'이 됨.

이름 부르기
- 대상의 존재를 ❶ ☐☐ 하는 행위
- 대상에게 의미를 부여하는 행위
- 진정한 관계를 맺는 과정

시어의 의미

몸짓	'나'가 대상의 존재를 인식하기 전의 무의미한 존재
꽃, 무엇, 눈짓	• 이름을 부르는 행위를 통해 의미를 부여받은 존재 • '나'가 존재의 본질을 인식한 후의 의미 있는 존재
빛깔과 향기	'나'라는 존재가 지니고 있는 ❷ ☐☐, 개성적인 가치

해제

이 작품은 존재의 참된 모습을 인식함으로써 진정한 관계를 맺고자 하는 소망을 간절한 어조로 노래하고 있는 현대시이다. 처음에 '그'는 '나'에게 무의미한 존재였지만, '나'가 '그'의 이름을 불러 주며 '그'의 참된 모습을 인식하는 과정을 거치자 의미 있는 존재로 변한다. 이어서 '나'는 자신도 '그'에게 의미 있는 존재가 되기를 소망한다. 더 나아가 '그'와 '나'의 관계를 '우리'로 확장하면서 서로가 서로에게 의미 있는 존재가 되기를 바라고 있다.

화자의 태도

- 누가 나의 이름을 불러 다오. / 그에게로 가서 나도 / 그의 꽃이 되고 싶다. (3연)
- 잊혀지지 않는 하나의 눈짓이 되고 싶다. (4연)

▼

의미 있는 존재와 진정한 관계를 맺기를 ❸ ☐☐ 함.

시상 전개 방식의 특징: 인식의 점층적 확대

1연에서 이름을 부르기 전 '하나의 몸짓'에 불과했던 무의미한 존재는, 2연에서 이름을 불러 줌으로써 '꽃'이라는 의미 있는 존재가 된다. 그리고 4연에서 서로에게 의미 있는 존재인 '무엇', '눈짓'이 되고 싶다는 소망으로 확대된다.

몸짓(1연)	▶	**꽃(2, 3연)**	▶	**무엇, ❹ ☐☐(4연)**
의미 없는 존재		의미 있는 존재		상호 간의 의미 있는 존재

주제

서로의 존재를 인식하고 서로에게 의미 있는 관계가 되기를 소망함.

빈칸 답   ❶ 인식   ❷ 본질   ❸ 소망   ❹ 눈짓

어휘 다지기

1

다음 밑줄 친 말과 바꾸어 쓸 수 있는 말로 알맞은 것은?

💡 **도움말**

밑줄 친 말 대신 선택지의 말을 넣어, 문맥이 자연스러운지 확인해 본다.

(1)
> 내가 이름을 불러 주기 전에는 그는 다만 하나의 몸짓에 지나지 않았다.

① 속했다　② 기반했다　③ 민감했다　④ 불과했다　⑤ 주목했다

(2)
> 내가 이름을 불러 주었을 때 그는 나에게로 와서 꽃이 되었다.

① 명명해　② 명시해　③ 소명해　④ 지목해　⑤ 질문해

개념어

2

다음 빈칸에 들어갈 알맞은 말을 〈보기〉에서 찾아 쓰시오.

● 보기 ●
비유　　상징　　대비　　점층

(1) 이 시는 '꽃'을 통해 의미 있는 존재를 표현했는데, 이처럼 추상적인 대상을 구체적인 사물로 대신 표현한 것을 (　　　　　)이라 한다.

(2) 이 시는 1연에서 4연으로 갈수록 '몸짓 → 꽃 → 무엇, 눈짓'으로 인식이 확장된다. 이처럼 뜻을 점차 강하게 표현하는 것을 (　　　　　)적 시상 전개 방식이라 한다.

어휘 ➕ '짓'이 들어간 단어

3

〈보기〉를 참고하여 다음 뜻에 해당하는 단어를 찾아 바르게 연결하시오.

● 보기 ●
'눈짓'은 '눈'과 '짓(몸을 놀려 움직이는 동작)'이 결합된 합성어로, '눈을 움직여서 상대편에게 어떤 뜻을 전달하거나 암시하는 동작.'을 뜻한다.

(1) 발을 움직이는 동작.　　　　　　　　　　• 　• ① 발짓

(2) 고개를 흔들거나 끄덕이는 동작.　　　　• 　• ② 손짓

(3) 손을 움직여 어떤 사물을 가리키거나 자기의 생각을 남에게 전달하는 동작.　• 　• ③ 고갯짓

실전 **07 상처가 더 꽃이다** | 유안진

이 작품은 매화 고목을 본 경험을 통해 얻은 깨달음을 담고 있는 현대시이다. 고목의 상처를 본 구경꾼들의 반응이 의미하는 바에 주목하며 작품을 읽어 보자.

✏ 핵심 짚기

● 화자와 시적 상황

· 화자: 작품에 직접 드러나지 않음.
· 시적 대상: 매화 고목
· 시적 상황: 구경꾼들이 꽃보다 매화 고목의 **❶** ㅅ ㅊ 에 더 관심을 가짐.

● 시어의 상징적 의미

훈장, 부적
❷ ㄱ ㅌ 을 이겨 낸 매화 고목이 불러일으키는 감동과 위안

● 표현상 특징

· **❸** ㅇ ㅅ 적 표현을 사용하여 시인의 깨달음을 나타냄.

상처야말로 더 꽃인 것을.
겉보기에 흉한 대상인 상처를 꽃보다 아름답다고 표현함.

· 다양한 감각적 심상을 활용하여 매화 고목을 생생하게 표현함.

빈칸 답
❶ 상처 ❷ 고통 ❸ 역설

어린 매화나무는 꽃 피느라 한창이고
사백 년 고목은 꽃 지느라 한창인데
구경꾼들 고목에 더 몰려섰다
둥치도 가지도 꺾이고 구부러지고 휘어졌다
갈라지고 뒤틀리고 터지고 또 튀어나왔다
진물은 얼마나 오래 고여 흐르다가 말라붙었는지
주먹만큼 굵다란 혹이며 패인 구멍들이 험상궂다
거무죽죽한 혹도 구멍도 모양 굵기 깊이 빛깔이 다 다르다
새 진물이 번지는가 개미들 바삐 오르내려도
의연하고 의젓하다
사군자 중 으뜸답다
꽃구경이 아니라 상처 구경이다
상처 깊은 이들에게는 훈장(勳章)으로 보이는가
상처 도지는 이들에게는 부적(符籍)으로 보이는가
백 년 못 된 사람이 매화 사백 년의 상처를 헤아리랴마는
감탄하고 쓸어 보고 어루만지기도 한다
만졌던 손에서 향기까지 맡아 본다
진동하겠지 상처의 향기
㉠상처야말로 더 꽃인 것을.

● **둥치** | 큰 나무의 밑동.
● **진물** | 부스럼이나 상처 따위에서 흐르는 물.
● **험상궂다** | 모양이나 상태가 매우 거칠고 험하다.
● **사군자** | 동양화에서 매화, 난초, 국화, 대나무를 그린 그림. 또는 그 소재.
● **도지다** | 나아지거나 나았던 병이 도로 심해지다.
● **부적** | 잡귀를 쫓고 재앙을 물리치기 위하여 붉은색으로 글씨를 쓰거나 그림을 그려 몸에 지니거나 집에 붙이는 종이.

시적 대상 파악하기

1 이 시에 드러난 고목의 특성으로 적절한 것을 〈보기〉에서 골라 바르게 묶은 것은?

> ● 보기 ●
> ㄱ. 다른 생명체들과 더불어 살아가려고 한다.
> ㄴ. 상처가 있는 사람들을 위로해 주기도 한다.
> ㄷ. 자신에게 주어진 고통을 꿋꿋하게 견뎌 낸다.
> ㄹ. 비틀어지고 상처투성이지만 고결한 느낌을 준다.
> ㅁ. 사람들의 관심을 끌기 위해 노력하는 모습을 보인다.

① ㄱ, ㄴ, ㄹ   ② ㄱ, ㄴ, ㅁ   ③ ㄱ, ㄷ, ㅁ   ④ ㄴ, ㄷ, ㄹ   ⑤ ㄷ, ㄹ, ㅁ

표현상 특징 파악하기

2 이 시의 표현상 특징으로 적절하지 <u>않은</u> 것은?

① 상처 입은 고목의 모습을 눈에 보이듯이 생생하게 묘사하고 있다.
② 구경꾼들의 행동을 실제와 반대로 표현하여 궁금증을 자아내고 있다.
③ '상처가 더 꽃이다'라는 역설적인 제목을 통해 깨달음을 강조하고 있다.
④ '진동하겠지 상처의 향기'와 같이 도치법을 사용하여 강한 인상을 주고 있다.
⑤ 어린 매화나무와 고목의 모습을 대조하여 대상의 특징을 선명하게 드러내고 있다.

시어의 의미 파악하기

3 주관식

㉠의 의미를 다음과 같이 정리할 때, 빈칸에 들어갈 알맞은 말을 두 어절로 쓰시오.

> ㉠은 고통과 시련을 이겨 낸 상처의 아름다움을 집약적으로 드러낸 표현이다. 여기서 '꽃'은 매화나무 꽃이 아니라 (   )을 의미한다.

시인의 의도 파악하기

4 고난도

이 시의 시인과 '상처'에 대한 관점이 가장 유사한 사람은?

💡 **도움말**
고목의 상처를 대하는 구경꾼들의 반응을 통해 '상처'에 대한 시인의 관점을 추측해 본다.

① 재연: 상처는 흉터를 남겨 사람의 모습을 어둡고 추하게 만들어요.
② 성화: 상처는 고통스럽지만 상처를 극복하는 과정에서 성장할 수 있어요.
③ 경채: 상처가 난 곳은 약해져 또 다치기 쉬우니 상처가 나지 않도록 주의해야 해요.
④ 은호: 한번 상처가 난 관계는 돌이킬 수 없으니 다른 사람을 배려하는 삶의 태도를 갖추어야 해요.
⑤ 민수: 누구나 살아가면서 각기 다른 상처를 입기 때문에 다른 사람의 상처에 대해 함부로 말해선 안 돼요.

구성

1~3행 어린 매화나무보다 고목에 더 몰린 구경꾼들의 모습

4~11행 상처를 지닌 고목의 의연하고 의젓한 모습

12~19행 고목의 상처를 구경하는 사람들의 모습과 상처에서 얻는 깨달음

해제

이 작품은 사백 년 된 매화 고목의 상처를 통해 고통을 이겨 낸 상처가 지니는 아름다움을 표현한 현대시이다. 어린 매화나무와 고목을 대조하고, 역설적인 표현을 활용하여 상처를 꽃보다 더 아름답게 인식하는 시인의 생각을 인상적으로 드러내고 있다.

주제

꽃보다 더 아름답고 고귀한 상처

시적 상황과 깨달음

이 시는 사람들이 고목의 상처에서 아름다움을 느끼는 시적 상황을 제시하고, 그러한 시적 상황으로부터 얻은 화자의 깨달음을 전달하고 있다. 시인은 화자를 시의 표면에 직접적으로 드러내지 않음으로써 독자가 시적 상황에 좀 더 주목하게 하고 있다.

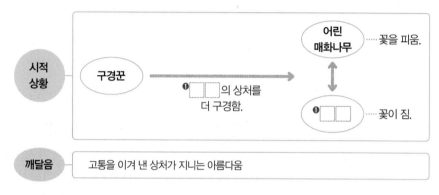

'고목'의 감각적 묘사

역설적 표현의 효과

상처는 보통 보기 흉한 대상인데, 이 시에서는 상처를 꽃보다 더 아름다운 대상으로 표현하고 있다. 이렇게 겉으로는 모순된 표현이지만 그 속에 깊은 진리를 담고 있는 역설적 표현을 사용함으로써, 고통을 이겨 낸 증거에 해당하는 '상처가 지니는 아름다움'이라는 주제를 참신하게 드러내고 있다.

모순된 표현	상처야말로 더 꽃인 것을.
속에 담긴 진리	• 고통을 이겨 낸 ❸□□가 꽃보다 더 아름다움. • 외면적인 아름다움보다 내면적인 아름다움이 진정한 아름다움이라 할 수 있음.

어휘 다지기

1 다음 뜻과 예를 참고하여 해당하는 단어를 말 상자에서 찾아 표시하시오.

(1) 여러 해 자라 더 크지 않을 정도로 오래된 나무.

예 사백 년 ( ) 꽃 지느라 한창인데.

(2) 큰 나무의 밑동.

예 ( )도 가지도 꺾이고 구부러지고 휘어졌다.

(3) 부스럼이나 상처 따위에서 흐르는 물.

예 새 ( )이 번지는가 개미들 바삐 오르내려도.

(4) 잡귀를 쫓고 재앙을 물리치기 위하여 붉은색으로 글씨를 쓰거나 그림을 그려 몸에 지니거나 집에 붙이는 종이.

예 상처 도지는 이들에게는 ( )으로 보이는가.

한	사	꽃	둥	구
창	고	군	치	경
이	으	목	자	꾼
다	뜸	훈	장	부
진	물	향	기	적

2 다음 뜻에 해당하는 단어를 〈보기〉에서 골라 쓰시오.

보기

뒤틀리다   험상궂다   거무죽죽하다   의연하다   으뜸답다

(1) 모양이나 상태가 매우 거칠고 험하다. ·································· ( )

(2) 칙칙하고 고르지 않게 거무스름하다. ·································· ( )

(3) 의지가 굳세어서 끄떡없다. ·································· ( )

어휘 ➕ 사군자의 의미

3 〈보기〉를 참고하여, 사다리 타기에 따라 각 식물이 대표하는 계절을 바르게 쓰시오.

💡 **도움말**

〈보기〉에서 매화, 난초, 국화, 대나무 각각의 특성을 설명한 부분을 주의 깊게 읽어 본다.

보기

　사군자(四君子)는 '매화, 난초, 국화, 대나무'를 군자에 빗대어 표현한 것이다. 옛사람들은 계절이 주는 고난에 굴하지 않는 이 식물들의 특성이 선비가 갖추어야 할 꿋꿋한 태도와 닮았다고 생각했다. 구체적으로 매화는 눈이 녹지 않은 초봄에 꽃이 핀다. 난초는 무더운 여름에 잎을 더욱 곧게 뻗는다. 국화는 서리가 치는 늦가을에 핀다. 대나무는 눈이 오는 겨울에도 잎과 대가 시들지 않고 푸른 특성이 있다.

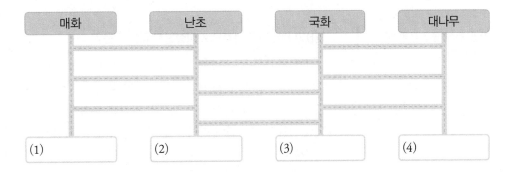

실전 08 시조 두 편

∞ 교과서 (가) 중3 _ 지학사
(나) 중3 _ 동아, 고1 _ 미래엔 외1

(가)는 임과 이별한 뒤 느낀 슬픔을 표현한 평시조이며, (나)는 임을 기다리는 애타는 마음을 드러낸 사설시조이다. 각각의 작품에 드러난 화자의 정서와 이를 표현한 방법에 주목하며 작품을 읽어 보자.

핵심 짚기

(가)

● **화자와 시적 상황**
· 화자: 나
· 시적 대상: 고운 님
· 시적 상황: 냇가에서 '고운 님'과 **❶ㅇㅂ**한 슬픔을 드러냄.

● **표현상 특징**
화자의 슬픔을 **❷ㅁ**에 이입하여 나타냄.

(나)

● **화자와 시적 상황**
· 화자: 작품에 직접 드러나지 않음. (임을 기다리는 사람)
· 시적 대상: 개
· 시적 상황: '고운 임'을 도로 가게 하는 개를 **❸ㅇㅁ**함.

● **표현상 특징**
임이 오지 않는 까닭을 **❹ㄱ**의 탓으로 돌려 표현함으로써 해학적인 느낌을 줌.

| 빈칸 답
❶ 이별 ❷ 물 ❸ 원망 ❹ 개

● **여의옵고** | 이별하옵고.
● **내 안** | 내 마음.
● **예놋다** | 가는구나.
● **여남은** | 열이 조금 넘는 수.

가 ⓐ천만리 머나먼 길에 ⓑ고운 님 여의옵고
㉠내 마음 둘 데 없어 냇가에 앉았으니
저 ㉡물도 내 안 같아서 울어 밤길 예놋다

– 왕방연, 〈천만리 머나먼 길에〉

나 ⓒ개를 여남은이나 기르되 ⓓ요 개같이 얄미우랴
미운 임 오면은 꼬리를 홰홰 치며 치뛰락 내리뛰락 반겨서 내닫고 고운 임 오면은 뒷발을 버둥버둥 무르락 나락 캉캉 짖어서 도로 가게 하느냐
ⓔ쉰밥이 그릇그릇 난들 너 먹일 줄이 있으랴

– 작자 미상, 〈개를 여남은이나 기르되〉

작품 간의 공통점·차이점 파악하기

1 (가), (나)에 대한 설명으로 적절하지 않은 것은?

① (가)와 (나) 모두 임을 그리워하는 화자의 정서를 나타내고 있다.

② (가)와 (나) 모두 자연물을 활용하여 화자의 정서를 표현하고 있다.

③ (가)와 (나) 모두 화자가 자신의 처지를 부정적으로 인식하고 있다.

④ (가)와 달리 (나)의 화자는 임에 대한 원망을 직설적으로 표현하고 있다.

⑤ (나)와 달리 (가)의 화자는 대상을 의인화하여 슬픔의 정서를 드러내고 있다.

외재적 관점으로 감상하기 2

● **호송하다** | 죄를 지은 사람을 목 적지까지 감시하면서 데려가다.
● **연군** | 임금을 그리워함.

〈보기〉를 참고할 때, ㉠의 구체적인 내용으로 가장 적절한 것은?

> 왕방연은 단종이 수양 대군에게 왕위를 빼앗기고 유배를 떠날 때 그를 호송하는 임무를 맡았는데, 임무를 마치고 돌아오는 길에 느낀 심정을 담아 (가)를 창작했다고 한다.

① 과거에 대한 미련과 후회
② 나라의 앞날에 대한 걱정
③ 돌아가신 부모에 대한 그리움
④ 임금에 대한 충절과 연군의 마음
⑤ 자신의 처지에 대한 안타까움과 서글픔

시어의 기능 파악하기 3

💡 **도움말**

　(가)의 화자는 냇물이 내 마음과 같이 슬픔을 느낀다고 하여 정서를 효과적으로 드러낸다. 밑줄 친 시어 중 화자와 같은 감정을 느끼는 것처럼 표현된 대상을 찾아본다.

고난도

다음 밑줄 친 시어 중 ㉡과 같은 역할을 하는 것은?

① 나는 나룻배 / 당신은 행인. // 당신은 흙발로 나를 짓밟습니다.
　나는 당신을 안고 물을 건너갑니다.　　　　　　　　　　　　－ 한용운, 〈나룻배와 행인〉에서
② 넓은 벌 동쪽 끝으로 / 옛이야기 지줄대는 실개천이 회돌아 나가고,
　<u>얼룩백이 황소</u>가 / 해설피 금빛 게으른 울음을 우는 곳,　　　　　－ 정지용, 〈향수〉에서
③ 붉은 해는 서산마루에 걸리었다. / <u>사슴의 무리</u>도 슬피 운다.
　떨어져 나가 앉은 산 위에서 / 나는 그대의 이름을 부르노라.　　　　－ 김소월, 〈초혼〉에서
④ 계절이 지나가는 하늘에는 / 가을로 가득 차 있습니다. //
　나는 아무 걱정도 없이 / 가을 속의 <u>별</u>들을 다 헤일 듯합니다.　　　－ 윤동주, 〈별 헤는 밤〉에서
⑤ <u>모란</u>이 피기까지는 / 나는 아직 나의 봄을 기다리고 있을 테요.
　모란이 뚝뚝 떨어져 버린 날 / 나는 비로소 봄을 여읜 설움에 잠길 테요.
　　　　　　　　　　　　　　　　　　　　　　　　　　　－ 김영랑, 〈모란이 피기까지는〉에서

표현상 특징 파악하기 4

(나)의 표현상 특징으로 적절하지 <u>않은</u> 것은?

① 미운 임과 고운 임을 대하는 개의 행동을 대조하고 있다.
② 비슷한 문장 구조를 나란히 배치하여 운율을 형성하고 있다.
③ 반어적 표현을 통해 개에 대한 화자의 정서를 강조하고 있다.
④ 의성어와 의태어를 사용하여 개의 행동을 실감 나게 드러내고 있다.
⑤ 임이 오지 않는 상황을 개의 탓으로 돌려 익살스러운 느낌을 주고 있다.

시어의 의미와 기능 파악하기 5

ⓐ～ⓔ에 대한 설명으로 가장 적절한 것은?

① ⓐ: 화자가 느끼는 슬픔이 깊음을 드러낸 표현이다.
② ⓑ: 화자가 부러워하고 본받으려고 하는 대상이다.
③ ⓒ: 임을 대신하여 화자를 위로해 주는 존재이다.
④ ⓓ: 화자에게 호기심을 불러일으키는 대상이다.
⑤ ⓔ: 개에 대한 화자의 애정이 담긴 소재이다.

(가) 왕방연, 〈천만리 머나먼 길에〉

구성

초장	'고운 님'과의 이별
중장	슬픔을 달랠 길 없어 냇가에 앉아 있는 화자
종장	시냇물도 자신처럼 슬퍼한다고 느끼는 화자

해제

이 작품은 단종을 귀양지까지 호송하는 임무를 맡았던 작가가 자신의 죄책감과 충심을 노래한 시조로, 냇물에 감정을 이입하여 자신의 정서를 강조하고 있다.

주제

임(단종)과 이별한 슬픔

(나) 작자 미상, 〈개를 여남은이나 기르되〉

구성

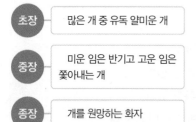

초장	많은 개 중 유독 얄미운 개
중장	미운 임은 반기고 고운 임은 쫓아내는 개
종장	개를 원망하는 화자

해제

이 작품은 임을 기다리는 간절한 마음을 표현한 사설시조로, 짖는 개 때문에 임이 오지 않는다는 발상을 통해 오지 않는 임에 대한 미움을 개에게 전가하여 표현하고 있다.

주제

임을 그리워하고 기다리는 마음

🔍 (가), (나): 자연물을 활용한 화자의 정서 표현

(가), (나)의 화자 모두 임과 멀리 떨어진 상황에서 느끼는 정서를 자연물을 활용해 표현하고 있다. (가)의 화자는 '물'에 감정을 이입하여 '물'이 자신의 마음과 같아서 울고 있다고 표현하였다. (나)의 화자는 '개'가 짖어서 임을 쫓아낸다고 '개'에게 화풀이함으로써 오지 않는 임에 대한 원망을 '개'에게 전가하여 표현하였다.

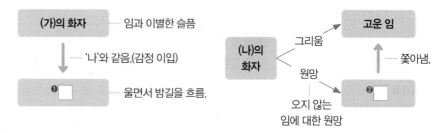

🔍 (가): 작품의 외재적 감상

(가)에는 수양 대군에게 왕위를 빼앗긴 단종이 강원도 영월로 귀양 갈 때, 단종을 호송하는 임무를 맡았던 작가의 경험이 반영되어 있다. 이러한 창작 배경을 고려할 때, (가)의 '고운 님'은 임금(단종)을 의미한다고 볼 수 있다.

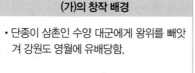

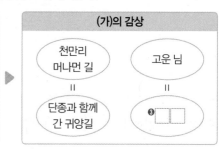

(가)의 창작 배경
• 단종이 삼촌인 수양 대군에게 왕위를 빼앗겨 강원도 영월에 유배당함.
• 작가(왕방연)는 단종을 귀양지로 호송하고 돌아오는 길에 안타까운 마음을 담아 이 시조를 지음.

🔍 (나): 사설시조의 특성

(나)는 조선 중기 이후 발달해 평민층이 주로 즐긴 사설시조에 해당한다. 사설시조는 기존 평시조에서 각 장의 길이가 늘어나고, 일상적인 소재로 감정을 솔직하게 드러낸다는 특징이 있다. (나)에도 이러한 사설시조의 특징이 잘 드러나 있다.

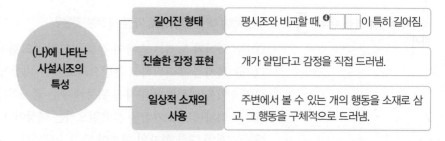

(나)에 나타난 사설시조의 특성		
	길어진 형태	평시조와 비교할 때, ❹☐☐이 특히 길어짐.
	진솔한 감정 표현	개가 얄밉다고 감정을 직접 드러냄.
	일상적 소재의 사용	주변에서 볼 수 있는 개의 행동을 소재로 삼고, 그 행동을 구체적으로 드러냄.

빈칸 답 ❶ 물 ❷ 개 ❸ 단종 ❹ 중장

1 다음 밑줄 친 단어의 뜻을 〈보기〉에서 찾아 그 번호를 쓰시오.

● 보기 ●
① 몹시 멀다.
② 말이나 행동이 약빠르고 밉다.
③ 갑자기 밖이나 앞쪽으로 힘차게 뛰어나가다.

(1) 천만리 <u>머나먼</u> 길에 고운 님 여의옵고 ·················· (　　　)

(2) 개를 여남은이나 기르되 요 개같이 <u>얄미우랴</u> ·················· (　　　)

(3) 미운 임 오면은 꼬리를 홰홰 치며 반겨서 <u>내닫고</u> ·················· (　　　)

개념어

2 다음 뜻과 예를 참고하여 빈칸에 알맞은 단어를 〈보기〉의 글자를 조합하여 만드시오.

도움말
　(가), (나)의 갈래상 특징과 주제를 떠올리며 문제를 풀어 본다. 예와 개념어를 함께 기억하면 자연스럽게 시조의 갈래상 특징을 익힐 수 있다.

● 보기 ●
초　사　장　설　종　시　연　평　군　조

(1) 임금을 그리워함.
　예 조선 초기에는 왕방연처럼 (　　　　　　)의 마음을 담은 시조를 쓰는 사람들이 많았다.

(2) 시조의 마지막 장.
　예 시조는 (　　　　　　)의 첫 음보가 3음절이어야 하는 규칙이 있다.

(3) 초장·중장이 제한 없이 길며, 종장도 길어진 시조.
　예 조선 후기 평민층이 (　　　　　　)를 활발히 창작하고 즐겼다.

어휘 ➕ 순우리말로 된 수 표현

3 〈보기〉를 참고하여, 빈칸에 들어갈 알맞은 수 표현을 쓰시오.

도움말
　여러 말이 규칙적으로 합쳐져 새로운 단어가 만들어지기도 한다. 〈보기〉에서 규칙을 발견한 뒤, (1), (2)에 적용해 본다.

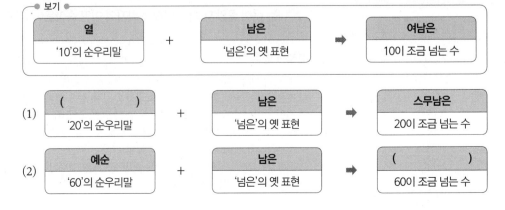

사랑과 이별을 노래하는 시 읽기

🔗 20쪽 〈진달래꽃〉, 24쪽 〈나룻배와 행인〉

나는 문학 천재라서 문학천재

누구나 한 번쯤 사랑하는 사람과 헤어져서 가슴 아파한 경험이 있을 거야. 이럴 때 누구라도 자신의 이야기를 듣고 공감해 준다면 그것만으로도 큰 위안이 되곤 하지. 그래서인지 사람들은 사랑과 이별에 대한 정서·태도를 담은 시나 노랫말을 많이 썼어.
다음 대중가요의 노랫말에서 화자가 어떤 이야기를 들려주고 있는지 함께 살펴볼까?

> 나는 운이 좋았지. 다른 사람들은 그렇게 어려운 이별을 한다는데
>
> 나는 운이 좋았지. 말 한마디로 끝낼 수 있던 사랑을 했으니까.
>
> 나는 운이 좋았지. 서서히 식어 간 기억도 내게는 없으니
>
> 나는 운이 좋았지. 한없이 사랑한 날도 우리에겐 없던 것 같으니
>
> 나는 운이 좋았지. 스친 인연 모두 내게 많은 것들을 가르쳐 줬으니
>
> 후회는 하지 않아. 덕분에 나는 조금 더 나은 사람이 되었으니까.
>
> 참 많이도 아팠지. 혼자서 울음을 삼킨 날도 정말 많았지.
>
> 이젠 웃어 보일게. 긴 터널이 다 지나가고 단단한 마음을 갖게 됐으니
>
> 아주 자잘한 후회나 여운도 내게 남겨 주지 않았으니
>
> 나는 운이 좋았지. 내 삶에서 나보다도 사랑한 사람이 있었으니
>
> 내게 불었던 바람들 중에 너는 가장 큰 폭풍이었기에
>
> 그 많던 비바람과 다가올 눈보라도 이제는 봄바람이 됐으니
>
> 나는 운이 좋았지. 나는 운이 좋았지.
>
> 나는 운이 좋았지. 넌 내게 전부였지.
>
> — 권진아 작사·작곡, 〈운이 좋았지〉에서

생각할 거리 ❶

≫ (1) 이 노랫말에서 화자는 이별에 대해 어떤 태도를 보이고 있는가?

(2) '나는 운이 좋았지.'라는 말에는 화자의 어떤 속마음이 담겨 있을까?

천재의 힌트

이 노랫말에서 화자는 이별 때문에 참 많이 아프고 울음을 삼킨 날도 많았다고 말하고 있어. 하지만 화자는 오히려 운이 좋았다고 반대로 말하고 있지. 잘 이해되지 않는다고? 이어지는 화자의 말을 들으면 그 의미를 이해할 수 있을 거야. 화자는 '스친 인연 모두 내게 많은 것들을 가르쳐 줬으니', '나는 조금 더 나은 사람이 되었으니까', '단단한 마음을 갖게 됐으니' 등과 같이 '너'와의 사랑과 이별 덕분에 성숙해졌다고 생각하기 때문에 운이 좋았다고 말할 수 있는 거야.

이와 같이 화자는 애써 자신은 운이 좋았다고 되풀이하지만, 마지막 부분의 '내 삶에서 나보다도 사랑한 사람이 있었으니', '넌 내게 전부였지.'라고 하는 말에서 화자의 슬픔과 아픔이 절절히 느껴지는 것 같아.

다음 함께 읽을 작품은 한 겨울에 나뭇가지에 눈이 쌓이는 풍경을 소재로 삼고 있어. 시인이 자연물인 '눈'을 통해 말하고 있는 사랑과 이별의 의미가 궁금하지 않니? 이 시에 나타난 표현상 특징에 주목하여 시인이 진짜 말하고 싶은 게 무엇인지 생각하며 읽어 보자.

흔들리는 나뭇가지에 꽃 한번 피우려고
눈은 얼마나 많은 도전을 멈추지 않았으랴

싸그락 싸그락 두드려 보았겠지
난분분° 난분분 춤추었겠지
미끄러지고 미끄러지길 수백 번,

바람 한 자락 불면 휙 날아갈 사랑을 위하여
햇솜° 같은 마음을 다 퍼부어 준 다음에야
마침내 피워 낸 저 황홀 보아라

봄이면 가지는 그 한번 덴° 자리에
세상에서 가장 아름다운 상처를 터뜨린다

– 고재종, 〈첫사랑〉

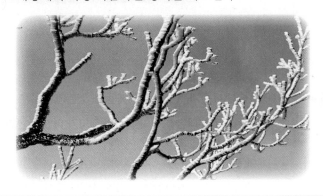

● **난분분** | '난분분하다'의 어근. 눈이나 꽃잎 따위가 흩날리어 어지러운 모양.
● **햇솜** | 그 해에 새로 난 솜.
● **데다** | 불이나 뜨거운 기운으로 말미암아 살이 상하다. 또는 그렇게 하다.

생각할 거리 ❷ ≫ (1) 이 시에서 '눈'은 어떤 행동을 하는 존재로 나타나 있는가?

(2) 마지막 행의 '세상에서 가장 아름다운 상처'라는 말에 담긴 의미는 무엇일까?

천재의 힌트

제목을 보고 이 시가 '첫사랑'에 대한 작품인 걸 짐작했을 거야. 의인화된 '눈'은 '미끄러지길 수백 번' 하며 나뭇가지에 꽃을 피우기 위해 노력했지. 그리고 마침내 눈꽃을 피워 냈어. 얼마나 황홀했을까? 하지만 힘겹게 피워 낸 눈꽃은 봄이 오자 모두 사라졌고, 눈꽃이 사라진 나뭇가지에는 진짜 꽃이 피었어. 비록 잠깐이었지만 순수하고 헌신적이었던 '눈'의 사랑 덕분에 나뭇가지는 '세상에서 가장 아름다운 상처'와 같은 꽃을 피울 수 있었던 거야. 아마도 시인은 눈꽃이 사라지고 나뭇가지가 꽃을 피우듯이, 사람도 첫사랑의 아픔을 겪은 후에 성숙한 사랑을 이룰 수 있다는 말을 하고 싶었던 것은 아닐까?

앞에서 공부한 <나룻배와 행인>에서 화자는 자신을 '나룻배'에 비유하여 사랑하는 임을 한없이 기다리고 있었지. 다음 작품은 조선 시대에 쓰인 사설시조인데, 이 시에서 화자도 사랑하는 임을 기다리고 있어. 이 시에서 화자가 어떤 정서와 태도를 보이고 있는지 생각하며 읽어 보자.

귀뚜라미 저 귀뚜라미 어엿브다 저 귀뚜라미

어찌 된 귀또리 지는 달 새는 밤의 긴 소리 짧은 소리 절절(節節)이 슬픈 소리 저 혼자 울어 내어 사창에 얕은 잠을 잘도 깨우는구나.

두어라 제 비록 미물(微物)이지만 무인동방(無人洞房)에 내 뜻 알 이는 너뿐인가 하노라.

– 작자 미상

● **어엿브다** │ '불쌍하다'의 옛말.
● **절절** │ 글이나 말의 한 마디 한 마디.
● **사창** │ 비단 휘장(揮帳)을 친 창으로, 여인의 방을 일컬음.
● **미물** │ 작고 보잘것없는 벌레나 짐승.
● **무인동방** │ 임이 없는 여인의 외로운 방. 독수공방(獨守空房).

생각할 거리 ❸ » (1) 이 시에서 화자는 어떤 상황에 처해 있는가?

(2) '귀뚜라미'에 대한 화자의 정서와 태도가 어떻게 변화하고 있는가?

천재의 힌트

이 시에서 화자는 임과 이별한 사람인 것 같아. 화자는 길고 긴 가을밤, 임이 곁에 없는 상황에서 무척 외로울 거야. 화자는 오지 않는 임을 기다리며 외로움에 사무치다가 겨우 얕은 잠이 들지만, 귀뚜라미 울음소리 때문에 잠에서 깨고 말지. 화자는 그런 귀뚜라미에 대한 원망을 '잠을 잘도 깨우는구나.'라고 반어적으로 표현하고 있어. 하지만 이내 자신의 마음을 알아주는 존재는 귀뚜라미뿐이라고 생각하며, 귀뚜라미에게 동병상련(同病相憐, 어려운 처지에 있는 사람끼리 서로 가엾게 여김을 이르는 말.)의 정을 느끼고 있는 것 같아.

예전부터 사랑과 이별은 문학 작품에서 굉장히 많이 다루어지는 소재야. 1단원에서 살펴본 작품들만 봐도 작품의 내용이나 표현은 모두 다르지? 같은 소재를 다루더라도 화자가 처한 구체적인 상황, 그 속에서 느끼는 화자의 정서와 태도가 다르고, 이를 표현하는 방식이 다르기 때문이지. 이게 사랑과 이별을 노래한 작품들이 식상한 소재를 사용하면서도 결코 식상하지 않은 이유지. 이래서 내가 시를 좋아한다니까!

감상 원리를 차근차근 익히고,
실전 문제 풀이로 실력 쌓기!

2 소설

01 인물의 특성과 인물 관계 파악하기

소설에서 인물은 작품 속에서 사건과 갈등을 일으키는 주체이다. 따라서 인물의 특성과 인물들 간의 관계를 이해하면 작품에서 일어나는 사건이나 갈등을 좀 더 명확하게 파악할 수 있다.

감상 원리 주인공을 중심으로 인물의 특성과 인물들 간의 관계를 파악하자.

| 감상 방법

❶ 등장인물을 찾고, 주인공 파악하기

> 주인공은 사건의 중심에 있는 인물로, 문장에서 행동의 주체가 되는 주어에 많이 등장합니다.

작품에 나오는 인물의 이름이나 호칭을 살펴 등장인물을 확인한다. 그리고 어떤 인물을 중심으로 사건이 일어나고 있는지 살펴 주인공을 파악해 본다.

❷ 등장인물의 특성 파악하기

서술자의 직접적 서술이나 인물의 말과 행동을 바탕으로 하여 작품 속 상황에서 인물이 어떤 심리나 태도를 보이는지 파악한다. 그리고 이를 토대로 하여 인물이 어떤 성격을 지닌 사람인지 짐작해 본다.

> ● **직접 제시**: 서술자가 인물의 심리나 태도, 성격을 직접 설명한 부분을 확인하기
>
> 예 나는 약이 오를 대로 다 올라서 두 눈에서 눈물과 함께 눈물이 퍽 쏟아졌다.
> 억울하고 화가 난 '나'의 심리가 직접적으로 드러남.
> – 김유정, 〈동백꽃〉에서
>
> ● **간접 제시**: 인물의 말이나 행동을 통해 인물의 심리나 태도, 성격을 추측하기
>
> 예 「여지껏 가무잡잡한 점순이의 얼굴이 이렇게까지 홍당무처럼 새빨개진 법이 없었다. 게다 눈에 독을 올리고 한참 나를 요렇게 쏘아보더니 나중에는 눈물까지 어리는 것이 아니냐.」 「 」: 당황하고 화가 난 점순이의 심리가 행동을 통해 간접적으로 드러남. – 김유정, 〈동백꽃〉에서

❸ 인물들 간의 관계 파악하기

예 〈춘향전〉에서 '춘향'을 중심으로 한 인물 관계도

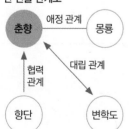

작품 속 주인공을 중심으로 인물들 간의 관계를 정리해 본다. 먼저 호칭이나 높임 표현 등을 통해 주인공과 어떤 사회적 관계를 맺고 있는지 파악해 본다. 그리고 인물들이 서로에게 어떤 감정을 지니며, 어떤 태도를 보이는지에 따라 주인공과 대립하는 인물인지, 주인공을 돕거나 돋보이게 하는 역할을 하는 인물인지 등으로 나누어 본다.

개념+ 중요도와 역할에 따른 인물의 유형

중요도	주요 인물	주인공이나 그와 비슷한 정도의 역할을 하는 중심인물.
	주변 인물	주인공을 돕거나 돋보이게 하는 역할을 하는 보조적 인물.
역할	주동 인물	사건을 주도적으로 이끌어 가는 인물(주인공).
	반동 인물	주동 인물과 대립하여 갈등하는 인물.

원리 적용

● 감상 원리 **01**을 적용하여, 다음 글에 등장하는 인물의 특성과 인물 관계를 파악해 보자.

앞부분의 줄거리 문기는 숙모의 심부름으로 고깃간에 갔다가 거스름돈을 더 받게 된다. 친구 수남이의 꼬임에 넘어간 문기는 수남이와 함께 물건을 사고, 놀면서 거스름돈을 써 버린다. 평소와 다른 문기의 모습에 삼촌이 훈계를 하고, 이에 양심의 가책을 느낀 문기는 수남이와 쓰고 남은 돈을 고깃간 집 안마당으로 던져 버린다.

"난 인제 돈 가진 것 없다." / "뭐?"

하고 ❶<u>수만이는</u> 의외라는 듯 눈이 둥그레지다가는 금세 능청스러운 웃음을 지으며
　　　주요 인물, 반동 인물

"너 혼자 두고 쓰잔 말이지? 그러지 말구 어서 가자."
문기가 혼자 돈을 쓰기 위해 거짓말한다고 생각하는 수만

"정말 없어. 지금 고깃간 집 안마당으로 던져 주고 오는 길야. 공두 쌍안경두 버리구."

하고 ❶<u>문기는</u> 증거를 보이느라고 이쪽저쪽 주머니를 털어 보이는 것이나 <u>수만이는 흥 하</u>
　　　주요 인물, 주동 인물　　　　　　　　　　　　　　　　　　　　　　　　文기의 말을 믿지 않는 수만
<u>고 코웃음을 친다.</u>

"누군 너만 못 약을 줄 아니?"

그리고 연신 빈정댄다.

"고깃간 집 마당으로 던졌다? 아주 핑계가 됐거든."

"거짓말 아니다. 참말야."

할 뿐, ❷<u>문기는 어떻게 변명할 줄을 몰라 쳐다보기만 하다가 고개를 떨어뜨리고 울상을</u>
　　　　　　　　　　　　　수만이에게 당당하게 말하지 못하는 문기
<u>한다.</u>

"오늘 작은아버지에게 막 꾸중 듣구. 그리고 ❷<u>나두 인젠 그런 건 안 헐 작정이다.</u>"
　　　　　　　　　　　　　　　　　　　　　　　　　이제 양심에 어긋나는 일을 하지 않을 것이라 다짐하는 문기

"그래도 나하고 약조헌 건 실행해야지. 싫으면 너는 빠져도 좋아. 그럼 돈만 이리 내."

하고 턱 밑에 손을 내민다.

"정말 없대두 그래."

❷<u>수만이는 내밀었던 손으로 대뜸 멱살을 잡는다.</u>
　　　　　　　　문기를 위협하는 수만

"이게 그래두 느물거려."

이런 때 마침 기침을 하며 이웃집 사람이 골목으로 들어서자 수만이는 슬며시 물러선다. 그러나,

❷<u>"낼은 안 만날 테냐, 어디 두고 보자."</u>
　　　文기를 협박하는 수만
하고 피해 가는 문기 등을 향해 소리쳤다.

　　　　　　　　　　　　　　　　　　　　　　　　　　－ 현덕, 〈하늘은 맑건만〉에서

---

❶ 이 글에 등장하는 인물은 '문기', '수만'이다. 문기를 중심으로 하여 문기가 수만이에게 괴롭힘을 당하는 상황이 서술되고 있으므로, 주인공은 ❶(ㅁㄱ)'이다.

❷ 수만이가 자신의 말을 믿어 주지 않자 '어떻게 변명할 줄을 몰라 쳐다보기만 하다가 고개를 떨어뜨리고 울상을 하는' 행동, "나두 인젠 그런 건 안 헐 작정이다."라는 말을 통해 문기가 ❷(ㅅㅅ)하고 심성이 착한 인물임을 알 수 있다. 이에 반해 수만이는 문기가 돈을 내놓지 않자 '대뜸 멱살을 잡'고 문기에게 "낼은 안 만날 테냐, 어디 두고 보자."라고 말하는 것으로 보아 폭력적이고 비열한 인물임을 알 수 있다.

❸ 문기가 돈이 없다고 말하자 수만이가 문기를 위협하는 상황이므로, 문기와 수만이는 ❸(ㄷㄹ) 관계임을 알 수 있다.

도움말

이 작품에는 남은 돈이 없다고 말하는 '문기', 그런 문기를 믿지 않고 문기를 위협하는 '수만'이 등장하고 있다.

● **약다** | 자신에게만 이롭게 꾀를 부리는 성질이 있다.
● **연신** | 잇따라 자꾸.
● **빈정대다** | 남을 은근히 비웃는 태도로 자꾸 놀리다.
● **약조하다** | 조건을 붙여서 약속하다.
● **느물거리다** | 말이나 행동을 자꾸 능글맞게 하다.

빈칸 답
❶ 문기 ❷ 소심 ❸ 대립

도움말

이 작품에서 서얼 신분으로 태어나 온갖 차별을 받은 길동이 홍 대감에게 자신의 신세를 하소연하고 있다. 제시된 장면에서 주인공인 '길동'의 특성, '길동'과 '홍 대감'의 관계를 파악해 본다.

● **비범하다** | 보통 수준보다 훨씬 뛰어나다.
● **천비** | 예전에, 신분이 천한 여자 종을 이르던 말.
● **대감** | 조선 시대에, 정이품 이상의 벼슬아치를 높여 부르던 말.
● **한탄하다** | 원통하거나 뉘우치는 일이 있을 때 한숨을 쉬며 탄식하다.
● **소인** | 신분이 낮은 사람이 신분이 높은 사람에게 자기를 낮추어 이르던 말.
● **천생** | 천한 출신.
● **원통하다** | 분하고 억울하다.
● **대성통곡하다** | 큰 소리로 몹시 슬프게 울다.
● **방자하다** | 어려워하거나 조심스러워하는 태도가 없이 무례하고 건방지다.

세월이 흐르고 흘러 길동이 열한 살이 되었다. 비범한 아이인지라 누구 하나 길동을 칭찬하지 않는 이가 없었다. 비록 천비의 몸을 빌려 난 자식이긴 하지만, 길동의 재주를 눈여겨본 대감 역시 길동을 무척 아끼고 사랑하였다. 그러나 길동의 가슴에는 늘 원한이 맺혀 있었다. 출생이 천한 탓에 아버지를 아버지라 부르지 못하고 형을 형이라 부르지 못하기 때문이었다. 그는 자신의 천한 신분을 한탄하고 또 한탄하였다.

어느 칠월 보름날, 길동은 밝은 달을 쳐다보며 뜰을 배회하고 있었다. 쓸쓸한 가을바람 사이로 들려오는 기러기 울음소리가 마음에 외로움을 더했다. 길동의 가슴에는 절로 탄식이 일었다. 〈중략〉

그때 홍 대감 역시 밝은 달빛을 즐기고자 창문을 열고 비스듬히 기대어 앉아 있다가 이런 길동의 모습을 보았다. 대감이 크게 놀라며 물었다.

"밤이 이미 깊었는데 너는 무슨 흥이 있어 이러고 있느냐?"

길동이 칼을 던지고 엎드려 대답하였다.

"소인이 대감의 정기를 받고 당당한 남자로 태어났으니 이만한 즐거움도 없습니다. 그러나 늘 서러운 것은 아버지를 아버지라 부르지 못하고 형을 형이라 부르지 못하는 신세이옵니다. 하인들까지 모두 천하게 보며, 친지와 친구조차도 아무개의 천생이라고 이릅니다. 이런 원통한 일이 어디 있겠습니까?"

길동은 대성통곡하였다. 대감은 속으로는 길동이 불쌍했지만 짐짓 꾸짖어 말하였다. 만일 그 마음을 드러내서 위로하면 오히려 버릇이 없어질까 염려하였던 것이다.

"재상의 집안에서 천한 노비에게 태어난 사람이 너뿐이 아니다. 그러니 방자하게 굴지 마라. 다시 그런 말을 입 밖에 꺼내면 내 앞에 서지도 못하게 할 것이다."

길동은 그저 눈물만 흘리며 한참 동안을 그렇게 엎드려 있었다. 보다 못한 대감이 엄하게 물러가라 이르자, 비로소 고개를 들고 일어났다.

– 허균, 〈홍길동전〉에서

1 이 글에 나오는 '길동'에 대한 설명으로 적절하지 <u>않은</u> 것은?

① 천한 신분 때문에 부당한 대우를 받았다.
② 재상인 아버지와 노비인 어머니 사이에서 태어났다.
③ 능력이 부족하여 출세하지 못하는 처지를 괴로워하였다.

2 이 글에 나타난 '길동'과 '홍 대감'의 관계로 적절하지 <u>않은</u> 것은?

① '홍 대감'은 비범한 재주를 지닌 길동을 무척 아꼈다.
② '길동'은 홍 대감을 원망하며 아버지라고 부르지 않았다.
③ '홍 대감'은 자신의 처지를 하소연하는 길동을 엄하게 꾸짖었다.

원리 02 중심 사건과 갈등 파악하기

소설은 크고 작은 사건들로 구성되는데, 그중 이야기의 큰 줄기에 해당하는 사건은 보통 갈등을 중심으로 전개된다. 따라서 중심 사건과 그 속에 나타난 갈등을 파악하면 작품의 중심 내용을 쉽게 정리할 수 있다.

📖 **중학교 국어 문학 영역** ·갈등의 진행과 해결 과정에 유의하며 작품을 감상한다.

감상 원리 중심 사건을 바탕으로 하여 갈등의 유형과 진행 양상을 파악하자.

| 감상 방법

> 중심 사건은 육하원칙(누가, 언제, 어디서, 무엇을, 어떻게, 왜)에 따라 정리해 볼 수 있어요.

❶ 중심 사건 파악하기

사건은 인물들 사이에서 일어나는 온갖 일을 가리키며, 서술자의 서술이나 인물의 말과 행동을 통해 이해할 수 있다. 작품 속의 여러 사건 가운데 전체 이야기의 핵심이 되는 사건을 파악해 본다. 이때 주인공의 행위를 중심으로 주인공의 심리나 태도가 바뀌는 부분, 주인공이 다른 인물과 충돌하는 부분에 주목하면 중심 사건을 쉽게 파악할 수 있다.

❷ 갈등의 대상과 원인 파악하기

> 갈등은 크게 내적 갈등과 외적 갈등으로 나뉩니다. 그러나 소설에는 하나의 갈등만 드러나지 않고, 여러 갈등이 복합적으로 나타나기도 해요.

❶에서 파악한 중심 사건에서 갈등하는 대상이 누구인지 확인하고, 그 대상이 갈등하는 원인이 무엇인지 파악해 본다. 갈등은 흔히 욕구의 충돌 때문에 일어난다. 따라서 인물의 내면에서 충돌하는 욕구가 무엇인지, 인물이 가진 욕구를 가로막는 외적 요인(다른 인물, 사회, 자연, 운명 등)이 무엇인지를 파악해 본다.

개념➕ 갈등의 유형

내적 갈등		한 인물의 마음속에서 두 가지 이상의 욕구나 감정이 동시에 일어나면서 겪는 갈등.
외적 갈등	인물과 인물	가치관이나 성격, 태도 등의 차이 때문에 인물들 사이에 발생하는 갈등. 주동 인물과 반동 인물 사이의 갈등이 대표적임.
	인물과 사회	인물이 그가 속한 사회의 윤리나 제도 등과 충돌하면서 겪는 갈등.
	인물과 자연	인물이 거대한 힘을 가진 자연환경에 부딪히면서 겪는 갈등.
	인물과 운명	인물이 그가 처한 운명에서 벗어나고자 할 때 겪는 갈등.

❸ 갈등의 진행 양상 파악하기

소설에서 갈등은 일반적으로 '갈등의 시작(발생) → 갈등의 심화 → 갈등의 최고조 → 갈등의 해결(해소)'의 단계로 진행된다. 이를 고려하여 작품 속에서 인물의 갈등이 어떻게 발생하고 전개되고 해결되는지 파악해 본다. 갈등의 진행 양상은 소설의 구성 단계를 구분하는 기준이 되므로 62쪽 '감상 원리 03'과 관련지어 이해해 보는 것이 좋다.

● 감상 원리 02를 적용하여, 다음 글에 나타난 중심 사건과 갈등을 파악해 보자.

앞부분의 줄거리 열여섯 살 소년 수남이는 청계천 전자용품 도매상의 점원으로 일한다. 배달 일을 하던 중, 수남이가 길가에 세워 두었던 자전거가 바람에 쓰러지면서 신사의 차에 흠집을 내게 된다.

㉮ "인마. ❷네놈의 자전거가 쓰러지면서 내 차를 들이받았단 말야. 칠만 살짝 긁혔어도
〈수남이와 신사의 갈등 원인〉
또 모르겠는데 여봐라, 여기가 이렇게 우그러지기까지 했으니 일은 컸다, 컸어."

　신사가 덩칫값도 못하게 팔짝팔짝 뛰면서 잘 봐 두라는 듯이 수남이의 얼굴을 차에다
바싹 밀어붙였다. 〈중략〉

　"울긴, 인마. 너 한 달에 얼마나 버냐?"

　신사의 목청이 다분히 누그러지며 목소리에 연민이 담긴 것을 수남이는 재빨리 알아
차린다. 그러자 흑흑 소리까지 내어 운다.

　"울긴 짜아식, 할 수 없다. ❷너나 나나 오늘 재수 옴 붙은 걸로 치고 반반씩 손해 보자.
　　　　　　　　　　　　　　　　　「 」: 차 수리비의 절반을 요구하는 '신사'와 수리비를 낼 수 없는 '수남'의 외적 갈등
오천 원만 내."

　수남이는 너무 놀라 울음까지 끄르륵 삼키고 신사를 쳐다본다.」

생략된 부분의 줄거리 수남이가 수리비를 주지 않으려 하자, 신사는 자전거 바퀴에 자물쇠를 채운 다음에 오천 원을 가져오면 열쇠를 내주겠다고 말하고 가 버린다.

㉯ ❷"토껴라 토껴. 그까짓 것 갖고 토껴라."
　　〈수남이의 내적 갈등의 원인〉
그것은 악마의 속삭임처럼 은밀하고 감미로웠다. 수남이의 가슴은 크게 뛰었다. 이번
에는 좀 더 점잖고 어른스러운 소리가 났다.
〈수남이의 내적 갈등: 자전거를 들고 도망갈 것인지 말 것인지 고민함.〉

　"그래라, 그래. 그까짓 거 들고 도망가렴. 뒷일은 우리가 감당할게."

　그러자 모든 구경꾼이 수남이의 편이 되어 와글와글 외쳐 댔다.

　"도망가라, 어서어서 자전거를 번쩍 들고 도망가라, 도망가라."

　수남이는 자기편이 되어 준 이 많은 사람들을 도저히 배반할 수 없었다. 이상한 용기가
솟았다. ❸수남이는 자전거를 마치 검부러기처럼 가볍게 옆구리에 끼고 질풍같이 달렸다.
　　　　　　　　　　　　　　　　　　　　　　　　내적·외적 갈등이 일시적으로 해결됨.
　정말이지 조금도 안 무거웠다. 타고 달릴 때보다 더 신나게 달렸다. 달리면서 마치 오
래 참았던 오줌을 시원스레 내깔기는 듯한 쾌감까지 느꼈다.　　　　 – 박완서, 〈자전거 도둑〉에서
　　　　　　　　갈등이 해결되면서 쾌감을 느끼는 수남

❶ (가)의 중심 사건은 차 수리비 문제로 '수남'과 ❶(ㅅㅅ)가 충돌한 사건이고, (나)의 중심 사건은 '수남'이 자전거를 들고 도망친 사건이다.

❷ (가)에서 갈등하는 대상은 '수남'과 '신사'이고, 바람에 쓰러진 수남이의 자전거가 신사의 차에 흠집을 낸 것이 갈등의 원인으로 작용한다. 이로 인해 수리비를 요구하는 '신사'와 수리비를 낼 돈이 없는 '수남'이 ❷(ㅇㅈ) 갈등을 겪는다. 그리고 (나)에서 주변 사람들의 부추김 때문에 '수남'이 자전거를 들고 도망갈 것인지 고민하면서 ❸(ㄴㅈ) 갈등을 겪는다.

❸ (가)는 차 수리비 문제로 수남이와 신사 사이에 갈등이 시작되는 단계이고, (나)는 주변 사람들의 부추김 때문에 내적 갈등을 겪던 수남이가 자전거를 들고 도망치면서 갈등이 일시적으로 ❹(ㅎㄱ)되는 단계이다.

2. 소설

이 작품은 아파트의 위층과 아래층 주민 사이에서 벌어지는 갈등을 다루고 있다. 갈등하는 대상과 원인을 찾고, 갈등이 어떻게 전개되고 해소되는지 파악해 본다.

가 "위층이 또 시끄럽습니까? 조용히 해 달라고 말씀드릴까요?"

잠시 후 인터폰이 울렸다.

"충분히 주의하고 있으니 염려 마시랍니다."

경비원의 전갈이었다. 염려 마시라고? 다분히 도전적인 저의가 느껴지는 전언이었다. 게다가 드르륵드르륵 소리는 여전하지 않은가. 이젠 한판 싸워 보자는 얘긴가? 나는 인터폰을 들어 다짜고짜 909호를 바꿔 달라고 말했다. 신호음이 서너 차례 울린 후에야 신경질적인 젊은 여자의 응답이 들렸다.

"아래층인데요. 댁이 그런 식으로 말할 건 없잖아요? 나도 참을 만큼 참았다고요. 공동 주택에는 지켜야 할 규칙들이 있잖아요? 난 그 소리 때문에 병이 날 지경이에요."

"여보세요. 난 날아다니는 나비나 파리가 아니에요. 내 집에서 맘대로 움직이지도 못하나요? 해도 너무하시네요. 이틀 거리로 전화를 해 대시니 저도 피가 마르는 것 같아요. 저더러 어쩌라는 거예요?"

나 위층으로 올라가 벨을 눌렀다. 안쪽에서 "누구세요?" 묻는 소리가 들리고도 십 분 가까이 지나 문이 열렸다. '이웃사촌이라는데 아직 인사도 없이……' 등등 준비했던 인사말과 함께 포장한 슬리퍼를 내밀려던 나는 첫마디를 뗄 겨를도 없이 우두망찰했다. 좁은 현관을 꽉 채우며 휠체어에 앉은 젊은 여자가 달갑잖은 표정으로 나를 올려다보았다.

"안 그래도 바퀴를 갈아 볼 작정이었어요. 소리가 좀 덜 나는 것으로요. 어쨌든 죄송해요. 도와주는 아줌마가 지금 안 계셔서 차 대접할 형편도 안 되네요."

여자의 텅 빈, 허전한 하반신을 덮은 화사한 빛깔의 담요와 휠체어에서 황급히 시선을 떼며 나는 할 말을 잃은 채 부끄러움으로 얼굴만 붉히며 슬리퍼 든 손을 등 뒤로 감추었다.

– 오정희, 〈소음 공해〉에서

- **전갈** | 사람을 시켜 말을 전하거나 안부를 물음. 또는 전하는 말이나 안부.
- **저의** | 겉으로 드러나지 아니한, 속에 품은 생각.
- **전언** | 말을 전함. 또는 그 말.
- **우두망찰하다** | 정신이 얼떨떨하여 어찌할 바를 모르다.
- **달갑잖다** | 거리낌이나 불만이 있어 마음이 흡족하지 아니하다.

1 이 글에 나타난 중심 사건에 해당하는 것은?

① 층간 소음 문제로 아파트 아래층 주민과 위층 주민이 싸운 일

② 아파트 내에서 휠체어 사용 문제로 주민들 간에 싸움이 벌어진 일

③ 공동 주택의 규칙을 만드는 문제로 아래층 주민과 위층 주민이 싸운 일

2 이 글에 나타난 갈등 양상에 대한 설명으로 적절하지 <u>않은</u> 것은?

① '나'가 경비원을 통해 위층 여자에게 항의하면서 갈등이 시작되었다.

② '나'와 위층 여자가 인터폰으로 직접 대화하면서 갈등이 심화되었다.

③ '나'가 위층 여자에게 슬리퍼를 선물하면서 외적 갈등이 해소되었다.

03 사건의 구성 방식 파악하기

소설의 구성은 인물들이 겪는 여러 사건을 인과 관계(원인 - 결과)에 따라 유기적으로 배열하는 것을 이른다. 사건의 구성 방식을 파악하면 사건이 왜 일어났고, 어떻게 마무리되었는지 알 수 있어 작품 전체의 내용 흐름을 이해하는 데 도움이 된다.

감상 원리 사건의 전개 과정을 고려하여 사건의 구성 단계과 구성 유형을 파악하자.

| 감상 방법

❶ 중심 사건을 시간 순으로 재구성하기

⊕ **필연성**
소설에서 어떤 사건이 우연히 일어나지 않고 다른 사건과의 인과 관계에 따라 일어나는 것을 가리킨다.

작가는 소설 속 사건을 아무렇게나 나열하지 않는다. 주제를 효과적으로 전달하고 독자의 흥미를 끌기 위해 사건의 전개 방식, 사건의 필연성 등을 고려하여 전체 사건을 짜임새 있게 배열한다. 이와 같은 소설의 구성은 작품 전체 이야기의 흐름을 이해해야만 파악할 수 있다. 따라서 '감상 원리 02'에서 파악한 중심 사건을 시간의 순서에 따라 인과 관계를 고려하여 재구성해 본다.

❷ 사건의 구성 단계 파악하기

소설의 구성 단계는 다섯 단계 중에서 위기나 절정 단계 없이 3단계 또는 4단계로 구성되기도 해요.

소설은 일반적으로 '발단 → 전개 → 위기 → 절정 → 결말'의 5단계로 구성된다. 각 구성 단계가 지닌 특징과 59쪽 '감상 원리 02'에서 파악한 갈등의 진행 양상을 참고해 각각의 사건이 소설의 구성 단계 중 어느 단계에 해당하는지 파악해 본다.

개념+ 소설의 구성 단계

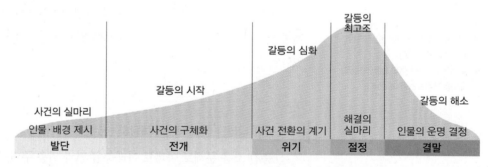

❸ 사건의 구성 유형 파악하기

⊕ **액자식 구성**

| 외화 |
| 내화 |

소설의 구성 단계는 대체로 사건의 원인과 그에 따른 결과를 순차적으로 구성하지만, 때로는 작가가 의도적으로 사건의 순서를 뒤바꾸기도 한다. 따라서 ❷에서 파악한 구성 단계에서 사건의 전개 방식이 시간의 흐름에 따라 순차적으로 전개하는 '평면적(순행적) 구성'인지, 시간의 흐름을 바꾸어 사건을 전개하는 '입체적(역순행적) 구성'인지 파악해 본다. 그리고 사진의 액자처럼 하나의 이야기(외화) 속에 또 하나의 이야기(내화)가 들어 있는 '액자식 구성'인 경우에는 두 이야기가 서로 어떤 관련이 있는지 살펴본다.

원리 적용

● 감상 원리 03을 적용하여, 다음 글에 나타난 사건의 구성 방식을 파악해 보자.

앞부분의 줄거리 용이는 머슴의 자식이라는 이유로 다른 아이들에게 괴롭힘을 당한다. 용이는 평소처럼 다른 아이들의 책보를 메고 고갯길을 오르다가 꿩이 힘차게 날아오르는 모습을 보게 된다. 이에 용기를 얻은 용이는 아이들의 책보를 두꺼비 바위 아래로 던져 버리고 고갯마루에 오른다. 용이의 태도가 변하게 된 계기

도움말
이 작품은 괴롭힘을 당하던 용이가 아이들에게 당당하게 맞서서 싸움에서 이기는 모습을 순차적으로 보여 주고 있다.

가 "너, 책 보퉁이 어쨌어?" / "이 자식, 죽고 싶나? 빨리 말해!"

용이는 아이들을 한번 둘러보고는 조용히, 그러나 힘찬 소리로 말했습니다. 이상하게도 책 보퉁이를 모두 날리고 나니 마음이 가라앉는 것이 조금도 겁이 나지 않았습니다.

"너희들 책보 말이제? 저 밑에 두꺼비 바위 아래 던져 놨어."

❶"뭐? 이 자식이!" / "이 자식 돌았나?" / "빨리 못 가져오겠나?"
　아이들이 책보를 가져오라고 용이를 다그침.
그러나 용이는 여전히 조용한 소리로 말했습니다.

❶"나, 이젠 못난 아이 아니야!"
　용기가 생긴 용이가 아이들에게 당당히 맞섬.
"어, 이 자식이?" / "요런, 머슴의 자식이." / "나쁜 자식! 맛 좀 볼래?"
　아이들이 용이를 괴롭힌 근본 이유
❷아이들의 발과 주먹이 용이를 덮쳐 왔을 때, 용이는 번개같이 거기를 빠져나와 몇 걸
　└: 용이와 아이들의 갈등이 최고조에 이름.
음발을 옮기더니, 발밑에 있는 돌을 두 손으로 한 개씩 거머쥐고는 거기 있는 커다란 바윗돌 위에 껑충 뛰어올랐습니다. 그 몸놀림이 어찌나 재빠른지, 아이들이 모두 놀랐습니다.

나 아이들이 입을 벌리고 어쩔 줄 모르고 서 있을 때, 뒤에서 한 아이가,

❶"난, 내 책보 가질러 갈란다."
　용이의 당당한 태도에 아이들이 맞서기를 포기함.
하고 달려갔습니다. 그 소리에 다른 아이들도 모두 정신이 돌아온 것처럼,

"나도 간다." / "나도 간다."

하고 달려갔습니다.

"이 자식, 두고 봐라." / 맨 마지막에 내려가면서 성윤이가 말했습니다.

"오냐, 인마, 얼마든지 봐 준다."

용이 목소리는 한층 크고 자랑스러웠습니다.

❷아이들이 모두 '와아!' 하고, 아까 올라온 길을 내려가는 뒷모양을 보면서 용이는 또
　용이의 승리로 갈등이 해소됨.
한 번 가슴을 확 펴고 '하하하.' 웃었습니다.

　　　　　　　　　　　　　　　　　　　　　　　　　　　　　　　 ─ 이오덕, 〈꿩〉에서

● **책보** | 책을 싸는 보자기.
● **보퉁이** | 물건을 보자기에 싸서 꾸려 놓은 것.
● **거머쥐다** | 틀어잡거나 휘감아 쥐다.

❶ 중심 사건을 시간 순서대로 정리하면 다음과 같다. 용이는 ❶(ㅁㅅ)의 자식이라는 이유로 다른 아이들의 책보를 대신 메고 고갯길을 올라간다. 용이는 산을 넘어 날아가는 꿩의 모습을 보고 용기를 얻고, 아이들의 책보를 바위 아래로 던진다. 고갯마루에서 용이는 책보를 다시 찾아 오라는 아이들에게 자신은 이제 못난 아이가 아니라고 말하며 당당하게 맞서 승리한다.

❷ (가)는 용이가 자신을 괴롭히던 아이들에게 당당히 맞서면서 갈등이 최고조에 이르는 부분이므로, 구성 단계 중 ❷(ㅈㅈ)에 해당한다. (나)는 용이가 아이들과의 싸움에서 승리하여 갈등이 해소되는 부분이므로, 구성 단계 중 '결말'에 해당한다.

❸ 이 글은 용이와 아이들 사이에 갈등이 발생하여 고조되다가 해소되는 과정이 시간의 흐름에 따라 순차적으로 전개되는 ❸(ㅅㅎ)적 구성 방식을 취하고 있다.

빈칸 답
❶ 머슴 ❷ 절정 ❸ 순행

도움말
  이 작품은 '나'와 점순이가 갈등하고 화해하는 과정을 그리고 있다. 갈등의 진행 양상과 사건이 일어나는 시간적 배경에 주목하여 작품의 구성 방식을 파악해 본다.

(가) 오늘도 또 우리 수탉이 막 쪼이었다. 내가 점심을 먹고 나무를 하러 갈 양으로 나올 때였다. 산으로 올라서려니까 등 뒤에서 푸드득푸드득 하고 닭의 횃소리가 야단이다. 〈중략〉 이번에도 점순이가 쌈을 붙여 났을 것이다. 바짝바짝 내 기를 올리느라고 그랬음에 틀림없을 것이다. 고놈의 계집애가 요새로 들어서 왜 나를 못 먹겠다고 고렇게 아르렁거리는지 모른다.

(나) 나흘 전 감자 쪼간만 하더라도 나는 저에게 조금도 잘못한 것은 없다. 〈중략〉
  언제 구웠는지 아직도 더운 김이 홱 끼치는 굵은 감자 세 개가 손에 뿌듯이 쥐었다.
  "느 집엔 이거 없지?" 하고 생색 있는 큰소리를 하고는 제가 준 것을 남이 알면 큰일 날 테니 여기서 얼른 먹어 버리란다. 그리고 또 하는 소리가
  "너 봄 감자가 맛있단다." / "난 감자 안 먹는다. 니나 먹어라."

(다) 나는 대뜸 달려들어서 나도 모르는 사이에 큰 수탉을 단매로 때려 엎었다. 〈중략〉
  "이놈아! 너 왜 남의 닭을 때려죽이니?" / "그럼 어때?" 하고 일어나다가,
  "뭐 이 자식아! 누 집 닭인데?" 하고 복장을 떠미는 바람에 다시 벌렁 자빠졌다. 그리고 나서 가만히 생각을 하니 분하기도 하고 무안도 스럽고, 또 한편 일을 저질렀으니 인젠 땅이 떨어지고 집도 내쫓기고 해야 되는지 모른다.

(라) 나는 비슬비슬 일어나며 소맷자락으로 눈을 가리고는 얼김에 엉 하고 울음을 놓았다. 그러다 점순이가 앞으로 다가와서
  "그럼 너 이담부터 안 그럴 테냐?" 하고 물을 때에야 비로소 살길을 찾은 듯싶었다. 나는 눈물을 우선 씻고 뭘 안 그러는지 명색도 모르건만
  "그래!" 하고 무턱대고 대답하였다.

– 김유정, 〈동백꽃〉에서

● **횃소리** | 날짐승이 크게 날갯짓을 하면서 탁탁 치는 소리.
● **쪼간** | 어떤 사건이나 일.
● **생색** | 다른 사람 앞에 당당히 나설 수 있거나 자랑할 수 있는 체면.
● **단매** | 단 한 번 때리는 매.
● **복장** | 가슴의 한복판.
● **얼김** | 어떤 일이 벌어지는 바람에 자기도 모르게 정신이 얼떨떨한 상태.

1 (가)~(라)를 소설의 구성 단계에 따라 정리할 때 ㉠, ㉡에 들어갈 알맞은 내용을 쓰시오.

	중심 사건	구성 단계
(가)	오늘도 점순이가 수탉끼리 닭싸움을 붙이며 '나'를 약 올림.	㉠
(나)	나흘 전, '나'는 점순이가 주는 감자를 거절함.	전개
(다)	'나'가 점순네 수탉을 단매로 때려죽임.	㉡
(라)	'나'가 울음을 터뜨리자 점순이가 '나'를 달램.	결말

2 이 글의 사건 구성 방식에 대한 설명으로 적절하지 <u>않은</u> 것은?
  ① (가)에서 현재 상황이 제시된 후 (나)에서 그 원인이 된 과거 사건이 제시된다.
  ② (다)에서 '나'와 점순이의 갈등이 최고조에 이르렀다가 (라)에서 갈등이 해소된다.
  ③ '나'의 이야기 속에 점순이의 이야기가 들어 있는 액자식 구성으로 이루어져 있다.

04 배경과 소재 파악하기

작가는 소설을 쓸 때 의도적으로 특정한 배경을 설정하고 여러 가지 소재를 사용한다. 따라서 배경과 소재를 파악하면 사건이 발생하게 된 상황을 이해하고 작가의 의도를 짐작할 수 있어 주제를 파악하기 쉬워진다.

📖 **중학교 국어 문학 영역** • 작품이 창작된 사회·문화적 배경을 바탕으로 작품을 이해한다.

감상 원리 작품에 나타난 배경과 소재를 찾고, 그 기능을 파악해 보자.

| 감상 방법

> 작품 전체의 배경은 대개 '발단'에 제시되어 있어요. 따라서 작품의 앞부분에서 시간적, 공간적 배경을 파악해 보세요.

❶ 배경과 중심 소재 찾기

소설에서 배경은 사건이 일어나는 구체적인 시간과 공간, 인물이 살고 있는 시대적·사회적 환경이나 장소를 포함한다. 따라서 작품을 읽을 때 사건이 언제 어디서, 어떤 시대에 어떤 사회적 상황을 바탕으로 하여 발생했는지 파악해 본다. 한편 소재는 사건 전개에 활용된 글의 재료로, 일상적인 사물뿐만 아니라 자연물, 추상적인 관념, 인물의 행동 등을 포함한다. 작품에서 사건을 전개하는 데 중요한 의미를 갖거나 기능을 하는 소재를 찾아본다.

개념＋ 배경의 종류

자연적 배경	인물이 행동하거나 사건이 일어나는 구체적인 시간과 공간을 의미함.
	ⓐ 논 사잇길로 들어섰다. 벼 가을걷이하는 곁을 지났다.
	→ '농촌'이라는 공간적 배경과 '가을'이라는 시간적 배경이 드러남.
사회·문화적 배경	인물을 둘러싼 사회 현실과 역사적 상황을 의미함. 당시의 정치, 경제, 종교, 문화 등과 같은 사회 현실과 관련 있음.
	ⓐ 그럭저럭 구월도 열흘이 되고, 서울 거리에는 미국 병정이 꼬마 차와 함께 그득히 퍼졌다.
	해방 직후 미군이 남한 지역에 주둔했던 시대적 배경이 드러남.

❷ 배경과 소재의 기능 파악하기

소설에서 배경과 소재는 단순히 사건의 무대 또는 장면 설정을 위한 보조적 장치로만 기능하는 것이 아니라 사건을 전개하는 데 중요한 기능을 담당한다. ❶에서 찾은 특정한 배경과 소재가 인물의 행동이나 심리, 사건의 전개에 어떤 영향을 미치는지, 작품의 주제를 드러내는 데 어떤 역할을 하는지 등에 초점을 맞추어 그 기능을 파악해 본다.

개념＋ 배경, 소재의 기능

➕ **개연성**
'절대적으로 확실하지 않으나 아마 그럴 것이라고 생각되는 성질'이라는 의미로, 현실에서 일어날 수 있는 사건, 존재할 법한 인물의 성격 등과 같은 소설의 특징을 의미한다.

배경	• 작품의 주제를 부각함.
	• 사건 전개에 사실성, 개연성을 부여함.
	• 작품의 전반적인 분위기를 조성함.
소재	• 사건과 사건을 자연스럽게 연결함.
	• 작품의 주제를 상징적으로 드러냄.
	• 인물의 처지나 특성, 심리를 드러냄.
	• 인물 간의 갈등을 유발하거나 해소해 줌.

● 감상 원리 04를 적용하여, 다음 글에 나타난 배경과 소재의 기능을 파악해 보자.

(가)는 박만도가 전쟁에 나갔던 아들 진수를 마중 나가는 장면이고, (나)는 박만도와 진수가 집으로 돌아오는 길에 외나무다리에 다다른 장면이다.

가 진수가 돌아온다. 진수가 살아서 돌아온다. ●아무개는 전사했다는 통지가 왔고, 아
<small>시대적 배경: 6·25 전쟁 직후</small>
무개는 죽었는지 살았는지 통 소식이 없는데, 우리 진수는 살아서 오늘 돌아오는 것이다.
생각할수록 어깻바람이 날 일이다. 그래 그런지 몰라도 박만도는 여느 때 같으면 아무래
도 한두 군데 앉아 쉬어야 넘어설 수 있는 ●용머리재를 단숨에 올라채고 만 것이다. 가슴
<small>공간적 배경</small>
이 펄럭거리고 허벅지가 뻐근했다.

그러나 그는 고갯마루에서도 쉴 생각을 하지 않았다. 들 건너 멀리 바라보이는 정거장
<small>아들을 만난다는 기대감 때문에</small><small>박만도가 가려는 곳</small>
에서 연기가 물씬물씬 피어오르며 삐익 기적 소리가 들려왔기 때문이다. 아들이 타고 내
려올 기차는 점심때가 가까워야 도착한다는 것을 모르는 바 아니다. ●해가 이제 겨우 산
등성이 위로 한 뼘가량 떠올랐으니, 오정이 되려면 아직 차례 먼 것이다.
<small>시간적 배경: 오정 한참 전. 빨리 진수를 만나고 싶은 만도의 마음을 드러냄.</small>

나 개천 둑에 이르렀다. ●외나무다리가 놓여 있는 그 시냇물이다. 진수는 슬그머니 걱
<small>공간적 배경</small><small>중심 소재: 부자에 닥친 시련과 고난을 상징함.</small>
정이 되었다. 물은 그렇게 깊은 것 같지 않지만, 밑바닥이 모래흙이어서 지팡이를 짚고
건너가기가 만만할 것 같지 않기 때문이다. 외나무다리 위로는 도저히 건너갈 재주가 없
고……. 진수는 하는 수 없이 둑에 퍼지고 앉아서 바짓가랑이를 걷어 올리기 시작했다.
만도는 잠시 멀뚱히 서서 아들의 하는 양을 내려다보고 있다가

"진수야, 그만두고, 자아 업자." / 하는 것이었다. 〈중략〉
<small>외나무다리를 건널 수 있는 방법</small>
만도는 등어리를 아들 앞에 갖다 대고 하나밖에 없는 팔을 뒤로 버쩍 내밀며
<small>한쪽 팔이 없는 만도</small>
"자아, 어서!"

진수는 지팡이와 고등어를 각각 한 손에 쥐고, 아버지의 등어리로 가서 슬그머니 업혔
다. 만도는 팔뚝을 뒤로 돌리면서 아들의 하나뿐인 다리를 꼭 안았다. 그리고
<small>6·25 전쟁 중에 한쪽 다리를 잃은 진수</small>
"팔로 내 목을 감아야 될 끼다."

했다. ❷진수는 무척 황송한 듯 한쪽 눈을 찍 감으면서 고등어와 지팡이를 든 두 팔로 아
「❷: 부자가 힘을 합쳐 외나무다리를 건너는 모습을 보여 줌.
버지의 굵은 목줄기를 부둥켜안았다. 만도는 아랫배에 힘을 주며, 끙! 하고 일어났다. 아
랫도리가 약간 후들거렸으나 걸어갈 만은 했다.」 ─ 하근찬, 〈수난 이대〉에서

❶ (가)에서 시간적 배경은 오정이 한참 먼 때이고, 공간적 배경은 ●(ㅇㅁㄹㅈ)이다. 또 전쟁에
나간 사람이 전사했다는 통지가 오는 상황이므로, 시대적 배경은 6·25 전쟁 직후임을 짐작
할 수 있다. 그리고 (나)에서 중심 소재는 한쪽 팔이 없는 '만도'와 한쪽 다리가 없는 아들 '진
수'가 건너야 하는 ❷(ㅇㄴㅁㄷㄹ)이다.

❷ 이 글의 시대적 배경은 '만도'와 '진수'로 상징되는 우리 민족이 겪은 ❸(ㅅㄴ)을 효과적으로
드러내는 기능을 한다. 그리고 '외나무다리'는 만도와 진수에게 닥친 시련으로 작용하지만,
그들이 힘을 합쳐 외나무다리를 건너는 모습을 제시함으로써 우리 민족이 화합하여 힘든
현실을 헤쳐 나갈 수 있다는 ❹(ㅎㅁ)을 보여 주는 기능을 한다.

도움말

이 작품은 우리나라 근현대사를 배경으로 설정하고 있으며, 불구가 된 아버지와 아들이 힘을 합쳐 외나무다리를 건너는 모습을 보여 주고 있다.

● **전사하다** | 전쟁터에서 적과 싸우다 죽다.
● **어깻바람** | 신이 나서 어깨를 으쓱거리며 활발히 움직이는 기운.
● **오정** | 낮 열두 시.
● **외나무다리** | 한 개의 통나무로 놓은 다리.
● **황송하다** | 분에 넘쳐 고맙고도 송구하다.

빈칸 답
❶ 용머리재 ❷ 외나무다리
❸ 수난 ❹ 희망

도움말

이 작품에서 메밀꽃이 흐드러지게 핀 달밤의 산길이라는 자연적 배경과, 허 생원과 동이가 왼손잡이라는 설정이 사건 전개 과정에서 어떤 기능을 하는지 파악해 본다.

가 "달밤에는 그런 이야기가 격에 맞거든."

허 생원은 조 선달 편을 바라는 보았으나 물론 미안해서가 아니라 달빛에 감동하여서였다. 이지러는졌으나 보름을 갓 지난 달은 부드러운 빛을 흐붓이 흘리고 있다. 대화까지는 칠십 리의 밤길. 고개를 둘이나 넘고 개울을 하나 건너고 벌판과 산길을 걸어야 된다. 길은 지금 긴 산허리에 걸려 있다. 밤중을 지난 무렵인지 죽은 듯이 고요한 속에서 짐승 같은 달의 숨소리가 손에 잡힐 듯이 들리며, 콩 포기와 옥수수 잎새가 한층 달에 푸르게 젖었다. 산허리는 온통 메밀밭이어서 피기 시작한 꽃이 소금을 뿌린 듯이 흐붓한 달빛에 숨이 막힐 지경이다. 붉은 대궁이 향기같이 애잔하고, 나귀들의 걸음도 시원하다. 길이 좁은 까닭에 세 사람은 나귀를 타고 외줄로 늘어섰다. 방울 소리가 시원스럽게 딸랑딸랑 메밀밭께로 흘러간다. 앞장선 허 생원의 이야기 소리는 꽁무니에 선 동이에게는 확적히는 안 들렸으나, 그는 그대로 개운한 제멋에 적적하지는 않았다.

나 동이는 허 생원을 붙드느라고 두 사람은 훨씬 떨어졌다.

"모친의 친정은 원래부터 제천이었던가?"

"웬걸요. 시원스리 말은 안 해 주나, 봉평이라는 것만은 들었죠."

"봉평? 그래 그 아비 성은 무엇이구?"

"알 수 있나요? 도무지 듣지를 못했으니까." 〈중략〉

"내일 대화 장 보고는 제천이다."

"생원도 제천으로……?" / "오래간만에 가 보고 싶어. 동행하려나, 동이?"

나귀가 걷기 시작하였을 때, 동이의 채찍은 왼손에 있었다. 오랫동안 아둑시니같이 눈이 어둡던 허 생원도 요번만은 동이의 왼손잡이가 눈에 뜨이지 않을 수 없었다.

걸음도 해깝고 방울 소리가 밤 벌판에 한층 청청하게 울렸다.

달이 어지간히 기울어졌다.

– 이효석, 〈메밀꽃 필 무렵〉에서

● **이지러지다** | 달 따위가 한쪽이 차지 않다.
● **흐붓이** | 탐스러울 정도로 두툼하고 부드럽게. 또는 양이 많게.
● **대궁이** | 식물의 줄기.
● **애잔하다** | 몹시 가냘프고 약하다.
● **확적히** | 정확하게 맞아 조금도 틀리지 아니하게.
● **아둑시니** | '어둑서니(어두운 밤에 아무것도 없는데, 있는 것처럼 잘못 보이는 것.)'의 방언.
● **해깝다** | '가볍다'의 방언.
● **청청하다** | 소리가 맑고 깨끗하다.

---

1 (가)에 대한 설명으로 적절하지 <u>않은</u> 것은?

① 직유법을 사용하여 배경의 낭만적 분위기를 조성하고 있다.
② 감각적 표현을 통해 자연적 배경을 생생하게 묘사하고 있다.
③ 작품의 시대적 배경과 관련된 허 생원의 과거 이야기를 제시하고 있다.

2 다음은 이 글의 중심 소재에 대한 설명이다. '이것'에 해당하는 것을 찾아 한 단어로 쓰시오.

이 글에서 동이는 좁은 길 때문에 일행과 떨어져 허 생원이 봉평에서 성 서방네 처녀를 만났던 이야기를 듣지 못한다. 그런데 글의 끝부분에서 동이 어머니의 고향이 봉평이며, 동이가 허 생원과 마찬가지로 '이것'임이 밝혀지게 된다. 독자와 허 생원은 '이것'을 통해 동이가 허 생원의 아들임을 짐작하게 된다.

원리

05 서술상 특징 파악하기

작가는 주제를 효과적으로 전달하기 위해 다양한 서술 방식을 선택하여 사용한다. 이때 누가 어떤 위치에서 이야기를 전달할 것인지 시점을 정하고, 독특한 문체를 사용하기도 하고, 인물에 대한 심리적 태도를 드러내기도 한다.

📖 **중학교 국어 문학 영역** • 작품에서 보는 이나 말하는 이의 관점에 주목하며 작품을 수용한다.
• 자신의 가치 있는 경험을 개성적인 발상과 표현으로 형상화한다.

감상 원리 작품에 나타난 서술상 특징(시점, 문체, 서술자의 태도)을 파악하자.

| 감상 방법

❶ 시점 파악하기

시점은 서술자가 작품 속 인물이나 사건을 바라보는 위치와 태도를 의미한다. 소설의 시점은 서술자의 위치와 서술 범위에 따라 크게 1인칭 주인공 시점, 1인칭 관찰자 시점, 3인칭 전지적 시점, 3인칭 관찰자 시점으로 나뉜다. 같은 사건이라도 시점에 따라 다르게 서술되거나 전혀 다른 느낌을 줄 수 있다. 따라서 다음과 같은 방법으로 소설의 시점을 파악해 본다.

➕ **시점의 종류**
• **1인칭 주인공 시점:** 이야기 속의 주인공 '나'가 자기 이야기를 직접 전달하는 시점.
• **1인칭 관찰자 시점:** 이야기 속 주인공이 아닌 '나'가 주인공의 이야기를 전달하는 시점.
• **3인칭 전지적 시점:** 이야기 밖의 서술자가 인물들의 속마음과 현재 상황에서 알 수 없는 정보까지 모두 전달하는 시점.
• **3인칭 관찰자 시점:** 이야기 밖의 서술자가 인물들의 행동이나 사건을 관찰하여 전달하는 시점.

```
                서술자가 이야기 안에 위치해 있는가?
         예 ↙                                    ↘ 아니요
      1인칭 시점                                   3인칭 시점
         ↓                                          ↓
자신에 관한 이야기가 중심인가?          서술자가 인물의 심리까지 알고 있는가?
   예 ↙          ↘ 아니요                   예 ↙            ↘ 아니요
1인칭 주인공 시점  1인칭 관찰자 시점    3인칭 전지적 시점   3인칭 관찰자 시점
```

❷ 문체의 특징 파악하기

문체란 작가가 작품에서 사용하는 독특한 문장 표현으로, 작가마다 사용하는 단어, 문장의 길이, 수사법 등이 다르다. 작가는 작품의 주제 의식을 구현하기에 적합한 문체를 선택한다. 따라서 소설의 문체를 구성하는 요소인 서술, 묘사, 대화 중 어느 것을 중심으로 사용하는지, 작품에 자주 쓰이는 단어나 수사법이 무엇인지 등을 파악해 본다.

문체의 종류에는 일상 대화에서 사용하는 말투가 나타나는 '구어체', 글에서 주로 쓰는 말투가 나타나는 '문어체', 간결하고 짧은 문장을 사용한 '간결체', 장황하고 긴 문장을 사용한 '만연체' 등이 있어요.

개념➕ 소설 문체의 구성 요소

• **서술:** 서술자가 인물, 사건, 배경 등을 직접적으로 설명하는 방법.
• **묘사:** 서술자가 인물, 사건, 배경 등을 그림을 그리듯이 생생하게 표현하는 방법.
• **대화:** 작품 속의 등장인물들이 주고받는 말을 그대로 제시하는 방법.

❸ 서술자의 태도 파악하기

소설에서 작가는 서술자의 태도를 통해 인물에 대한 심리적 태도나 평가를 드러낸다. 인물에 대한 서술자의 태도는 작품의 주제와도 밀접하게 연관된다. 따라서 작품에서 서술자가 한 인물에 대해 긍정적인 태도를 보이고 있는지, 비판적인 태도를 보이고 있는지, 긍정적 또는 부정적 평가를 내리지 않고 객관적으로 바라보고 있는지 등을 파악해 본다.

원리 적용

● 감상 원리 05를 적용하여, 다음 글에 나타난 서술상 특징을 파악해 보자.

가 ❷「학교에서고 학교 밖에서고 조선말로 말을 하다 선생님한테 들키는 날이면 경치는
　　　　　　　　　　　　　조선말 사용을 금지하던 일제 강점기 당시의 상황이 드러남.
판이었다. 선생님들 중에서도 ❸제일 심하게 밝히는 선생님이 뺌박 박 선생님이었다. 교
　　　　　　　　　　　　　　　　박 선생님의 친일적 태도가 드러남.
장 선생님이나 다른 일본 선생님은 나무라기만 하고 마는 수가 있어도, 뺌박 박 선생님은
절대로 용서가 없었다.」「　」: '나'가 박 선생님을 직접 평가한 부분 → 서술 중심

「❶나도 여러 번 혼이 나 보았다. 한번은 상준이 녀석과 어떡하다 쌈이 붙었는데 둘이 서
　서술자(1인칭)
로 부둥켜안고 구르면서 이 자식아, 저 자식아, 죽어 봐, 때려 봐, 하면서 한참 때리고 제
기고 하는 참이었다. 그런데, 느닷없이

❸"고랏! 조셍고데 겡까 스루야쓰가 이루까(이놈아! 조선말로 쌈하는 녀석이 어딨어)."
　　학생들이 싸운 것을 혼내는 것이 아니라 조선말을 쓴 것을 혼내는 박 선생님의 우스꽝스러운 모습이 드러남.
하면서 구둣발길로 넓적다리를 걷어차는 건, 정신없는 중에도 뺌박 박 선생님이었다.

우리 둘이는 그 자리에서 뺌이 붓도록 따귀를 맞았고, 공부 시간에 들어가지도 못하고
서 그 시간 동안 변소 청소를 했고, 그리고 조행 점수를 듬뿍 깎였다.」「　」: 박 선생님의 친일적 태도를
　　　　　　　　　　　　　　　　　　　　　　　　　　　　　　　　알 수 있는 사건을 제시함.

나 ❸뺌박 박 선생님은 미국을 침이 마르도록 칭찬했다. 이 세상에 미국같이 훌륭한 나
　　　　　해방 이후 박 선생님은 친미적 태도로 바뀜.
라가 없고, 미국 사람같이 훌륭한 백성이 없다고 했다. 우리 조선은 미국 덕분에 해방이
되었으니까 미국을 누구보다도 고맙게 여기고, 미국이 시키는 대로 순종해야 하느니라
고 했다. 〈중략〉

❷「우리는 뺌박 박 선생님더러 미국에도 덴노헤이까가 있느냐고 물었다. 미국에도 덴노
　　「　」: 순진무구한 '나'의 미숙한 상황 판단이 드러난 서술 → 박 선생님의 태도 변화를 부각함.
헤이까가 있지 않고서야 그렇게 일본의 덴노헤이까처럼 우리 조선 사람을 친아들과 같
이 사랑하고, 우리 조선 사람들이 잘 살도록 근심을 하며, 온갖 물건을 가져다주고 할 이
치가 없기 때문이었다(해방 전에, 뺌박 박 선생님은, 덴노헤이까는 우리 조선 사람들을 일본
　　　　　　　　　　　　　　　　　　　　　친일파에서 친미파로 바뀌었음을 나타냄.
사람들과 같이 사랑하고, 우리 조선 사람들이 잘 살기를 근심하신다고 늘 가르쳐 주곤 했다.)」

「뺌박 박 선생님은 미국에는 덴노헤이까는 없고, 덴노헤이까보다 훌륭한 '돌맹이'라는
「　」: 박 선생님의 말을 우스꽝스럽게 표현함.　　　　　　미국의 제33대 대통령 '트루먼'을 가리키는 말임.
❸양반이 있다고 대답했다.」〈중략〉

아무튼 뺌박 박 선생님은 참 이상한 선생님이었다.　　　　　 – 채만식, 〈이상한 선생님〉에서
박 선생님에 대한 '나'의 직접적인 평가

❶ 이 글의 서술자는 이야기 안에 등장하는 '나'이다. '나'는 주인공 '박 선생님'의 행동을 관찰하
여 전달하고 있다. 따라서 이 글의 시점은 1인칭 ❶(ㄱㅊㅈ) 시점이다.

❷ 이 글은 문체의 구성 요소 가운데 서술자가 인물의 행위나 사건, 배경을 직접적으로 설명하
는 ❷(ㅅㅅ)의 방식을 주로 활용하고 있다. 또한 '박 선생님'이 말한 일본어를 서술에 활용하
여 그의 친일적인 면모를 부각하고 있다.

❸ (가)에서 '나'는 일제 강점기 때 일제에 충성하는 박 선생님의 태도를, (나)에서 해방 이후 남
한에서 영향력이 커진 미국을 찬양하는 박 선생님의 태도를 전달하고 있다. 이러한 박 선생
님의 말과 행동을 '나'는 우스꽝스럽게 표현하고, '참 이상한 선생님'이라고 평가하여 박 선
생님의 기회주의적인 태도를 ❸(ㅂㅍ)하고 있다.

바로 확인

우선 그 첫 번째 예술가

　그이는 늘 흰 가운을 입고 있다. 그리고 여자이다. 이렇게 말하면 여류 조각가를 상상할지도 모르겠다. 아니, 그 짐작이 맞을지도 모른다. 그이가 빚어내는 작품도 일종의 조각이라면 조각일 수도 있다.

　그이는 매일 아침 9시에 일터로 나와서 다시 저녁 9시가 되면 가운을 벗고 집으로 돌아간다. 일터에서의 그이는 다소 무뚝뚝하고 뻣뻣하다. 남하고 싱거운 소리를 나누는 일도 거의 없다. 잘 웃지도 않는다. 오히려 늘 화를 내고 있는 것처럼 보이기도 한다. 그런 얼굴로 그이는 늘 일을 하고 있다. 그이가 만드는 작품은 불티나게 팔리고 있으므로 하기야 쉴 틈도 많지 않다. 묵묵히 일만 하고 있는 그이를 우리는 '김밥 아줌마'라고 부른다. 따라서 그이가 만드는 작품은 자연히 김밥이라는 이름을 가지고 있다. 하지만 그이의 김밥은 보통의 김밥과는 아주 다르다. 언제 먹어도 그이만이 낼 수 있는 담백하고 구수한 맛이 사람을 끌어당긴다. 그이의 김밥은 절대 맛을 속이지 않는다.

　김밥 아줌마는 작품을 만들 때 사람들이 보고 있으면 막 화를 낸다. 누군가 쳐다보면 마음이 흔들려서 실패작만 나온다는 것이다. 김밥을 말고 있을 때는 누가 무슨 말을 해도 들은 척을 하지 않는다. 한 번 더 말을 시키면 여지없이 성질을 내며 일손을 놓아 버린다. 그이는 파는 일엔 전혀 관심이 없고 오직 김밥을 만드는 그 행위에만 몰두해 있는 사람처럼 보인다.

　언젠가 나도 무심히 김밥 마는 것을 구경하고 있다가 당했다. 쳐다보고 있으니까 김밥 옆구리가 터지는 실수를 다 한다고 신경질을 내는 그이가 무서워서 주문한 김밥을 싸는 동안 멀찌감치 떨어져 있었다. 그러나 집에 돌아와서 먹어 본 김밥은 그이에게 당한 것쯤이야 까맣게 잊어버리고도 남을 만큼 그 맛이 환상적이었다. 그 김밥은 돈 몇 푼의 이익을 위해 말아진 그런 김밥이 아니었다. ㉠나는 그래서 그이의 김밥을 서슴지 않고 '작품'이라 부른다.

– 양귀자, 〈길모퉁이에서 만난 사람〉에서

1 이 글에 대한 설명으로 가장 적절한 것은?

① 이야기 안의 등장인물이 자신이 관찰한 대상에 대해 서술하고 있다.

② 대화를 활용하여 인물들 사이에 있었던 일화를 생생하게 제시하고 있다.

③ 이야기 밖에 위치한 서술자가 인물의 내면까지 꿰뚫어 보고 전달하고 있다.

2 ㉠과 같이 말한 이유로 가장 적절한 것은?

① 김밥을 매우 공들여서 만드는 아줌마의 자세를 예찬하기 위해서

② 아줌마가 미적 감각을 발휘하여 김밥을 만들었음을 드러내기 위하여

③ 아줌마가 김밥을 돈을 벌기 위한 수단으로 여기고 있음을 비판하기 위해서

원리 06 다양한 관점으로 작품 감상하기

문학 작품은 창작 주체인 '작가', 작품의 배경에 반영되는 '현실 세계', 작품을 감상하는 '독자'와의 관계 속에서 존재한다. 따라서 문학 작품의 의미는 작품을 중심으로 작가, 현실 세계, 독자와의 관계 속에서 다양하게 파악될 수 있다.

📖 **중학교 국어 문학 영역** • 근거의 차이에 따른 다양한 해석을 비교하며 작품을 감상한다.

감상 원리 다양한 관점으로 작품의 주제를 파악해 보자.

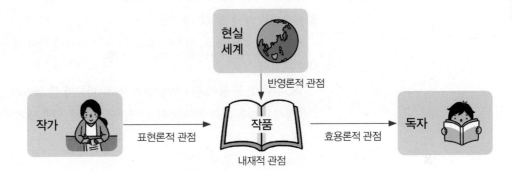

감상 방법

❶ 내재적 관점으로 읽기

내재적 감상은 오로지 작품 자체의 내적 특성에만 주목하여 작품을 감상하는 방법이다. '감상 원리 01~05'에서 파악한 인물, 사건, 갈등, 구성 방식, 배경, 소재, 서술 방식 등과 같이 작품을 구성하는 내적 요소를 중심으로 작품을 감상해 본다.

❷ 외재적 관점으로 읽기

외재적 감상은 작품 외부에 있는 요소인 작가, 작품, 독자를 고려하여 감상하는 방법이다. 따라서 작품을 창작한 작가의 생애나 작품 경향, 작품에 반영된 시대적·사회적 상황을 고려하여 작품을 창작한 작가의 의도를 짐작해 본다. 그리고 작품이 당대 또는 후대의 독자에게 어떤 영향을 미치는지 생각해 본다.

개념➕ 외재적 감상의 유형

표현론	작가의 생애, 가치관, 작품 경향 등을 중심으로 감상하는 방법.
반영론	작품에 반영된 현실이나 작품을 둘러싼 시대적·사회적 상황을 중심으로 감상하는 방법.
효용론	작품이 독자에게 주는 영향이나 교훈, 독자의 반응이나 평가 등을 중심으로 감상하는 방법.

❸ 종합적으로 주제 파악하기

주제는 작가가 작품을 통해 독자에게 궁극적으로 전달하려는 바이므로, ❶과 ❷에서 감상한 내용을 종합하여 작품의 주제를 정리해 본다. 특히 작가의 삶이나 특정 시대적·사회적 상황과 관련이 깊은 작품은 외적 요소를 함께 고려해야 작품의 주제를 제대로 파악할 수 있다.

● 감상 원리 06을 적용하여, 다음 글을 다양한 관점으로 감상해 보자.

앞부분의 줄거리 숙종 즉위 초, 몽룡은 단옷날 광한루에 나왔다가 퇴기 월매의 딸인 춘향이 그네를 타는 모습을 보고 첫눈에 반한다. 춘향과 몽룡은 사랑에 빠지고 혼인을 약속한다. 그러나 몽룡이 아버지를 따라 한양으로 떠나면서 두 사람은 헤어지게 된다. 그 후 남원 부사로 부임한 변학도가 춘향을 불러내어 수청을 강요하지만 춘향은 이를 거부하고 옥에 갇힌다. 한편 암행어사가 된 몽룡은 거지 행색으로 춘향을 만나고, 이튿날 관아로 출두한다.

가 "암행어사 출또야."

역졸들이 일시에 외치는 소리에 강산이 무너지고 천지가 뒤집히는 듯하니 산천초목인들 금수인들 아니 떨겠는가. 〈중략〉

「본관 사또 똥을 싸고, 멍석에 생쥐 눈 뜨듯 하면서 관아 깊숙한 안채로 들어가며 급히 내뱉는 말이,」
『 』: 공포에 질려 당황한 변 사또의 모습을 우스꽝스럽게 표현함.

"어, 추워라. 문 들어온다 바람 닫아라. 물 마른다 목 들여라."

관청색은 상을 잃고 문짝을 이고 내달으니 서리, 역졸 달려들어 후다닥 딱 친다.

"애고, 나 죽네."

이때 암행어사 분부하되,

"이 고을은 대감께서 계시던 곳이다. 소란을 금하고 객사로 옮기라."
어사또의 아버지

관아를 한차례 정리하고 동헌에 올라앉은 후에, / "본관은 봉고파직하라."
탐관오리를 벌함.

나 어사또 분부하되,

「"너만 한 년이 수절한다고 나라의 관리를 욕보였으니 살기를 바랄 것이냐. 죽어 마땅
『 』: 춘향의 마음을 떠보는 어사또의 말
할 것이나 기회를 한 번 더 주마. 내 수청도 거역할 테냐?"」

이 어사는 춘향의 마음을 떠보려고 짐짓 한번 다그쳐 보는 것인데, 춘향은 어이가 없고 기가 콱 막힌다.

"내려오는 사또마다 빠짐없이 명관이로구나! 어사또 들으시오. 층층이 높은 절벽 높은
반어법
바위가 바람이 분들 무너지며, 푸른 솔 푸른 대가 눈이 온들 변하리까. 그런 분부 마옵
춘향이 자신의 정절을 바위와 나무에 비유하며 어사또의 수청 요구를 거부함.
시고 어서 빨리 죽여 주오." 〈중략〉

어사또 다시 분부하되, / "얼굴을 들어 나를 보아라."

하시기에 춘향이 천천히 고개를 들어 대 위를 살펴보니, 거지로 왔던 낭군이 어사또로 뚜
반전이 일어나는 부분. 사랑의 성취
렷이 앉아 있었다.
– 작자 미상, 〈춘향전〉에서

❶ 이 글에서 기생의 딸인 춘향은 양반인 몽룡과의 사랑을 지키기 위해 변 사또의 명을 거역하여 고난을 겪지만, 결국 어사또가 된 몽룡과 재회한다. 따라서 내재적 관점에서 이 글은 몽룡과의 ❶(ㅅㄹ)을 지켜 낸 춘향의 굳은 정절에 대해 이야기하고 있다고 해석할 수 있다.

❷ 이 글의 시대적 배경은 조선 후기로, 당시 지방에서는 탐관오리의 횡포가 심했다. 따라서 반영론적 관점에서 이 글은 춘향에게 수청을 강요하던 변 사또가 봉고파직을 당하는 내용을 통해 탐관오리의 ❷(ㅎㅍ)를 고발하고 있다고 해석할 수 있다.

❸ 이 작품의 표면적 주제는 신분을 초월한 남녀의 사랑이지만, 이면적 주제는 부패한 지배층에 대한 민중들의 ❸(ㅈㅎ) 의식이라고 정리할 수 있다.

도움말

이 작품은 조선 후기를 배경으로 하여, 변 사또의 횡포에 맞서 정절을 지켜 사랑을 이룬 춘향의 이야기를 그리고 있다.

● **퇴기** | 지금은 기생이 아니지만 전에 기생 노릇을 하던 여자.
● **수청** | 아녀자나 기생이 높은 벼슬아치에게 몸을 바쳐 시중을 들던 일.
● **암행어사** | 왕의 명을 받아 몰래 파견되어 지방 관리의 통치와 백성의 생활을 살피던 벼슬. ≒ 어사또
● **출또** | 조선 시대, 암행어사가 지방 관아에 가서 신분을 밝히고 중요한 사건을 처리하던 일.
● **산천초목** | '자연'을 이르는 말.
● **금수** | 모든 짐승을 이르는 말.
● **객사** | 나그네를 치거나 묵게 하는 집.
● **봉고파직하다** | 어사나 감사가 못된 짓을 많이 한 고을의 원을 파면하고 관가의 창고를 봉하여 잠그다.
● **수절하다** | 정절을 지키다.
● **탐관오리** | 백성의 재물을 탐내어 빼앗는 행실이 깨끗하지 못한 관리.

빈칸 답
❶ 사랑 ❷ 횡포 ❸ 저항

앞부분의 줄거리 일제 강점기 말, '나'는 개성에서 가까운 박적골에서 할아버지, 할머니, 숙부, 숙모와 살다가, '나'에게 신식 교육을 시키기를 원하는 어머니에게 이끌려 서울로 이사 와서 국민학교(현재의 초등학교)에 다니게 된다.

할아버지 장례를 치르고 상경하자마자 엄마는 오빠와 숙부에게 우리도 창씨개명을 하자고 재촉했다. 그건 나도 은근히 바라는 바였고 또 으레 그럴 수 있으려니 했다.

그러나 놀랍게도 오빠가 반대를 하고 나섰다. 지금까지도 잘 견뎌 왔는데 좀 더 기다려 보자는 것이었다. 좀 더 견뎌 보자는 것은, 그때의 비상시국의 어떤 끝장을 바라보는 말 같아서 좀 섬뜩하게 들렸다. 그 말을 하는 오빠의 태도도 평소의 마음 약한 오빠답지 않게 강경하고 어딘지 비장해 보였다. 〈중략〉

오빠의 말에 엄마보다 더 놀란 건 작은숙부였다. 창씨를 안 하고 일본인 상가에서 장사해 먹기는 앞으로 점점 쌀의 뉘처럼 껄끄러워질 것이라고 하소연했다. 오빠는 정 그러면 숙부네가 따로 분가해서 성을 가는 게 어떻겠느냐는 제안을 했다.

할아버지 다음으로 장손인 오빠가 호주를 이어받았고, 그때만 해도 호주의 권한이 막강했다. 오빠의 이 새로운 제안은 숙부를 노엽게도 슬프게도 했다. 내가 자식이 없어도 너희 남매를 친자식이나 다름없이 여겨 섭섭한 줄 몰랐거늘 호적을 파 가라는 수모를 당하다니, 하면서 탄식했고 엄마가 중간에서 사죄와 화해를 시키느라 쩔쩔맸다. 〈중략〉

한 번도 뜻이 안 맞아 본 일이 없는 세 집안이 창씨 문제로 처음으로 옥신각신했다. 그러나 마침내 다들 오빠의 뜻을 따르기로 합의가 이루어진 것을 보면, 숙부들은 그래도 오빠의 주장을 단순한 객기로만 보진 않은 듯하다.

나는 이때 처음으로 오빠를 딴 사람과는 다르다고 생각했고, 거기에 대해 묘한 긍지를 느꼈다. 나야말로 무엇을 알아서라기보다는 전형적인 평범한 사람들의 세계에서 별안간 우뚝 솟은 어떤 정신의 높이를 본 것 같았다.

– 박완서, 〈그 많던 싱아는 누가 다 먹었을까〉에서

2. 소설

도움말

이 작품은 일제 강점기 말에 어린 시절을 보냈던 주인공 '나'의 자전적 이야기를 그리고 있다. 다양한 관점에 따라 작품을 감상한 내용이 적절한지 판단해 본다.

● **상경하다** | 지방에서 서울로 가다.
● **창씨개명** | 일제가 강제로 우리나라 사람의 성과 이름을 일본식으로 고치게 한 일.
● **뉘** | 찧어 속꺼풀을 벗긴 쌀 속에 껍질이 벗겨지지 않은 채로 섞인 벼 알갱이.
● **분가하다** | 가족의 한 구성원이 주로 결혼 따위로 살림을 차려 따로 나가다. 여기서는 독립된 호적을 만든다는 뜻이다.
● **호주** | 한집안의 주인으로서 가족을 거느리며 부양하는 일에 대한 권리와 의무가 있는 사람을 이르던 말.
● **옥신각신하다** | 서로 옳으니 그르니 하며 다투다.
● **객기** | 함부로 부리는 용기.

1 이 글을 읽은 독자의 감상 가운데 적절하지 **않은** 것은?

① 내가 이 당시에 살았다면 창씨개명에 어떻게 대응했을지 생각해 보았어.
② 일제 강점기 말, 창씨개명에 대한 우리나라 사람들의 반응이 잘 드러나 있어.
③ '나'의 시각에서 창씨개명을 완강하게 반대하는 오빠를 부정적으로 그리고 있어.

2 다음은 이 글에 대한 학생의 감상이다. 이와 관련된 외재적 감상의 유형을 쓰시오.

> 민서: 박완서 작가는 자신의 체험을 바탕으로 한 자전적인 소설을 많이 썼어. 〈그 많던 싱아는 누가 다 먹었을까〉도 일제 강점기 말 초등학생 시절에 창씨개명 문제와 관련하여 작가 자신과 그의 가족이 겪은 일을 이야기하고 있는 작품이야.

실전 01 운수 좋은 날 | 현진건

이 작품은 '김 첨지'라는 인력거꾼의 하루를 통해 일제 강점기인 1920년대 도시 하층민의 삶의 모습을 그리고 있는 현대 소설이다. '김 첨지'의 처지를 통해 당시의 상황을 짐작해 보고, 제목에 담긴 의미를 추측하며 읽어 보자.

✎ 핵심 짚기

발단 전개 위기 절정 결말

● **인물**
김 첨지: ❶ⓞⓛⓖ꾼. 겉으로는 인정이 없어 보이지만, 속으로는 아내를 사랑함.

● **배경**
(시간) 1920년대 ❷ⓞⓩ 강점기
(공간) 서울 빈민가

● **사건**
겨울비가 내리는 날, 김 첨지가 오랜만에 많은 돈을 벌게 됨.

● **배경의 기능**

겨울비가 추적추적 내리는 날

⋮

음산하고 ❸ⓑⓖ한 분위기 형성, 비극적 사건 암시

빈칸 답
❶ 인력거 ❷ 일제 ❸ 불길

● **인력거꾼** | 주로 사람을 태우는 수레를 끄는 일을 직업으로 하는 사람.
● **문안** | 사대문(조선 시대 서울에 있던 네 대문. 동쪽의 흥인지문, 서쪽의 돈의문, 남쪽의 숭례문, 북쪽의 숙정문) 안.
● **눈결** | 마음이 눈에 드러난 상태.
● **댓바람** | 아주 이른 시간.
● **달포** | 한 달이 조금 넘는 기간.
● **신조** | 굳게 믿어 지키고 있는 생각.
● **조랑복** | 복을 받아도 오래 누리지 못하는 짧은 동안의 복.
● **흡뜨다** | 눈알을 위로 굴리고 눈시울을 위로 치뜨다.
● **바루다** | 비뚤어지거나 구부러지지 않도록 바르게 하다.

가 ㉠새침하게 흐린 품이 눈이 올 듯하더니 눈은 아니 오고 얼다가 만 비가 추적추적 내리는 날이었다.

이날이야말로 동소문 안에서 인력거꾼 노릇을 하는 김 첨지에게는 오래간만에도 닥친 운수 좋은 날이었다. 문안에(거기도 문밖은 아니지만) 들어간답시는 앞집 마마님을 전찻길까지 모셔다드린 것을 비롯으로 행여나 손님이 있을까 하고 정류장에서 어정어정하며 내리는 사람 하나하나에게 거의 비는 듯한 눈결을 보내고 있다가 마침내 교원인 듯한 양복쟁이를 동광학교(東光學校)까지 태워다 주기로 되었다.

첫 번에 삼십 전, 둘째 번에 오십 전 — 아침 댓바람에 그리 흉치 않은 일이었다. 그야말로 재수가 옴 붙어서 근 열흘 동안 돈 구경도 못 한 김 첨지는 십 전짜리 백동화 서 푼, 또는 다섯 푼이 찰깍하고 손바닥에 떨어질 제 거의 눈물을 흘릴 만큼 기뻤었다. 더구나 이날 이때에 이 팔십 전이란 돈이 그에게 얼마나 유용한지 몰랐다. 컬컬한 목에 모주 한잔도 적실 수 있거니와 그보다도 앓는 아내에게 설렁탕 한 그릇도 사다 줄 수 있음이다.

나 그의 아내가 기침으로 쿨룩거리기는 벌써 달포가 넘었다. 조밥도 굶기를 먹다시피 하는 형편이니 물론 약 한 첩 써 본 일이 없다. 구태여 쓰려면 못 쓸 바도 아니로되 그는 병이란 놈에게 약을 주어 보내면 재미를 붙여서 자꾸 온다는 자기의 신조(信條)에 어디까지 충실하였다. 따라서 의사에게 보인 적이 없으니 무슨 병인지는 알 수 없으되 반듯이 누워 가지고 일어나기는새로에 모로도 못 눕는 것을 보면 중증은 중증인 듯. 병이 이토록 심해지기는 열흘 전에 조밥을 먹고 체한 때문이다. 〈중략〉 그때 김 첨지는 열화와 같이 성을 내며,

"에이, 조랑복은 할 수가 없어, 못 먹어 병, 먹어서 병! 어쩌란 말이야. 왜 눈을 바루 뜨지 못해!"

하고 김 첨지는 앓는 이의 뺨을 한 번 후려갈겼다. 흡뜬 눈은 조금 바루어졌건만 이슬이 맺히었다. 김 첨지의 눈시울도 뜨끈뜨끈한 듯하였다.

이 환자가 그러고도 먹는 데는 물리지 않았다. 사흘 전부터 설렁탕 국물이 마시고 싶다고 남편을 졸랐다.

"이런! 조밥도 못 먹는 년이 설렁탕은, 또 처먹고 지랄병을 하게."

라고 야단을 쳐 보았건만 못 사 주는 마음이 시원치는 않았다.

서술상 특징 파악하기

1 이 글에 대한 설명으로 가장 적절한 것은?

① 시점의 변화에 따른 인물의 심리 변화를 서술하고 있다.

② 이야기 안의 주인공이 자신의 이야기를 직접 전달하고 있다.

③ 같은 시간에 서로 다른 장소에서 일어난 사건을 제시하고 있다.

④ 과거 회상을 통해 현재 인물이 처한 상황의 원인을 드러내고 있다.

⑤ 이야기 밖의 서술자가 모든 인물의 심리를 꿰뚫어 보고 전달하고 있다.

인물의 특성 파악하기

2 '김 첨지'에 대한 설명으로 적절하지 <u>않은</u> 것은?

① 열흘 가까이 돈을 전혀 벌지 못했다.

② 아내의 병명을 알지 못하는 의사를 불신하였다.

③ 조밥도 자주 굶다시피 할 만큼 궁핍한 형편이다.

④ 겉으로는 화를 내면서도 속으로는 아내를 위한다.

⑤ 돈을 벌자 아내에게 설렁탕을 사 줄 수 있다는 생각에 기뻐했다.

사회·문화적 배경 파악하기

3 이 글에 반영된 당시의 사회 모습으로 적절하지 <u>않은</u> 것은?

① '백동화'를 화폐로 사용하였다.

② 전차와 인력거를 이동 수단으로 이용하였다.

③ 여성을 차별하여 여성들은 인력거를 탈 수 없었다.

④ 서구 문화가 수용되어 양복을 입는 사람들이 나타났다.

⑤ 인력거꾼은 사회적으로 지위가 낮고 수입도 변변하지 않았다.

배경의 기능 파악하기

<u>고난도</u>

4 〈보기〉를 참고할 때, ㉠의 기능에 대한 설명으로 적절하지 <u>않은</u> 것은?

> ● 보기 ●
>
> 소설의 배경은 인물의 행위와 사건이 일어나는 시간과 공간을 의미한다. 배경은 작품의 전반적인 분위기를 형성하고, 인물의 행동이나 사건을 사실적으로 보이게 한다. 또 배경 자체가 상징적 의미를 나타내거나 사건의 성격을 암시하는 기능을 하기도 한다.

① 계절적 배경이 겨울임을 알려 준다.

② 김 첨지가 내적 갈등을 겪는 계기가 된다.

③ 김 첨지가 처한 현실의 분위기를 드러낸다.

④ 작품 전체적으로 음산한 분위기를 형성한다.

⑤ 앞으로 전개될 사건의 성격을 짐작하게 한다.

● 사건

술에 취한 채 집에 돌아온 김 첨지가 아내의 ❶ㅈㅇ을 확인함.

● 소재의 기능

설렁탕

아내에 대한 김 첨지의
❷ㅅㄹ의 표현
↓
아내의 죽음이라는 결말의 비극성을 강조함.

● 제목의 의미

오랜만에 많은 돈을 번, 운수가 좋은 날은 결국 아내가 죽은 불행한 날이었음. → ❸ㅂㅇ적 표현

빈칸 답
❶ 죽음 ❷ 사랑 ❸ 반어

생략된 부분의 줄거리 김 첨지는 기숙사 학생을 남대문 정거장까지 태워다 주고, 거기에서 또 다른 손님을 인사동까지 태워다 주며 돈을 번다. 거듭되는 행운에 불안감을 느낀 김 첨지는 일을 마치고 곧장 집으로 가지 않고 술집에 들러 친구 치삼이와 함께 술을 마신다.

㉮ 김 첨지는 취중에도 설렁탕을 사 가지고 집에 다다랐다. 집이라 해도 물론 셋집이요, ㉠또 집 전체를 세 든 게 아니라 안과 뚝 떨어진 행랑방 한 칸을 빌려 든 것인데 물을 길어 대고 한 달에 일 원씩 내는 터이다. 만일 김 첨지가 주기를 띠지 않았던들 한 발을 대문 안에 들여놓았을 제 그곳을 지배하는 무시무시한 정적 — 폭풍우가 지나간 뒤의 바다 같은 정적에 다리가 떨리었으리라. 쿨룩거리는 기침 소리도 들을 수 없다. ㉡그르렁거리는 숨소리조차 들을 수 없다. 다만 이 무덤 같은 침묵을 깨뜨리는 — 깨뜨린다느니보다 한층 더 침묵을 깊게 하고 불길하게 하는 빡빡 하는 그윽한 소리, 어린애의 젖 빠는 소리가 날 뿐이다. 만일 청각이 예민한 이 같으면 그 빡빡 소리는 빨 따름이요, 꿀떡꿀떡하고 젖 넘어가는 소리가 없으니, 빈 젖을 빤다는 것도 짐작할는지 모르리라.

혹은 김 첨지도 이 불길한 침묵을 짐작했는지도 모른다. 그렇지 않으면 대문에 들어서자마자 전에 없이, / ㉢"이년, 남편이 들어오는데 나와 보지도 안 해, 이년!"
이라고 고함을 친 게 수상하다. 이 고함이야말로 제 몸을 엄습해 오는 무시무시한 증을 쫓아 버리려는 허장성세(虛張聲勢)인 까닭이다.

하여간 김 첨지는 방문을 왈칵 열었다. 구역을 나게 하는 추기 — ㉣떨어진 삿자리 밑에서 올라온 먼지내, 빨지 않은 기저귀에서 나는 똥내와 오줌내, 가지각색 때가 켜켜이 앉은 옷 내, 병인의 땀 썩은 내가 섞인 추기가 무딘 김 첨지의 코를 찔렀다.

방 안에 들어서며 설렁탕을 한구석에 놓을 사이도 없이 주정꾼은 목청을 있는 대로 다내어 호통을 쳤다.

㉯ 발로 차도 그 보람이 없는 걸 보자 남편은 아내의 머리맡으로 달려들어 그야말로 까치집 같은 환자의 머리를 꺼들어 흔들며,

"이년아, 말을 해, 말을! 입이 붙었어? 이년!" / "……."

"으응, 이것 봐, 아무 말이 없네." / "……."

"이년아, 죽었단 말이냐, 왜 말이 없어?" / "……."

"으응, 또 대답이 없네. 정말 죽었나 보이."

이러다가 누운 이의 흰창이 검은창을 덮은, 위로 치뜬 눈을 알아보자마자,

"이 눈깔! 이 눈깔! 왜 나를 바라보지 못하고 천장만 보느냐? 응."

하는 말끝엔 목이 메었다. 그러자 ㉤산 사람의 눈에서 떨어진 닭똥 같은 눈물이 죽은 이의 뻣뻣한 얼굴을 어룽어룽 적신다. 문득 김 첨지는 미친 듯이 제 얼굴을 죽은 이의 얼굴에 한데 비비대며 중얼거렸다.

"설렁탕을 사다 놓았는데 왜 먹지를 못하니, 왜 먹지를 못하니? 괴상하게도 오늘은 운수가 좋더니만……."

● 취중 | 술에 취한 동안.
● 주기 | 술에 취한 기운.
● 엄습하다 | 감정, 생각, 감각 따위가 갑작스럽게 들이닥치거나 덮치다.
● 허장성세 | 실속은 없으면서 큰소리치거나 허세를 부림.
● 추기 | 추깃물. 송장이 썩어서 흐르는 물.
● 삿자리 | 갈대를 엮어서 만든 자리.
● 어룽어룽 | 눈물이 그득하여 넘칠 듯한 모양.

인물의 제시 방법 파악하기 **5**

⊕ 인물 제시 방법
- **직접 제시**: 서술자가 인물의 심리나 성격을 직접적으로 설명함.
- **간접 제시**: 인물의 말, 행동, 외양 묘사 등을 통해 심리나 성격을 간접적으로 제시함.

이 글에서 인물의 성격을 드러내는 방법으로 가장 적절한 것은?

① 서술자가 직접적으로 설명하고 있다.

② 작중 인물의 말을 빌려 전달하고 있다.

③ 비유적 표현을 통해 구체적으로 드러내고 있다.

④ 인물의 직업과 외양 묘사를 통해 암시하고 있다.

⑤ 인물의 말과 행동을 통해 간접적으로 제시하고 있다.

세부 내용 파악하기 **6**

㉠~㉤에 대한 이해로 적절하지 않은 것은?

① ㉠: 김 첨지의 가난한 형편이 드러나 있군.

② ㉡: 김 첨지의 아내가 죽었음을 암시하고 있군.

③ ㉢: 비속어를 사용하여 아내에 대한 원망과 분노를 표출하고 있군.

④ ㉣: 후각적 심상을 통해 아내가 죽은 방의 모습을 묘사하고 있군.

⑤ ㉤: 아내의 죽음을 확인한 김 첨지의 비통한 심정을 부각하고 있군.

소재의 의미와 기능 파악하기 **7**

주관식

〈보기〉의 '이것'에 해당하는 소재를 찾아 쓰시오.

> ● 보기 ●
> '이것'은 아픈 아내가 먹고 싶어 했으나 가정 형편 때문에 김 첨지가 사 줄 수 없던 음식이었다. 거듭되는 행운에 많은 돈을 벌게 된 김 첨지는 취중에도 아내를 위해 '이것'을 사들고 집에 돌아오지만 죽은 아내는 끝내 '이것'을 먹지 못한다. 이러한 점에서 '이것'은 상황의 비극성을 더욱 심화하는 역할을 한다.

제목에 담긴 작가의 의도 파악하기 **8**

● **하층민** | 계급이나 신분, 지위, 생활 수준 따위가 낮은 사람.

고난도

〈보기〉를 참고할 때, 이 글의 제목 '운수 좋은 날'을 통해 작가가 말하고자 하는 바로 가장 적절한 것은?

> ● 보기 ●
> 이 작품은 일제 강점기 도시 하층민들의 비참한 삶을 사실적으로 드러내고 있다. 제목 '운수 좋은 날'은 겉으로는 김 첨지에게 행운이 계속되어 돈을 많이 벌게 된 날을 의미하지만, 실제로는 아내가 죽은 불행하고 비참한 날을 가리킨다.

① 우리 인생은 운수 좋은 일과 운수 나쁜 일이 반복적으로 일어난다.

② 가족보다 돈을 더 우선시하는 태도로 살면 비극적인 날을 맞게 된다.

③ 모든 인간은 자신의 비극적 운명에서 벗어나지 못하는 나약한 존재이다.

④ 하층민들에게도 언젠가 운수 좋은 날이 찾아올 수 있다는 희망을 품어야 한다.

⑤ 당시 하층민들은 단 하루의 운수 좋은 날도 허락되지 않을 만큼 비참한 삶을 살았다.

작품 정리하기

📍 전체 구성

발단 겨울비가 내리는 날, 인력거꾼인 김 첨지는 오랜만에 행운이 찾아와 많은 돈을 벌게 되자, 아픈 아내에게 설렁탕을 사 줄 수 있어 기쁘다. --- [74쪽 수록]

전개 김 첨지는 아침에 나올 때 아내가 오늘은 제발 나가지 말아 달라고 당부하던 모습이 떠올라서 거듭되는 행운에도 불안감을 느낀다.

위기 술집에서 김 첨지는 친구 치삼이와 술을 마시면서 아내가 죽었을지도 모른다는 불안감에 쉽사리 집으로 발길을 돌리지 못한다.

절정 김 첨지는 취중에도 아내가 먹고 싶어 하던 설렁탕을 사 들고 집으로 돌아간다. 그러나 집 안에서 무시무시한 정적이 느껴지자 이를 쫓아 버리려고 아내에게 소리를 지른다. --- [76쪽 (가) 수록]

결말 아내가 죽었음을 확인한 김 첨지는 죽은 아내를 끌어안고 울부짖는다.
--- [76쪽 (나) 수록]

📍 해제

이 작품은 인력거꾼인 김 첨지의 하루를 통해 1920년대 도시 하층민의 삶을 보여 주는 현대 소설이다. 이 작품의 전체적인 구성은 아이러니에 바탕을 두고 있다. 김 첨지에게 운수 좋은 날은 결국 아내의 죽음이라는 비극적 결말로 이어진다. 이러한 극적인 반전, '운수 좋은 날'이라는 반어적 제목을 통해 현실의 비극성을 극대화한다.

📍 주제

일제 강점기 도시 하층민들의 비참한 삶

◖ 인물의 특성

김 첨지
- 인력거꾼으로, 도시 ❶[　　　]을 대표하는 인물.
- 거칠고 상스럽고 인정이 없어 보이지만, 속으로는 아내를 위하고 걱정하는 마음이 큼.

아내
- 김 첨지의 아내. 중병을 앓고 있음.
- 설렁탕을 먹어 보는 것이 소원이지만, 김 첨지가 설렁탕을 사 온 날 죽음을 맞이함.

◖ 배경과 소재의 역할

겨울비가 추적추적 내리는 흐린 날	• 작품 전체적으로 음산하고 불길한 분위기를 형성함. • 뒷부분에 비극적 사건이 일어날 것임을 암시함.
설렁탕	• 아내에 대한 김 첨지의 ❷[　　]을 드러냄. • 결말과 연결되어 비극적 상황을 심화함.

◖ 표현상 특징: 반어(아이러니)

이 작품의 전반부에서 그려진 김 첨지의 행운은 후반부에서 불행한 결과로 이어진다. 이러한 상황에서 비롯된 아이러니를 '운수 좋은 날'이라는 반어적 제목으로 표현함으로써 비극성을 더욱 심화하고 있다.

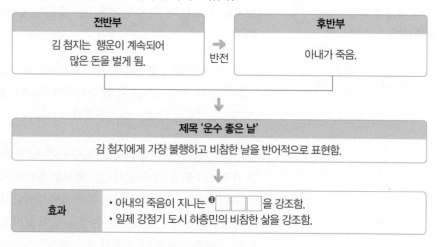

전반부		후반부
김 첨지는 행운이 계속되어 많은 돈을 벌게 됨.	반전 →	아내가 죽음.

↓

제목 '운수 좋은 날'
김 첨지에게 가장 불행하고 비참한 날을 반어적으로 표현함.

↓

효과	• 아내의 죽음이 지니는 ❸[　　　]을 강조함. • 일제 강점기 도시 하층민의 비참한 삶을 강조함.

빈칸 답 ❶ 하층민 ❷ 사랑 ❸ 비극성

어휘 다지기

1 다음 제시된 초성과 뜻을 참고하여 괄호 안에 들어갈 알맞은 단어를 쓰시오.

(1) ㅇㄹㄱㄲ : 주로 사람을 태우는 수레를 끄는 일을 직업으로 하는 사람.

> 예 김 첨지는 동소문 안에서 ( ) 노릇을 하였다.

(2) ㄷㅂㄹ : 아주 이른 시간.

> 예 첫 번에 삼십 전, 둘째 번에 오십 전을 번 것은 아침 ( )에 그리 흉치 않은 일이었다.

(3) ㅎㅈㅅㅅ : 실속은 없으면서 큰소리치거나 허세를 부림.

> 예 김 첨지가 고함을 친 것은 무시무시한 증을 쫓아 버리려는 ( )이다.

2 다음 뜻에 해당하는 단어를 찾아 바르게 연결하시오.

(1)	눈알을 위로 굴리고 눈시울을 위로 치뜨다. ·	· ① 바루다
(2)	비뚤어지거나 구부러지지 않도록 바르게 하다. ·	· ② 홉뜨다
(3)	감정, 생각, 감각 따위가 갑작스럽게 들이닥치거나 덮치다. ·	· ③ 엄습하다

3 다음 괄호 안에 들어갈 단어로 가장 알맞은 것은?

> 김 첨지는 병이란 놈에게 약을 주어 보내면 재미를 붙여서 자꾸 찾아온다는 자기의 ( )에 어디까지 충실하였다.

① 소문   ② 신조   ③ 예상   ④ 환상   ⑤ 거짓말

어휘➕ '가난'과 관련된 속담

➕ '가난'과 관련된 속담
• **목구멍이 포도청**: 먹고살기 위하여, 해서는 안 될 짓까지 하지 않을 수 없음을 이르는 말.
• **서 발 막대 거칠 것 없다**: 가난한 집안이라 세간이 아무것도 없음을 비유적으로 이르는 말.

4 〈보기〉에 나타난 김 첨지의 상황과 관련 깊은 속담을 골라 ✓ 표시를 하시오.

> ● 보기 ●
> 김 첨지의 아내가 기침으로 쿨룩거리기는 벌써 달포가 넘었다. 조밥도 굶기를 먹다시피 하는 형편이니 물론 약 한 첩 써 본 일이 없다.

☐ ① 밑 빠진 독에 물 붓기   ☐ ② 사흘에 한 끼 입에 풀칠하기도 어렵다

실전 02 꺼삐딴 리 | 전광용

> 이 작품은 일제 강점기에서 1950년대에 이르는 격동기를 배경으로 급변하는 상황에 대응하는 한 인간의 삶의 태도를 그리고 있는 현대 소설이다. 작품에 나타난 사회·문화적 배경과 인물의 삶의 태도를 살피며 작품을 읽어 보자.

✎ 핵심 짚기

| 발단 | 전개 | 위기 | 절정 | 결말 |

● 인물
이인국: 현재 종합 병원의 원장임. 뛰어난 **❶** ㅊㅅㅅ 로 혼란의 시대에서 살아남음.

● 배경
㉮ 6·25 전쟁 이후, 남한
㉯ 1945년 광복 직후, 삼팔선 이북

● 사건
이인국이 시계를 보며 과거 광복 직후에 있었던 일을 **❷** ㅎㅅ 함.

● 서술상 특징
이야기 밖의 서술자가 이인국의 행동이나 심리를 중점적으로 서술함.(3인칭 **❸** ㅈㅈㅈ 시점)

┆ 빈칸 답
❶ 처세술 ❷ 회상 ❸ 전지적

● **처세술** | 사람들과 사귀며 세상을 살아가는 방법이나 수단.
● **1·4 후퇴** | 1951년 1월 4일 중공군의 공세에 따라 정부가 수도 서울에서 철수한 일.
● **회중시계** | 몸에 지닐 수 있게 만든 작은 시계.
● **유서** | 예로부터 전하여 내려오는 사물의 역사나 내력.
● **사태** | 일이 되어 가는 형편이나 상황. 또는 벌어진 일의 상태.
● **피란** | 난리를 피하여 옮겨 감.
● **홍안** | 젊어서 혈색이 좋은 얼굴을 이르는 말.
● **야단법석** | 많은 사람이 모여들어 떠들썩하고 부산스럽게 굶.
● **입성** | 군대가 전투에서 승리하여 적의 영토를 차지함.
● **상용** | 일상적으로 씀.

앞부분의 줄거리 이인국은 일제 강점기에 제국 대학을 졸업한 뒤 수술 실력이 뛰어난 의사로 이름을 날렸다. 해방 이후 그는 뛰어난 처세술로 위기를 벗어났고, 6·25 전쟁이 터지고 1·4 후퇴 때 남으로 내려와 서울에 병원을 차렸다. 현재 그는 종합 병원의 원장이며, 브라운 씨를 만나러 가는 길이다.

㉮ 미국 대사관 브라운 씨와의 약속 시간은 이십 분밖에 남지 않았다. 이 회중시계에도 몇 가닥의 유서 깊은 이야기가 숨어 있다. 이인국 박사는 시계를 볼 때마다 참말 '기적'임에 틀림없었던 사태를 연상하게 된다.

왕진 가방과 함께 삼팔선을 넘어온 피란 유물의 하나인 시계. 가방은 미군 의사에게서 얻은 새것으로 갈아 매어 흔적도 없게 된 지금, 시계는 목숨을 걸고 삶의 도피행을 같이한 유일한 물건이요, 어찌 보면 인생의 반려(伴侶)이기도 한 것이다. 〈중략〉

그 후 삼십여 년, 자기 주변의 모든 것이 변하여 갔지만 시계만은 옛 모습 그대로다. 주변뿐만 아니라 자기 자신은 얼마나 변한 것인가. 이십대 홍안을 자랑하던 젊음은 어디로 사라진 것인지 머리카락도 반백이 넘었고 이마의 주름은 깊어만 간다. 일제 시대, 소련군 점령하의 감옥 생활, 6·25 사변, 삼팔선, 미군 부대, 그동안 몇 차례의 아슬아슬한 죽음의 고비를 넘긴 것인가.

㉯ 1945년 팔월 하순. 아직 해방의 감격이 온 누리를 뒤덮어 소용돌이칠 때였다.

말복도 지난 날씨언만 여전히 무더웠다. 이인국 박사는 이 며칠 동안 불안과 초조에 휘몰려 잠도 제대로 자지 못했다. 무엇인가 닥쳐올 사태를 오돌오돌 떨면서 대기하는 상태였다. 〈중략〉

계단을 구르며 급히 올라오는 발자국 소리가 들려 왔다. 혜숙이다.

"아마 소련군이 들어오나 봐요, 모두들 야단법석이에요……."

숨을 헐떡이며 이야기하는 혜숙이의 말에 이인국 박사는 아무 대꾸도 없이 눈만 껌벅이며 도로 앉았다. 여러 날째 라디오에서 오늘 입성 예정이라고 했으니 인제 정말 오는가 보다 싶었다. 혜숙이 내려간 뒤에도 이인국 박사는 한참 동안 아무 거동도 못 하고 바깥쪽을 내다보고만 있었다. 무엇을 생각했던지 그는 움찔 자리에서 일어났다. 그러고는 벽장문을 열었다. 안쪽에 손을 뻗쳐 액자 틀을 끄집어내었다.

㉠ '국어(國語) 상용(常用)의 가(家)'

해방되던 날 떼어서 집어넣어 둔 것을 그동안 깜박 잊고 있었다.

그는 액자 틀 뒤를 열어 음식점 면허장 같은 두터운 모조지를 빼내어 글자 한 자도 제대로 남지 않게 손끝에 힘을 주어 꼼꼼히 찢었다.

이 종잇장 하나만 해도 일본인과의 교제에 있어서 얼마나 떳떳한 구실을 할 수 있었던 것인가. 야릇한 미련 같은 것이 섬광처럼 머릿속을 스쳐갔다.

서술상 특징 파악하기 **1**

고1 학력평가 기출

이 글의 서술상 특징으로 가장 적절한 것은?

① 이야기 밖의 서술자가 사건을 객관적인 입장에서 관찰하고 있다.

② 이야기 밖의 서술자와 작중 인물이 번갈아 가며 사건을 전달하고 있다.

③ 이야기 밖의 서술자가 중심인물의 심리를 드러내는 데 초점을 맞추고 있다.

④ 이야기 안의 주인공이 직접 체험한 사건을 고백하듯이 차분하게 서술하고 있다.

⑤ 이야기 안의 주변 인물이 카메라의 눈처럼 작중 상황을 외면적으로 묘사하고 있다.

구성 방식 파악하기 **2**

다음은 이 글의 시간 구조를 나타낸 것이다. 이를 고려할 때 이 글의 구성상 특징으로 적절하지 않은 것은?

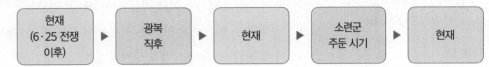

| 현재
(6·25 전쟁
이후) | ▶ | 광복
직후 | ▶ | 현재 | ▶ | 소련군
주둔 시기 | ▶ | 현재 |

① 현재와 과거를 넘나드는 역순행적 구성을 취하고 있다.

② 현재 이인국이 과거를 회상하는 구조로 이루어져 있다.

③ 현재와 과거를 교차하여 내용을 입체적으로 전달하고 있다.

④ 각 시기에 이인국이 겪은 일을 중심으로 사건이 전개되고 있다.

⑤ 일제 강점기부터 현재에 이르기까지 이인국의 삶을 순차적으로 보여 주고 있다.

세부 내용 파악하기 **3**

이 글의 내용과 일치하지 않는 것은?

① 이인국은 회중시계를 각별하게 생각하고 있다.

② 이인국은 6·25 전쟁 이전에는 삼팔선 이북에 살았다.

③ 현재 이인국은 브라운 씨와 만날 약속을 한 상태이다.

④ 이인국은 광복 직후 소련군의 입성 소식에 흥분하였다.

⑤ 이인국은 시대가 바뀔 때마다 여러 차례 죽을 고비를 넘겼다.

소재의 기능 파악하기 **4**

💡 **도움말**
'국어(國語) 상용(常用)의 가(家)'에서 '국어'는 일본어를 가리킨다.

㉠에 대한 설명으로 가장 적절한 것은?

① 이인국의 투철한 민족정신을 엿볼 수 있다.

② 이인국이 고등 교육을 받았음을 보여 준다.

③ 이인국의 친일 행적을 밝히는 증거가 된다.

④ 이인국이 경제적으로 여유가 있다는 증표이다.

⑤ 이인국이 한국 문화에 관심이 많음을 드러낸다.

● **인물**
· **이인국**: 감방에서 완전히 벗어나기 위해 스텐코프에게 접근함.
· **스텐코프**: 소련군 장교. 이인국에게 혹 제거 수술을 받은 후 그를 ❶ㅇㅎ적으로 대함.

● **배경**
(시간) ❷ㅅㄹㄱ 주둔 시기
(공간) 삼팔선 이북

● **사건**
이인국이 스텐코프의 ❸ㅎ 제거 수술에 성공하고 감방에서 풀려남.

빈칸 답
❶ 우호 ❷ 소련군 ❸ 혹

● **문초** | 죄나 잘못을 따져 묻거나 심문함.
● **절호** | 무엇을 하기에 기회나 시기 따위가 더할 수 없이 좋음.
● **당성** | 당원이 자신이 속한 당에 거의 무조건 가지는 충실한 마음과 행동.
● **전공** | 전투에서 세운 공로.
● **노어** | 노서아어. '러시아어'를 뜻함.
● **순시하다** | 돌아다니며 사정을 보살피다.
● **당사** | 정당의 역사. 여기에서는 소련 공산당의 역사를 의미함.
● **표명하다** | 의사나 태도를 분명하게 드러내다.
● **설복** | 알아듣도록 말하여 수긍하게 함.
● **자문자답하다** | 스스로 묻고 스스로 대답하다.
● **꺼삐딴** | 영어의 '캡틴(captain)'에 해당하는 러시아어로 해방 후 북한에서 '우두머리', '최고'의 뜻으로 많이 쓰였다.

생략된 부분의 줄거리 　현재, 이인국은 자동차 안에서 신문을 읽으면서 소련군이 주둔하던 당시를 회상한다. 이인국은 일제 강점기 때의 행적이 문제가 되어 치안대에 잡혀가서 문초를 당한다. 그러던 중, 감방에서 전염병이 돌자 소련군은 그를 당분간 응급 치료실에서 일하게 한다.

가 　ⓒ이인국 박사는 이 절호의 기회를 최대한으로 활용하고 싶었다. 이제는 죽어도 한이 없을 것만 같았다. 어떻게 하여 이 보이지 않는 구속에서까지 완전히 벗어날 수는 없을까.

　그는 환자의 치료를 하면서도 늘 스텐코프의 왼쪽 뺨에 붙은 오리알만 한 혹을 생각하고 있었다. 불구라면 불구로 볼 수 있는 그 혹을 가지고 고급 장교에까지 승진했다는 것은, 소위 말하는 당성(黨性)이 강하거나 그렇지 않으면 전공(戰功)이 특별했음에 틀림없다는 생각이 들었다. 그것 하나만 물고 늘어지면 무엇인가 완전히 살아날 틈바귀가 생길 것만 같았다.

　이인국 박사의 뜨내기 노어도 가끔 순시하는 스텐코프와 인사말을 주고받을 수 있을 정도로 진전되었다. 이 안에서의 모든 독서는 금지되었지만 노어 교본과 당사(黨史)만은 허용되었다. ⓛ이인국 박사는 마치 생명의 열쇠나 되는 듯이 초보 노어책을 거의 암송하다시피 했다.

나 　수일 전 소군 장교 한 사람이 급성 맹장염이 터져 복막염으로 번졌다. 그 환자의 실을 뽑는 옆에 온 스텐코프에게 이인국 박사는 말 절반 손짓 절반으로 혹을 수술하겠다는 의사를 표명했다. 스텐코프는 '하라쇼'를 연발했다.
　　'좋소, 좋습니다'를 뜻하는 러시아어.

　그 후 몇 번 통역을 사이에 두고 수술 계획에 대한 자세한 의사를 진술할 기회가 생겼다. 이인국 박사는 일본인 시장의 혹을 수술하던 일을 회상하면서 자신 있는 설복을 했다.

　'동경 경응 대학 병원에서도 못 하겠다는 것을 내가 거뜬히 해치우지 않았던가.'

　그는 혼자 머릿속에서 자문자답하면서 이번 일에 도박 같은 심정으로 생명을 걸었다.

다 　완치되어 퇴원하는 날 스텐코프는 이인국 박사의 손을 부서져라 쥐면서 외쳤다.

　"꺼삐딴 리, 스바씨보."
　　'고맙습니다'를 뜻하는 러시아어.
　이인국 박사는 입을 헤벌리고 웃기만 했다. 마음의 감옥에서 해방된 것만 같았다.

　"아진, 아진…… 오첸 하라쇼."
　　'1'을 뜻하는 러시아어.　'매우, 몹시, 대단히'를 뜻하는 러시아어.
　스텐코프는 엄지손가락을 높이 들면서 네가 첫째라는 듯이 이인국 박사의 어깨를 치며 찬양했다.

　다음 날 스텐코프는 이인국 박사를 자기 방으로 불렀다. 그가 이인국 박사에게 스스로 손을 내밀어 예절적인 악수를 청한 것은 이것이 처음이었다.

　'적과 적이 맞부딪치면서 이렇게 백팔십도로 전환될 수가 있을까, 노랑 대가리도 역시 본심에서는 하나의 인간임에는 틀림없는 것이 아닌가.'

　"내일부터는 집에서 통근해도 좋소."

　이인국 박사는 막혔던 둑이 터지는 것 같은 큰숨을 삼켜 가면서 내쉬었다.

세부 내용 이해하기 **5**

이 글을 통해 알 수 있는 내용이 <u>아닌</u> 것은?

① 이인국은 일본인 시장의 혹을 수술한 적이 있었다.

② 스텐코프는 이인국의 수술 실력을 최고라고 칭찬하였다.

③ 이인국은 의술로써 위기에서 벗어나 자유를 얻게 되었다.

④ 이인국은 응급 치료실에서 일하는 상황을 좋은 기회라고 여겼다.

⑤ 복막염 수술 이후에 이인국은 감방에서 완전히 벗어나게 되었다.

인물의 심리와 관련된 속담 파악하기 **6**

㉠에 담긴 이인국의 생각을 가장 잘 나타낸 것은?

① 개똥도 약에 쓰려면 없다더니.

② 고양이 목에 어떻게 방울을 달지?

③ 고래 싸움에 새우 등 터진 신세로군.

④ 범 무서운 줄 모르는 하룻강아지 꼴이군.

⑤ 하늘이 무너져도 솟아날 구멍이 있기 마련이지.

인물의 행동 의도 파악하기 **7**

내용의 흐름으로 보아, 이인국이 ㉡과 같이 행동한 까닭으로 가장 적절한 것은?

① 노어를 익혀 통역 일을 맡기 위해서

② 노어로 쓰인 의학 서적을 읽기 위해서

③ 스텐코프에게 수술을 제안하기 위해서

④ 소련인 환자와 의사소통을 하기 위해서

⑤ 소련군 장교들과 친분을 두텁게 하기 위해서

제목에 담긴 작가의 의도 파악하기 **8**

고난도

〈보기〉를 참고하여 작가가 이 글의 제목을 '꺼삐딴 리'라고 지은 의도를 추측한 내용으로 가장 적절한 것은?

보기

이 글에서 이인국은 일제 강점기에서 6·25 전쟁 이후에 이르기까지 시대와 상황에 따라 자신의 이익과 생존만을 위해 빠르게 변신하며 살아간다.

① 이인국이 의사로서 가지는 사회적 지위를 나타내기 위해서

② 이인국이 뛰어난 실력을 기르기 위해 노력한 인물임을 드러내기 위해서

③ 이인국이 외국인에게조차 인정을 받는 훌륭한 의사임을 보여 주기 위해서

④ 이인국이 우리나라의 격동기에 민족의 우두머리가 되었음을 부각하기 위해서

⑤ 이인국과 같이 개인의 이익만을 좇는 사회 지도층의 처세술을 풍자하기 위해서

＋ 풍자

부정적인 인물이나 사회 현실을 과장하거나 왜곡하여 우스꽝스럽게 표현함으로써 간접적으로 비판하는 방법.

핵심 짚기

발단 전개 위기 절정 **결말**

● **인물**
· **이인국**: 미국행을 위해 브라운의 도움을 받고자 함.
· **브라운**: 미국 대사관 직원.

● **배경**
(시간) 6·25 전쟁 이후 **❶ ㅁ ㄱ** 의 영향력이 커진 시기
(공간) 남한

● **사건**
이인국이 브라운에게 **❷ ㄱ ㄹ ㅊ ㅈ** 화병을 선물하고 미국행 통지를 들음.

● **서술상 특징**
시대와 상황에 따라 빠르게 변신하며 살아온 이인국의 기회주의적 삶을 부정적, **❸ ㅂ ㅍ** 적으로 서술함.

빈칸 답
❶ 미국 ❷ 고려청자 ❸ 비판

● **국무성** | 국무부. 미국에서, 외교 정책을 담당하는 연방 행정 기관.
● **기고만장하다** | 일이 뜻대로 잘될 때, 우쭐하여 뽐내는 기세가 대단하다.
● **즉일** | 당일. 일이 있는 바로 그날.
● **닥싸귀** | '도꼬마리'의 함경도 방언. 국화과의 한해살이풀. 열매에 갈고리 같은 가시가 있어 옷에 잘 붙는다.
● **로스케** | 러시아 사람을 낮잡아 이르는 말.
● **양키** | 미국 사람을 낮잡아 이르는 말.
● **시가** | 담뱃잎을 통째로 돌돌 말아서 만든 담배.
● **복스** | 손질하여 부드럽게 만든 송아지 가죽.

생략된 부분의 줄거리 다시 현재, 이인국은 미국에 가기 위해 브라운 씨의 도움을 받고자 그의 관사를 방문한다.

㉮ 이인국 박사는 자기가 들고 온 상감 진사(象嵌辰砂) 고려청자 화병에 눈길을 돌렸다. 사실 그것을 내놓는 데는 얼마간의 아쉬움이 없지 않았다. 국외로 내보낸다는 자책감 같은 것은 아예 생각해 본 일이 없는 그였다. 차라리 이인국 박사에게는 저렇게 많으니 무엇이 그리 소중하고 달갑게 여겨지겠느냐는 망설임이 더 앞섰다.

브라운 씨가 나오자 이인국 박사는 웃으며 선물을 내어놓았다. 포장을 풀고 난 브라운 씨는 만면에 미소를 띠며 기쁨을 참지 못하는 듯 생큐를 거듭 부르짖었다. 〈중략〉

"그거, 국무성에서 통지 왔습니다."

이인국 박사는 뛸 듯이 기뻤으나 솟구치는 흥분을 억제하면서 천천히 손을 내밀어 악수를 청했다.

"생큐, 생큐."

어쩌면 이것은 수술 후의 스텐코프가 자기에게 하던 방식 그대로인지도 모른다는 생각이 들었다. 이인국 박사는 지성이면 감천이라구, 나의 처세법은 유에스에이에도 통하는구나 하는 기고만장한 기분이었다.

㉯ 그의 마음속에는 새로운 포부와 희망이 부풀어 올랐다. 신체검사는 이미 끝난 것이고 외무부 출국 수속도 국무성 통지만 오면 즉일 될 수 있게 담당 책임자에게 교섭이 되어 있지 않은가? 빠르면 일주일 내에 떠나게 될지도 모른다는 브라운 씨의 말이 떠올랐다. 〈중략〉

문득 딸 나미와 아들 원식의 얼굴이 한꺼번에 망막으로 휘몰아 왔다. 그는 두 주먹을 불끈 쥐며 얼굴에 경련을 일으키듯 긴장을 띠다가 어색한 미소를 흘려보냈다.

[A] ┌ '흥, 그 사마귀 같은 일본 놈들 틈에서도 살았고, 닥싸귀 같은 로스케 속에서 살아났는 데, 양키라고 다를까…… 혁명이 일겠으면 일구, 나라가 바뀌겠으면 바뀌구, 아직 이 이인국의 살 구멍은 막히지 않았다. 나보다 얼마든지 날뛰던 놈들도 있는데, 나쯤이 └ 야……'

그는 허공을 향하여 마음껏 소리치고 싶었다.

'그러면 우선 비행기 회사에 들러 형편이나 알아볼까……'

이인국 박사는 캘리포니아 특산 시가를 비스듬히 문 채 지나가는 택시를 불러 세웠다. 그는 스프링이 튈 듯이 복스에 털썩 주저앉았다. / "반도 호텔로……"

차창을 거쳐 보이는 맑은 가을 하늘이 이인국 박사에게는 더욱 푸르고 드높게만 느껴졌다.

서술상 특징 파악하기 **9**

이 글에 대한 설명으로 적절하지 <u>않은</u> 것은?

① 이인국의 지난 삶을 요약적으로 제시하고 있다.

② 비극적인 결말로 마무리하여 주제를 부각하고 있다.

③ 이인국의 생각이나 행동을 통해 성격을 제시하고 있다.

④ 현재 시점에서 이인국을 중심으로 사건을 서술하고 있다.

⑤ 서술자가 이인국의 삶의 태도를 부정적으로 전달하고 있다.

인물의 태도 파악하기 **10**

[A]에 나타난 이인국의 태도로 적절하지 <u>않은</u> 것은?

① 자신의 삶의 태도를 합리화하고 있다.

② 자신의 과거를 돌아보며 부끄러워하고 있다.

③ 어떤 상황에서도 살아남을 수 있다고 자신하고 있다.

④ 시대 상황에 따라 변절을 거듭해 왔음을 드러내고 있다.

⑤ 다른 사람에 비해 자신의 잘못은 크지 않다고 여기고 있다.

● **변절** | 믿음이나 의지, 도리를 지키지 않고 바꿈.

구절의 의미 파악하기 **11**

주관식

〈보기〉의 설명에 해당하는 문장을 찾아 쓰시오.

보기

　이인국이 계획했던 모든 일이 그의 뜻대로 잘 풀리고 있음을 나타내면서, 미국에 가게 된 이인국의 즐거운 마음을 간접적으로 드러내고 있는 부분이다.

외재적 관점으로 감상 하기 **12**

고난도　고1 학력평가 기출

이 글에 대한 감상 가운데 '작품에 반영된 시대 상황'에 초점을 둔 것은?

① 주인공인 이인국은 개인의 영달만을 추구하는 전형적인 기회주의자로군.

② 처세술을 이용하여 어떤 상황에서도 살아남은 이인국의 모습이 몹시 흥미롭군.

③ 일제 강점기에서 해방과 6·25 전쟁으로 이어지는 역사적 전환기의 삶의 모습을 잘 보여 주는군.

④ 독자에게 세상을 살아가는 바람직한 태도가 무엇인가에 대해 진지하게 성찰하는 기회를 제공해 주는군.

⑤ 전혀 박사답지 않은 인물에게 '박사'의 호칭을 일관되게 부여하여 오히려 인물의 본색을 부각하는 반어적 기법이 쓰이고 있군.

● **영달** | 지위가 높고 귀하게 됨.

작품 정리하기

전체 구성

발단 이인국은 뛰어난 처세술로 혼란의 시대를 헤치고 살아남아 종합 병원의 원장이 되었다. 그는 미국 대사관의 브라운을 만날 준비를 하다가 과거를 회상한다.
··· 80쪽 (가) 수록

전개 일제 강점기가 끝나고 이인국은 광복을 맞이한다. 광복 후에 소련군이 들어오고, 이인국은 친일 행적이 발각될까 봐 두려워한다. 그러던 중, 치안대에 잡혀가 문초를 당한다. ··· 80쪽 (나) 수록

위기 감방에 전염병 환자가 생기자 이인국은 당분간 응급 치료실에서 일하게 된다.

절정 이인국은 환자를 치료하면서 감방에서 풀려날 기회를 엿본다. 그는 스텐코프의 혹을 제거하는 수술에 성공하고 마침내 자유를 되찾는다. ·· 82쪽 수록

결말 6·25 전쟁 이후 이인국은 미국행을 위해 브라운에게 선물을 주고 미국에 갈 준비를 한다. ··· 84쪽 수록

해제

이 작품은 일제 강점기에서 1950년대에 이르는 우리나라의 격동기를 살아온 '이인국'의 삶을 그리고 있는 현대 소설이다. 이인국과 같이 민족의식이나 도덕적 신념 없이 개인의 이익만을 추구하는 사회 지도층을 '꺼삐딴'으로 표현함으로써, 그들의 기회주의적 면모를 풍자하고 당대 사회의 비극을 폭로하고 있다.

주제

시대와 상황에 따라 빠르게 변신하는 기회주의자의 삶 비판

구성 방식

이 작품은 이인국의 과거 회상을 통해 현재에서 출발하여 과거 회상으로, 다시 현재 장면으로 되돌아오는 ❶□□□적 구성을 취하고 있다. 이때 과거 회상 장면은 시간이 연속적으로 이어지는 것이 아니라, 주요 장면을 단편적으로 제시하고 다시 현재로 돌아오는 형식을 취한다.

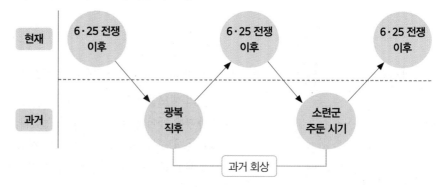

시대 변화에 따른 이인국의 삶의 태도

이인국은 일제 강점기에는 친일파로 살았고, 광복 후에는 친소파로, 6·25 전쟁 때 월남한 이후에는 친미파로 살면서 부와 권력을 누렸다.

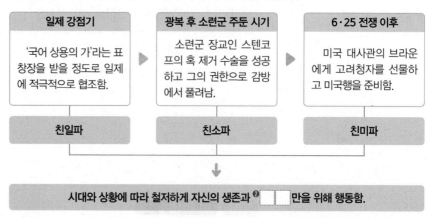

제목 '꺼삐딴 리'의 의미

'꺼삐딴 리'의 의미
• 스텐코프가 이인국의 수술 실력을 칭찬하며 한 말 • '꺼삐딴'은 영어 '캡틴(captain)'에 해당하는 러시아어로 '우두머리', '최고'를 뜻함.

❸□□□□□로 살아온 이인국을 '꺼삐딴'으로 표현함으로써 그의 삶을 풍자함.

빈칸 답 ❶ 역순행 ❷ 이익 ❸ 기회주의자

1 다음 뜻에 해당하는 단어를 말 상자에서 찾아 표시하시오.

(1) 난리를 피하여 옮겨 감.

(2) 노서아어. '러시아어'를 뜻함.

(3) 예로부터 전하여 내려오는 사물의 역사나 내력.

(4) 많은 사람이 모여들어 떠들썩하고 부산스럽게 굶.

야	태	피	입	성
용	단	란	홍	안
노	어	법	명	확
전	쟁	복	석	설
공	학	유	서	복

2 다음 밑줄 친 단어의 뜻을 〈보기〉에서 찾아 그 번호를 쓰시오.

─● 보기 ●─
① 알아듣도록 말하여 수긍하게 함.
② 죄나 잘못을 따져 묻거나 심문함.
③ 일이 되어 가는 형편이나 상황. 또는 벌어진 일의 상태.

(1) 이인국은 과거 친일 행적 때문에 치안대에 잡혀가 문초를 받았다. ·········· (   )

(2) 이인국은 스텐코프에게 수술 계획에 대해 자신 있는 설복을 했다. ·········· (   )

(3) 이인국은 시계를 볼 때마다 '기적'임에 틀림없었던 사태를 떠올린다. ······ (   )

3 〈보기〉의 밑줄 친 단어와 바꾸어 쓸 수 있는 단어로 알맞은 것은?

─● 보기 ●─
이인국 박사는 지성이면 감천이라구, 나의 처세법은 유에스에이에도 통하는구나 하는 기고만장한 기분이었다.

① 강경한   ② 당황한   ③ 우쭐한   ④ 의연한   ⑤ 의기소침한

어휘 ➕ '기회주의자'와 관련된 속담

4 〈보기〉의 내용과 관련 깊은 속담을 골라 ✓ 표시를 하시오.

─● 보기 ●─
이인국 박사는 시대와 상황의 변화에 따라 자신에게 이로운 쪽에 붙어 행동하는 기회주의자였다.

☐ ① 나무에서 고기를 찾는다   ☐ ② 간에 붙었다 쓸개에 붙었다 한다

03 기억 속의 들꽃 | 윤흥길

교과서 **중3** _ 천재(노), 동아

이 작품은 6·25 전쟁 중 고아가 된 명선이의 이야기를 통해 전쟁의 비극성을 보여 주는 현대 소설이다. 작품에 반영된 사회·문화적 배경이 인물의 삶에 미치는 영향과 이를 통해 작가가 말하고자 하는 바를 추측하며 읽어 보자.

핵심 짚기

발단 **전개** 위기 절정 결말

● 인물

• **명선**: 마을에 홀로 남게 된 피란민 아이. 적극적이며 **❶ ㄷㄷ**함.

• **나**: 순진하고 철이 없으며, 어리숙한 면이 있음.

• **'나'의 어머니**: 인정이 없고, 욕심이 많음.

● 배경

(시간) 6·25 전쟁 중
(공간) 만경강 다리 근처 어느 마을

● 사건

명선이가 **❷ ㄱㅂㅈ**를 내놓고 우리 집에서 살게 됨.

● 서술상 특징

이야기 안의 인물인 '나'가 주인공인 명선이를 **❸ ㄱㅊ**하여 서술함. (1인칭 관찰자 시점)

빈칸 답

❶ 당돌 ❷ 금반지 ❸ 관찰

● **야멸차다** | 자기만 생각하고 남의 사정을 돌볼 마음이 거의 없다.

● **인지** | 집게손가락.

● **뒤란** | 집 뒤 울타리의 안.

● **칩떠보다** | 눈을 치뜨고 노려보다.

● **웅숭깊다** | 사물이 되바라지지 아니하고 깊숙하다.

● **타관** | 자기 고향이 아닌 고장.

● **곡절** | 순조롭지 아니하게 얽힌 이런저런 복잡한 사정이나 까닭.

앞부분의 줄거리　6·25 전쟁 중 피란 행렬에 섞여 '나'의 마을에 나타난 명선이는 남자아이 옷차림을 한 채 일행들과 떨어져 마을에 홀로 남게 된다. 명선이는 '나'에게 적극적으로 말을 걸고, 배가 고프다면서 '나'의 집까지 따라온다. 한편 어머니는 먹고살기 힘든 상황에서 명선이를 데려온 '나'를 혼낸다.

어머니는 한껏 야멸찬 표정을 하고 도로 부엌으로 들어가려 했다.

"아줌마!" / 이때 녀석이 또 예의 그 계집애처럼 간드러진 소리로 어머니를 불러 세웠다.

"따른 집에나 가 보라니께!" / "아줌마한테 요걸 보여 줄려구요."

녀석은 엄지와 인지를 붙여 동그라미를 만들어 보였다. 그 동그라미 위에 다른 또 하나의 작은 동그라미가 노란 빛깔을 띠면서 날름 올라앉아 있었다. 뒤란 그늘 속에서도 그것은 충분히 반짝이고 있었다. 그걸 보더니 어머니의 눈에 환하게 불이 켜졌다.

"아아니, 너, 고거 금가락지 아니냐!"

말이 채 끝나기도 전에 금반지는 어느새 어머니의 손에 건너가 있었다. 솔개가 병아리를 채듯이 서울 아이의 손에서 금반지를 낚아채어 어머니는 한참을 칩떠보고 내립떠보는가 하면, 혓바닥으로 침을 묻혀 무명 저고리 앞섶에 싹싹 문질러 보다가 나중에는 이빨로 깨물어 보기까지 했다. 마침내 어머니의 얼굴에 만족스러운 미소가 떠올랐다.

"아가, 너 요런 것 어디서 났냐?"

옷고름의 실밥을 뜯어 그 속에 얼른 금반지를 넣고 웅숭깊은 저 밑바닥까지 확실히 닿도록 두어 번 흔들고 나서 어머니는 서울 아이한테 물었다. 놀랍게도 어머니의 목소리는 서울 아이의 그것보다 훨씬 더 간드러지게 들렸다.

"땅바닥에서 주웠어요. 숙부네가 떠난 담에 그 자리에 가 봤더니 글쎄 요게 떨어져 있잖아요."

녀석이 이젠 아주 의기양양한 태도로 당당하게 대답했다. 그 말을 어머니는 별로 귀담아듣는 기색이 아니었다. 어머니는 연신 싱글벙글 웃어 가며 녀석의 잔등을 요란스레 토닥거리고 쓰다듬어 주는 것이었다.

"아가, 요 담번에 또 요런 것 생기거들랑 다른 누구 말고 꼬옥 이 아줌니한테 가져와야 된다. 알았냐?" / "네, 꼭 그렇게 하겠어요."

다음에 다시 금반지를 줍기로 무슨 예정이라도 되어 있는 듯이 녀석의 입에서는 대답이 무척 시원스럽게 나왔다.

"어서어서 방 안으로 들어가자. 에린것이 천 리 타관(他官)서 부모 잃고 식구 놓치고 얼매나 배고프고 속이 짜겠냐."

이런 곡절 끝에 명선이는 우리 집에서 살게 되었다. 마지막으로 마을에 남게 된 유일한 피란민이었다.

시점 파악하기 **1** **이 글의 서술자에 대한 설명으로 가장 적절한 것은?**

① 이야기 안에서 사건을 주도적으로 이끌어 나가고 있다.

② 관찰자의 입장에서 인물들의 행동과 말을 전달하고 있다.

● **전모** | 전체의 모습. 전체의 내용.

③ 등장인물의 내면 심리와 사건의 전모를 직접 제시하고 있다.

④ 주인공으로 등장하여 자신의 체험을 주관적으로 밝히고 있다.

⑤ 이야기 바깥에서 사건에 대해 판단하지 않고 객관적으로 서술하고 있다.

인물의 성격 파악하기 **2** **이 글에 나타난 인물의 성격과 그 근거를 파악한 것으로 가장 적절한 것은?**

	인물	성격	판단의 근거
①	나	어른스러움.	명선이가 여자아이라는 것을 눈치채지만 이를 숨겨 준다.
②	명선	순진한 면이 있음.	자신이 가진 금반지를 어머니에게 순순히 보여 준다.
③	명선	과시욕이 강함.	땅바닥에서 금반지를 주운 것을 어머니에게 자랑스럽게 말한다.
④	어머니	이해타산적임.	명선이의 금반지를 본 뒤 명선이에게 살갑게 대한다.
⑤	어머니	인정이 많음.	고아인 명선이의 처지를 안타깝게 여기고 명선이를 거두어 준다.

소재의 기능 파악하기 **3** **금반지의 기능에 대한 설명으로 적절하지 않은 것은?**

① 명선이의 생존 수단으로 쓰인다.

② 명선이의 영악한 면모를 부각시킨다.

③ '나'와 명선이 사이의 갈등을 유발한다.

④ 어머니의 태도를 변화시키는 역할을 한다.

⑤ 명선이가 '나'의 집에서 함께 사는 계기가 된다.

사회·문화적 배경 파악하기 **4**

주관식

다음 설명에 해당하는 말을 이 글에서 찾아 한 단어로 쓰시오.

- 이 글의 주요 인물인 '명선'의 처지를 나타낸다.
- 이 글이 배경으로 하는 시대적 상황을 짐작할 수 있게 한다.

핵심 짚기

발단　전개　**위기**　절정　결말

● 사건

'나'의 부모님이 명선이가 가져온 금반지의 출처를 **❶ㅇㅅ** 하고 반지를 빼앗으려 하자, 이를 피해 명선이는 집을 나감.

● 갈등

명선이의 금반지를 차지하려는 '나'의 부모님과, 금반지를 더 내놓지 않으려는 명선이 사이의 **❷ㅇㅈ** 갈등이 드러남.

● 소재의 의미

❸ㄱㅂㅈ

· 전쟁 중 명선이의 생존 수단
· 어른들의 탐욕을 단적으로 보여 주는 소재
· 명선이와 '나'의 부모님 사이에 갈등을 일으키는 직접적인 원인

빈칸 답
❶ 의심 ❷ 외적 ❸ 금반지

· **공습** | 공중 습격. 공군이 비행기를 이용하여 총격이나 폭격으로써 적을 습격하는 일.
· **돈** | 귀금속이나 한약재 따위의 무게를 잴 때 쓰는 단위. 한 돈은 3.75그램이다.
· **노다지** | 캐내려 하는 광물이 많이 묻혀 있는 광맥.
· **기색** | 마음의 작용으로 얼굴에 드러나는 빛.
· **으름장** | 말과 행동으로 위협하는 짓.
· **진배없다** | 그보다 못하거나 다를 것이 없다.
· **후제** | 뒷날의 어느 때.

생략된 부분의 줄거리 부모님은 명선이를 머슴으로 쓰려고 했지만 명선이는 놀고먹기만 한다. 한편 명선이는 '나'에게 피란길에 공습을 만나 부모님이 죽던 순간과 자신을 죽이려는 숙부를 피해 도망친 이야기를 한다. 어머니는 기대와 달리 밥만 축내는 명선이를 내쫓으려고 한다.

㉠갈수록 밥 얻어먹는 설움이 심해지자, 하루는 또 명선이가 금반지 하나를 슬그머니 내밀어 왔다. 먼젓번 것보다 약간 굵어 보였다. 찬찬히 살피고 나더니 어머니는 한 돈 하고도 반짜리라고 조심스럽게 감정을 내렸다.

"길에서 주웠다니까요."

어머니의 다그침에 명선이는 천연덕스럽게 대꾸했다.

㉡"거참 요상도 허다. 따른 사람은 눈을 까뒤집어도 안 뵈는 노다지가 어째 니 눈에만 유독 들어온다냐?"

그러나 어머니는 명선이가 지껄이는 말을 하나도 믿으려 하지 않았다. ㉢명선이가 처음 금반지를 주워 왔을 때처럼 흥분하거나 즐거워하는 기색도 아니었다. 명선이의 얼굴을 유심히 들여다보는 어머니의 눈엔 크고 작은 의심들이 호박처럼 올망졸망 매달려 있었다.

그날 밤에 아버지는 명선이를 안방으로 불러 아랫목에 앉혀 놓고, 밤늦도록 타일러도 보고 으름장도 놓아 보았다. 하지만 명선이의 대답은 한결같았다.

"거짓말이 아니라구요. 참말이라구요. 길에서 놀다가……."

"너 이놈, 바른대로 대지 못허까!"

아버지의 호통 소리에 명선이는 비죽비죽 울기 시작했다. 우는 명선이를 아버지는 또 부드러운 말로 달래기 시작했다.

[A] ┌ "말은 안 혔어도 너를 친자식 진배없이 생각혀 왔다. 너 같은 어린것이 그런 물건을 갖고 있으면은 덜 좋은 법이다. 이 아저씨가 잘 맡어 놨다가 후제 크면 줄 테니께 어따 숨겼는지 바른대로 대거라."

아무리 달래고 타일러도 소용이 없자, 아버지는 마침내 화를 버럭 내면서 명선이의 몸뚱이를 뒤지려 했다. ㉣아버지의 손이 옷에 닿기 전에 명선이는 미꾸라지같이 안방을 빠져나가 자취를 감추어 버렸다. 그리고 그날 밤 끝내 우리 집에 돌아오지 않았다.

"틀림없다. 몇 개나 되는지는 몰라도 더 있을 게다. 어디다 감췄는지 니가 살살 알아봐라. 혼자서 어딜 가거든 눈치 안 채게 따러가 봐라."

입맛을 쩝쩝 다시던 아버지는 나한테 이렇게 분부했다.

"옷 속에다 누볐는지도 모른다."

어머니가 옆에서 거들었다. 어머니 역시 아버지 못잖게 아쉬운 표정이었다. 아버지의 이마에서는 땀방울이 찌걱찌걱 배어 나오고 있었다. ㉤아버지는 벌겋게 충혈된 눈을 등잔 불빛에 번들번들 빛내면서 숨을 씩씩거렸다. 꼭 무슨 일을 저지르고야 말 것만 같은 모습이었다.

갈등의 양상 파악하기 **5** **갈등을 중심으로 이 글을 감상한 것으로 적절한 것은?**

① 민성: '나'의 아버지가 등장하면서 갈등이 점차 고조되는 양상을 보이는군.

② 주희: 명선이는 폐쇄적인 시골 사회의 분위기 때문에 내적 갈등을 겪고 있군.

③ 지민: 부모님이 '나'에게 명선이를 쫓으라고 한 일로 '나'는 내적 갈등을 겪고 있군.

④ 영아: 6·25 전쟁이라는 사회적 상황으로 인해 '나'와 명선이의 갈등이 심화되는군.

⑤ 수진: 명선이의 금반지의 소유권을 두고 '나'의 어머니와 아버지가 갈등하게 되는군.

서술상 특징 파악하기 **6** 고난도

〈보기〉는 작가가 이 글을 쓰기 위해 작성한 메모이다. 이 글에 반영된 것만을 모두 골라 묶은 것은?

> ● 보기 ●
>
> ㄱ. 비유를 활용하여 공간적 배경을 세밀하게 묘사할 것
>
> ㄴ. 지역 방언을 사용하여 사실성을 강화하고 현장감을 살릴 것
>
> ㄷ. 전쟁의 비인간성과 폭력성을 어린아이의 시각으로 보여 줄 것
>
> ㄹ. 등장인물의 외양을 묘사하여 인물의 성격을 간접적으로 제시할 것

① ㄱ, ㄴ   ② ㄴ, ㄷ   ③ ㄴ, ㄹ

④ ㄱ, ㄴ, ㄹ   ⑤ ㄴ, ㄷ, ㄹ

인물의 태도 파악하기 **7** **[A]에 나타난 아버지의 태도로 가장 적절한 것은?**

① 원하는 바를 얻기 위해 상대방을 위협한다.

② 자신의 경험과 능력을 과시하며 상대방을 위로한다.

③ 자신이 겪고 있는 어려움을 해소해 줄 것을 호소한다.

④ 목적을 위해 속마음을 감추는 이중적인 모습을 보인다.

⑤ 두 가지 방안을 제시한 후 어느 하나를 고를 것을 강요한다.

인물의 심리 파악하기 **8** **㉠~㉤에 대한 이해로 적절하지 않은 것은?**

① ㉠: 금반지로 어머니의 환심을 사려는 명선이의 의도가 드러난다.

② ㉡: 명선이가 가져온 금반지의 출처에 대한 어머니의 의심이 드러난다.

③ ㉢: 이전 것보다 크기가 작은 금반지에 실망하는 어머니의 심리가 드러난다.

④ ㉣: 아버지에게 비밀을 들키지 않으려는 명선이의 의지가 드러난다.

⑤ ㉤: 명선이의 금반지를 빼앗지 못해 아쉬워하는 아버지의 탐욕스러움이 드러난다.

발단 | 전개 | 위기 | **절정** | 결말

● **사건**
- 다리 위에서 놀던 ❶ㅁㅅ이가 비행기의 폭음에 놀라 강으로 떨어져 죽음.
- '나'는 다리에서 명선이가 숨겨 둔 금반지 주머니를 발견하나 강물에 떨어뜨리고 맑.

● **소재의 기능**

국방군, ❷ㅇㅁ군, 전쟁, 피란, 호주기 편대 등

6·25 전쟁 중인 사회·문화적 배경을 드러냄.

● **서술상 특징**

명선이를 들꽃에 ❸ㅂㅇ해 인물의 처지를 강조함.

들꽃	=	명선

- 강물로 떨어지게 됨.
- 어려운 상황에서도 강인한 생명력을 지님.

빈칸 답
❶ 명선 ❷ 인민 ❸ 비유

● **귀띔** | 상대편이 눈치로 알아차릴 수 있도록 미리 슬그머니 일깨워 줌.
● **가장귀** | 나뭇가지의 갈라진 부분. 또는 그렇게 생긴 나뭇가지.
● **편대** | 비행기 부대 구성 단위의 하나. 2~4대의 비행기로 구성된다.
● **강심** | 강의 한복판. 또는 그 물속.
● **까불리다** | 키질을 당하듯이 위아래로 흔들리다.
● **천신만고** | 온갖 어려운 고비를 다 겪으며 심하게 고생함을 이르는 말.
● **경풍** | 어린아이에게 나타나는 증상의 하나로, 몸이 뻣뻣해지고 오랫동안 정신이 흐려지는 병증.

생략된 부분의 줄거리 명선이가 부잣집의 외동딸이었음이 밝혀지자, '나'의 부모님은 명선이로 인해 생길 이득을 독차지하기 위해 명선이를 집에서 지내게 한다. '나'와 명선이는 종종 끊어진 만경강 다리로 놀러 가고, 어느 날 그곳에서 들꽃을 함께 본다. 명선이가 들꽃의 이름을 묻자 '나'는 즉석에서 쥐바라숭꽃이라는 이름을 지어 답한다.

남쪽에서 쳐 올라오는 국방군에 밀려 인민군이 북쪽으로 쫓겨 가기 시작한다는 소문이 돌았다. 생각보다 전쟁이 일찍 끝나, 남쪽으로 피란 갔던 명선네 숙부가 어느 날 불쑥 마을에 다시 나타날 경우를 생각하면서 ㉠어머니는 딱할 정도로 조바심을 치기 시작했다. 내가 벌써 귀띔을 해 줘서 어른들은 명선이가 숙부로부터 버림받은 게 아니라 스스로 도망쳤다는 사실을 이미 알고 있었다. 전쟁이 끝나기 전에 어떻게든 명선이의 입을 열게 하려고 아버지는 수단 방법을 안 가릴 기세였다.

그날도 나는 명선이와 함께 부서진 다리에 가서 놀고 있었다. ㉡예의 그 위험천만한 곡예 장난을 명선이는 한창 즐기는 중이었다. 콘크리트 부위를 벗어나 그 애가 앙상한 철근을 타고 거미줄처럼 지옥의 가장귀를 향해 조마조마하게 건너갈 때였다. 이때 우리들 머리 위의 하늘을 두 쪽으로 가르는 굉장한 폭음이 귀뺨을 갈기는 기세로 갑자기 울렸다. 푸른 하늘 바탕을 질러 하얗게 호주기 편대가 떠가고 있었다. 비행기의 폭음에 가려 나는 철근 사이에서 울리는 비명을 거의 듣지 못했다. 다른 것은 도무지 무서워할 줄 모르면서도 유독 비행기만은 병적으로 겁을 내는 ⓐ서울 아이한테 얼핏 생각이 미쳐 눈길을 하늘에서 허리가 동강이 난 다리로 끌어 내렸을 때, 내가 본 것은 강심을 겨냥하고 빠른 속도로 멀어져 가는 한 송이 쥐바라숭꽃이었다.

명선이가 ⓑ들꽃이 되어 사라진 후, 어느 날 한적한 오후에 나는 그때까지 한 번도 성공한 적이 없는 모험을 혼자서 시도해 보았다. ⓒ겁쟁이라고 비웃는 사람이 아무도 없으니까 의외로 용기가 나고 마음이 차갑게 가라앉는 것이었다. ㉢나는 눈에 띄는 그 즉시 거대한 팽이로 둔갑해 버리는 까마득한 강바닥을 보지 않으려고 생땀을 흘렸다. 엿가락으로 흘러내리다가 가로지르는 선에 얹혀 다시 오르막을 타는 녹슨 철근의 우툴두툴한 표면만을 무섭게 응시하면서 한 뼘 한 뼘 신중히 건너갔다. 철근의 끝에 가까이 갈수록 강바람을 맞는 몸뚱이가 사정없이 까불렸다. 그러나 나는 천신만고(千辛萬苦) 끝에 마침내 그 일을 해내고 말았다. 이젠 어느 누구도, 제아무리 ⓓ쥐바라숭꽃일지라도 나를 비웃을 수는 없게 되었다.

지옥의 가장귀를 타고 앉아 잠시 숨을 고른 다음 바로 되돌아 나오려는데, 이때 ⓔ이상한 물건이 얼핏 시야에 들어왔다. 낚싯바늘 모양으로 꼬부라진 철근의 끝자락에다 끈으로 친친 동여맨 자그만 헝겊 주머니였다. 명선이가 들꽃을 꺾던 때보다 더 위태로운 동작으로 나는 주머니를 어렵게 손에 넣었다. ㉣가슴을 잡죄는 긴장 때문에 주머니를 열어 보는 내 손이 무섭게 경풍을 일으키고 있었다. 그리고 그 주머니 속에서 말갛게 빛을 발하는 동그라미 몇 개를 보는 순간, ㉤나는 손에 든 물건을 송두리째 강물에 떨어뜨리고 말았다.

사건의 흐름 파악하기 **9** 시간 순서대로 사건을 배열할 때, 가장 먼저 올 것은?

① 명선이가 여자아이임이 밝혀짐.

② 명선이가 피란길에 숙부로부터 도망침.

③ '나'가 들꽃에 쥐바라숭꽃이라는 이름을 붙임.

④ '나'가 처음으로 부서진 다리를 건너는 데 성공함.

⑤ 명선이가 비행기 폭음에 놀라 다리 위에서 떨어짐.

고난도

인물의 심리 파악하기 **10** ㉠~㉤과 같은 행동을 하는 이유를 추측한 것으로 적절하지 <u>않은</u> 것은?

① ㉠: 명선이의 숙부가 돌아오면 명선이의 금반지를 차지할 수 없기 때문에

② ㉡: 숨겨 놓은 금반지가 안전하게 보관되어 있는지 확인하려고 했기 때문에

③ ㉢: 공포심과 어지러움으로 강바닥이 팽이가 도는 것처럼 보였기 때문에

④ ㉣: 부모님이 간절하게 찾으시던 금반지를 찾았다는 기쁨으로 마음이 벅찼기 때문에

⑤ ㉤: 명선이의 죽음이 금반지와 관련 있음을 깨닫고 충격을 받았기 때문에

비유의 대상 파악하기 **11** ⓐ~ⓔ 중, 명선이를 가리키는 것을 모두 고른 것은?

① ⓐ, ⓑ 　　② ⓑ, ⓒ 　　③ ⓐ, ⓑ, ⓒ

④ ⓐ, ⓑ, ⓓ 　　⑤ ⓑ, ⓒ, ⓔ

고1 학력평가 기출

감상 방법의 유형 구분하기 **12** 이 글에 대한 학생들의 감상이다. 작품 자체의 내적 의미에만 주목하고 있는 것은?

① 작가는 전쟁의 참상 자체보다는 비인간적인 모습에 초점을 맞추어 전쟁을 고발하고 있어.

② 결말 처리 방식이 인상적이야. 여운을 남기면서도 이전의 사건을 확연하게 떠올릴 수 있거든.

③ 작가의 다른 작품도 읽어 보아야겠어. 그러면 작가의 작품 세계를 이해하는 데 도움이 될 거야.

④ 전쟁으로 물자가 부족하여 사람들이 이기적으로 변했던 6·25 전쟁의 한 단면을 보여 주는 것 같아.

⑤ 우리가 실제로 겪어 보지 못한 상황이지만, 그러한 상황에서도 따뜻한 인간애를 잃지 않는 게 중요하다는 깨달음을 얻게 됐어.

전체 구성

발단 6·25 전쟁이 일어나자 사람들이 만경강 다리 근처에 있는 우리 마을로 피란을 온다. '나'와 누나는 피란민을 부러워하는 철없는 모습을 보인다.
[88쪽 수록]

전개 피란길에 혼자 남겨진 명선이는 금반지를 대가로 '나'의 집에서 지내게 된다. 시간이 지나자 '나'의 부모님은 놀고먹기만 하는 명선이를 쫓아내려고 한다.

위기 명선이가 금반지를 더 내놓자 '나'의 부모님은 명선이를 다그쳐 금반지를 빼앗으려 한다. 이에 명선이는 가출하지만 다른 사람들에게 쫓겨, 부잣집의 외동딸이었다는 정체를 들키게 된다. '나'의 부모님은 재물을 탐내 명선이를 보호한다.
[90쪽 수록]

절정 명선이가 끊어진 만경강 다리 위에서 놀다가 비행기 폭음에 놀라 떨어져 죽는다.
[92쪽 수록]

결말 '나'는 만경강 다리 끝에서 명선이가 숨겨 둔 금반지 주머니를 발견하고 놀라 주머니를 강물에 떨어뜨린다.

해제

이 작품은 6·25 전쟁 중 혼자 피란길에 남게 된 어린아이인 명선이가 겪는 어려움을 통해 전쟁의 비극성을 드러내는 현대 소설이다. 어린아이인 '나'의 시각에서 명선이의 금반지를 탐내는 어른들의 모습을 서술해 전쟁 때문에 발생한 인간성의 상실을 효과적으로 표현하고 있다.

주제

전쟁으로 인한 인간성 상실의 비극

작품에 드러난 주요 갈등

이 작품에서는 금반지를 둘러싼 명선이와 '나'의 부모님 간의 외적 갈등이 주로 드러나고 있다. 그런데 이 갈등은 6·25 전쟁이라는 극한의 상황으로 인해 발생한 것이다. 궁극적으로 명선이는 전쟁 때문에 어른들로부터 여러 위협을 받게 된다.

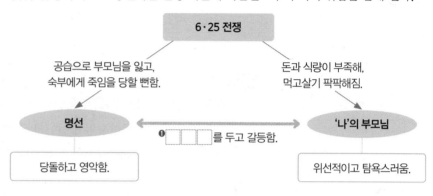

시점의 특징과 효과

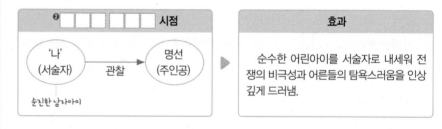

	효과
❷ □□□□□ 시점	순수한 어린아이를 서술자로 내세워 전쟁의 비극성과 어른들의 탐욕스러움을 인상 깊게 드러냄.

주요 소재의 의미와 기능

주요 소재	의미와 역할
금반지	• 전쟁 중 명선이의 생존 수단 • 어른들의 탐욕을 드러내는 소재
끊어진 만경강 다리	• 명선이가 금반지를 숨긴 장소이자 죽게 된 장소 • 전쟁 때문에 위태로워진 명선이의 처지를 상징함. • 전쟁의 비극성, 전쟁으로 인해 파괴된 현실을 드러냄.
❸ □□ (쥐바라숭꽃)	• 꽃을 좋아하는 명선이의 순수한 면모를 보여 줌. • 전쟁 중에도 살아남은 명선이의 끈질긴 생명력을 상징함. • 다리 위에서 떨어진 들꽃은 명선이의 죽음을 암시함.

빈칸 답 ❶ 금반지 ❷ 1인칭 관찰자 ❸ 들꽃

1 다음 뜻에 해당하는 단어를 찾아 바르게 연결하시오.

(1) 말과 행동으로 위협하는 짓. • • ㉠ 곡절

(2) 마음의 작용으로 얼굴에 드러나는 빛. • • ㉡ 기색

(3) 순조롭지 아니하게 얽힌 이런저런 복잡한 사정이나 까닭. • • ㉢ 귀띔

(4) 상대편이 눈치로 알아차릴 수 있도록 미리 슬그머니 일깨워 줌. • • ㉣ 으름장

2 다음 밑줄 친 말과 바꾸어 쓸 수 없는 말은?

(1) 어머니는 한껏 <u>야멸찬</u> 표정을 하고 도로 부엌으로 들어가려 했다.

① 야박한 ② 매정한 ③ 인자한 ④ 쌀쌀맞은 ⑤ 몰인정한

(2) 말은 안 했어도 너를 친자식과 <u>진배없이</u> 생각해 왔다.

① 똑같이 ② 다름없이 ③ 동일하게 ④ 상이하게 ⑤ 마찬가지로

어휘 ➕ 인물의 처지와 관련 있는 한자 성어

3 〈보기〉에 나타난 '명선'의 처지와 관련이 깊은 한자 성어를 다음 괄호 안에서 고르시오.

◦ 보기 ◦

"어서어서 방 안으로 들어가자. 에린것이 천 리 타관(他官)서 부모 잃고 식구 놓치고 얼매나 배고푸고 속이 짜겄냐."

➡ 명선이는 전쟁 때문에 (의기양양(意氣揚揚), 혈혈단신(孑孑單身))인 상황에 처했으나, (결초보은(結草報恩), 천신만고(千辛萬苦)) 끝에 '나'의 집에서 살게 되었어.

○∞교과서 **중3** _ 동아

이 작품은 1970년대 시골 마을에 전기가 들어오면서 변화하는 마을 사람들의 삶을 그리고 있는 현대 소설이다. 사람들의 삶이 변화한 이유와 그 변화 과정을 작품에 반영된 사회·문화적 배경과 연관 지으며 읽어 보자.

핵심 짚기

발단 전개 위기 **절정** 결말

● **배경**

(시간) 1970년대
(공간) 밤골(시골)

● **사건**

· 텔레비전이 있는 사람들과 없는 사람들 사이에 ❶ㄱ ㄷ 이 생김.
· 마을에 텔레비전이 보급되면서 마을 사람들의 삶에 변화가 나타남.

> 여름밤에 마을 사람들이 함께 어울리며 시간을 보냄.

> 각자의 집에서 ❷ㅌ ㄹ ㅂ ㅈ 을 봄.

● **서술상 특징**

이야기 ❸ㅂ 의 서술자가 사건 전체의 내용과 등장인물의 내면까지 전달함. (3인칭 전지적 시점)

│ 빈칸 답
❶ 갈등 ❷ 텔레비전 ❸ 밖

● **홧김** | 화가 나는 기회나 계기.
● **제꺽** | '제꺼덕'의 준말. 어떤 일을 아주 시원스럽게 빨리 해치우는 모양.
● **매일반** | 마찬가지. 결국 서로 같음.
● **당산나무** | 마을의 수호신으로 모셔 제사를 지내 주는 나무.
● **추렴** | 모임이나 놀이 또는 잔치 따위의 비용으로 여럿이 각각 얼마씩의 돈을 내어 거둠.

앞부분의 줄거리 밤골에 전기가 들어온다는 소식이 전해지자 마을 사람들은 들뜨며 기대한다. 마침내 전기가 들어온 날 마을에서는 잔치가 벌어진다. 다음날 텔레비전을 팔려는 낯선 청년들이 밤골 마을을 찾아온다. 청년들은 마을 사람들을 모아놓고, 12개월 할부로 텔레비전을 살 수 있다고 홍보한다. 그러자 마을 사람들 절반 가까이가 텔레비전을 구입한다.

며칠이 못 가 어른들 사이에서도 난처한 문제가 생기기 시작했다. 매일 밤 안방에서 이웃집 사람들과 북적거릴 수는 없는 일이었다. 그래서 차츰 꺼리는 눈치가 뚜렷해졌다.

"얘들아, 텔레비전 그만 보고 어서 공부해라."

처음엔 이런 정도였고,

[A] "아이, 피곤해. 우리 그만 잡시다."

며칠이 지나자 이렇게 변했고,

"아유, 이놈의 텔레비전 다시 팔아 치우든지 해야지. 귀찮아서 영 못살겠네."

이런 지경에까지 다다르게 되면서 이웃끼리의 사이가 고약하게 일그러졌다. 홧김에 소 잡아먹는다고, 이와 비슷한 꼴을 당한 어떤 집에서는 다음 날로 제꺽 안테나를 드높이 올리기도 했다.

그러나 아무리 껄끄러운 꼴을 당했다 하더라도, 오기만으로 닭 모가지를 비틀 수 없는 집은 있기 마련이었다. 어느 사이엔가 그런 집들은 그런 집들끼리 모여 입을 삐쭉거리고 눈을 흘기고 했지만 겉돌기는 매일반이었다. 예전과는 달리 마을의 화제는 거의가 텔레비전과 연관되어 있었던 것이다. 〈중략〉

텔레비전 바람은 좀처럼 잠잘 줄을 모른 채 더러 가정불화까지 일으키며 꾸역꾸역 밤골을 먹어 가더니만, 3개월쯤 지난 7월이 되어서는 100개가 넘는 안테나가 서게 되었다.

지난해와는 달리 무더운 밤인데도 당산나무 밑에는 모깃불이 지펴지지 않았다. 어둠 속에서 담뱃불이 빨갛게 타고 어른들이 나누는 이야기 소리가 개구리 울음소리에 섞여 두런두런 들리던 밤이 없어졌다.

그뿐만 아니라 앞개울의 어둠 속에서 물을 튀기는 소리와 함께 여자들의 간지러운 웃음소리도 들을 수 없었다. 반딧불을 쫓는 애들의 왁자한 외침도 자취를 감추었고, 감자나 옥수수 추렴을 하는 아낙네들의 나들이도 씻은 듯이 없어졌다. 집집마다 텔레비전 앞에 매달려 있는 탓이었다.

정답과 해설 23쪽

서술상 특징 파악하기 **1** 이 글의 서술상 특징으로 가장 적절한 것은?

① 이야기 안 서술자가 자신의 경험담을 서술하고 있다.

② 이야기 밖 서술자가 세태의 변화 과정을 직접 제시하고 있다.

③ 공간적 배경을 감각적으로 묘사하여 신비로운 분위기를 조성하고 있다.

④ 현재 시제를 사용하여 사건을 서술함으로써 현장감을 느끼게 하고 있다.

⑤ 서로 다른 입장을 지닌 인물의 내면을 묘사하여 인물 간의 갈등을 부각하고 있다.

● **세태** | 사람들의 일상생활, 풍습 따위에서 보이는 세상의 상태 나 형편.

세부 내용 파악하기 **2** 이 글에서 알 수 있는 내용으로 적절하지 <u>않은</u> 것은?

① 홧김에 텔레비전을 사는 사람들이 생겨났다.

② 형편이 어려워 텔레비전을 살 수 없는 집도 존재했다.

③ 텔레비전이 없는 사람들은 대화에서 소외되기 시작했다.

④ 텔레비전으로 인해 아이들이 밤에 함께 모여 놀지 않게 되었다.

⑤ 아낙네들은 여럿이 모여 텔레비전을 보기 위해 밤 나들이를 나갔다.

인물의 심리 파악하기 **3** [A]에서 공통적으로 드러나는 인물의 심리로 가장 적절한 것은?

① 텔레비전만 보는 아이들을 못마땅하게 여기고 있다.

② 텔레비전을 보느라 밤늦게 잠들어 피로함을 느끼고 있다.

③ 텔레비전이 없는 이웃들이 집으로 돌아가 주기를 바라고 있다.

④ 텔레비전의 부작용을 경험하고 텔레비전을 산 것을 후회하고 있다.

⑤ 장시간 텔레비전을 시청하여 전기료가 많이 나올 것을 걱정하고 있다.

소재의 기능 파악하기 **4**

주관식

다음 설명에 해당하는 소재를 이 글에서 찾아 쓰시오.

- 이웃 간 갈등의 원인이 됨.
- 마을 사람들의 주된 관심사를 바꾸어 놓음.
- 마을 사람들 사이의 빈부 격차를 도드라지게 함.

● **사건**
- 살림살이가 넉넉한 집에서 앞다투어 전기용품을 구입함.
- 텔레비전 때문에 잔칫집을 돕는 **❶ ○ ㅅ**이 줄어듦.

● **소재의 기능**

❷ ㅅ ㅍ ㄱ, 전기밥솥

이웃 간의 형편 차이를 부각함.

● **제목의 의미**

마술의 손

❸ ㅈ ㄱ ○ ㅍ을 마술에 빗댐.

마을 사람들의 흥미를 불러일으키고, 사람들이 인지하기 어려운 삶의 변화를 일으킨 근대 문물을 의미함.

빈칸 답
❶ 일손 ❷ 선풍기 ❸ 전기용품

● **월부** | 물건값이나 빚 따위의 일정한 금액을 다달이 나누어 내는 일. 또는 그 돈.
● **극성** | 성질이나 행동이 몹시 드세거나 지나치게 적극적임.
● **고역** | 몹시 힘들고 고되어 견디기 어려운 일.
● **설다** | 열매, 밥, 술 따위가 제대로 익지 아니하다.
● **궁상스럽다** | 보기에 꾀죄죄하고 초라한 데가 있다.
● **대수** | 대단한 것.
● **앙큼하다** | 엉뚱한 욕심을 품고 깜찍하게 분수에 넘치는 짓을 하고자 하는 태도가 있다. 또는 보기와는 달리 품위가 있거나 실속이 있다.

생략된 부분의 줄거리 월부로 텔레비전을 샀지만 형편이 어려워 매달 월부금을 내지 못하는 집이 생기자, 청년들이 텔레비전을 도로 빼앗아 가는 소동이 벌어진다.

한편, 몇몇 집에서 이런 소동이 벌어지는 것과는 아랑곳없이 살림살이가 넉넉한 열너댓 집에서는 전기용품 들여놓기 시합을 벌이고 있었다. 그들이 시샘을 하듯 앞다투어 장만하고 있는 것은 밥통이었다. 그들은 이미 여름이 되면서 선풍기를 들여놓느라고 서로 신경을 곤두세운 일이 있었다.

그 ㉠<u>선풍기</u>라는 것도 참 희한한 기계였다. 부채로는 도저히 맛볼 수 없는 기막힌 시원함을 주었던 것이다. 〈중략〉 선풍기를 틀어 놓으면 모기의 극성이 한결 누그러졌다. 그 신통한 선풍기 바람이 모기란 놈을 제멋대로 날게 내버려 두지 않았다. 선풍기를 가진 사람들은 이런 맛도 맛이었지만, 한편으론 자기들도 도시 사람들과 마찬가지로 이렇듯 편리하고 근사한 전기용품을 사용하고 있다는 사실을 더 고소한 맛으로 즐기고 있었다.

그런데 이젠 ㉡<u>전기밥솥</u>이 여자들을 환장하게 만들고 있었다. 쪼그리고 앉아 먼지 뒤집어써 가며 짚단을 풀어 불을 땔 필요가 없었다. 뜸을 들이자고 몇 번씩 솥뚜껑을 열어 뜨거운 김 속에 손을 처넣어 밥알을 집어내 맛을 보는 고역을 치르지 않아도 되었다. 전기를 꽂으면 빨간 불이 반짝 들어와서는 제대로 보글보글 끓었고, 불빛이 바뀌면서 딱 먹기 좋게 뜸까지 들이는 게 아닌가. 밥물이 넘치길 하나, 밥이 설기를 하나. 여인네들은 그저 감탄에 감탄을 거듭하는 것이었다.

"이리 좋은 세상을 몰랐으니 여태 헛살았지 뭐야."

"누가 아니래. 나도 당장 사야지. 이러고 있을 때가 아냐."

"편하긴 참말로 편해서 좋은데, 그게 값이 좀……."

"아유, 무슨 걱정이야. 월부 아냐, 월부."

"월부가 아니래도 그렇지, 마누라가 모처럼 고생을 좀 덜게 되었는데 까짓 돈 땜에 벌벌 떠는 남자라면 더 이상 기대할 것도 없지 뭐야."

"그렇고말고. 그런 남자하고 살아 봤자 뻔해. 그건 부부가 아니라 여자만 종노릇하는 셈이야." / "허지만 그런 게 자꾸 늘어나면 전기료도 그만큼 더 물어야 할 것 아니야?"

"아이고, 저런 궁상스러운 여편네. (ⓐ). 죽기 전에 몸 한번 편해지는데 까짓 전기료 조금 더 무는 게 무슨 대수라고."

이렇게 해서 전기밥솥은 집집마다 텔레비전 옆에 의젓하게 자리를 잡아 갔다.

가을로 접어들면서 잔칫집이 생겼지만 일손이 예전과 같지 않았다. 누구도 예전과 같이 밤늦게까지 일을 도와주려 들지 않았다. 날이 어둑어둑해지자 이런저런 이유를 대며 슬슬 자리를 뜨기 시작한 것이다. 주인의 입장에서는 품삯을 주는 것도 아닌데 붙들어 앉힐 수 없는 노릇이었다. 주인은 전에 없던 이 야릇한 변화를 얼핏 알아차리지 못했고, 평소에 앙큼한 짓 잘하던 어린 딸년이 텔레비전 때문이라고 일깨워서야 그렇구나 싶었고, 텔레비전 없는 집만 골라 일손을 모아야 했다.

소재의 의미와 기능 파악
하기

5 **⊙, ⓒ을 이해한 내용으로 적절하지 <u>않은</u> 것은?**

① ⊙과 ⓒ 모두 도시적인 삶의 방식과 관련이 있군.

② ⊙과 ⓒ 모두 경제적 수준을 과시하는 역할을 하는군.

③ ⊙과 ⓒ 모두 일생생활을 이전보다 편리하게 해 주었군.

④ ⊙은 ⓒ과 달리 가족 간의 갈등을 불러일으키기도 했겠군.

⑤ ⓒ은 ⊙과 달리 남자들보다 여자들이 선호하는 물건이었군.

관용 표현 활용하기

6 **맥락을 고려할 때, ⓐ에 들어갈 속담으로 가장 적절한 것은?**

① 친구 따라 강남 갈라

② 우물에 가 숭늉 찾을라

③ 발 없는 말이 천 리 갈라

④ 굴러온 돌이 박힌 돌 뺄라

⑤ 구더기 무서워 장 못 담글라

제목의 의미 파악하기

7

고난도

〈보기〉를 참고하여, 이 글의 제목 '마술의 손'의 의미를 이해한 것으로 가장 적절한 것은?

💡 도움말

이 글에서 〈보기〉의 '마술'과 같은 변화를 일으키는 것이 무엇인지 생각해 본다.

> ● 보기
>
> 마술은 재빠른 손놀림이나 여러 가지 장치 등을 사용하여 사람의 눈을 교묘하게 속여 사람들에게 흥미와 즐거움을 주는 기술이다. 마술사의 속임수를 알아채지 못하는 사람들은 눈앞에서 일어난 변화에 놀라워할 뿐이지, 왜 그러한 변화가 일어난 것인지는 알지 못한다.

① 사람들의 삶을 풍요롭게 해 주는 현대 문명을 의미해.

② 시대의 변화에도 불구하고 변하지 않는 전통적인 삶을 의미해.

③ 자신의 이익을 위해 다른 사람들을 속이는 이기적인 모습을 의미해.

④ 아이들부터 어른들까지 세대를 뛰어넘어 즐길 수 있는 문화를 의미해.

⑤ 자신도 모르게 삶의 방식과 가치관을 바꾸어 버리는 새로운 문물을 의미해.

작품의 주제 파악하기

8 **이 글을 통해 작가가 비판하고자 하는 사회의 모습으로 가장 적절한 것은?**

① 일을 하고도 정당한 대가를 받지 못하는 모습

② 빈부 격차가 심해지고 공동체 문화가 사라지는 모습

③ 전기용품이 널리 쓰이지 못하는 가난한 농촌의 모습

④ 새로운 문물이 도입되면서 세대 간의 갈등이 심화된 모습

⑤ 타인의 불행을 이용해 자신의 부를 축적하는 비인간적인 모습

전체 구성

발단 오랫동안 전기가 들어오지 않았던 시골 마을 밤골에 전기가 들어온다는 소식이 전해진다.

전개 밤골 사람들은 해방 직후부터 전기를 끌어들여 주겠다는 정치인들의 공약에 매번 속았다. 드디어 밤골에 전기가 들어오자 마을 사람들은 기뻐한다.

위기 밤골에 텔레비전을 파는 청년들이 찾아온다. 열일곱 집이 텔레비전을 사고, 텔레비전을 사지 못한 집에서는 다툼이 생긴다.

〔96쪽 수록〕

절정 텔레비전이 없는 집 사람들이 점차 소외되면서 3개월 만에 밤골 마을 사람들 대부분이 텔레비전을 산다. 그렇지만 가난한 집은 월부금을 내지 못해 텔레비전을 도로 빼앗긴다. 한편 넉넉한 집에서는 다른 전기용품들도 경쟁적으로 사들인다. 〔98쪽 수록〕

결말 월전댁은 안방에서 텔레비전 연속극을 몰입하여 보다가 자신의 집 부엌에 불이 난 것을 뒤늦게 깨닫는다. 월전댁은 자책하며 불타는 집으로 뛰어들려 한다.

해제

이 작품은 전기와 함께 각종 전기용품들이 보급되면서 변화하는 한 시골 마을의 모습을 통해 자본주의적 근대화에 대한 비판 의식을 드러낸 현대 소설이다. 근대 문물을 상징하는 '텔레비전'을 중심 소재로 삼아 마을 사람들 사이의 갈등을 형상화하고 주제 의식을 드러내고 있다.

주제

근대 문물의 도입으로 인한 공동체적 삶의 상실

작품에 드러난 주요 갈등

텔레비전이 있는 집
• 형편이 비교적 넉넉함.
• 이웃 사람들이 자신의 집에 텔레비전을 보러 오는 것을 꺼려 함.

↔

텔레비전이 없는 집
• 형편이 넉넉하지 못함.
• 텔레비전을 산 집이 늘어나자, 마을에서 점차 ❶□□됨.

텔레비전 보급 이후 마을에 생긴 변화

텔레비전이 없던 시절		텔레비전이 보급된 이후
사람들이 함께 모여 이야기를 나누거나 놀이를 즐김.	여름밤 모습	집집마다 텔레비전 앞에 매달려 있음.
마을 사람들이 밤늦게까지 일을 도와줌.	잔칫집 모습	날이 어둑해지자 사람들이 자리를 뜨는 바람에 텔레비전이 없는 집만 골라 일손을 모음.

▼

❷□□□적인 삶의 모습이 사라지고, 개인주의적인 삶의 모습이 생겨남.

주요 소재의 의미와 기능

이 작품은 전기가 보급되면서 각종 전기용품이 마을에 퍼지고, 이로 인해 마을 사람들의 생활 방식과 가치관이 변화하는 모습을 다루고 있다. 작가는 마을 사람들의 삶을 바뀌게 한 전기용품들을 '마술의 손'이라고 표현하여 근대 문물에 대한 사람들의 흥미와 그로 인한 가치관의 변화를 상징적으로 드러내고 있다.

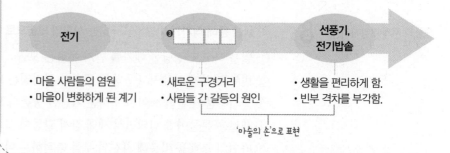

전기	❸□□□□	선풍기, 전기밥솥
• 마을 사람들의 염원	• 새로운 구경거리	• 생활을 편리하게 함.
• 마을이 변화하게 된 계기	• 사람들 간 갈등의 원인	• 빈부 격차를 부각함.

'마술의 손'으로 표현

빈칸 답 ❶ 소외 ❷ 공동체 ❸ 텔레비전

1 제시된 초성과 뜻을 참고하여 괄호 안에 들어갈 알맞은 단어를 쓰시오.

(1) ㄷ ㅅ ㄴ ㅁ : 마을의 수호신으로 모셔 제사를 지내 주는 나무.
　　예 지난해 여름과 달리 (　　　　　　) 밑에 마을 사람들이 모이지 않았다.

(2) ㄱ ㅅ : 성질이나 행동이 몹시 드세거나 지나치게 적극적임.
　　예 선풍기를 틀어 놓으면 모기의 (　　　　　　)이 한결 누그러졌다.

(3) ㄱ ㅇ : 몹시 힘들고 고되어 견디기 어려운 일.
　　예 밥할 때마다 뜨거운 솥에 손을 넣는 (　　　　　　)을 치렀다.

(4) ㄷ ㅅ : 대단한 것.
　　예 이렇게 몸이 편해지는데 까짓 전기료 조금 더 무는 게 무슨 (　　　　　　)라고.

2 다음 밑줄 친 표현과 바꾸어 쓰기에 알맞은 단어를 〈보기〉에서 골라 쓰시오.

┌─ 보기 ─────────────────────────────┐
　　　설다　　고약하다　　야릇하다　　궁상스럽다　　북적거리다
└──────────────────────────────────┘

(1) 뜸을 제대로 들이지 않으면 밥이 덜 익는다. ·····················(　　　　　)

(2) 전기밥솥 전기료를 아까워하다니 참 꾀죄죄하고 초라하다. ·············(　　　　　)

(3) 텔레비전을 보려는 사람들이 우리 집 안방에 많이 모여 매우 어수선하다.
　　···(　　　　　)

어휘➕ '눈'과 관련된 관용 표현

3 다음 밑줄 친 관용구의 뜻을 〈보기〉에서 찾아 그 번호를 쓰시오.

💡 **도움말**
관용 표현은 둘 이상의 말이 합쳐져 새로운 의미를 띠는 표현으로, 관용구나 속담 등이 이에 해당한다.

┌─ 보기 ─────────────────────────────┐
　① 호기심을 일으켜 보게 하다.
　② 몹시 욕심을 내거나 관심을 기울이다.
　③ 원망하거나 나무라는 뜻으로 눈을 옆으로 노려 뜨다.
　④ (무엇이) 잊히지 않고 눈앞에 보이는 듯 기억에 생생하다.
└──────────────────────────────────┘

(1) 텔레비전은 온 마을 사람들의 눈을 끌었다. ·····················(　　　　　)

(2) 텔레비전이 없는 사람들끼리 모여 눈을 흘겼다. ·····················(　　　　　)

(3) 지난해 여름에 사람들이 모였던게 눈에 선한데 이젠 아무도 없다. ·········(　　　　　)

(4) 살림살이가 넉넉한 사람들은 눈에 불을 켜고 전기용품을 사들였다. ·······(　　　　　)

실전 05 노새 두 마리 | 최일남

이 작품은 1970년대 서울을 배경으로, '나'의 가족의 모습을 통해 도시 하층민의 애환을 그리고 있는 현대 소설이다. 작품의 사회·문화적 배경을 파악하고 소설의 제목이 의미하는 바를 생각하며 작품을 읽어 보자.

✎ 핵심 짚기

발단 전개 위기 절정 결말

● **인물**
· **아버지**: 노새를 끌고 동네에서 연탄 배달 일을 하며, 가족을 부양함.
· **나**: 아버지의 배달 일을 도움.

● **배경**
(시간) 1970년대 겨울, 저녁
(공간) 서울 ❶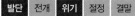, 큰길가

● **사건**
'나'와 아버지가 연탄 배달을 하다가 달아나 버린 ❷ㄴㅅ를 찾아다님.

● **서술상 특징**
이야기 안에 등장하는 '❸ㄴ'가 주인공 아버지를 관찰하여 서술함.(1인칭 관찰자 시점)

빈칸 답
❶ 변두리 ❷ 노새 ❸ 나

● **문화 주택** | 국가 정책에 따라 1950년대 후반부터 등장한, 생활하기에 편리하고 보건 위생에 알맞은 새로운 형식의 주택.
● **슬래브 집** | 슬래브(slab)로 만든 집. 슬래브는 콘크리트 바닥이나 양옥의 지붕처럼 콘크리트를 부어 한 장의 판처럼 만든 구조물이다.
● **등속** | 나열한 사물과 같은 종류의 것들을 몰아서 이르는 말.
● **노새** | 암말과 수나귀 사이에서 난 잡종. 크기는 말보다 약간 작으며, 튼튼하고 힘이 세어 무거운 짐을 나를 때 쓴다.

가 우리 동네는 변두리였으므로 얼마 전까지도 모두 그날그날 벌어먹고 사는 사람들이 많아 연탄 배달도 일거리가 그리 많지 않았다. 기껏해야 구멍가게에서 두서너 장을 사서는 새끼줄에 대롱대롱 매달고 가는 게 고작이었다. 그랬는데 이삼 년 전부터 아직도 많은 빈터에 집터가 다져지고, 하나둘 문화 주택이 들어서더니 이제는 제법 그럴듯한 동네꼴이 잡혀 갔다. 원래부터 있던 허름한 집들과 새로 생긴 집들과는 골목 하나를 경계로 하여 금을 긋듯 나누어져 있었는데, 먼 데서 보면 제법 그럴싸한 동네로 보였다. 일단 들어와 보면 지저분한 헌 동네가 이웃에 널려 있지만, 그냥 먼발치로만 보면 2층 슬래브 집들에 가려 닥지닥지 붙은 판잣집 등속이 보이지 않았으므로 서울의 변두리에 흔한 여느 신흥 부락으로만 보였다. 〈중략〉

그러나 동네의 모습이 이처럼 달라지기는 했어도 구동네와 새 동네 사람들이 서로 어울리는 법이 없었다. 너는 너, 나는 나 하는 식으로 새 동네 사람들은 문을 꼭꼭 걸어 잠그고 누가 다가오는 것을 거절하고 있었다. 다만 그들이 들어옴으로 해서 구동네 사람들의 사는 모습이 조금 달라지기는 했는데 아무도 그걸 입에 올리지는 않았다. ㉠아버지도 배달 일이 늘어나서 속으로는 새 동네가 생긴 것을 은근히 싫어하지는 않는 눈치였지만, 식구들 앞에서조차 맞대 놓고 그런 내색을 하지는 않았다. 그런 가운데에서도 우리 노새는 온 동네 사람들의 눈길을 모으고 짤랑짤랑 이 골목 저 골목을 헤집고 다녔다. 아니 그것은 새 동네 쪽에서 더욱 그랬다. 원래의 우리 동네에서야 아무도 거들떠보지 않았다.

생략된 부분의 줄거리 구동네 사람들은 노새를 함부로 대하지만, 새 동네 사람들은 평소에 보기 힘든 노새를 귀여워한다. 한편 '나'와 함께 노새 마차로 연탄 배달을 하던 중 아버지가 넘어지고, 마차가 부러지면서 노새가 달아나 버린다.

나 "아버지, 여기서 이렇게 앉아 있으면 어떻게 해요. 노새를 찾아야지요."
㉡지나가는 사람들이 우리 부자의 이런 모습을 구경거리나 되는 듯이 잠깐잠깐 쳐다보았다. / "그래."
㉢아버지는 힘없이 일어났으나 나는 어디를 어떻게 가야 할지 그저 막막하기만 했다. 〈중략〉
벌써 거리는 조금씩 어두워지고 있었다. 이미 앞이마에 헤드라이트를 켠 자동차도 있었다. ㉣나는 그런 자동차들이 막 뛰어다니는 노새로 보였다. 파랑 노새, 빨강 노새, 까만 노새들이 마구 뛰어다니는 것이 아닌가. 바람 같이 달리는 놈, 슬슬 가는 놈, 엉금엉금 기는 놈, 갑자기 멈추는 놈, 막 가다가 획 돌아서는 놈, 그것은 가지가지였다. 그런데도 그중에 우리 노새는 없었다. ㉤두 귀가 쫑긋하고 눈이 멀뚱멀뚱 크고, 코가 예쁘고, 알맞게 살이 찐, 엉덩이에 까맣게 연탄 가루가 묻어 반질반질하고, 우리 사촌 이모 머리채처럼 꼬리를 길게 늘어뜨린 우리 노새는 안 보였다.

서술상 특징 파악하기

1 **이 글의 서술상 특징으로 가장 적절한 것은?**

① 어린아이의 시선에서 사건을 서술하고 있다.

② 주인공의 내면 심리를 직접적으로 제시하고 있다.

③ 대화를 통해 인물 사이의 갈등을 생생히 드러내고 있다.

④ 회상을 통해 외부 이야기에서 내부 이야기로 이동하고 있다.

⑤ 서술자가 자신의 감정을 드러내지 않고, 객관적으로 사건을 전달하고 있다.

배경 파악하기

2 **우리 동네에 대한 이해로 적절하지 않은 것은?**

① 서울의 변두리에 위치해 최근에 개발이 이루어졌다.

② 허름한 집과 문화 주택이 골목을 경계로 나뉘어 있었다.

③ 새 동네 사람들은 구동네 사람들보다 살림이 넉넉하였다.

④ 구동네 사람들과 새 동네 사람들이 활발하게 교류하였다.

⑤ 새 동네가 생기면서 구동네 사람들의 벌이가 나아지기도 했다.

외재적 관점으로 감상하기

3 **이 글에 반영된 사회·문화적 배경을 고려하여, 작품을 감상한 것으로 적절하지 않은 것은?**

① 민영: '나'의 아버지가 연탄 배달을 한 것을 보니, 당시 사람들은 연탄을 주로 사용했겠어.

② 문빈: 문화 주택의 뜻을 찾아보니, 당시 국가에서 도시 사람들을 위해 집을 공급했다는 걸 알 수 있었어.

③ 아린: 우리 동네 빈터에 문화 주택이 들어선 것을 보니, 당시 도시에 사는 사람들이 계속 늘어났다고 추측할 수 있겠어.

④ 선준: 우리 동네에 여전히 판잣집 등속이 존재한 것을 보니, 당시 가난한 사람들은 도시 개발의 혜택을 누리지 못한 것 같아.

⑤ 유주: 우리 노새가 새 동네 쪽에서 사람들의 눈길을 더욱 모은 것을 보니, 당시 잘사는 사람들은 동물의 권리에 관심을 가지게 된 것 같아.

인물의 심리 파악하기

4 **㉠~㉤에 대한 이해로 적절한 것은?**

① ㉠: 아버지는 새 동네 사람들에 대한 고마움을 숨기지 않았다.

② ㉡: 지나가는 사람들은 우리 부자에게 도움을 주고 싶어 했다.

③ ㉢: '나'와 달리 아버지는 노새를 찾을 수 있으리라 확신했다.

④ ㉣: '나'는 노새가 자동차처럼 빨리 달아난 것을 놀라워했다.

⑤ ㉤: '나'는 평소에 노새를 아끼고 귀여워했다.

핵심 짚기

발단　전개　위기　절정　**결말**

● 인물

- **아버지**: 책임감이 강함. 가족들을 위해 삶의 의지를 다지지만, 좌절을 겪음.
- **나**: 아버지를 걱정함. 어린아이다운 천진함이 있음.

● 사건

아버지와 '나'는 노새를 찾지 못한 채 어머니로부터 ❶ ㄴ ㅅ 가 피해를 일으켜 순경이 왔다는 소식을 듣게 됨.

● 배경·소재의 기능

- ❷ ㄷ ㅍ ㅈ : 아버지가 노새를 잃은 슬픔을 술로 달래고, 삶의 의지를 다지는 곳.
- 노새: ❸ ㅇ ㅂ ㅈ 와 동일시되는 존재.

빈칸 답
❶ 노새 ❷ 대폿집 ❸ 아버지

- **대폿집** | 대폿술을 파는 집. 대폿술은 큰 술잔으로 마시는 술을 의미한다.
- **시장기** | 배가 고픈 느낌.
- **지서** | 본서에서 갈려 나가, 본서의 감독 아래서 지역의 일을 맡아 하는 관서.
- **스적스적** | 시적시적. 힘들이지 아니하고 느릿느릿 행동하거나 말하는 모양.
- **대처** | 사람이 많이 살고 상공업이 발달한 번잡한 지역. 도회지를 의미한다.

생략된 부분의 줄거리　노새를 끝내 찾지 못한 날 밤, '나'는 노새가 동네를 난장판으로 만든 뒤 고속도로로 나가 멀리 달아나는 꿈을 꾼다. 다음 날 아버지와 '나'는 다시 노새를 찾아 나서고, 해가 질 무렵에는 동물원까지 가게 된다. 아버지는 얼룩말 우리를 쳐다보고, '나'는 그런 아버지의 얼굴이 노새와 많이 닮았다고 생각한다.

가　우리 동네가 저만치 보였을 때 아버지는 바로 눈앞에 있는 ㉠대폿집에서 발을 멈추었다. 힐끗 나를 돌아보고 나서 다짜고짜 나를 술집으로 끌고 들어갔다. 〈중략〉

"아버지, 고만 드세요. 몸에 해로워요." / "으응."

대답하면서도 아버지는 술잔을 놓지 않았다. 얼마나 지났을까, 안주를 계속 주워 먹었으므로 어느 정도 시장기를 면한 나는 비로소 아버지를 쳐다보았다.

"이제부터 내가 노새다. 이제부터 내가 노새가 되어야지 별수 있니? 그놈이 도망쳤으니까 이제 내가 노새가 되는 거지."

기분 좋게 취한 듯한 아버지는 놀라는 나를 보고 히힝 한 번 웃었다. 나는 어쩐지 그런 아버지가 무섭지만은 않았다. 그러면 형들이나 나는 노새 새끼고, 어머니는 암노새고, 할머니는 어미 노새가 되는 것일까? 나도 아버지를 따라 히히힝 웃었다. 어른들은 이래서 술집에 오는 모양이었다. 나는 안주만 집어 먹었는데도 술 취한 사람마냥 턱없이 즐거웠다. 노새 가족…… 노새 가족은 우리 말고는 이 세상에 또 없을 것이다.

나　그러나 그러한 생각은 아버지와 내가 ㉡집에 당도했을 때 무참히 깨어지고 말았다. 우리를 본 어머니가 허둥지둥 달려 나와 매달렸다.

"이걸 어쩌우, 글쎄 경찰서에서 당신을 오래요. 그놈의 노새가 사람을 다치고 가게 물건들을 박살을 냈대요. 이걸 어쩌지."

"노새는 찾았대?"

"찾고나 그러면 괜찮게요? 노새는 간데온데없고 사람들만 다치고 하니까, 누구네 노새가 그랬는지 수소문 끝에 우리 집으로 순경이 찾아왔지 뭐유."

오늘 낮에 지서에서 나온 사람이 우리 노새가 뛰는 바람에 많은 피해를 입었으니 도로 무슨 법이라나 하는 법으로 아버지를 잡아넣어야겠다고 이르고 갔다는 것이었다. 아버지는 술이 확 깨는 듯 그 자리에 선 채 한동안 눈만 뒤룩뒤룩 굴리고 서 있더니 힝 하고 코를 풀었다. 그러고는 아무 말 없이 스적스적 문밖으로 걸어 나갔다. 나는 '아버지' 하고 따랐으나 아버지는 돌아보지도 않고 어두운 ㉢골목길을 나가고 있었다.

[A]
나는 그 순간 ⓐ또 한 마리의 노새가 집을 나가는 것 같은 착각을 일으켰다. 그러고는 무엇인가가 뒤통수를 때리는 것을 느꼈다. 아, 우리 같은 노새는 어차피 이렇게 비행기가 붕붕거리고, 헬리콥터가 앵앵거리고, 자동차가 빵빵거리고, 자전거가 쌩쌩거리는 대처에서는 발붙이기 어려운 것인가 하는 생각이 들었다. 언젠가 남편이 택시 운전사인 칠수 어머니가 하던 말, '최소한도 자동차는 굴려야지 지금이 어느 땐데 노새를 부려.' 했다는 말이 생각났다. 그러나 그것은 잠깐 동안이고 나는 금방 아버지를 쫓았다. 또 한 마리의 노새를 찾아 캄캄한 골목길을 마구 뛰었다.

인물의 심리 파악하기 **5**

● **낙천적** | 세상과 인생을 즐겁고 좋은 것으로 여기는 것.

이 글의 등장인물에 대한 이해로 적절하지 <u>않은</u> 것은?

① '나'는 순수하고 낙천적인 면이 있다.

② 아버지는 가장으로서 책임을 다하려고 한다.

③ 아버지는 나아지지 않는 현실에 체념하고 있다.

④ '나'는 술에 취한 아버지에게 거리감을 느끼고 있다.

⑤ 어머니는 노새가 일으킨 사고 때문에 불안해하고 있다.

배경의 기능 파악하기 **6**

● **동질감** | 성질이 비슷해서 익숙하거나 잘 맞는 느낌.

㉠~㉢에 대한 이해로 적절하지 <u>않은</u> 것은?

① ㉠: 아버지가 잠시나마 시름을 잊는 공간이다.

② ㉠: '나'가 가족 사이의 동질감을 느끼는 공간이다.

③ ㉡: '나'와 아버지 사이의 갈등이 해소되는 공간이다.

④ ㉡: '나'와 아버지가 예상하지 못한 소식을 접하는 공간이다.

⑤ ㉢: '나'의 가족의 미래가 어두울 것임을 암시하는 공간이다.

소재의 의미 파악하기 **7**

고난도

다음은 [A]를 근거로 하여 '노새'의 의미를 파악한 것이다. 빈칸에 들어갈 말로 가장 적절한 것은?

> [A]로 볼 때 '노새'는 산업화·도시화된 사회에 적합한 '비행기', '헬리콥터', '자동차', '자전거'와 대비되는 존재이다. 더불어 노새를 부리는 일이 시대에 맞지 않는 일이라고 말하는 칠수 어머니의 말을 참고할 때, '노새'는 _____를 상징한다고 할 수 있다.

① 전통적 삶의 방식을 지키려는 존재

② 도시의 각박함을 이겨 낼 수 있는 존재

③ 시류에 따라 자신의 태도를 바꾸는 존재

④ 인간성을 상실한 현대인을 비판하는 존재

⑤ 도시의 변화에 적응하지 못하고 소외된 존재

제목의 의미 파악하기 **8**

주관식

ⓐ가 가리키는 대상을 참고하여, 이 글의 제목인 '노새 두 마리'가 가리키는 대상을 각각 밝혀 쓰시오.

_____ , _____

전체 구성

| 발단 | '나'의 아버지는 동네에서 노새 마차로 연탄 배달 일을 한다. 이삼 년 전부터 우리 동네에 문화 주택이 지어지고 새 동네가 들어서지만, 구동네와 새 동네 사람들은 서로 어울리지 않는다. ⋯ 102쪽 (가) 수록 |

| 전개 | 아버지와 '나'는 연탄 배달을 하려고 가파른 골목길을 올라가다가 넘어지게 된다. 그 바람에 마차가 부러지고 노새가 달아난다. ⋯ 102쪽 (나) 수록 |

| 위기 | '나'와 아버지는 노새를 찾지 못하고 집으로 돌아온다. 그날 밤 '나'는 노새가 소동을 벌이는 꿈을 꾼다. 다음 날 '나'와 아버지는 다시 노새를 찾아 나선다. |

| 절정 | '나'와 아버지는 노새를 찾다 동물원까지 가게 된다. 그곳에서 '나'는 아버지의 얼굴이 노새와 닮았다고 생각한다. |

| 결말 | 아버지는 대폿집에서 자신이 노새 몫까지 일하겠다며 가장으로서의 의지를 다진다. 그러나 어머니에게 노새가 피해를 입혀 순경이 찾아왔다는 말을 들은 뒤, 아버지는 힘없이 집을 나선다. ⋯ 104쪽 수록 |

해제

이 작품은 고단한 아버지의 삶을 통해 도시 하층민의 소외감을 보여 주고 있는 현대 소설이다. 급격한 산업화·도시화가 일어나던 시기인 1970년대를 배경으로, 변화에 뒤처진 아버지의 모습을 '노새'에 연결 지어 표현하고 있다. 더불어 어린 아들인 '나'를 서술자로 내세워 소외된 이들에 대한 연민 어린 시선을 드러내고 있다.

주제

급격한 도시화에 적응하지 못한 이들의 고달픈 삶

주요 인물의 특성

작품에 반영된 사회·문화적 배경

이 작품은 1970년대를 배경으로 한다. 당시에는 산업화·도시화 등 급격한 사회 변화가 일어났으나 가난한 사람들은 이 변화에 소외되었으며, 변화 이전의 산물과 변화 이후의 산물이 뒤섞인 과도기적인 모습이 두드러졌다.

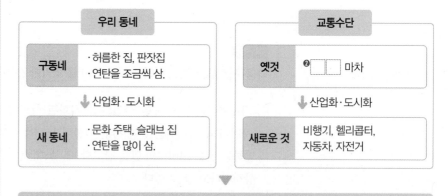

제목의 의미

아버지를 노새와 닮은 존재로 인식하는 '나'의 시선에 근거할 때, 제목인 '노새 두 마리'는 노새와 아버지를 의미한다고 볼 수 있다.

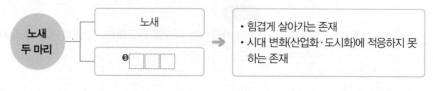

빈칸 답 ❶ 나 ❷ 노새 ❸ 아버지

1 다음 뜻에 해당하는 단어를 말 상자에서 찾아 표시하시오.

(1) 배가 고픈 느낌.

(2) 어떤 지역의 가장자리가 되는 곳.

(3) 암말과 수나귀 사이에서 난 잡종.

(4) 나열한 사물과 같은 종류의 것들을 몰아서 이르는 말.

(5) 사람이 많이 살고 상공업이 발달한 번잡한 지역. 도회지
를 이름.

등	웃	시	순	슬
사	속	장	경	래
노	새	기	별	브
변	두	리	수	당
부	락	대	처	도

2 다음 뜻을 참고하여, 괄호 안에 들어갈 알맞은 단어를 〈보기〉에서 찾아 쓰시오.

> ● 보기 ●
>
> 닥지닥지   대롱대롱   뒤룩뒤룩   반질반질   허둥지둥

(1) 작은 물건이 매달려 가볍게 잇따라 흔들리는 모양.

⑩ 연탄을 새끼줄에 (   ) 매달고 갔다.

(2) 작은 것들이 빽빽이 있는 모양.

⑩ 슬래브 집들에 가려 (   ) 붙은 판잣집들이 보이지 않았다.

(3) 거죽이 윤기가 흐르고 매우 매끄러운 모양.

⑩ 노새 엉덩이에 까맣게 연탄 가루가 묻어 (   ) 윤이 났다.

(4) 정신을 차릴 수 없을 만큼 갈팡질팡하며 다급하게 서두르는 모양.

⑩ 어머니는 (   ) 달려 나와 노새 때문에 순경이 찾아왔다는 소식을 전했다.

(5) 크고 둥그런 눈알을 자꾸 힘 있게 움직이는 모양.

⑩ 아버지는 한동안 눈만 (   ) 굴리고 서 있었다.

어법 헷갈리기 쉬운 말

3 다음 문장의 괄호 안에 들어갈 알맞은 말을 고르시오.

(1) 노새는 간데온데없고 사람들만 (다치고 , 닫히고) 하니까, 순경이 찾아왔어요.

(2) 우리 노새가 튀는 (바람 , 바램)에 사람들이 많은 피해를 입었다고 한다.

(3) 나는 아버지를 (좇아 , 쫓아) 깜깜한 골목길을 마구 뛰었다.

💡 **도움말**

발음이 비슷하거나 같아 그
뜻을 헷갈리기 쉬운 말들은 문맥
을 고려하여 어느 것이 자연스러
운가를 생각해 본다.

실전 06 유자소전 | 이문구

이 작품은 실존했던 인물인 유재필의 삶을 다루고 있는 현대 소설이다. 주인공 유재필의 생애와 행적을 통해 작가가 말하고자 하는 바가 무엇일지 생각하며 작품을 읽어 보자.

핵심 짚기

발단 | 전개 | 절정 | 결말

● **인물**
• 나: 유재필의 친구. 서술자.
• 유재필: 타고난 총기와 숫기로 또래에서 두드러짐. 불우한 환경에서 일찍 ㅅ ㅅ 함.

● **서술상 특징**
• 이야기 안의 서술자 '나'가 주인공인 유재필의 생애를 소개하고 그를 ❷ ㄱ ㅈ ㅈ 으로 평가함.
• 인물의 ❸ ㅅ ㅍ 을 직접적으로 제시함.
• 지역 방언을 사용함.

│ 빈칸 답
❶ 성숙 ❷ 긍정적 ❸ 성품

● **제물에** │ 저 혼자 스스로의 바람에.
● **허릅숭이** │ 일을 실답게 하지 못하는 사람을 낮잡아 이르는 말.
● **별쭝맞다** │ 말이나 행동이 보통 사람과 매우 다르고 이상하다.
● **비색하다** │ 운수가 꽉 막히다.
● **주견** │ 자기의 주장이 있는 의견.
● **주변머리** │ '주변(일을 주선하거나 변통함. 또는 그런 재주.)'을 속되게 이르는 말.
● **자발머리없이** │ '자발없이(행동이 가볍고 참을성이 없이.)'를 속되게 이르는 말.
● **폐롭히다** │ 성가시고 귀찮게 하다.
● **숫지다** │ 순박하고 인정이 두텁다.
● **특립독행** │ 세속에 따르지 않고 스스로 믿는 바를 행함.
● **덕량** │ 어질고 너그러운 마음씨나 생각.

한 친구가 있었다. 그냥 보면 그저 그렇고 그런 보통 사람에 불과한 친구였다.

그러나 여느 사람처럼 이 땅에 그런 사람이 있는지 마는지 하게 그럭저럭 살다가 제물에 흐지부지하고 몸을 마친 예사 허릅숭이는 아니었다.

그의 이름은 유재필(俞哉弼)이다. 1941년 홍성군 광천에서 태어나 보령군 대천에 와서 자라고 배웠다. 그리고 그 나머지는 서울에서 살았다. 그는 어려서부터 타고난 총기와 숫기로 또래에서 별쭝맞고 무리에서 두드러진 바가 있어, 비색(否塞)한 가운과 불우한 환경 속에서도 여러모로 일찍 터득하고 앞서 나아감에 따라 소년 시절은 장히 숙성하고, 청년 시절은 자못 노련하고, 장년에 들어서는 속절없이 노성(老成)하였으니, 무릇 이것이 그 ⌐매우. 몹시. / ⌐많은 경험으로 익숙하고 능란하다. / ⌐많은 경험을 쌓아 세상일에 익숙하다.
가 보통 사람 가운데서도 항상 깨어 있는 삶을 살게 된 바탕이었다.

그의 생애는 풀밭에서 뚜렷하고 쑥밭에서 우뚝하였다.

그는 애초에 심성이 밝고 깔끔하였다. 매사에 생각이 깊고 침착하였으며, 성품이 곧고 굳은 위에 몸소 겪음한 바와 힘써 널리 보고 애써 널리 들은 것을 더하여, 스스로 갖추어진 줏대와 나름껏 이루어진 주견으로 갈피 있는 태도를 흐트리지 아니하였다. ⌐일이나 사물의 갈래가 구별되는 경계.

[A]
그러므로 주변머리 없이 기대거나 자발머리없이 나대어서 남을 폐롭히거나 누를 끼치는 자는 반드시 장마에 물걸레처럼 쳐다보기를 한결같이 하였고, 분수없이 남을 제끼거나 밟고 일어서서 섣불리 무엇인 척하고 으스대는 자는 《삼국지》에서 조조 망하기를 기다리듯 미워하여 매양 속으로 밑줄을 그어 두기에 소홀함이 없었다. 또 모름지기 세 ⌐번번이. / 상의 일에 알면 아는 대로 힘지게 말하고, 모르면 모르는 대로 숫지게 말하여 마땅한 자 ⌐힘이 있다. / 리임에도 불구하고 어딘지 떳떳지 못하게 주눅부터 들어서 좌우의 눈치에 딱 부러지게 흑백을 하지 못하는 자가 있으면, 마치 말만 한 딸을 서울 가게 하는 데에 힘입어 그날 로 이자 돈을 놓는 매몰스러운 구두쇠를 보듯이 으레 가래침을 멀리 뱉기에 이력이 난 ⌐보기에 인정이나 싹싹한 맛이 없고 쌀쌀맞은 데가 있다. / ⌐많이 겪어 보아서 얻게 된 슬기. / 터이었다.

그의 됨됨이는 물론 그것이 전부는 아니었다. 체취는 그윽하고 체온은 따뜻하며 체질이 묵중한 사내였다. 또한 남의 아픔이 자신의 아픔임을 깨달아 아픔을 나누고 눈물을 나누 ⌐말이 적고 몸가짐이 신중하다. / 되, 자기가 아는 바 사람 사는 도리에 이르기를 진정으로 바라던 위인이었으니, 짐짓 저 옛말을 빌려서 말한다면 그야말로 때아닌 특립독행(特立獨行)의 돌출이요, 이른바 "세상 사람들의 걱정거리를 그들보다 앞서서 걱정하고, 세상 사람들이 즐거워함을 본 연후에야 즐거움을 누린다."라고 말한 선비적인 덕량(德量)의 본보기라 하지 않을 수 없는 친구였다.

"이간감? 나 유가여."

그가 내게 전화를 할 때마다 매번 거르지 않던 첫마디였다.

㉠그렇지만 유가는 이미 다른 사람을 이르는 말이었다. 그는 유자(俞子)였다.

서술상 특징 파악하기 **1**

⊕ **만연체**
  많은 어구를 이용하여 자세하고 길게 문장을 표현하는 문체. 서술자의 서술에 몰입하게 하고, 인물과 상황의 복잡하고 다각적인 면을 효과적으로 드러낸다.

고난도

이 글에 나타난 서술상의 특징으로 적절하지 <u>않은</u> 것은?

① 옛말을 인용하여 인물의 됨됨이를 긍정적으로 평가하고 있다.

② 서술자가 인물의 출생, 성장 과정, 성격을 직접 제시하고 있다.

③ 만연체 문장을 사용하여 인물의 특성을 상세하게 소개하고 있다.

④ 지역 방언을 사용하여 인물 간의 갈등을 현장감 있게 전달하고 있다.

⑤ 비유적 표현을 활용하여 대상에 대한 인물의 태도를 효과적으로 드러내고 있다.

인물의 특성 파악하기 **2**

● **가세** | 집안의 운수나 살림살이 따위의 형세.

이 글을 통해 '유재필'에 대해 알 수 있는 내용으로 가장 적절한 것은?

① 어려운 환경 속에서 또래에 비해 철이 일찍 들었다.

② 부유한 가정에서 태어났으나 청년 시절에 가세가 기울었다.

③ 건장한 체격에 대한 자부심으로 항상 깨어 있는 삶을 살았다.

④ 《삼국지》를 좋아해서 작품의 주제를 자신의 삶의 철학으로 삼았다.

⑤ 어려운 순간에 늘 자신을 도와주는 사람이 주위에 많다고 생각했다.

세부 내용 파악하기 **3**

[A]에서 알 수 있는, '유재필'이 부정적으로 여기는 인물 유형에 속하지 <u>않는</u> 것은?

① 남을 배려하지 않고 으스대는 사람

② 가벼운 행동으로 남들에게 누를 끼치는 사람

③ 자신의 처지는 생각하지 않고 돈을 헤프게 쓰는 사람

④ 분수없이 남을 제치거나 밟고 일어서서 섣불리 무엇인 척하는 사람

⑤ 남의 눈치를 살피며 옳고 그름에 대해 떳떳하게 말하지 못하는 사람

표현의 의도 파악하기 **4**

주관식

㉠을 통해 글쓴이가 말하고자 하는 바를 다음과 같이 정리할 때, 〈보기〉를 참고하여 빈칸에 들어갈 내용을 쓰시오. (단, 10자 내외로 쓸 것.)

> ● 보기
>
> '유가'의 '-가(哥)'는 성 뒤에 붙어서 '그 성씨 자체' 또는 '그 성씨를 가진 사람'의 뜻을 더하는 접미사이다. 이와 달리 '유자'의 '-자(子)'는 덕이 높은 사람의 성 뒤에 붙어서 '높임을 받는 사람'의 뜻을 더하는 접미사이다.

➡ 유재필은 (   ) 사람이다.

핵심 짚기

| 발단 | 전개 | **절정** | 결말 |

● **인물**

유재필: 줏대가 있고 사리 분별이 바름. ❶ㅇㅈ이 많고 따뜻한 성품을 지님.

● **배경**

(시간) 1980년대 (공간) 산동네

● **사건**

유재필이 교통사고 처리를 위해 스페어 ❷ㅇㅈㅅ 집에 갔다가 어려운 가정 형편을 보고, 자기 돈을 들여 그들을 도움.

● **소재의 기능**

쌀, 밀가루, ❸ㅇㅌ, 새끼 굴비 두름

⋮

유재필의 자상하고 따뜻한 마음씨를 보여 줌.

│ **빈칸 답**
❶ 인정 ❷ 운전수 ❸ 연탄

● **좌천되다** │ 낮은 관직이나 지위로 떨어지거나 외직으로 전근되다.
● **태반** │ 반수 이상.
● **더뎅이** │ 부스럼 딱지나 때 따위가 거듭 붙어서 된 조각.
● **시답다** │ 마음에 차거나 들어서 만족스럽다.
● **단출하다** │ 식구나 구성원이 많지 않아서 홀가분하다.
● **여투다** │ 돈이나 물건을 아껴 쓰고 나머지를 모아 두다.
● **얼간하다** │ 소금을 약간 뿌려서 조금 절이다.
● **드티다** │ 밀리거나 비켜나거나 하여 약간 틈이 생기다. 또는 그렇게 하여 틈을 내다. 여기에서는 '드러나다'의 뜻으로 쓰였다.
● **건건이** │ 변변치 않은 반찬. 또는 간략한 반찬.
● **오죽잖다** │ 예사 정도도 못 될 만큼 변변하지 아니하다.

생략된 부분의 줄거리 　유재필은 어릴 때부터 특유의 입담과 붙임성으로 학교의 명물로 이름을 날린다. 중학교 졸업 후에는, 어느 정치인의 비서관으로 일한다. 그러다가 군대에 가서는 졸숙인 행세를 하며 군 생활을 편하게 한다. 그리고 제대한 뒤 재벌 총수의 승용차 운수수로 일하다가 그룹의 노선 상무로 좌천된다.

　그가 다루는 사건도 태반이 가해자의 운전 윤리 마비증이 자아낸 것이었다. 그렇지만 ㉠가해자가 그룹 내의 동료 운전수라 하여 팔이 들이굽는다는 식의 적당주의를 취한 적은 거의 없었다. 다만 사건 처리에 필요한 서류를 갖추기 위해 신상 기록 대장에 있는 주소를 찾아가 보면 일쑤 비탈진 산꼭대기에 더뎅이 진 무허가 주택에서 근근이 셋방살이를 하는 축이 많았고, 더욱이 인건비를 줄이느라고 임시로 쓰던 스페어 운전수들이 사는 꼴이 말이 아닐 때는, ㉡그 운전자의 자질 여부를 떠나서 현실적인 딱한 사정에 괴로워하지 않을 수가 없었던 것이다.

　스페어 운전수는 대체로 벌이가 시답지 않아 결혼도 못 한 채 늙고 병든 홀어미와 단칸 셋방을 살고 있거나, 여편네가 집을 나가 버려 어린것들만 있는 경우가 적지 않았고, 들여다보면 방구석에 먹던 봉지 쌀이 남은 대신 연탄이 떨어지고, 연탄이 있으면 쌀이 없거나 밀가루 포대가 비어 있어, 한심해서 들여다볼 수가 없고 심란해서 돌아설 수가 없는 집이 허다한 것이었다.

　그는 결국 주머니를 털었다. 스페어 운전수의 사고에는 업무 추진비 명색도 차례가 가지 않아 자신의 용돈을 털게 되는 것이었다. ㉢식구가 단출하면 쌀을 한 말 팔아 주고, 식구가 많은 집은 밀가루를 두 포대 팔아 주고, 그리고 연탄을 백 장씩 들여놓아 주는 것이 그가 용돈에서 여툴 수 있는 한계였다.

　그는 쌀가게에서 쌀이나 밀가루를 배달하고, ㉣연탄 가게에서 연탄 백 장을 지게로 져 올려 비에 안 젖게 쌓아 주기를 마칠 때까지 그 집을 떠나지 않았다. 그리고 그 집을 나와서 골목을 빠져나오다 보면 늘 무엇인가를 빠뜨리고 오는 것처럼 개운치가 않았다.

　그는 비탈길을 다 내려와서야 그것이 무엇이라는 것을 깨닫곤 하였다. 산동네 초입의 반찬 가게를 보고서야 아까 그 집의 부엌에 간장밖에 없었던 것이 뒤늦게 떠오른 것이었다.

　㉤그러면 다시 주머니를 뒤졌다. 그가 반찬 가게에서 집어 드는 것은 만날 얼간하여 엮어 놓은 새끼 굴비 두름이었다. 바다와 연하여 사는 탓에 밥상에 비린 것이 없으면 먹어도 먹은 것 같지 않아 하는 대천 사람의 속성이 그런 데서까지도 드티었던 것이다. 도로 산비탈을 기어올라 가서 굴비 두름을 개 안 닿게 고양이 안 닿게 야무지게 내달아 주면서

　"뵉에 제우 지랑뱆이 옳으니 뱁이구 수제비구 건건이가 있으야 넘어가지유. 탄불에 궈
　　'겨우'의 방언. '간장'의 방언.
　　자시던지 뱁솥에 쪄 자시던지 하면, 생긴 건 오죽잖어두 뇌인네 입맛에 그냥저냥 자셔
　　볼 만헐규."

　쌀이나 연탄을 들여 줄 때는 회사에서 으레 그렇게 돌봐 주는 것이거니 하고 멀건 눈으로 쳐다만 보던 노파도, 그렇게 반찬거리까지 챙겨 주는 자상함에는 그가 골목을 빠져나갈 때까지 눈시울을 적시고 있는 것이 보통이었다.

서술상 특징 파악하기 **5**

이 글에 대한 설명으로 가장 적절한 것은?

① 풍자적 서술을 통해 인물의 행위를 비판하고 있다.

② 사건의 반전을 통해 인물 간의 갈등을 구체화하고 있다.

③ 구체적 시대 상황을 제시하여 인물의 처지를 나타내고 있다.

④ 인물과 관련한 일화를 소개하여 인물의 성품을 부각하고 있다.

⑤ 인물의 내적 고백을 통해 현실 극복의 가능성을 보여 주고 있다.

세부 내용 이해하기 **6**

이 글의 내용과 일치하지 않는 것은?

① 스페어 운전수들은 대체로 수입이 많지 않아 형편이 어려웠다.

② 노파는 반찬거리를 챙겨 주는 유재필의 행동에 감동을 받았다.

③ 유재필이 다루는 대부분의 사건은 운전수의 잘못으로 일어났다.

④ 유재필은 그룹 내 차량의 교통사고를 처리하는 업무를 담당하였다.

⑤ 유재필은 업무 추진비를 사용하여 스페어 운전수 가족을 도와주었다.

소재의 기능 파악하기 **7**

다음 소재의 기능이 나머지 넷과 다른 것은?

① 쌀   ② 밀가루   ③ 연탄

④ 간장   ⑤ 새끼 굴비 두름

인물의 특성 파악하기 **8**

고난도

〈보기〉를 참고하여 ㉠~㉤에 나타난 유재필의 특성을 이해한 것으로 적절하지 않은 것은?

● **논찬** │ 업적을 논하여 칭찬함.

● **이타적** │ 자기의 이익보다는 다른 이의 이익을 더 꾀하는 것.

> ┌ 보기 ┐
> '전(傳)'은 한 인물의 생애와 업적을 기록하고 평가를 덧붙인 전통 서사 양식이다. 일반적으로 '인정 기술(출생과 가계에 대한 기술) – 행적(인물을 설명할 수 있는 일화) – 논찬(인물에 대한 서술자의 평가)'으로 구성된다. 인물의 특성을 잘 보여 주는 일화를 통해 인물의 삶을 그려 내고, 인물에 대한 서술자의 주관적 견해를 드러낸다.

① ㉠: 원칙대로 일 처리를 하는 것을 보니 사리 분별이 명확한 인물이군.

② ㉡: 딱한 사정을 외면하지 않는 것을 보니 남의 아픔에 공감하는 인물이군.

③ ㉢: 사고 책임의 정도에 따라 대우를 달리하는 것을 보니 합리적인 인물이군.

④ ㉣: 마무리까지 지켜보는 것을 보니 남을 돕는 일에 진정성이 있는 인물이군.

⑤ ㉤: 쌀, 연탄뿐만 아니라 반찬까지 사 주려는 것을 보니 무척 이타적인 인물이군.

전체 구성

발단 '나'의 친구인 유재필은 어려서부터 타고난 총기와 숫기로 두드러졌으며 불우한 환경 속에서도 성숙하였다. '나'는 훌륭한 성품을 지닌 그를 '유자'라고 부른다.
··· 108쪽 수록

전개 유재필은 특유의 붙임성과 왕성한 호기심으로 명물로 불리며 어린 시절을 보낸다. 중학교 졸업 후에 선거 운동원과 국회의원 비서관 일을 하다가 군에 입대한다.

절정 제대 후 유재필은 택시 운전수, 재벌 총수의 운전수가 된다. 그리고 그룹 소속 버스의 교통사고를 처리하는 노선 상무가 되어 맡은 일을 인간적, 양심적으로 수행한다. ··· 110쪽 수록

결말 유재필은 병으로 급작스럽게 세상을 떠난다. 그와 교류하던 문인들과 '나'는 유재필의 죽음을 깊이 애도하며 그의 삶을 논찬한다.

해제

이 작품은 작가가 어린 시절부터 알고 지낸 실존 인물인 유재필(유자)의 일생을 다루고 있는 현대 소설이다. 인물의 생애를 기록하고 평가하는 전통적인 '전(傳)' 양식을 사용하여 훌륭한 성품을 바탕으로 특유의 인간미를 보여 주었던 유재필의 여러 일화를 소개하고 있다.

주제

유재필의 훌륭한 성품

인물의 특성

나
• 이 글의 서술자. 유재필의 친구.
• 유재필의 남다른 성품과 삶을 높이 평가함.
→ 유재필을 '유가'가 아닌 ❶◻◻'라고 부름.

유재필
• 버스 회사 노선 상무
• 심성이 밝고 깔끔함.
• 매사에 생각이 깊고 침착하며, 줏대가 있고 주관이 뚜렷함.
• 마음이 따뜻하며 남의 아픔에 공감할 줄 알고, 사람의 도리를 행하고자 함.

유재필의 성품

노선 상무로 일할 때의 일화
• 사고를 낸 운전수가 동료라 하여 사건을 적당하게 처리하지 않음. • 형편이 어려운 스페어 운전수의 가족을 자신의 용돈을 털어서 도와줌.

▼

유재필의 성품
• 줏대가 있고 사리 분별이 명확함. • 어려운 형편의 사람을 도울 줄 아는 따뜻한 마음씨를 지님.

'전(傳)' 양식을 계승한 구조

이 작품은 유재필의 일대기를 다루며 전통적인 전(傳) 양식을 충실하게 계승했다는 평가를 받는다.

인정 기술		행적		논찬
유재필의 출생, 성장 과정, 성품 소개	▶	유년기에서 장년기까지 유재필의 성품을 알 수 있는 ❷◻◻	▶	유재필의 사망 후 그에 대한 주변 인물들과 서술자의 평가

서술상 특징

• 유재필에 대한 서술자의 평가를 직접 제시함.
• 만연체 문장을 사용하여 유재필의 성품에 대한 설명을 상세하게 전달함.
• 충청도 ❸◻◻(예 '-지유', '-혈규', '제우', '지랑' 등)을 사용하여 토속적 정감을 드러내고, 유재필의 인정 많고 순박한 면모를 부각함.

빈칸 답 ❶유자 ❷일화 ❸방언

어휘
다지기

1 다음 밑줄 친 단어의 뜻을 〈보기〉에서 찾아 그 번호를 쓰시오.

> ● 보기 ●
> ① 자기의 주장이 있는 의견.
> ② 어질고 너그러운 마음씨나 생각.
> ③ 일을 실답게 하지 못하는 사람을 낮잡아 이르는 말.

(1) 그는 줏대와 <u>주견</u>을 가지고 갈피 있는 태도를 지켰다. ························· (   )

(2) 그는 선비적인 <u>덕량</u>의 본보기라 하지 않을 수 없는 친구였다. ·············· (   )

(3) 그는 그럭저럭 살다가 흐지부지하게 생을 마친 <u>허릅숭이</u>는 아니었다. ····· (   )

2 다음 뜻에 해당하는 단어를 찾아 바르게 연결하시오.

(1) | 성가시고 귀찮게 하다. | • | •① | 숫지다

(2) | 순박하고 인정이 두텁다. | • | •② | 오죽잖다

(3) | 예사 정도도 못 될 만큼 변변하지 아니하다. | • | •③ | 폐롭다

3 다음 밑줄 친 단어와 바꾸어 쓸 수 있는 단어로 알맞은 것은?

> 그는 어려서부터 타고난 총기와 숫기로 또래에서 <u>별쫑맞았다</u>.

① 명석하다　　② 별스럽다　　③ 성실하다　　④ 침착하다　　⑤ 평범하다

어휘 ➕ '뛰어난 사람'을 이르는 한자 성어

4 〈보기〉와 의미가 통하는 한자 성어를 골라 ✓ 표시를 하시오.

> ● 보기 ●
> 그의 생애는 풀밭에서 뚜렷하고 쑥밭에서 우뚝하였다.

☐ ① 각주구검(刻舟求劍)　　　　☐ ② 군계일학(群鷄一鶴)

💡 도움말
　이 밖에 '뛰어난 사람'을 이르는 한자 성어로 '낭중지추(囊中之錐)', '백미(白眉)' 등이 있다.

실전 07 내가 그린 히말라야시다 그림 | 성석제

이 작품은 초등학교 때 사생 대회에 나갔던 사건을 두 명의 서술자의 시점으로 전달하고 있는 현대 소설이다. 같은 사건에 대한 〈0〉과 〈1〉의 서술자의 관점을 비교하며 작품을 읽어 보자.

∞ 교과서 중2 _ 지학사, 미래엔

앞부분의 줄거리 현재 유명한 화가가 된 '나(백선규)'와 그림 감상하기를 좋아하는 가정주부인 '나'는 각각 초등학교 4학년 때 군에서 열리는 사생 대회에 나갔던 일을 회상한다.

가 1

그해 봄에 나는 군 학예 대회에서 글짓기 백일장에 나가지 못했어. 그건 당연하지. 내가 읍에서 몇 번째 안에 드는 부잣집 딸이라고 해서 누가 봐도 재능이 없는데 글짓기 대표로 내보낼 수는 없지. 그 대신 나는 사생 대회 대표로 뽑혔어. 그때 우리 학교는 한 학년이 다섯 반이고 4학년 이상 한 반에 두 명씩 대회에 나가니까 우리 학교에서만 서른 명이 참가하는 거야. 대개는 미술반에 있는 애들이었어. 문예반에 있는 애들은 학교에서 십 리 이십 리 떨어진 데 사는 농촌 애들이 많은데 미술반 애들은 거의 다 읍내 애들이고 좀 잘사는 애들이었어. 〈중략〉

사생 대회는 토요일 오전에 우리 학교에서 열렸어. 우리가 다니는 초등학교가 군에서 가장 오래된 학교라서 그랬던 것 같아. 건물도 오래됐고 나무도 커서 그림 그릴 게 많았는지도 몰라. 우리 학교 다니는 애들한테 유리한 것 같긴 했지.

우리는 주최 측이 확인 도장을 찍어서 준 도화지를 한 장씩 받아서 그림을 그리기 위해 여기저기로 흩어졌지. 그런데 내 뒤에서 그림을 그리던 녀석, 옷도 지저분하고 검정 고무신을 신은 데다 간장 냄새가 나던 녀석이 기억에 오래 남았어. 그 냄새며 꼴이 싫어서 자리를 옮기려고 했지만 이미 노란색 크레파스로 그 앞의 나무와 갈색 나무 교사의 밑그림을 그린 뒤라서 그럴 수도 없었어. 참 그 냄새, 머리가 아프도록 지독했어. 그건 한마디로 하면 가난의 냄새였어.

나 0

내 앞에는 언제부터인가 여자아이가 두 명 앉아 있었어. 한 아이는 낯이 익었어. 같은 반을 한 적은 없지만, 천수기 선생님하고 같이 가는 걸 몇 번 본 적이 있었지. 자주색 원피스에 검정 에나멜 구두를 신고 있었고 머리에 푸른 구슬 리본을 매고 있는데 무척 얼굴이 희고 예뻤지. 나하고 한 반이었다고 해도 나 같은 촌뜨기에게는 말을 걸지도 않았겠지.

그 여자애와 나는 비슷한 점이 하나도 없었어. ㉠크레파스부터 한 번도 쓰지 않은 새것, 한 번만 더 쓰면 더 쓸 수 없도록 닳은 것이라는 차이가 있었어. 처음부터 다른 길에서 출발해서 가다가 우연히 두어 시간 동안 같은 장소에서 비슷한 그림을 그리게 되겠지만 앞으로 영원히 만날 일이 없을 것 같은 사람이야. 그 여자아이도 그걸 의식하고 있는 것 같았어. 나를 한 번 힐끗 넘겨다보고는 코를 찡그리더니 더 이상 눈길을 주지 않았어. 자리를 뜰 것 같았는데 계속 그리기는 하더군. 나를 의식하기 전에 밑그림을 그렸던 게 아까웠겠지.

정답과 해설 29쪽

구성 방식 파악하기

1 **이 글의 구성 방식에 대한 설명으로 가장 적절한 것은?**

① 공간의 이동에 따라 이야기를 제시하고 있다.

② 시간의 순차적 흐름에 따라 사건을 전개하고 있다.

③ 주인공의 의식의 흐름을 중심으로 내용을 서술하고 있다.

④ 주인공이 과거의 사건을 회상하는 방식으로 구성되어 있다.

⑤ 하나의 이야기 속에 또 다른 이야기가 들어 있는 액자식 구성을 취하고 있다.

서술상 특징 파악하기

2 **이 글의 서술상 특징으로 가장 적절한 것은?**

 도움말

이 작품에서 〈0〉과 〈1〉에 나오는 '나'가 각각 다른 인물임에 주목한다.

① 등장인물인 서술자가 주인공의 행동을 객관적 태도로 서술하고 있다.

② 이야기 밖 서술자가 겉으로 드러난 인물의 행동을 관찰하여 서술하고 있다.

③ 이야기 밖 서술자가 인물의 행동뿐만 아니라 심리까지 자세히 서술하고 있다.

④ 두 명의 등장인물을 서술자로 내세워 같은 사건을 입체적으로 서술하고 있다.

⑤ 장면에 따라 이야기 속 서술자와 이야기 밖 서술자가 번갈아 가며 서술하고 있다.

인물의 특성 파악하기

3 **'나(1)'와 '나(0)'에 대한 설명으로 가장 적절한 것은?**

① '나(1)'는 사생 대회가 열린 장소에 대해 불만을 가졌다.

② '나(1)'는 가정 형편이 어려워 미술반에 들어가지 못했다.

③ '나(1)'는 자신이 글짓기 대표로 뽑히지 못한 것을 부당하다고 여겼다.

④ '나(1)'와 '나(0)'는 사생 대회에 참가하기 전부터 서로 잘 아는 사이였다.

⑤ '나(0)'는 결과적으로 '나(1)'가 자리를 옮기지 않은 이유를 정확하게 추측하였다.

소재의 기능 파악하기

4 **㉠의 기능에 대한 설명으로 가장 적절한 것은?**

① 두 인물의 사이가 가까워지는 계기가 된다.

② 과거와 현재의 사건을 연결하는 매개체이다.

③ 두 인물의 가정 형편을 대조적으로 보여 준다.

④ 두 인물 사이의 갈등이 해소되는 계기를 제공한다.

⑤ 이전과 다른 성격의 사건이 벌어질 것임을 암시한다.

✏ 핵심 짚기

| 발단 | 전개 | 위기 | **절정** | 결말 |

● **사건**

　'나(1)'와 '나(0)'는 사생 대회의 ❶ ㅈ ㅇ 수상자가 뒤바뀌었음을 알게 됨.

● **갈등**

　장원작이 자신의 그림이 아님을 알게 된 '나(1)', '나(0)'의 ❷ ㄴ ㅈ 갈등

● **과거의 사건이 '나(0)'의 삶에 미친 영향**

・자신의 재능을 늘 ❸ ㅇ ㅅ 함.
・어떤 그림을 그리든 최선을 다함.

└ **빈칸 답**
❶ 장원 ❷ 내적 ❸ 의심

생략된 부분의 줄거리　초조하게 심사 결과를 기다리던 '나(0)'는 미술반 선생님에게서 자신이 장원을 했다는 소식을 듣고 눈물을 흘린다. 사생 대회 이틀 후에 '나(0)'는 조회 시간에 전교생 앞에서 장원 상을 받는다. 강당에서 학예 대회 수상작을 전시하는 마지막 날, '나(0)'는 '장원'이라고 크게 적힌 그림을 보게 된다.

⑦ 1

　그렇지만 단 한 번 상을 받을 뻔한 적은 있지. 나 자신의 실수 때문에 못 받은 거니까 누구를 원망할 수도 없지만. 그 실수를 인정하고 내가 받을 상이 남에게 간 것을 바로잡을 수 있었을까. 할 수 있었을지도 몰라. 아버지에게 이야기했다면. 아니면 천수기 선생님한테라도. 왜 안 했을까. 그때 나를 스쳐 가던 그 아이, 그 아이의 표정 때문인지도 몰라. 땟국물이 흐르던 목덜미, 전신에서 풍겨 나던 뭔가 찌든 듯한 그 냄새, 그 너절한 인상이 내 실수와 잘못된 과정을 바로잡는 게 너절하고 귀찮은 일이라는 생각을 하게 했을 거야. 어쩌면 그 결과 한 아이가 가지게 될지도 모르는 씻지 못할 좌절감이 내게도 약간 느껴졌는지도 모르지. 상관없어. 나는 그런 상하고는 담을 쌓고 살아도 행복해. 그런 스트레스를 받는 것 자체가 싫어. 왜 내가 그렇게 살아야 하는데?

⑭ 0

　그런데, 그런데, 그런데, 그런데 ⊙그 그림은 내가 그린 그림이 아니었어. 풍경은 내가 그린 것과 비슷했지만 절대로, 절대로 내가 그린 그림이 아니야. 아버지가 사 준 내 오래된 크레파스에는 진작에 떨어지고 없는 회색이 히말라야시다° 가지 끝 앞부분에 살짝 칠해져 있는 그림이었어. 나는 가슴이 후들후들 떨려서 두 손으로 가슴을 가렸어. 사방을 둘러봤지만 아무도 없었어. 나는 까치발을 하고 손을 최대한 쳐들어서 그림 뒷면의 번호를 확인했어. 네모진 칸 안에 쓰인 숫자는 분명히 124였어. 124, 북한에서 무장간첩을 훈련한 그 124군 부대의 124. 그렇지만 그건 내 글씨가 아니었어. 〈중략〉

　그 그림을 그린 아이는 천수기 선생님과 함께 다니던 그 아이인 게 틀림없었어. 그러니까 나와 같은 학교에 다니는 아이라는 거지. 그러면 그 아이는 제가 그린 그림을 봤을 거야. 그런데 ⊙왜? 왜 아무 말을 하지 않은 거지? 상품이 필요 없어서? 실수 때문에 처벌을 받을까 봐? 나라면? 나라면 가만히 있었을까?

　왜 내가 그린 작품은 입선에도 들지 않았을까? 비슷한 풍경이고 비슷한 구도인데도? 가만히 그 그림을 보고 있자니 정말 잘 그린 그림이라는 느낌이 들기 시작했어. 장원을 받을 수밖에 없는 그림, 같은 장소에 있었던 나로서는 발견할 수 없었던 부분, 벽과 히말라야시다 사이의 빈 공간의 처리는 완벽했어. 〈중략〉

　그 뒤부터 나는 늘 나를 의심하면서 살았어. 누군가 나보다 뛰어난 재능을 가지고 있고 누군가 나와 똑같은 대상을 두고 훨씬 더 뛰어난 작품을 그렸고, 앞으로도 더 뛰어난 작품을 그릴 수 있다는 생각을 벗어나 본 적이 없어. 그러니까 어떤 작품이라도, 그게 포스터 물감으로 그리는 반공° 포스터라도 내가 가진 능력 전부를, 그 이상을 쏟아부어야 했지. 언제나, 어디서나.

● **장원** | 여럿이 겨루는 경기나 오락에서 첫째를 함. 또는 그런 사람.
● **땟국물** | 때로 범벅이 된 땀이나 물기.
● **너절하다** | 허름하고 지저분하다.
● **히말라야시다** | 소나뭇과의 상록 침엽 교목. 높이는 30미터 정도이며, 잎은 끝이 뾰족하다. 히말라야가 원산지이다.
● **무장간첩** | 전투에 필요한 장비를 갖춘 간첩.
● **입선** | 출품한 작품이 심사에 합격하여 뽑힘.
● **반공** | 공산주의에 반대함.

서술자 설정에 따른 효과 파악하기

5

고난도

이 글을 〈0〉의 서술자의 시선으로만 서술했을 때의 변화로 적절하지 <u>않은</u> 것은?

① '나(0)'의 관점만 독자에게 전달될 것이다.

② 독자가 '나(0)'의 속마음에 더 집중하게 될 것이다.

③ 〈0〉의 상황에서 '나(0)'의 내적 갈등이 사라질 것이다.

④ '나(1)'의 행동 이유나 심리 등을 독자가 추측하게 될 것이다.

⑤ 같은 상황에 처한 '나(0)'와 '나(1)'의 심리를 비교하는 재미가 줄어들 것이다.

인물의 심리 파악하기

6

㉠을 본 '나(0)'의 심리를 추측한 것으로 적절하지 <u>않은</u> 것은?

① 도윤: 장원작이 자신의 그림이 아닌 것을 알고 혼란스러웠을 거야.

② 고은: 자신이 진짜 장원이 아니라는 사실에 큰 충격을 받았을 거야.

③ 주헌: 그림 뒷면에 적힌 숫자가 '124'임을 확인하고 안도했을 거야.

④ 수지: 장원작을 그린 여자아이가 왜 사실을 밝히지 않았는지 의아해했을 거야.

⑤ 윤하: 장원작이 자신의 그림보다 뛰어나다는 것을 알고 나서 좌절감을 느꼈을 거야.

인물의 행동 이유 파악하기

7

● **번복하다** | 이리저리 뒤쳐 고치다.

'나(1)'가 ㉡과 같이 행동한 이유로 보기 <u>어려운</u> 것은?

① 남자아이가 느끼게 될 좌절감이 걱정되었기 때문에

② 수상자를 번복하는 것이 사실상 불가능했기 때문에

③ 사생 대회에서 굳이 상을 받지 않아도 행복하기 때문에

④ 자신이 진짜 장원임을 밝히는 과정이 귀찮았기 때문에

⑤ 자신을 스쳐 가던 남자아이의 인상과 냄새가 신경 쓰였기 때문에

사건이 인물에게 미친 영향 파악하기

8

초등학교 때의 사건이 '나(0)'의 인생에 끼친 영향으로 적절하지 <u>않은</u> 것은?

① 항상 자신의 능력을 의심하며 살게 되었다.

② 어떤 그림이라도 자신의 능력을 모두 쏟아부어 그리게 되었다.

③ 자신보다 뛰어난 재능을 가진 사람이 있다는 것을 늘 의식하게 되었다.

④ 제3자가 자신의 비밀을 폭로할지도 모른다는 생각에 불안함을 느끼게 되었다.

⑤ 누군가가 자신보다 더 뛰어난 그림을 그렸거나 그릴 수 있다고 생각하게 되었다.

전체 구성

발단 '나(0)'와 '나(1)'는 초등학교 4학년 때의 사건으로 현재 다른 삶을 살고 있다.

전개 3학년 때 '나(0)'는 4학년 이상만 자격이 주어지는 사생 대회에 대신 나가서 장원을 한다.

위기 일 년 후, 4학년이 된 '나(0)'와 '나(1)'는 사생 대회에 학교 대표로 참가한다. ┈ 114쪽 수록

절정 '나(0)'는 장원으로 상을 받는다. 얼마 뒤 '나(0)'와 '나(1)'는 장원이 바뀌었음을 알게 되지만, 둘 다 진실을 밝히지 않는다. 그 후 '나(0)'는 자신의 실력에 의심을 품고 필사적으로 그림을 그린다. ┈ 116쪽 수록

결말 성인이 된 '나(1)'는 길에서 '나(0)'를 보게 되지만, 자신과 '나(0)'는 가는 길이 다르다고 생각하며 지나친다.

해제

이 작품은 1970년대 어느 지방의 소도시를 배경으로 하여, 두 명의 서술자가 각자 자신의 이야기를 전달하는 독특한 구조를 지닌 현대 소설이다. 두 서술자의 서술이 교차되면서 이야기가 전개되는데, 선택의 갈림길에서 겪게 되는 인물의 내적 갈등과 대응 방식이 대조적으로 잘 드러나 있다.

주제

선택의 갈림길에 놓인 아이들의 갈등과 성장

사생 대회의 장원이 뒤바뀐 사건에 대한 두 인물의 태도

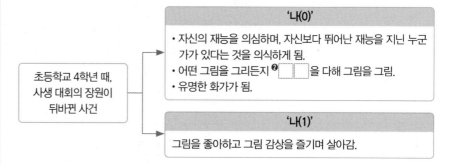

'나(0)'	'나(1)'
• 장원작이 자신의 그림이 아닌 것을 알고 ❶□□과 당혹감을 느낌. • '나(1)'의 그림이 자신의 그림보다 뛰어나다는 점을 인정함.	• 참가 번호를 잘못 적은 자신의 실수를 말하고 수상 결과를 바로잡는 것을 귀찮은 일이라 생각함. • 상을 받지 않아도 행복하다고 생각함.

두 사람 모두 진실을 밝히지 않고 넘어감.

사생 대회의 장원이 뒤바뀐 사건이 두 인물의 삶에 미친 영향

초등학교 4학년 때, 사생 대회의 장원이 뒤바뀐 사건

'나(0)'
• 자신의 재능을 의심하며, 자신보다 뛰어난 재능을 지닌 누군가가 있다는 것을 의식하게 됨.
• 어떤 그림을 그리든지 ❷□□을 다해 그림을 그림.
• 유명한 화가가 됨.

'나(1)'
그림을 좋아하고 그림 감상을 즐기며 살아감.

서술상 특징

이 작품은 〈0〉의 서술자와 〈1〉의 서술자가 번갈아 등장하여 어린 시절의 사건을 회상하고 있으며, 과거의 사건이 현재 자신의 삶에 어떤 영향을 끼쳤는지에 대해 각자의 ❸□□에서 이야기하고 있다. 이를 통해 같은 상황에서 두 인물이 보이는 태도와 심리를 비교해 볼 수 있고, 하나의 사건을 서로 다른 관점에서 바라볼 수 있어 사건에 대해 입체적으로 이해할 수 있다.

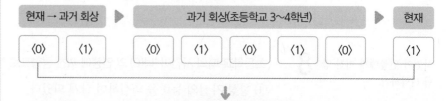

현재 → 과거 회상		과거 회상(초등학교 3~4학년)					현재
〈0〉	〈1〉	〈0〉	〈1〉	〈0〉	〈1〉	〈0〉	〈1〉

1인칭 주인공 시점의 교차 서술
• 〈0〉에서 성인 남자(백선규)인 '나'가, 〈1〉에서 성인 여자인 '나'가 번갈아 가며 사건을 서술함.
• '나(0)'와 '나(1)'가 각자의 이야기와 심리를 구체적으로 전달함.

빈칸 답 ❶ 충격 ❷ 최선 ❸ 관점

1 다음 밑줄 친 단어에 해당하는 뜻을 〈보기〉에서 찾아 그 번호를 쓰시오.

● 보기 ●
① 대회에서 상을 받은 작품.
② 실물이나 경치를 있는 그대로 그리는 일.
③ 여럿이 겨루는 경기나 오락에서 첫째를 함. 또는 그런 사람.

(1) 그는 군 학예 대회 초등부 사생 대표로 나가게 되었다. ·························· (   )

(2) 학교 강당에는 이번 학예 대회의 수상작이 전시되어 있었다. ················· (   )

(3) 주 선생님은 그가 군 대회에서 장원을 했다는 소식을 전해 주셨다. ········· (   )

2 사다리 타기에 따라, 빈칸에 들어갈 단어의 뜻을 〈보기〉에서 찾아 그 번호를 쓰시오.

● 보기 ●
① 때로 범벅이 된 땀이나 물기.
② 행사나 모임을 주장하고 기획하여 엶.
③ 시골에 사는 사람을 낮잡아 이르는 말.
④ 자세하게 조사하여 등급이나 당락 따위를 결정함.

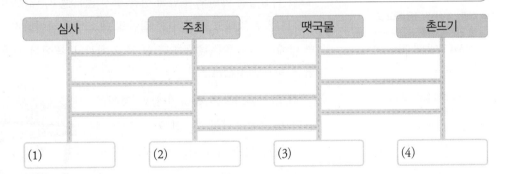

심사   주최   땟국물   촌뜨기

(1)   (2)   (3)   (4)

3 다음 밑줄 친 단어와 바꾸어 쓸 수 있는 단어로 알맞은 것은?

> 그때 나를 스쳐 가던 아이는 옷도 지저분하고 검정 고무신을 신은 데다 전신에서 풍겨 나던 뭔가 찌든 듯한 그 냄새, 그 너절한 인상으로 기억에 오래 남았다.

① 꾀죄죄한   ② 맹랑한   ③ 비범한   ④ 엉뚱한   ⑤ 특별한

실전 **08 박씨전** | 작자 미상

∞ 교과서 **중3** _ 천재(노) **고1** _ 신사고, 동아

이 작품은 병자호란이라는 역사적 사건을 배경으로 뛰어난 능력을 지닌 여성 영웅인 박씨의 활약을 보여 주는 고전 소설이다.
남성 위주였던 조선 사회에서 박씨의 활약을 통해 작가가 전달하고자 했던 의미를 추측하며 작품을 읽어 보자.

핵심 짚기

발단 **전개** 위기 절정 결말

● 인물

· 박씨: 못생겼지만 능력이 뛰어나
며 성품이 너그러움.
· 상공: 박씨의 **❶ ㅈㅈ** 와 덕행을
높이 평가함.
· 계화: 박씨의 여종. 박씨를 진심
으로 존경함.

● 배경

(시간) **❷ ㅈㅅ** 인조 때
(공간) 상공의 집

● 사건

박씨가 못생긴 외모를 이유로 이
시백의 장원 급제를 축하하는 **❸ ㅈ
ㅊ** 에 참석하지 않음.

빈칸 답

❶ 재주 ❷ 조선 ❸ 잔치

· **상공** | 재상. 임금을 돕고 모
든 관원을 지휘하고 감독하
는 일을 맡아보던 이품 이상
의 벼슬.
· **처사** | 벼슬을 하지 아니하고
시골에 묻혀 살던 선비.
· **내당** | 안주인이 사는 방.
· **제갈공명** | 중국 삼국 시대
촉한의 뛰어난 군사 전략가.
· **임사** | 중국 주나라 문왕의
어머니인 태임과 무왕의 어
머니인 태사.
· **독수공방** | 아내가 남편 없이
혼자 지내는 것.
· **하걸** | 폭군이라고 일컬어진
중국 하나라의 마지막 왕. 탕
왕을 경계해 옥에 가둠.
· **유리옥** | 중국 은나라 때의
감옥. 은나라의 주왕이 주나
라의 문왕을 가두었던 곳.
· **진채** | 중국 진나라와 채나
라. 공자는 진채 사람들 때문
에 7일 동안 굶주려야 했음.

앞부분의 줄거리   조선 인조 때, 이 상공(相公)의 아들 이시백과 박 처사(處士)의 딸 박씨는 부모의 혼인 약속에 따라 혼인
하게 된다. 그러나 이시백은 박씨가 매우 못생겼다는 이유로 박씨를 차갑게 대한다. 그러던 중 이시백이 장원 급제하고 이
상공의 집에서 이를 축하하는 잔치가 열린다.

상공이 시백과 함께 내당(內堂)으로 들어가 촛불을 밝히고 낮을 이어 즐기려 했지만,
얼굴에 나타난 서운한 빛을 감출 수는 없었다. 얼굴 못난 며느리가 손님 보기를 부끄러워
하여 피화당에서 나오지 않았기 때문이었다. 상공이 서운해하는 모습을 본 부인이 물었다.

"오늘 이 경사는 평생에 두 번 보지 못할 경사입니다. 이런 날, 대감의 낯빛이 좋지 않은
것은 무슨 까닭입니까? 추한 박씨가 이 자리에 없어서 그런 것입니까? 참으로 우습습
니다."

상공은 즉시 얼굴빛을 고치고 엄숙하게 말했다.

"부인의 소견이 아무리 얕고 짧다고 한들, 어찌 그렇게 가벼운 말을 하는 것이오? 며느
리의 신통한 재주는 옛날 제갈공명의 부인 황씨를 누를 것이고, 뛰어난 덕행은 주나라
의 임사(姙姒)에 비할 것이오. 우리 가문에 과분한 며느리이거늘, 부인은 다만 생김새
만 보고 속에 품은 재주는 생각하지 않으시니 그저 답답할 따름이오."

박씨 곁에는 계화만이 남아 잔치에도 참여하지 못하고 적막한 초당에 앉아 있는 박씨를
위로했다.

"그간 서방님은 한번도 부인께 정을 주지 않으셨고, 대부인의 박대마저 심해 이렇게 밤
낮으로 홀로 지내고 계십니다. 집안의 대소사에 참여하지 못할 뿐 아니라 오늘같이 기
쁜 날에도 독수공방(獨守空房)만 하고 계시니, 곁에서 지켜보는 소인조차도 슬픔을 이
길 수 없을 듯합니다."

"사람의 길흉화복은 하늘에 달린 것이라
인력으로는 어찌할 수 없다. 그러기에
㉠탕왕은 하걸에게 갇힘을 당하고 문왕도
유리옥에 갇혔으며, 공자 같은 성인도 진채
에게 욕을 보신 것이 아니겠느냐? 하물며
아녀자가 되어 어찌 남편의 사랑만 기다리
고 있겠느냐? 그저 분수를 지키며 하늘의
뜻을 기다리는 것이 옳을 터이니, 다시는
그런 말을 하지 말아라. 혹 바깥 사람들이
들으면 나의 행실을 천하다 할 것이다."

박씨가 오히려 담담하게 말하니, 계화는 부인의 너그럽고 어진 마음에 탄복하였다.

서술상 특징 파악하기 **1**

이 글의 서술상 특징으로 적절한 것은?

① 사건을 객관적으로 묘사하여 독자의 판단을 유도하고 있다.

② 이야기 안 인물이 다른 인물의 심리를 분석하여 전달하고 있다.

③ 서술자가 개입하여 인물에 대한 자신의 생각을 드러내고 있다.

④ 서술자의 과거 회상을 통해 인물들의 관계가 변화된 원인이 나타나고 있다.

⑤ 이야기 안에 등장하지 않는 서술자가 등장인물의 행동과 심리를 서술하고 있다.

✚ **서술자의 개입**
이야기 밖의 전지적 서술자가 이야기 안에 직접 끼어들어 자신의 의견을 표출하는 서술 방법.

세부 내용 파악하기 **2**

이 글을 통해 알 수 있는 내용으로 적절하지 않은 것은?

① 상공 부인은 며느리인 박씨를 박대하였다.

② 박씨는 집안 대소사에 참여하지 못하였다.

③ 상공은 박씨가 잔치에 참석하기를 바랐다.

④ 계화는 박씨의 처지를 안타깝게 생각하였다.

⑤ 박씨는 자신에 대해 험담하는 사람들을 원망하였다.

인물의 의도 파악하기 **3**

박씨가 ㉠에서 탕왕, 문왕, 공자의 고사를 통해 말하고자 하는 바로 적절한 것은?

① 영웅은 시련을 겪기 마련이다.　　② 실력은 내세우지 않아도 드러난다.

③ 사람의 운명은 이미 정해져 있다.　　④ 세상에는 다양한 방식의 삶이 존재한다.

⑤ 잘못을 저지르면 반드시 대가를 치러야 한다.

✚ **고사**
주로 중국의 옛이야기에서 유래한 표현으로, 고전 소설은 고사가 많이 쓰이는 특징이 있다.

갈등의 양상 파악하기 **4**

`고난도` `고1 학력평가 기출`

〈보기〉를 바탕으로 이 글을 감상한 내용으로 가장 적절한 것은?

┌─ 보기 ●─────────────────────────────

갈등은 문학과 예술에서 중심이 되는 두 성격의 대립 현상을 말한다. 갈등은 그 성격에 따라 개인의 내면에서 일어나는 심리적 갈등인 '내적 갈등'과 개인과 개인, 개인과 사회, 개인과 자연, 개인과 운명 등의 갈등인 '외적 갈등'으로 나눌 수 있다. 소설에서 갈등은 인물의 성격을 드러내고 세계관과 가치관의 대립 양상을 보여 주는 역할을 한다.

└──────────────────────────────────────

① 박씨의 추한 용모는 계화에게 내적 갈등을 불러일으키고 있다.

② 박씨의 소극적인 태도로 인해 박씨와 이시백 사이에 갈등이 일어나고 있다.

③ 상공과 상공 부인의 갈등은 박씨와 이시백 사이의 갈등으로 확대되고 있다.

④ 상공과 상공 부인의 갈등에서 두 인물이 사람을 평가하는 가치관의 차이가 나타나고 있다.

⑤ 상공과 상공 부인의 갈등은 아들인 이시백보다 박씨를 더 뛰어나다고 생각하는 상공의 공정한 성품을 드러내고 있다.

● 인물
• **처사**: 박씨의 아버지. ❶ㅂㅂ한 능력을 지님.
• **상공**: 박씨를 푸대접하는 아들의 행동을 처사에게 사과함.

● 사건
• 처사와 상공이 회포를 풂.
• 박씨가 아버지의 도움으로 허물을 벗고 ❷ㅈㅅㄱㅇ이 됨.

● 서술상 특징

고전 소설의 전기성
현실에서 일어나기 어려운 ❸ㅂㅎㅅ적인 요소를 활용하여 박씨와 처사의 뛰어난 능력을 강조함.

빈칸 답
❶ 비범 ❷ 절세가인 ❸ 비현실

● **영랑** | 윗사람의 아들을 높여 부르는 말.
● **회포** | 마음속에 품은 생각이나 정.
● **슬하** | 무릎의 아래라는 뜻으로, 어버이나 조부모의 보살핌 아래. 주로 부모의 보호를 받는 테두리 안을 이른다.
● **송구하다** | 몹시 미안하여 마음이 편치 않다.
● **정담** | 정답게 주고받는 이야기.
● **둔갑술** | 마음대로 자기 몸을 감추거나 다른 것으로 변하게 하는 술법.
● **절세가인** | 세상에 견줄 만한 사람이 없을 정도로 뛰어나게 아름다운 여인.

생략된 부분의 줄거리 박씨는 구름을 타고 금강산에 가 아버지인 박 처사를 만나고 온다. 박씨는 상공에게 아버지가 방문할 것이라 전하고, 약속한 날에 처사가 상공의 집을 찾아온다.

"ⓐ영랑(令郎)이 뛰어난 재주로 과거에 급제하였으니 이 같은 경사는 다시 없을 줄 압니다. 그간 제가 시골에 있는 관계로 아직 축하 인사를 드리지 못했습니다."

상공이 술과 안주를 내어 대접하며 처사와 함께 그간 만나지 못한 회포를 풀었다. 술이 반쯤 줄어들고 분위기가 무르익어 갈 무렵, ㉠상공이 어두운 낯빛으로 처사에게 말하였다.

"ⓑ귀한 손님을 뵈니 반가운 마음은 예사롭고 죄송한 마음은 산과 바다와 같습니다."

"무슨 말씀이신지요?" / "내 자식이 어리석다 보니 ⓒ어진 아내를 푸대접하여 부부간의 즐거움을 알지 못하고 있습니다. 제가 늘 타이르곤 하지만 자식이 끝내 아비의 말을 듣지 않더군요. 처사 대하기가 민망할 따름입니다."

처사가 급히 손사래를 쳤다.

"㉡상공께서는 제 못난 딸을 더럽다 않으시고 지금까지 슬하에 두셨습니다. 그 넓으신 덕에 감사할 따름이온데 이렇게 말씀하시니 오히려 송구합니다."

"예사롭지 않은 ⓓ며늘애가 늘 외롭고 힘들게 지내기에 드리는 말씀입니다."

"㉢사람의 팔자와 길흉화복은 다 하늘에 달린 것입니다. 어찌 그리 지나친 걱정을 하십니까?" / 처사가 담담하게 말하니 상공도 미안한 마음을 조금 덜 수 있었다. 이후 상공은 처사와 더불어 날마다 바둑을 두기도 하고 또 피리도 불면서 즐겁게 지냈다.

하루는 처사가 후원으로 들어가 딸을 불러 앉혔다.

"너의 액운이 다 끝났으니 누추한 허물을 벗어라."

처사는 허물을 벗고 변화하는 술법을 딸에게 가르친 뒤 말하였다.

"허물을 벗거든 버리지 말고 ⓔ시아버지에게 옥으로 된 함을 짜 달라고 해서 그 속에 넣어 두거라."

그러고는 딸과 함께 정담을 나누다가 밖으로 나와 상공에게 작별 인사를 드렸다. ㉣상공이 못내 섭섭해하며 만류했지만 처사는 듣지 않았다. 할 수 없이 한잔 술로 작별을 고하고 문밖으로 나가 전송하였다.

"㉤지금 헤어지면 다시 만나기 어려울 것입니다. 늘 건강하시고 복을 누리시기 바랍니다." / 상공이 깜짝 놀라며 물었다. / "그것이 무슨 말씀이십니까?"

"이제 상공과 이별하고 산에 들어가면 다시 속세로 나오지 못할 듯하여 드리는 말씀입니다."

상공이 슬프게 작별 인사를 하니, 처사는 학을 타고 공중에 올라가 오색구름을 헤치며 나아갔다. 잠시 후 구름이 걷혔는데 처사가 간 곳은 보이지 않았다.

그날 밤, 박씨는 몸을 깨끗이 씻은 뒤 둔갑술을 부려 허물을 벗었다.

날이 밝은 후, 박씨는 계화를 불렀다. 계화가 들어가 보니 전에 없던 절세가인(絕世佳人)이 방 안에 앉아 있었다.

고전 소설의 특징 파악하기 **5**

이 글에 드러난 사건 중, 〈보기〉의 내용과 관련이 없는 것은?

● 고전 소설의 전기성
'전기성(傳奇性)'은 실제로는 있을 수 없는 기이하고 환상적인 일이 일어나는 것을 의미한다. 고전 소설에서는 비현실적인 요소들이 이야기 전개에 중요한 역할을 하는 경우가 많다.

> ● 보기 ●
> 고전 소설의 두드러진 특징 중의 하나가 전기성이다. 고전 소설에서는 귀신과 인연을 맺거나 용궁과 같은 장소에 방문하거나 도술을 부리는 등 현실에서 일어나기 어려운 기이하고 환상적인 내용들이 등장하는 경우가 많다.

① 처사가 학을 타고 날아감.
② 박씨가 구름을 타고 금강산에 감.
③ 처사가 상공에게 감사 인사를 함.
④ 처사가 딸에게 허물을 벗는 술법을 가르침.
⑤ 박씨가 둔갑술을 부려 허물을 벗고 절세가인이 됨.

인물의 심리와 태도 파악하기 **6**

㉠～㉤에 대한 설명으로 적절하지 않은 것은?

① ㉠: 아들이 박씨를 푸대접하는 것에 대한 상공의 미안함이 드러나 있다.
② ㉡: 처사는 자신의 딸을 낮추어 표현하며 겸손한 태도를 보이고 있다.
③ ㉢: 주어진 운명에 순응하는 처사의 운명론적 인생관이 드러나 있다.
④ ㉣: 상공은 처사와 이별하는 것에 대해 아쉬운 마음을 드러내고 있다.
⑤ ㉤: 처사는 자신의 딸을 박대했던 상공 가족과 인연을 끊으려 하고 있다.

소재의 의미 파악하기 **7**

박씨의 액운을 다음과 같이 정리할 때 ⓐ, ⓑ에 들어갈 알맞은 말을 이 글에서 찾아 쓰시오.

 도움말
액운과 관련하여 처사가 박씨에게 한 말을 살펴보고, 액운이 끝난 박씨에게 어떤 변화가 생겼는지 확인해 본다.

> 박씨는 누추한 (ⓐ) 때문에 가족들에게 무시를 당하며 살아가는 액운을 겪었다. 이후 액운이 풀리자 박씨는 (ⓑ)이 된다. 박씨의 액운이 풀리는 것은 박씨와 이시백과의 갈등이 해소될 것임을 암시한다.

인물의 관계 파악하기 **8**

ⓐ～ⓔ 중, 같은 인물을 가리키는 표현끼리 골라 묶은 것은?

① ⓐ, ⓒ   ② ⓐ, ⓔ   ③ ⓑ, ⓓ
④ ⓑ, ⓔ   ⑤ ⓒ, ⓓ

● **인물**

· 용골대: ❶ㅊ 나라의 장수. 박씨에게 항복함.

· 박씨: 신비한 능력으로 용골대의 공격을 막아 냄.

· 계화: 박씨의 조력자. 박씨를 대신하여 용골대를 물리침.

● **배경**

(시간) ❷ㅂㅈㅎㄹ

(공간) 피화당(이시백의 후원)

● **사건**

박씨와 계화가 뛰어난 능력을 발휘해 용골대를 무찌르고, 용골대에게 ❸ㅇㅂ를 인질로 데려가지 말 것을 요구함.

┃ 빈칸 답
❶ 청 ❷ 병자호란 ❸ 왕비

● **장안** | 수도라는 뜻으로, '서울'을 이르는 말.

● **채비** | 어떤 일이 되기 위하여 필요한 물건, 자세 따위를 미리 갖추어 차림. 또는 그 물건이나 자세.

● **가소롭다** | 같잖아서 우스운 데가 있다.

● **항서** | 항복을 인정하는 문서.

● **신인** | 신과 같이 신령하고 숭고한 사람.

● **애걸하다** | 소원을 들어 달라고 애처롭게 빌다.

● **신장** | 귀신 가운데 무력을 맡은 장수신. 사방의 잡귀나 악신을 몰아낸다.

생략된 부분의 줄거리　이시백은 그동안 박씨를 차갑게 대한 것을 뉘우치고 부부 사이의 정이 깊어진다. 그러던 중 세력이 커진 청나라가 용골대·용울대 형제를 앞세워 조선을 침범하고 임금은 청에 항복한다. 박씨는 피화당을 침범한 동생 용울대의 목숨을 빼앗는다. 형 용골대는 동생의 복수를 하려고 피화당을 공격하지만 박씨에게 막혀 공격을 포기한다.

용골대가 모든 장졸을 뒤로 물린 후, 왕비와 세자, 대군을 모시고 장안의 재물과 미녀를 거두어 돌아갈 채비를 꾸렸다. 오랑캐에게 잡혀가는 사람들의 슬픈 울음소리가 장안을 진동했다.

박씨가 계화를 시켜 용골대에게 소리쳤다.

"무지한 오랑캐 놈들아! 내 말을 들어라. 조선의 운수가 사나워 은혜도 모르는 너희에게 패배를 당했지만, 왕비는 데려가지 못할 것이다. 만일 그런 뜻을 둔다면 내 너희를 몰살할 것이니 당장 왕비를 모셔 오너라."

하지만 용골대는 오히려 코웃음을 날렸다.

[A] "참으로 가소롭구나. 우리는 이미 조선 왕의 항서를 받았다. 데려가고 안 데려가고는 우리 뜻에 달린 일이니, 그런 말은 입 밖에 내지도 마라."

오히려 욕설만 무수히 퍼붓고 듣지 않자 계화가 다시 소리쳤다.

"너희의 뜻이 진실로 그러하다면 이제 내 재주를 한 번 더 보여 주겠다."

계화가 주문을 외자 문득 공중에서 두 줄기 무지개가 일어나며 모진 비가 천지를 뒤덮을 듯 쏟아졌다. 뒤이어 얼음이 얼고 그 위로는 흰 눈이 날리니, 오랑캐 군사들의 말발굽이 땅에 붙어 한 걸음도 옮기지 못하게 되었다. 그제야 용골대는 사태가 예사롭지 않음을 깨달았다.

"당초 우리 왕비께서 분부하시기를 장안에 신인(神人)이 있을 것이니 이시백의 후원을 범치 말라 하셨는데, 과연 그것이 틀린 말이 아니었구나. 지금이라도 부인에게 빌어 무사히 돌아가는 편이 낫겠다."

용골대가 갑옷을 벗고 창칼을 버린 뒤 무릎을 꿇고 애걸하였다.

"소장이 천하를 두루 다니다 조선까지 나왔지만, 지금까지 무릎을 꿇은 적은 한 번도 없었습니다. 이제 부인 앞에 무릎을 꿇어 비나이다. 부인의 명대로 왕비는 모셔 가지 않을 것이니, 부디 길을 열어 무사히 돌아가게 해 주십시오."

무수히 애원하자 그제야 박씨가 발을 걷고 나왔다.

"원래는 너희의 씨도 남기지 않고 모두 죽이려 했었다. 하지만 내가 사람 목숨 죽이는 것을 좋아하지 않기에 용서하는 것이니, 네 말대로 왕비는 모셔 가지 마라. 너희가 부득이 세자와 대군을 모셔 간다면 그 또한 하늘의 뜻이기에 거역하지 못하겠구나. 부디 조심하여 모셔 가라. 그렇게 하지 않으면 신장과 갑옷 입은 군사를 몰아 너희를 다 죽인 뒤, 너희 국왕을 사로잡아 분함을 풀고 무죄한 백성까지 남기지 않을 것이다. 나는 앉아 있어도 모든 일을 알 수 있다. 부디 내 말을 명심하여라."

세부 내용 파악하기 **9** 이 글을 바탕으로 드라마를 만들 때 들어갈 장면으로 적절하지 <u>않은</u> 것은?

① 박씨가 용골대에게 엄하게 경고하는 장면
② 청나라에 끌려가는 사람들이 흐느끼는 장면
③ 용골대가 계화의 말을 비웃고 욕을 하는 장면
④ 용골대가 무릎을 꿇고 박씨에게 애걸하는 장면
⑤ 용골대가 청나라 왕비에게 박씨의 재주를 알리는 장면

인물의 태도 평가하기 **10** [A]에 드러난 용골대의 행동을 평가할 속담으로 가장 적절한 것은?

💡 **도움말**
[A]에 드러난 용골대의 태도를 파악하고 이후 용골대가 어떤 결과를 맞이했는지 확인해 본다.

① 소 뒷걸음치다 쥐 잡는다　　　② 하룻강아지 범 무서운 줄 모른다
③ 남의 제사에 감 놔라 배 놔라 한다　　　④ 종로에서 뺨 맞고 한강에서 눈 흘긴다
⑤ 자라 보고 놀란 가슴 솥뚜껑 보고 놀란다

인물의 특성 파악하기 **11**

`주관식`

다음 설명에 해당하는 말을 이 글에서 찾아 한 단어로 쓰시오.

박씨를 가리키는 말로 박씨의 신령스러운 능력을 드러낸다.

종합적으로 감상하기 **12**

`고난도` `고1 학력평가 기출`

〈보기〉를 바탕으로 하여 이 글에 대해 토의한 내용으로 적절하지 <u>않은</u> 것은?

● 보기

　이 소설은 병자호란이라는 역사적 사건을 배경으로 하고 있으나 그 세부 내용은 역사적 사실과 차이가 있다. 역사적으로는 조선이 청나라에 크게 패배하여 인조는 청 태종에게 항복 의식을 치렀으며, 세자와 대군은 청나라에 인질로 끌려갔다.
　또한 이 소설은 여성이 주인공이며, 박씨와 박씨의 여종인 계화를 초인간적인 능력을 지닌 인물로 표현하였다. 당시 조선이 남성 위주의 사회라는 점을 고려할 때, 이는 이 소설이 지닌 독특한 특성이라 할 수 있다.

➕ **영웅 소설**
보통 사람보다 뛰어난 능력을 지닌 인물이 국가나 사회를 위해 공을 세우고 활약을 하는 내용을 담고 있는 소설.

① 예리: 박씨와 계화의 활약을 볼 때 이 작품은 영웅 소설이라 할 수 있겠군.
② 진명: 비범한 능력을 발휘하는 박씨의 모습에서 여성 독자들은 대리 만족을 느꼈겠군.
③ 기환: 세자와 대군들이 인질로 끌려간 사실을 숨긴 것은 치욕스러운 패배의 상처를 위로하려 한 것이겠군.
④ 우영: 역사적 사실과 달리 용골대가 항복하는 모습에서 민족적 자존심을 회복하려는 작가의 의도를 알 수 있군.
⑤ 채민: 결국 이 소설은 병자호란이라는 역사적 사실에 허구적인 요소가 결합되어 구성된 작품이라고 할 수 있겠군.

전체 구성

발단 이 상공의 아들 이시백과 박 처사의 딸 박씨는 부모들의 혼인 약속을 따라 부부가 된다. 그러나 이시백은 박씨의 외모에 실망해 부인을 외면한다.
〔120쪽 수록〕

전개 박씨는 이시백의 장원 급제를 돕지만 이시백과 상공 부인은 계속 박씨를 박대한다. 이후 액운이 풀리는 때가 되어 박씨는 아버지의 도움으로 허물을 벗고 미인으로 변한다.
〔122쪽 수록〕

위기 이시백은 박씨를 박대했던 것을 뉘우치고, 박씨의 재주를 받아들여 출세하게 된다. 병자호란이 일어나자 박씨는 피화당에 온 청나라 장수인 용울대를 죽이고, 그의 형 용골대는 복수를 위해 피화당을 침범한다.

절정 박씨는 신기한 도술을 부려 용골대를 물리치고 항복을 받아 낸다. 박씨는 꾀를 내어 용골대가 청으로 돌아가는 길에 조선의 명장인 임경업과 만나게 한다. 용골대는 또 호되게 당한다.
〔124쪽 수록〕

결말 임금이 박씨의 공을 인정하여 정렬 부인 칭호를 내리고 박씨와 이시백은 여생을 행복하게 산다.

해제

이 작품은 병자호란이라는 역사적 사건을 배경으로 하는 고전 소설이다. 비범한 재주를 지닌 박씨를 주인공으로 내세우고, 박씨가 청나라 장수를 물리치는 허구적인 장면을 가미하여 전쟁의 패배감을 극복하는 한편, 가부장적 사회에서 억눌린 여성의 욕구를 만족시키고 있다.

주제

• 박씨의 뛰어난 능력과 영웅적 활약
• 병자호란의 상처 극복 및 대리만족

등장인물의 관계

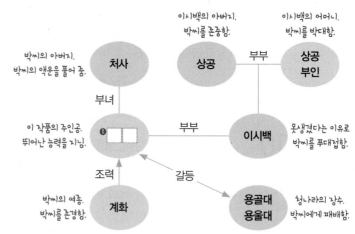

전기적 요소를 활용한 사건 전개

전기적(傳奇的)은 '기이하고 신기해 세상에 전할 만한 것'이란 뜻으로, 전기적 요소는 고전 소설에서 볼 수 있는 비현실적이고 환상적인 일을 의미한다. 이 작품에서도 고전 소설의 특징인 전기적 요소가 여러 번 등장하고 있다.

전기적 요소의 예	효과
박씨가 둔갑술로, ❷□□을 벗고 아름다운 모습으로 변함.	박씨의 비범함을 드러내고, 가정 내에 존재한 이시백과 박씨 사이의 갈등을 해소함.
박씨가 피화당에서 도술을 부려, 용골대 무리를 소탕함.	박씨의 영웅적인 면모를 강조하고, 독자에게 통쾌함을 느끼게 함.

역사적 사실의 반영과 창작 의도

이 작품은 병자호란이라는 역사적 사건을 반영한 고전 소설이다. 실제로 조선은 청나라에게 굴욕적으로 패배하였지만, 이 작품에서는 박씨라는 허구적 인물이 청나라의 장수들을 물리침으로써 청나라에 당한 치욕적 패배를 일부 승리한 것으로 바꾸었다. 이를 통해 병자호란으로 입은 치욕을 씻고, 상처 입은 민족의 자존심을 회복하고자 하였다.

병자호란(역사적 사건)		〈박씨전〉에서 꾸며 낸 부분
• 인조가 삼전도에서 청에 항복해 굴욕을 겪음. • 신하들과 세자가 청나라로 끌려가고, 청에 여성과 재물 등을 바쳐야 했음.	청나라에 대한 조선인들의 분노 →	박씨가 용울대를 죽이고, 도술을 부려 ❸□□□를 물리치며 항복을 받아 냄.

빈칸 답 ❶ 박씨 ❷ 허물 ❸ 용골대

1 다음 뜻과 예를 참고하여 해당하는 단어를 말 상자에서 찾아 표시하시오.

(1) 마음속에 품은 생각이나 정.
　예 상공과 처사는 그간 만나지 못한 (　　　　)를 풀었다.

(2) 무릎의 아래. 주로 부모의 보호를 받는 테두리 안을 이름.
　예 상공은 못난 제 딸을 지금까지 (　　　　)에 두셨습니다.

(3) 어떤 일이나 사물을 살펴보고 가지게 되는 생각이나 의견.
　예 부인의 (　　　　)은 참으로 얇고 짧구려.

(4) 어떤 일이 되기 위하여 필요한 물건, 자세 따위를 미리 갖추어 차림. 또는 그 물건이나 자세.
　예 장안의 재물과 미녀를 거두어 돌아갈 (　　　　)를 꾸렸다.

회	비	정	슬	하
포	함	담	낯	장
푸	대	접	빛	안
소	견	항	서	처
작	별	채	비	사

2 다음 밑줄 친 단어와 바꾸어 쓰기에 알맞은 말을 〈보기〉에서 찾아 쓰시오.

보기
　　빌다　　　넘치다　　　어기다　　　못생기다　　　미안하다

(1) 이렇게 말씀하시니 오히려 송구합니다. ·· (　　　　)

(2) 추한 박씨가 이 자리에 없어서 그런 것입니까? ··································· (　　　　)

(3) 그 또한 하늘의 뜻이기에 거역하지 못하겠구나. ································· (　　　　)

(4) 용골대가 창칼을 버린 뒤 무릎을 꿇고 애걸하였다. ························· (　　　　)

(5) 박씨는 우리 가문에 과분한 며느리이거늘, 부인이 답답하오. ············ (　　　　)

3 다음 한자 성어의 뜻에 해당하는 것을 찾아 바르게 연결하시오.

💡 **도움말**
　제시된 한자 성어가 작품 내에서 어떻게 쓰였는지 생각해 본다.

(1) 독수공방(獨守空房)　·

(2) 길흉화복(吉凶禍福)　·

(3) 절세가인(絕世佳人)　·

· ㉠ 아내가 남편 없이 혼자 지내는 것을 이르는 말.

· ㉡ 세상에 견줄 만한 사람이 없을 정도로 뛰어나게 아름다운 여인.

· ㉢ 좋은 일과 나쁜 일, 불행한 일과 행복한 일을 아울러 이르는 말.

09 양반전 | 박지원

교과서 중2 _ 천재(박), 천재(노) 외2 고1 _ 천재(이)

이 작품은 조선 시대 양반 계층의 부조리하는 면을 꼬집고 있는 고전 소설이다. 서술자가 등장인물에 대해 어떤 태도를 지니고 있는지에 주목하며 작품을 읽어 보자.

✏ 핵심 짚기

| 발단 | 전개 | 위기 | 절정 | 결말 |

● 인물

- **양반**: 어질고 글 읽기를 좋아하지만 경제적으로 ❶ㅁㄴ하며, 현실 대응 능력이 없음.
- **아내**: 빚을 갚지 못하는 남편의 무능력함을 비판함.
- **부자**: 경제적으로 부를 쌓은 평민. 잘살지만 ❷ㅅㅂ이 낮아 천한 대접을 받음.

● 배경

(시간) 조선 후기
(공간) 강원도 정선군

● 사건

'부자'가 '양반'의 환곡 빚을 대신 갚아 주고, 그 대가로 ❸ㅇㅂ 신분을 삼.

빈칸 답

❶ 무능 ❷ 신분 ❸ 양반

- **환곡** | 조선 시대에, 곡식을 저장했다가 백성들에게 봄에 꾸어 주고 가을에 이자를 붙여 거두던 일. 또는 그 곡식.
- **감사** | 조선 시대에 둔, 각 도의 으뜸 벼슬.
- **벙거지** | 주로 병졸이나 하인이 쓰던 털로 만든 검고 두꺼운 모자.
- **잠방이** | 가랑이가 무릎까지 내려오도록 짧게 만든 홑바지.
- **소인** | 신분이 낮은 사람이 자기보다 신분이 높은 사람을 상대하여 자기를 낮추어 이르던 일인칭 대명사.

양반이란, 선비를 높여서 부르는 말이다.

강원도 정선군에 한 양반이 살고 있었다. ㉠이 양반은 어질고 글 읽기를 좋아하여, 군수가 새로 부임할 때마다 몸소 그 집을 찾아가서 인사를 드렸다. 그런데 이 양반은 가난하여 해마다 관청의 환곡(還穀)을 꾸어다 먹었다. 그 빚을 갚지 못하고 해마다 쌓여서 천 섬에 이르렀다.

강원도 감사가 정선 고을을 돌아보다가 환곡 장부를 조사하고 크게 노하였다.

"어떤 놈의 양반이 나라의 곡식을 축냈단 말이냐?"

감사는 그 양반을 잡아 가두라고 명했다. 군수는 그 양반이 가난해서 빚을 갚지 못하는 것을 딱하게 여겨 차마 가두지는 못하였다. 그러나 군수도 양반의 빚을 해결할 방법은 없었다.

㉡양반은 빚을 갚을 길이 없어서 밤낮으로 울기만 하였다. 그의 아내가 양반을 몰아붙였다.

㉢"당신은 평소에 글 읽기만 좋아하더니, 환곡을 갚는 데는 전혀 도움이 안 되는구려. 쯧쯧, 양반이라니……, 한 푼어치도 안 되는 그놈의 양반!"

그때 그 마을에 사는 부자가 그 양반의 소문을 듣고 가족과 의논하였다.

"양반은 아무리 가난해도 늘 귀한 대접을 받고, 우리는 아무리 잘살아도 항상 천한 대접을 받는다. 양반이 아니므로 말이 있어도 말을 타지 못한다. ㉣또한 양반만 보면 굽실거리며 제대로 숨소리도 내지 못하고, 뜰아래 엎드려 절해야 하고, 코를 땅에 박고 무릎으로 기어가야 한다. 우리 신세가 가엾지 않느냐? 지금 저 양반이 환곡을 갚지 못해서 아주 난처하다고 한다. 그 형편으로는 도저히 양반의 신분을 지키지 못할 것이다. 그러니 우리가 그의 양반을 사서 양반 신분으로 살아 보자."

부자는 곧 양반을 찾아가 환곡을 대신 갚아 주겠다고 청하였다. 양반은 크게 기뻐하며 승낙하였다. 부자는 즉시 관청에 가서, 양반 대신 환곡을 갚았다.

군수는 양반이 천 섬이나 되는 환곡을 모두 갚자 몹시 놀랐다. 군수는 환곡을 갚게 된 사정을 알아보려고 양반을 찾아갔다. ㉤그런데 뜻밖에 양반이 벙거지에 잠방이를 입고, 길에 엎드려 '소인(小人), 소인.' 하며 자신을 낮추지 않는가? 그뿐만 아니라 양반은 감히 군수를 쳐다보지도 못하였다.

세부 내용 파악하기 **1** 이 글의 내용과 일치하는 것은?

① '아내'는 어진 성품을 지닌 남편을 존경하였다.

② '양반'은 환곡을 갚기 위해 직접 부자를 찾아갔다.

③ '감사'는 '양반'이 곡식을 많이 빌린 것을 용서해 주었다.

④ '군수'는 '양반'을 안타깝게 여겨 '감사'의 명을 따르지 않았다.

⑤ '부자'는 평소 양반층을 존경하여 '양반'의 빚을 대신 갚아 주었다.

인물의 의도 파악하기 **2** '부자'가 양반 신분을 사려고 한 이유로 적절한 것은?

① 환곡을 갚아 '감사'에게 잘 보이고 싶었기 때문에

② '양반'의 처지를 딱하게 여겨 도와주고 싶었기 때문에

③ '군수'가 '양반'의 빚을 갚아 주라고 협박하였기 때문에

④ 양반 신분이 되면 귀한 대접을 받으리라 생각하였기 때문에

⑤ 사회 문제를 해결하여 자신의 능력을 뽐내고 싶었기 때문에

서술상 특징 파악하기 **3** ㉠~㉤에 대한 설명으로 적절하지 <u>않은</u> 것은?

① ㉠: 서술자가 '양반'의 성격을 직접 제시하고 있다.

② ㉡: '양반'의 상황에 대한 서술자의 안타까움이 드러나 있다.

③ ㉢: '아내'의 말을 통해 '양반'의 무능력함을 비판하고 있다.

④ ㉣: 설의적 표현을 통해 '부자'가 평민으로서 느낀 부당함을 강조하고 있다.

⑤ ㉤: '양반'의 달라진 옷차림새와 행동을 통해 신분 변화를 드러내고 있다.

외재적 관점으로 감상하기 **4** 고난도

〈보기〉를 참고하여 이 글을 감상한 것으로 적절하지 <u>않은</u> 것은?

> ● 보기 ●
>
> 〈양반전〉은 조선 후기에 창작된 소설로 당시의 사회 모습이 반영되어 있다. 조선 후기
> 에는 농업과 상업의 발달로 부를 얻게 된 평민층이 등장하였지만, 양반층은 전쟁을 겪으
> 며 경제적인 능력을 잃게 된 경우가 많았다. 이는 신분제의 변화로 이어졌다.

① 정민: '부자'는 부를 얻게 된 조선 후기 평민층을 대표하는 인물이군.

② 윤기: '양반'은 경제적인 능력을 잃은 조선 후기 양반층의 모습을 보여 주는군.

③ 은영: 양반 신분을 사고파는 것은 조선 후기 신분제의 변화를 반영한 사건이겠군.

④ 기태: '부자'가 신분을 산 것처럼, 조선 후기에는 신분 상승을 이룬 평민도 있었겠군.

⑤ 지혜: '양반'이 '군수' 앞에서 자신을 낮추는 것을 보니, 당시 가난한 양반들은 부유한
평민들에게 무시를 당하였겠군.

● **사건**

'부자'가 양반 매매 **❶** ㅈ ㅅ 를 작성하다가 양반이 되기를 포기함.

● **소재**

· 첫 번째 증서: 양반층으로서 지켜야 할 일상적인 규범과 태도를 나열함.

· 두 번째 증서: 양반층이 누릴 수 있는 **❷** ㅇ ㅇ 을 나열함.

● **서술상 특징**

· 작품 밖의 서술자가 사건의 전모와 등장인물의 심리까지 서술함.

· 양반 매매 증서의 내용과 '부자'의 말을 통해 양반층을 **❸** ㅍ ㅈ 함.

┌ 빈칸 답

❶ 증서 **❷** 이익 **❸** 풍자

● **건륭** | 청나라 고종 때의 연호. 연호는 임금이 자리에 오르는 해에 붙이던 칭호이다.

● **곁불** | 얻어 쬐는 불.

● **좌수** | 조선 시대에, 지방의 자치 기구인 향청의 우두머리.

● **별감** | 조선 시대에, 지방의 수령을 보좌하던 자문 기관인 유향소에 속한 직책. 고을의 좌수에 버금가던 자리였다.

● **호장** | 조선 시대에, 각 관아의 벼슬아치 밑에서 일을 보던 사람 중 우두머리.

● **문과** | 문관을 뽑던 과거.

● **진사** | 조선 시대에, 과거의 예비 시험인 소과의 복시에 합격한 사람에게 준 칭호.

● **설렁줄** | 사람을 부르기 위해 처마 같은 곳에 달아 놓은 방울을 울릴 때 잡아당기는 줄.

군수는 관청으로 돌아와서, 부자를 높은 자리에 앉히고, 양반을 낮은 자리에 세워 두고는 다음과 같이 ㉠증서를 작성하였다.

> 건륭(乾隆) 10년(1745년, 영조 21년) 9월에 이 증서를 만드노라.
>
> 이 문서는 천 섬으로 양반을 사고팔아서 환곡을 갚은 것을 증명한다. 〈중략〉
>
> 막걸리를 들이켠 다음 수염을 쭉 빨지 말고, 담배를 피울 때는 볼이 움푹 패도록 빨지 말아야 한다. / 화가 난다고 아내를 때리지 말고, 그릇을 내던지지 말고, 아이들에게 주먹질을 하지 말고, 죽으라고 종놈을 야단치지 말아야 한다. 소와 말을 꾸짖되 그것을 판 주인까지 싸잡아 욕하지 말고, 아파도 무당을 부르지 말고, 제사 지낼 때 중을 부르지 말고, 추워도 화로에 곁불을 쬐지 말고, 말할 때 입에서 침을 튀기지 말고, 소 잡는 일을 하지 말고, 돈으로 노름을 하지 말아야 한다.
>
> 이러한 사항을 어기면, 이 증서를 토대로 관청에서 양반의 옳고 그름을 따질 것이다.
>
> 정선 군수가 서명하고, 좌수(座首)와 별감(別監)이 증인으로서 서명함.

이에 관청의 하인(下人)이 탁탁 도장을 찍는데, 그 소리는 마치 북을 치는 것 같고, 찍어 놓은 모양은 하늘에 별이 펼쳐진 것 같았다. / 호장(戶長)이 증서를 다 읽고 나자, 부자는 어처구니가 없어서 한참이나 멍하니 있다가 말하였다.

"양반이라는 게 겨우 요것뿐입니까? 저는 양반이 신선 같다고 들었는데, 정말 이렇다면 너무 재미가 없는걸요. 원하옵건대 제게 이익이 되도록 문서를 고쳐 주십시오."

그래서 ㉡증서를 다시 작성하였다.

> 하늘이 백성을 낳을 때 넷으로 구분하였다. 네 가지 백성 가운데 가장 높은 것이 선비이니, 이것이 곧 양반이다. 양반의 이익은 막대하다. 농사도 짓지 않고 장사도 하지 않는다. 글만 대충 읽어도 크게 되면 문과(文科)에 급제하고, 작아도 진사(進士)가 된다. 〈중략〉
>
> 언제나 종들이 양산을 받쳐 주므로 귀밑이 희어지고, 설렁줄만 당기면 종들이 '예이.' 하므로 뱃살이 처진다. 방에서는 귀걸이로 치장한 기생과 노닥거리고, 뜰에서는 남아도는 곡식으로 학(鶴)을 기른다.
>
> 벼슬을 아니 하고 시골에 묻혀 살더라도 모든 일을 제멋대로 할 수 있다. 강제로 이웃의 소를 끌어다 먼저 자기 땅을 갈고, 마을의 일꾼을 잡아다 먼저 자기 논의 김을 맨들, 누가 감히 나에게 대들겠느냐? 네놈들 코에 잿물을 들이붓고, 머리꼬덩이를 잡아 휘휘 돌리고, 귀밑 수염을 다 뽑아도 누가 감히 나를 원망하겠느냐?

부자는 증서 내용을 듣고 있다가 혀를 내둘렀다.

"그만두시오, 그만두시오. 참으로 맹랑하구면. 나를 도둑놈으로 만들 작정입니까?"

부자는 머리를 흔들면서 떠나 버렸다. 그러고는 죽을 때까지 다시는 양반이 되고 싶다는 말을 입에 올리지 않았다.

구성 방식 파악하기 **5**

이 글에 대한 설명으로 적절한 것은?

① 상황의 반전으로 이야기를 마무리하고 있다.

② 두 장소에서 동시에 일어난 사건을 제시하고 있다.

③ 액자식 구성을 활용하여 이야기의 신뢰성을 높이고 있다.

④ '부자'가 겪은 체험을 나열하여 인물의 신분 변화를 강조하고 있다.

⑤ 현재에서 과거로 시간을 거슬러 올라가 갈등의 원인을 밝히고 있다.

세부 내용 파악하기 **6**

증서를 통해 알 수 있는 양반층의 모습으로 적절하지 않은 것은?

① 설렁줄을 활용하여 종을 부른다.

② 추워도 화로에 곁불을 쬐지 않는다.

③ 벼슬 없이도 백성들을 부릴 수 있다.

④ 농사도 짓지 않고 장사도 하지 않는다.

⑤ 곡식이 남으면 굶주리는 사람들에게 나누어 준다.

소재의 의미와 기능 파악하기 **7**

㉠, ㉡에 대한 설명으로 적절하지 않은 것은?

① ㉠은 '부자'가 증서 수정을 요구하는 원인이 된다.

② ㉡은 '부자'가 계약을 포기하는 결과를 이끌어 낸다.

③ ㉠과 ㉡을 통해 양반 신분에 대한 '부자'의 인식이 변화하게 된다.

④ ㉠은 양반층이 지켜야 할 행동을, ㉡은 양반층이 누리는 특권을 다루고 있다.

⑤ ㉠은 양반층의 긍정적인 모습을, ㉡은 양반층의 부정적인 모습을 강조하고 있다.

서술상 특징 파악하기 **8**

주관식

다음은 이 글에 대한 선생님의 질문과 학생의 답변이다. ⓐ~ⓒ에 들어갈 말을 이 글에서 찾아 쓰시오.

> 선생님: 풍자는 부정적인 대상이나 현상을 우스꽝스럽게 표현함으로써 간접적으로 비판
> 하는 방법입니다. 이 글에 나타난 풍자의 방식을 함께 찾아볼까요?
> 학생: 이 글에서 주로 풍자하는 대상은 (ⓐ)입니다. (ⓐ)을 (ⓑ)
> 이라고 표현하는 '부자'의 말과 (ⓒ)에서 드러난 (ⓐ)의 모습을 통해
> 간접적으로 (ⓐ)을 비판하고 있지요.

전체 구성

발단 한 가난한 '양반'이 천 섬의 환곡 빚을 지고, 빚을 갚지 못해 곤경에 처한다.

⋯⋯ 128쪽 수록

전개 평민 신분이어서 천대받는 자신의 처지를 한탄하던 마을의 '부자'가 '양반'이 빌린 환곡을 대신 갚아 주고 양반 신분을 산다. 이 사실을 알게 된 '군수'는 '양반'에게 신분을 사고판 증서를 작성할 것을 제안한다.

위기 '군수'는 양반층으로서 지켜야 할 행동을 다룬 첫 번째 매매 증서를 작성한다. '부자'는 그 내용에 실망하여, 양반의 이익을 다룬 증서를 다시 써 달라고 한다.

절정 '군수'는 '부자'가 말한 대로 양반으로서 누릴 수 있는 이익을 다룬 두 번째 증서를 작성한다.

결말 '부자'는 두 번째 증서 내용을 듣다가 양반을 도둑놈 같은 존재라 비난하고 양반이 되기를 포기한다.

⋯⋯ 130쪽에 위기~결말 수록

해제

이 작품은 조선 후기 사회의 모습을 풍자적으로 그려 낸 고전 소설이다. 경제적으로 무능한 '양반'과 귀한 대접을 받기 위해 양반 신분을 사는 '부자'의 모습에서 신분이 흔들리던 조선 후기 사회상이 생생히 드러나 있다. 또 양반층의 허례허식과 횡포를 증서를 통해 드러내어 이들의 부정적인 면을 비판하고 있다.

주제

양반층의 허례허식과 부도덕성에 대한 비판

인물의 특성

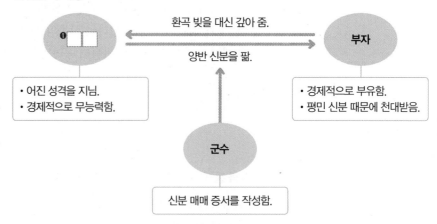

- 어진 성격을 지님.
- 경제적으로 무능력함.

환곡 빚을 대신 갚아 줌.
양반 신분을 팖.

부자
- 경제적으로 부유함.
- 평민 신분 때문에 천대받음.

군수
신분 매매 증서를 작성함.

작품에 반영된 사회상

이 작품은 신분제가 흔들리던 조선 후기의 사회 현실을 반영하고 있다. 당시 조선 사회는 임진왜란·병자호란과 같은 큰 전쟁을 치르면서, 양반층이 경제적으로 몰락하는 경우도 있었다. 반면 농업 기술과 상공업이 발달하면서, 부를 얻은 평민층이 생겨났고 이들은 돈을 주고 양반 신분을 사기도 했다.

작품의 내용	반영된 사회상
'양반'이 환곡을 꾸어다 먹고 그 빚을 갚지 못함.	경제적으로 몰락한 양반층이 생김.
마을 '부자'가 '양반'의 환곡 빚을 갚아 주는 대신 신분 상승을 꾀함.	상공업의 발달로 부를 쌓은 ❷ □□층이 등장함.
양반 신분을 돈을 주고 사고팖.	신분제가 점차 무너짐.

풍자적 서술

이 작품은 주로 등장인물의 말과 '증서'라는 소재를 활용하여 조선 후기 양반층이 지닌 무능함, 허세, 부도덕성 등을 풍자하고 있다.

인물의 말	• '아내'의 말: "당신은 평소에 글 읽기만 좋아하더니, 환곡을 갚는 데는 전혀 도움이 안 되는구려. … 한 푼 어치도 안되는 그놈의 양반!" • '부자'의 말: "그만두시오, … 나를 도둑놈으로 만들 작정입니까?"

+

증서	• 첫 번째 내용: 체면과 허례허식을 지나치게 중시하는 양반의 모습 • 두 번째 내용: ❸ □□을 남용하여 백성들을 괴롭히는 양반의 모습

▼

양반층이 지닌 무능함과 허세, 부도덕성 등을 풍자함.

빈칸 답 ❶ 양반 ❷ 평민 ❸ 특권

1 다음 뜻에 해당하는 단어를 찾아 바르게 연결하시오.

(1) | 잘 매만져 곱게 꾸밈. | •

(2) | 일의 형편이나 까닭. | •

(3) | 권리나 의무, 사실 따위를 증명하는 문서. | •

(4) | 돈이나 물건의 수입과 지출을 기록하는 책. | •

• ㉠ | 증서

• ㉡ | 사정

• ㉢ | 치장

• ㉣ | 장부

2 다음 초성에 해당하는 단어를 제시된 뜻과 예를 참고하여 기본형으로 쓰시오.

(1) ㅇㅈㄷ : 마음이 너그럽고 착하며 슬기롭고 덕이 높다. ·············· (　　　　　)
   예 이 양반은 (　　　　　) 글 읽기를 좋아했다.

(2) ㄱㅇㄷ : 마음이 아플 만큼 안되고 처연하다. ························· (　　　　　)
   예 우리 신세가 (　　　　　) 않느냐?

(3) ㅁㄹㅎㄷ : 생각하던 바와 달리 허망하다. ···························· (　　　　　)
   예 참으로 (　　　　　), 나를 도둑놈으로 만들 작정입니까?

어휘➕ 부정적인 양반의 모습과 관련된 한자 성어

3 작품에 나타난 증서의 내용과 어울리는 한자 성어를 〈보기〉에서 찾아 그 기호를 쓰시오.

💡 도움말
　첫 번째 증서에는 겉치레에만 얽매여 있는 양반의 모습이 나타난다. 두 번째 증서에는 일은 하지 않으면서, 신분을 이용해 백성을 괴롭히고 부당한 특권을 누리는 양반의 모습이 나타난다.

● 보기 ●

㉠ 내허외식(內虛外飾): 속은 비고 겉치레만 함.

㉡ 무위도식(無爲徒食): 하는 일 없이 놀고먹음.

㉢ 허례허식(虛禮虛飾): 형편에 맞지 않게 겉만 번드르하게 꾸밈. 또는 그런 예절이나 법식.

㉣ 안하무인(眼下無人): 눈 아래 사람이 없다는 뜻으로, 건방지고 제멋대로이며 다른 사람을 업신여김을 이르는 말.

첫 번째 증서 양반으로서 지켜야 할 행동을 다룸.	두 번째 증서 양반이 지니는 특권을 다룸.

풍자가 드러나는 소설 읽기

∞ 80쪽 〈꺼삐딴 리〉, 128쪽 〈양반전〉

나는 문학 천재라서 편안해

> 풍자는 부당한 현실이나 부정적인 대상을 우스꽝스럽게 묘사해 간접적으로 비판하는 방식을 뜻해. 어렵게 느껴진다고? 풍자는 코미디 프로그램, 시사만평, SNS 댓글 등 우리 주변에서 널리 활용되고 있어. 예시를 보면 오히려 더 쉽게 이해할 수 있을 거야. 우리가 괜히 '해학과 풍자의 민족'으로 불리는 게 아니라고 느끼게 될걸?

📋 **참고 자료**

지난 2014년, 한 대학생이 60여 개의 과자 봉지를 묶어 뗏목처럼 만든 뒤, 이를 타고 강을 건너는 영상을 찍어 동영상 공유 사이트에 올렸다. 이 영상이 화제가 되면서, 과자 업계의 과대 포장 문제가 공론화되었다.

[주목] 감자칩 광고 공모전 실시

☆☆사 감자칩의
광고 문구를 지어 주세요.

감자칩은 _____다!
왜냐하면 _____기 때문이다.

빈칸에 들어갈 누리꾼 여러분의 빛나는 아이디어를 모집합니다! 추첨을 통해 푸짐한 상품을 드립니다.

댓글 1.3천개

 감자칩은 튜브다!
왜냐하면 물에 뜨기 때문이다.

 감자칩은 이순신이다!
12조각밖에 없기 때문이다.

 감자칩은 하느님이다!
눈에 안 보이기 때문이다.

⋮

생각할 거리 ①

≫ (1) 댓글에서 공통적으로 비판하고 있는 문제는 무엇일까?

(2) 댓글이 우리에게 웃음을 주는 이유는 무엇일까?

천재의 힌트

'질소를 샀더니 과자가 딸려왔다!'라는 말 들은 적 있니? 이 말은 과자 업체의 과대 포장 문제를 풍자한 표현이야. 스낵류의 과자에는 과자가 깨지는 걸 방지하기 위해 질소가 들어가. 그런데 정작 과자의 양은 적으면서 질소로 봉지를 가득 채워, 겉보기에는 과자가 많이 들어 있는 것처럼 보이는 경우가 생겼어. 소비자들은 이러한 포장을 일종의 눈속임으로 받아들였어. 이런 문제의식이 널리 퍼졌을 때, 때마침 한 감자칩 회사에서 광고 공모전을 열었어. 뿔난 누리꾼은 어김없이 풍자적인 표현이 들어간 광고 문구를 지었지. 누가 봐도 감자칩을 비꼬고 있는데, 긍정적인 이미지의 '이순신, 하느님' 등에 빗댐으로써 웃음을 유발해. 어때? 누가 봐도 부정적인 인물인 이인국에게 캡틴이란 표현을 붙인 〈꺼삐딴 리〉와 비슷하지 않아?

이제 풍자가 무엇인지 감이 잡히지? 지금부터 풍자가 두드러지게 드러나는 소설인 <1965년, 어느 이발소에서>를 함께 읽어 보자. 이 작품은 1965년을 사회·문화적 배경으로 삼고 있어. 당시에는 군인들로 이루어진 세력이 5·16 군사 정변을 통해 국가의 권력을 장악하고, 경직된 사회 분위기를 조성하였어. 작가가 작품 속에서 이러한 분위기를 어떻게 형상화하고 있는지 살피며 작품을 읽어 보자.

📋 **(가) 장면은**

군인 복장을 한 청년들이 사람들을 위협하자 이발소의 분위기가 싸늘해진다. 이발소의 직원들과 손님들이 군인처럼 보이는 청년들을 권력층으로 생각하고 두려워했기 때문이다.

📋 **(나) 장면은**

청년들은 마치 군기를 잡듯 이발소에서 일하는 소년들을 위협한다. 청년들의 느닷없는 행동 때문에 늙은 관리는 머리를 헹구지 못한 채 우스운 꼴이 되어 버린다.

● **재우치다** | 빨리 몰아치거나 재촉하다.

● **논산 훈련소** | 육군에서, 군에 들어오는 신병들에게 기본 군사 훈련 및 교육을 시키는 곳.

● **미적미적하다** | 자꾸 꾸물대거나 망설이다.

● **태세** | 어떤 일이나 상황을 앞둔 태도나 자세.

---

⑦ "어떻게 된 거야. 아직 멀었어?"

그는 이발소 안을 둘러보다가 청년에게 다가가 이렇게 물었다. 올이 굵게 짜진 깜장 모자를 썼고, 역시 국방색 잠바를 자크를 턱밑까지 바싹 올려 입고, 깜장색 통이 좁은 바지를 입었다. 얼굴은 펑퍼짐하게 살이 올라 유순하게 생겼으나 눈에는 핏발이 서 있었다. 역시 반들반들 윤기가 나는 단화를 신었다.

"어떻게 된 거야? 아직 멀었어?" / 그는 재우쳐 물었다.

앉은 청년은 거울 속에서 흘깃 쳐다보며, / "도대체 이 사람들 말이 아니군." / 하였다.

새로 들어선 청년은 벌써 말뜻을 알아듣고 금시 쳐죽일 듯한 눈길로 이발소 안을 휘익 둘러보았다. 귀하신 분께서 또 한 분 이렇게 나타나자 이발소 안은 두 곱으로 써늘해졌다. 모두 간이 콩알만 해져서 조마조마하였다.

⑭ "야야."

꼭 논산 훈련소에서 육군 졸병을 부르는 듯한 억양이었다. 늙은 관리의 머리에 허옇게 비누칠을 하고 마구 문지르던 소년과 그 옆에 손이 비어 있어 물 묻은 두 손을 마주 잡고 있던 소년이 똑같이 돌아보았다.

"너 말이다, 너." / 청년은 턱으로 하필이면 작업 중인 소년을 가리켰다.

"네?" / "이리 와."

소년은 비누칠을 해 두어 눈을 감고 꺼부정히 앉아 있는 늙은 관리를 두고 선뜻 자리를 뜰 수도 없어 잠시 미적미적하였다.

"이리 오란 말야." / "네?"

소년은 급하게 달려가 청년 앞에 차려 자세를 하였다. 그 대신 손이 비어 있던 소년이 뒷일을 맡아 관리의 머리에 수돗물을 좌악 틀어 놓았다. 〈중략〉

"너두 이리 와." / 결국 두 소년이 모두 그 청년 앞에 차려 자세를 하고 섰다.

"너 몇 살이야?" / "열일곱입니다." / 한 소년이 대답했다.

"넌?" / "열여덟입니다." / "그럼 너인 소년이야, 청년이야?"

열일곱 살 먹은 소년이 용감하게 대답했다.

"대한의 청년이라고 생각합니다." / "돼쌌어."

이 이발소로 두 청년이 들어선 뒤로 처음으로 만족스런 감탄사가 나왔다.

"돼쌌어. 늘 그렇게 빠릿빠릿해 있어야 한다. 항상 준비 태세로."

"알겠습니다." / 이번에는 열여덟 살 먹은 소년이 대답했다. / "돼쌌어."

늙은 관리는 비누 거품을 머리에 일군 채 그냥 꺼부정히 내의 바람으로 앉아 있고, 이발소 안의 여느 사람들은 차마 웃을 수도 없어 일부러 입술을 악물고 긴장한 얼굴을 하였다.

(다) 장면은

청년들은 북한이 남한을 위협했다는 뉴스를 보며 흥분한다. 당시에는 남북한의 대립이 심해 사회 안전이 보장되지 않았다. 그런데 늙은 관리가 경찰을 데려오고, 청년들이 군인이나 고위층이 아니라 평범한 시민이었음이 밝혀진다.

● **무장 괴한** | 전투에 필요한 장비를 갖춘 수상한 사내.
● **청천벽력** | 맑게 갠 하늘에서 치는 날벼락이라는 뜻으로, 뜻밖에 일어난 큰 변고나 사건을 비유적으로 이르는 말.
● **피랍** | 납치를 당함.
● **불심 검문** | 경찰관이 수상한 인물을 정지시켜 질문하는 일.
● **월권** | 자기 권한 밖의 일에 관여함.
● **기강** | 어떤 집단이나 사회의 규율과 질서.
● **연행** | 경찰관이 피의자를 강제로 데리고 감.

다 마침 네 시 뉴스가 울려 나왔다. 자유 센터 구내에서의 총격 사건 뉴스였다. 수도 서울에 무장 괴한⁺ 출현. 과연 과연 싶었다. 이발소 안의 사람들이 일제히 두 눈이 휘둥그래지며 두 청년 쪽을 바라보았다. 귀를 후비던 청년이 침착하게 내뱉었다.

"저건 또 뭐야." / 서 있던 청년이 역시 침착하게 받았다. / "개애새끼들."

나타난 무장 괴한이 개새끼들이라는 것인지 아니면 여느 때는 민주주의 민주주의 하다가 이런 일만 터지면 청천벽력⁺이나 일어난 듯이 흥분을 하는 방송 뉴스가 개새끼들이라는 것인지 알쏭달쏭하였다. 뉴스는 어느새 서해안 피랍⁺ 어부들의 소식이 감감하다는 것, 섬 주민들의 생활 실태로 옮아 현지 녹음까지 곁들이고, 다음으로 "민중당, 결국 분당"으로 옮아가고 있었다. 귀를 후비던 청년이 침착하게 내뱉었다.

"저건 또 뭐야." / 서 있던 청년도 내뱉었다. / "개애새끼들."

잠시 뒤, 어느새 나갔던 늙은이가 한 사람을 데리고 들어왔다. 사복 차림인데, 신분증을 내보이며 두 청년에게 불심 검문⁺을 하였다. 그들은 신분증을 내보이고 비쭉비쭉 웃기까지 하며 대한민국의 일개 시민임을 밝혔다. 이발소 안의 사람들은 여전히 겁에 질려 있었다. 그들 두 청년은 관명 사칭도 하지 않았고, 이렇다 할 월권⁺도 한 것은 없었다. 그들은 모두 빠릿빠릿해지고 항상 준비 태세를 지니고 사회 기강⁺을 확립하자고 강조했을 뿐이었다. 강조하는 방법이 틀렸을지는 모르지만 그런 것이 죄과에 해당될 만한 법조문은 없는 듯하였다.

그들은 일단 연행⁺이 되었으나 곧 석방이 되었다. — 이호철, 〈1965년, 어느 이발소에서〉에서

생각할 거리 ❷ ≫ (1) (다)의 뉴스를 통해 알 수 있는 당시 사회 분위기는 어떠한가?
(2) 이 글에서 풍자하고 있는 대상은 누구인가?

● **천재의 힌트**

1965년에는 남북한이 서로를 적대시해 사회적으로 불안정한 분위기가 조성되었고, 이를 구실로 삼아 국가 권력은 사람들을 통제해 왔어. 이 글의 배경인 이발소는 당시 사회 분위기를 축소한 장소라고 볼 수 있어. 군인 행세를 하는 청년들은 당시 권력을, 이들에게 굴복하는 이발소 손님들은 당시 시민을 상징해. 작가는 작품의 끝부분에서 아무것도 아닌 청년들의 정체를 밝혀 반전을 주는 한편, 청년들을 강하게 풍자하고 있어. 왜 〈양반전〉에서도 '부자'가 양반이 되는 것을 포기하는 반전을 제시하여 양반층을 효과적으로 풍자했잖아. 더불어 청년들에게 자발적으로 복종하는 이발소 사람들도 풍자하고 있어. 특히 (나)에서 우스운 꼴이 된 늙은 관리의 모습을 제시함으로써 이발소 사람들을 강하게 풍자해.

고전 소설인 〈양반전〉부터 현대 소설인 〈꺼삐딴 리〉, 〈1965년 어느 이발소에서〉까지, 우리나라 소설에서 현실 풍자는 무척 자주 등장하는 주제 의식이야. 이는 소설이 현실에 있을 법한 이야기를 바탕으로 하여 작가의 주제 의식을 드러내는 문학 갈래인 점, 풍자를 사용하면 웃음을 주면서도 사회에 만연한 부당함을 도드라지게 표현할 수 있는 점과 관련이 있어.

감상 원리를 차근차근 익히고,
실전 문제 풀이로 실력 쌓기!

3 수필·극

원리 **01** [수필] 작품의 내용 파악하기

> 수필은 글쓴이가 경험이나 생각을 일정한 형식 없이 자유롭게 쓴 글이다. 따라서 작품에 나타난 글쓴이의 경험과
> 주관적인 생각은 글의 주제와 밀접하게 연관되며, 주제를 드러내는 데 결정적 역할을 한다.

감상 원리 작품의 제재에 대한 글쓴이의 생각을 파악하자.

| 감상 방법

❶ 작품의 제재 찾기

수필은 인생이나 자연 등 일상생활의 모든 것을 소재로
활용할 수 있는데, 주로 글쓴이의 실제 경험이나 사색의 대
상을 작품의 제재로 삼는다. 그러므로 작품 속에서 글쓴이
가 어떤 경험을 중심으로 서술하고 있는지, 또는 어떤 대상
에 대한 주관적인 생각을 서술하고 있는지를 살펴 작품의 제
재를 파악해 본다.

➕ 수필의 종류
- **경수필**: 글쓴이의 개인적 경험이나 생각을 가볍게 쓴 수필.
- **중수필**: 대상에 대한 글쓴이의 논리적인 사색을 중심으로 쓴 수필.

❷ 글쓴이의 생각 파악하기

글쓴이는 수필을 통해 궁극적으로 자신의 경험이나 생각 등을 전달하여 독자에게 감동이
나 교훈을 주고자 한다. 따라서 ❶에서 찾은 제재와 관련하여 글쓴이가 생각하거나 느낀 점,
깨달은 점이 무엇인지 파악해 본다. 그리고 이를 통해 독자에게 어떤 교훈이나 의미를 전달하
고자 하는지 짐작해 본다.

> 일반적으로 수필은 '경험
> ─깨달음' 또는 '대상─의미
> 발견' 등과 같은 구성으로 이
> 루어지므로, 글쓴이의 주관
> 적 생각은 주로 글의 뒷부분
> 에 나타나 있어요.

원리 적용

● 감상 원리 01을 적용하여, 다음 글에 쓰인 제재와 그에 대한 글쓴이의 생각을 파악해 보자.

❶ 초등학교 1학년 때였던 것 같다. 하루는 우리 반이 좀 일찍 끝나서 ㈏혼자 집 앞에
　　_{어린 시절의 경험을 회상함.}　　　　　　　　　　　　　　　　　　_{글쓴이 자신}
앉아 있었다. 그런데 그때 마침 골목을 지나던 깨엿 장수가 있었다. 그 아저씨는 가위를
쩔렁이며, 목발을 옆에 두고 대문 앞에 앉아 있는 나를 흘낏 보고는 그냥 지나쳐 갔다.
　　　　　　　　_{글쓴이의 처지: 다리가 불편함.}
그러더니 손수레를 두고 다시 돌아와 내게 깨엿 두 개를 내밀었다. 순간 아저씨와 내 눈
이 마주쳤다. 아저씨는 아무 말도 하지 않고 아주 잠깐 미소를 지어 보이며 말했다.

"괜찮아."
_{글쓴이에게 위로와 용기를 준 말}

❷ 무엇이 괜찮다는 건지 몰랐다. 돈 없이 깨엿을 공짜로 받아도 괜찮다는 것인지, 아니
면 목발을 짚고 살아도 괜찮다는 말인지……. 하지만 그건 중요하지 않다. 중요한 것은
내가 그날 마음을 정했다는 것이다. 『이 세상은 그런대로 살 만한 곳이라고, 좋은 친구
　　　　　　　　　　　　　　　　　　　　『 』: 깨엿 장수 아저씨의 말이 글쓴이에게 미친 영향
들이 있고 선의와 사랑이 있고, '괜찮아'라는 말처럼 용서와 너그러움이 있는 곳이라고
믿기 시작했다는 것이다.』

　　　　　　　　　　　　　　　　　　　　　　　　　　　　　　– 장영희, 〈괜찮아〉에서

🔆 도움말

이 작품은 소아마비로 몸이
불편한 글쓴이가 어렸을 때 겪은
경험을 제재로 하는 현대 수필이
다. 글쓴이의 경험과 그로 인해
글쓴이가 갖게 된 생각이 무엇인
지 파악해 본다.

● **깨엿** | 볶은 깨를 겉에 묻힌 엿.
● **선의** | 착한 마음.

❶ 이 글은 다리가 불편한 글쓴이가 초등학교 1학년 때 집 앞 골목길에서 깨엿 장수로부터 "❶(ㄱㅊㅇ)"라는 말을 들은 경험을 다루고 있다.

❷ 글쓴이는 어린 시절 깨엿 장수와 만났던 경험을 통해 이 세상은 그런대로 살 만한 곳이고, 좋은 친구들이 있고 ❷(ㅅㅇ)와 사랑이 있으며, '괜찮아'라는 말처럼 용서와 너그러움이 있는 곳이라고 생각하게 되었다.

빈칸 답
❶ 괜찮아 ❷ 선의

바로 확인

정답과 해설 36쪽

도움말
이 작품은 글쓴이가 처음으로 자전거를 탔던 경험을 제재로 하는 현대 수필이다. 글쓴이의 경험을 정리해 보고, 이 경험을 통해 글쓴이가 깨달은 점이 무엇인지 파악해 본다.

● **안장** │ 자전거 따위에 사람이 앉게 되는 자리.
● **연단** │ 연설이나 강연을 하는 사람이 올라서는 단.
● **시행착오** │ 어떤 목표에 이르기 위해 시도와 실패를 되풀이하면서 점점 알맞은 방법을 찾는 일.
● **도랑** │ 매우 좁고 작은 개울.

내가 자전거를 배우기 위해 큰집에서 빌린 자전거는 읍내로 출퇴근하는 아버지의 자전거보다 더 무겁고 짐받이가 큰 '농업용' 자전거였다. 그 대신 자전거가 아주 튼튼해서 자전거를 배우자면 꼭 거쳐야 하는, '꼬라박기'를 무난히 감당해 낼 수 있을 듯 보였다. 내 몸이 그걸 견뎌 낼 수 있을지, 내 마음이 그 창피함을 견뎌 낼 수 있을지 의문스럽기는 했지만.

나는 오전에 자전거를 끌고 사람이 없는 운동장으로 갔다. 시멘트 계단 옆에 자전거를 세운 뒤 안장에 올라가서 발로 연단을 차는 힘으로 자전거의 주차 장치가 풀리면서 앞으로 나가도록 했다. 바퀴가 두 번도 구르기 전에 자전거는 멈췄고 나는 넘어졌다. 같은 식의 시행착오가 수백 번 거듭되었다. 〈중략〉

어느새 내 발은 페달을 차고 있었고 자전거는 도랑과 똥통 옆을 지나고 있었다. 나는 삽시간에 어른이 된 기분으로 읍내로 가는 길을 내달렸다.

그날 나는 내 근육과 뇌에 새겨진 평범한, 그러면서도 세상을 움직여 온 비밀을 하나 얻게 되었다. 일단 안장 위에 올라선 이상 계속 가지 않으면 쓰러진다. 노력하고 경험을 쌓고도 잘 모르겠으면 자연의 판단 ─ 본능에 맡겨라. 그 뒤에 시와 춤, 노래와 암벽 타기, 그리고 사랑이 모두 같은 원리에 따라 움직인다는 것을 나는 깨달았다.

─ 성석제, 〈어느 날 자전거가 내 삶 속으로 들어왔다〉에서

1 이 글에 나타난 글쓴이의 경험으로 적절하지 <u>않은</u> 것은?
① 누군가의 도움 없이 자전거 타는 방법을 쉽게 익힐 수 있었다.
② 큰집에서 빌린 크고 무거운 자전거로 자전거 타기를 연습했다.
③ 자전거에서 넘어지는 것을 다른 사람들에게 들키고 싶지 않아 혼자 연습했다.

2 이 글에서 글쓴이가 경험을 통해 깨달은 바로 적절하지 <u>않은</u> 것은?
① 일단 시작한 일은 중간에 그만두어서는 안 된다.
② 최선을 다해도 성공하지 못했다면 과감하게 포기해야 한다.
③ 열심히 노력해도 잘되지 않을 때에는 본능에 맡기는 것이 낫다.

원리

02 [수필] 글쓴이의 개성 파악하기

수필에서는 글쓴이가 자신의 경험, 생각, 인생관, 가치관 등을 솔직하게 표현하여 다른 문학 갈래에 비해 작품의 내용과 표현에 글쓴이의 개성이 잘 드러난다. 이 때문에 수필을 '개성의 문학'이라 부르기도 한다.

📖 **중학교 국어 문학 영역** • 자신의 가치 있는 경험을 개성적인 발상과 표현으로 형상화한다.

감상 원리 글쓴이의 관점과 표현상 특징을 통해 글쓴이의 개성을 파악하자.

| 감상 방법

> 수필에서 글쓴이가 주목하는 제재의 속성이나 제재에 대한 관점이나 태도 등을 통해 글쓴이가 지닌 가치관, 인생관을 엿볼 수 있어요.

❶ 글쓴이의 관점이나 태도 파악하기

작품 속에서 글쓴이가 제재를 어떤 관점에서 바라보고, 제재에 대해 어떤 태도를 보이는지 파악해 본다. 글쓴이의 관점과 태도는 보통 긍정과 부정, 예찬과 비판 등으로 나타난다. 글쓴이의 관점이 일반적으로 널리 퍼진 생각들과 달리 어떤 면에서 새로운지, 글쓴이의 태도에서 글쓴이만의 고유한 경험이나 독특한 행동 방식이 나타나는지 등을 살펴 글쓴이의 개성적인 면모를 짐작해 본다.

❷ 표현상 특징 파악하기

글쓴이가 작품을 통해 말하고자 하는 바를 효과적으로 전달하기 위해 내용을 어떤 원리(예 시간의 흐름, 대비)에 따라 조직하여 전개하고 있는지, 어떤 수사법을 사용하고 있는지 등을 살펴본다. 더불어 작품에 쓰인 단어나 문장의 길이 등을 살펴 글쓴이의 고유한 문체를 파악해 본다. 이를 종합하여 작품에 나타난 표현상 특징을 파악하고, 이를 글쓴이의 개성과 관련지어 본다.

원리 적용

● 감상 원리 ❷를 적용하여, 다음 글에 나타난 글쓴이의 관점과 표현상 특징을 파악해 보자.

> 💡 **도움말**
> 이 작품은 '흙'에 대한 글쓴이의 개성적인 관점이 드러나 있는 현대 수필이다. 글쓴이가 흙을 어떤 태도로 대하는지, 어떤 표현 방법을 사용하는지 파악해 본다.

❷하늘과 가까운 <u>고층 아파트</u>에 살다 보니 <u>흙</u>을 가까이할 기회가 적어진 것이다. 가끔
　　　　　　　　현대인의 삶, 문명 상징　　　　　　　자연 상징
이러다가는 하늘의 공간에서 영영 땅으로 내려오지 못하는 건 아닐까 하는 생각이 들기
　　　　　　　　현대인들이 자연의 소중함을 잊을까 하는 글쓴이의 걱정
도 한다. 〈중략〉

그래서인지 근래 들어선 ❷마음까지도 시멘트 벽을 닮아 가고 있는 것 같다.「오 년 동안
　　　　　　　　　　　　　삭막해진 인심을 '시멘트 벽'에 비유함.
한 아파트 통로에 사는 아주머니와는 엘리베이터에서 만났어도 가벼운 목례를 하는 것
정도가 고작이고 서로 왕래해 본 일이 없다.」가까운 이웃이 없다면 훈훈한 정도 느끼지
　　　　　　　　　　　　　　　　　　「」: 현대인의 식막한 모습을 보여 주는 경험
못할 텐데 철저하게 혼자 사는 생활에 익숙해져 가고 있다.

지구(地球)의 절반 이상이 흐르는 물로 덮여 있음에도 수구(水球)라 하지 않고 지구
❶ 라 칭한 것도 흙이 생명의 모태이기 때문이 아닐까. 땅과 멀어질수록 병원을 가까이한
　　　　　　　흙의 가치를 높게 평가하는 글쓴이의 관점
다는 말이 있듯이 <u>무디어진 심성을 깨우치는 건 자연과 가까이하는 일이지 않나 싶다.</u>
　　　　　　　　　　　　글쓴이가 궁극적으로 말하고자 하는 바
　　　　　　　　　　　　　　　　　　　　　　　　　　- 문정희, 〈흙을 밟고 싶다〉에서

● **모태** | 사물의 발생 · 발전의 근거가 되는 토대를 비유적으로 이르는 말.

❶ 글쓴이는 고층 아파트에서 살다 보니 흙을 가까이할 기회가 적어지고, 이웃과도 왕래한 적이 없다고 하였다. 또한 흙을 ^❶(ㅅㅁ)의 모태'로 평가했으며, 무디어진 현대인의 심성을 깨우치기 위해서는 흙으로 상징되는 자연과 가까이해야 한다고 생각하였다. 이를 통해 글쓴이가 흙에 대해 ^❷(ㄱㅈㅈ)인 관점을 지니고 있음을 알 수 있다.

❷ 글쓴이는 현대인의 삶을 상징하는 '고층 아파트'와 자연을 상징하는 '흙'을 대조하고, 현대인의 삭막해진 마음을 아파트의 '시멘트 벽'에 ^❸(ㅂㅇ)함으로써 자신의 생각을 효과적으로 전달하고 있다.

빈칸 답
❶ 생명 ❷ 긍정적 ❸ 비유

 도움말

이 작품은 네모난 틀에서 길러 모양이 '네모난 수박'에 대한 글쓴이의 관점이 드러나 있는 현대 수필이다. 글쓴이가 네모난 수박을 통해 드러내는 인생관이 무엇인지, 글에 쓰인 표현 방법은 무엇인지 파악해 본다.

● **인위적** : 자연의 힘이 아닌 사람의 힘으로 이루어지는 것.
● **두레박** : 줄을 길게 달아 우물물을 퍼 올리는 데 쓰는 도구.
● **목가적** : 농촌처럼 소박하고 평화로우며 서정적인 것.

바로 확인

정답과 해설 36쪽

나는 네모난 수박을 한참 들여다보다가 비록 겉모양은 네모졌으나 수박으로서의 본질적인 맛과 향은 그대로일 것이라고 생각하면서 오늘을 사는 우리들이야말로 바로 이 네모난 수박과 같은 존재가 아닌가 하는 생각이 들었다. 예전의 우리 삶이 둥근 수박과 같은 자연적 형태의 삶이었다면, 지금은 외형을 중시하는 네모난 수박과 같은 인위적*형태의 삶을 살고 있다고 할 수 있다.

오늘 우리의 삶의 속도는 무척 빠르다. 변화의 속도가 너무 빨라 도무지 정신을 차릴 수 없다. 오늘의 속도를 미처 느끼기도 전에 내일의 속도에 몸을 실어야 한다. 그렇지만 네모난 수박이 수박으로서의 맛과 향기만은 잃지 않았듯이 우리도 인간으로서의 맛과 향기만은 결코 잃어서는 안 된다.

나는 아직도 냉장고에서 꺼내 먹는 수박보다 어릴 때 어머니가 차가운 우물 속에 담가 두었다가 두레박*으로 건져 주셨던 수박이 더 맛있게 느껴진다. 이제 그런 목가적*인 시대는 지나고 말았지만, 모깃불을 피우고 평상에 앉아 밤하늘의 총총한 별들을 바라보면서 쟁반 가득 어머니가 썰어 온 둥근 수박을 먹고 싶다.

– 정호승, 〈네모난 수박〉에서

1 〈보기〉는 이 글에 나타난 글쓴이의 관점과 태도를 정리한 글이다. 빈칸에 들어갈 알맞은 말을 고르시오.

● 보기 ●
글쓴이는 (네모난 수박 , 둥근 수박)을 통해 (자연적인 삶 , 인위적인 삶)의 형태를 비판하고 있다. 그러나 수박이 형태와 관계없이 고유한 맛과 향기를 지니고 있듯 인간 또한 (아름다운 외형 , 인간다움)을 지닌 삶을 살기를 바라고 있다.

2 이 글의 표현상 특징으로 적절하지 <u>않은</u> 것은?

① 과거 회상을 통해 고향에 대한 그리움을 표현하고 있다.
② 대비되는 속성을 지닌 소재를 중심으로 주제를 드러내고 있다.
③ 네모난 수박과 현대인의 유사한 속성을 중심으로 내용을 전개하고 있다.

원리 01 [극] 작품의 내용 파악하기

극과 소설은 인물, 사건, 배경이라는 내용 요소를 통해 갈등을 드러낸다는 공통점이 있다. 그러나 소설과 달리 극은 서술자 없이 해설, 지시문, 대사 등과 같은 형식 요소를 통해 내용을 전달한다. 이러한 극의 갈래적 특성을 고려하면 작품의 내용을 쉽게 파악할 수 있다.

📖 **중학교 국어 문학 영역** ・갈등의 진행과 해결 과정에 유의하며 작품을 감상한다.

감상 원리 | 극의 형식적 요소를 활용하여 인물, 사건, 배경, 갈등을 파악하자.

| 감상 방법

⊕ 극의 종류
- **희곡**: 무대 공연을 위해 창작된 연극의 대본.
- **시나리오**: 영화나 드라마를 만들기 위해 창작된 대본.

❶ 인물, 사건, 배경 파악하기

극을 구성하는 형식 요소 중 '해설'은 작품의 시작 부분에서 배경, 무대 설정, 등장인물 등을 설명하는 부분이고, '대사'는 인물이 하는 말이고, '지시문'은 인물의 행동이나 심리, 조명, 음향 효과 등을 설명하는 부분이다. 이러한 해설, 대사, 지시문에 나타난 정보를 단서로 하여 작품에 나타난 주요 인물의 특성이나 관계, 중심 사건, 시간적·공간적 배경 등을 파악해 본다.

❷ 갈등 파악하기

> 극은 소설과 마찬가지로 서사 문학의 한 갈래이므로, 작품의 내용을 파악하는 방법이 소설과 크게 다르지 않아요.

극은 대개 갈등과 그 해결 과정을 통해 주제가 제시된다. 작품 속 인물의 대사나 행동을 바탕으로 하여 갈등하는 대상과 원인을 파악해 본다. 그리고 갈등이 어떻게 발생하고 전개되고 해결되는지 파악해 본다.

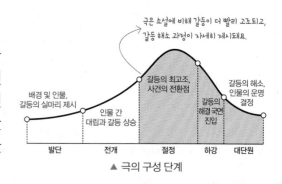

▲ 극의 구성 단계

원리 적용

● 감상 원리 01을 적용하여, 다음 글에 나타난 사건과 갈등을 파악해 보자.

💡 **도움말**

이 작품은 고전 소설 〈토끼전〉을 각색한 희곡으로, 토끼 간을 둘러싼 인물 사이의 갈등이 잘 드러나 있다. 대사, 지시문을 살펴 중심 사건과 갈등 양상을 파악해 본다.

토끼, **●**용궁으로 들어온다. 토끼, 온갖 대신들이 모두 물고기들이라 깜짝 놀란다.
　　　　　공간적 배경

■토끼: (뒤따라오는 자라한테 화를 낸다.) 아니, 용궁으로 데리고 온다더니 수산물 파는 횟집
■: 등장인물
에 온 거 아냐? 〈중략〉

용왕: (부르르 떨며 화를 낸다.) **❷**어서 저 고얀 놈 배를 갈라라. 냉큼 간을 가져오지 못할까!
　　　　　　　　　　　　　　　용왕이 토끼를 죽여 간을 빼앗으려 함. → 갈등의 최고조

신하들이 토끼를 향해 달려든다. 토끼, 피한다.

토끼: 잠깐! 잠깐! 내가 잘못 들었나? (정중하게) 방금 간이라고 하셨습니까?

자라: 토끼님, 미안하오. **❷**용왕께 명약으로 바치려고 당신을 데려온 것이오.
　　　　　　　　　　　　　　　　갈등의 원인
토끼: 내 간을 약으로 바치려고요? / 신하들: 그렇다.

　　　　　　　　　　　　　　　　　　　　　　　　　– 엄인희, 〈토끼와 자라 – 3장〉에서

● 명약: 효험이 좋아 이름난 약.

❶ '①(ㅇㄱ)'이라는 공간적 배경이 드러나며, 주요 인물로 '토끼', '②(ㅇㅇ)', '자라'가 등장하고 있다. 또 대사와 지시문을 통해 용왕이 토끼의 간을 빼앗으려고 하는 사건이 드러나고 있다.

❷ 토끼의 간을 약으로 쓰기 위해 토끼를 죽이려는 '용왕'과 '자라', 이로 인해 죽을 위기에 처한 '토끼' 사이의 갈등이 나타난다. 용왕이 토끼의 배를 갈라서 간을 가져오라고 명을 내리고, 토끼가 용왕의 명에 따라 자신을 잡으려는 신하들을 피해 도망을 치면서 갈등이 ❸(ㅊㄱㅈ)에 이르고 있다.

빈칸 답
❶ 용궁 ❷ 용왕 ❸ 최고조

바로 확인

정답과 해설 37쪽

💡 **도움말**

이 작품은 홍연의 순수한 짝사랑을 다룬 시나리오로, 제시된 장면에서 홍연은 선생님의 소풍 도시락에 신경을 쓰고 있다. 대사와 지시문을 살펴 인물들의 심리와 갈등 양상을 파악해 본다.

● **도끼눈** | 분하거나 미워서 매섭게 쏘아 노려보는 눈을 비유적으로 이르는 말.
● **진상** | 진귀한 물품이나 지방의 토산물 등을 임금이나 지위가 높은 관리 등에게 바침.

S# 102. 홍연네 안방 / 이른 아침

앞다투어 자투리 김밥에 손을 대는 고사리손.

홍연: (동생들의 손목을 치는) 그만들 좀 먹어라! 도시락 쌀 게 없잖아.

홍연 엄마: 동생들 입은 입이 애인 줄 암매?

김밥을 말고, 썰고 하며 도시락에 차곡차곡 담아 넣던 홍연 엄마, 홍연을 도끼눈을 해 본다. 못 본 척 사이다, 양갱, 크림빵, 삶은 달걀, 물통 등을 배낭에 차곡차곡 챙겨 넣는 홍연. 마지막으로 새로 산 흰 운동화를 신고 거울 앞에 서서 이리저리 모양을 살핀다. 〈중략〉

홍연: 엄마…… 김밥만 가지곤 좀 부족하지 않을까?

홍연 엄마: 선상님 점심 싸 가는 게 어디 니 하나뿐이겠음매?

홍연: 그러지 말구…… 엄마, 우리 ㉠닭 한 마리만 잡자!

홍연 엄마: 무시기?

홍연 엄마, 확 밀치면 뒤로 나자빠지는 홍연.

홍연 엄마: 이거 소풍 가는 게 아이라, 무슨 나라님 진상 가는 줄 암매?

– 이영재, 〈내 마음의 풍금〉에서

1 이 글의 등장인물에 대한 설명으로 가장 적절한 것은?

① '홍연'은 잠시 후에 갈 소풍을 준비하며 잔뜩 들떠 있다.

② '홍연'은 소풍을 따라가겠다는 동생들 때문에 곤란해하고 있다.

③ '홍연 엄마'는 '홍연'이 멋을 내는 것을 못마땅하게 쳐다보고 있다.

2 ㉠에 대한 설명으로 적절하지 않은 것은?

① '선생님'에 대한 홍연의 애정을 간접적으로 보여 준다.

② '홍연 엄마'와 '선생님'의 관계가 좋지 않음을 드러낸다.

③ '홍연 엄마'와 '홍연'의 갈등을 심화시키는 역할을 한다.

원리

02 [극] 형상화 방식 파악하기

형상화는 추상적인 것을 구체적으로 드러내는 것을 의미하는데, 극은 무대 위에서 공연(희곡)되거나 영상물로서 촬영(시나리오)됨으로써 구체화된다. 따라서 극을 읽을 때에는 대본의 의도대로 작품을 공연하거나 연출하는 방법까지 파악할 수 있어야 한다.

감상 원리 희곡과 시나리오가 형상화되는 방식을 이해하고 그 효과를 파악하자.

| 감상 방법

❶ 극의 형상화 방식 파악하기

희곡과 시나리오는 배우들의 말과 행동을 통해 사건을 현재화하여 보여 주는 특성이 있으며, 이 특성을 효과적으로 구현하기 위해 무대, 조명, 의상, 소품, 음향 효과(효과음), 배경 음악, 배우의 연기 등과 같은 요소를 활용한다. 특히 시나리오는 영상 제작시 필요한 촬영이나 편집 기법, 화면 처리 기법을 사용하기도 한다. 따라서 지시문을 중심으로 '감상 원리 01'에서 파악한 작품의 내용을 어떻게 형상화하는지 파악해 본다.

➕ 자주 쓰이는 시나리오 용어
- **C.U.(클로즈업):** 어떤 대상이나 인물을 두드러지게 확대하여 촬영하는 방법.
- **F.I.(페이드인):** 화면이 점점 밝아지는 방법.
- **F.O.(페이드아웃):** 화면이 점점 어두워지는 방법.
- **O.L.(오버랩):** 두 화면이 겹치면서 장면을 전환하게 하는 방법.
- **E.(이펙트):** 효과음. 주로 화면 밖에서 들려오는 음향이나 대사.

❷ 형상화 방식의 효과 파악하기

극의 형상화 방식은 작품의 내용을 구체화하기 위해 사용하는 것이다. 따라서 ❶에서 파악한 형상화 방식이 극 중 상황이나 분위기, 인물의 심리나 태도 등을 효과적으로 드러내는지 파악해 본다. 예컨대 배우의 연기는 사건이나 갈등에 적합한 방식으로 구현되는지, 의상은 인물의 특성에 적합한지, 극에 쓰인 소품, 무대, 조명은 극의 분위기를 어떻게 조성하는지 등을 살펴본다. 이를 통해 특정 형상화 방식을 활용한 의도가 무엇일지 짐작해 본다.

원리 적용

● 감상 원리 02를 적용하여, 다음 글에 나타난 형상화 방식을 파악해 보자.

무대 뒤쪽에 들판의 풍경을 그린 커다란 ❶<u>걸개그림</u>이 걸려 있다. 샛노란 민들레꽃, 빨간 양철 지 〔극 중 배경을 보여 주는 무대 장치 공간적 배경 ｜ 시간적 배경: 봄
붕의 집, 한가롭게 풀을 뜯는 젖소들이 ❷<u>동화책의 아름다운 그림을 연상시킨다.</u> 〈중략〉
배경의 기능: 평화로운 분위기 조성
형과 아우, ❶<u>밧줄</u>을 사이에 두고 가위바위보를 한다. 아우가 이긴다. ❶<u>그는 형 쪽으로 껑충 뛰</u>
소품
어넘어 가서 뽐내며 의기양양하게 다니다가 자기 쪽으로 되돌아온다. 아우는 세 번이나 형을 이기
배우가 행동으로 연기하는 부분
고, 똑같은 행동을 되풀이한다.

「형: 그만하자, 그만해! 「 」: 배우가 말로 연기하는 부분 → 형과 아우의 갈등이 드러남.
아우의 행동 때문에 화가 난 형
아우: 왜요?

❷ 형: 너는 나보다 늦게 낸다! 내가 가위를 내면 너는 기다렸다가 바위를 내놓고, 내가 보를 내면 너는 그걸 본 다음 가위를 내놓잖아?
아우: 아뇨! 난 형님과 동시에 냈어요!」

– 이강백, 〈들판에서〉에서

⏺ 도움말

이 작품은 무대 위에서 공연될 목적으로 쓰인 희곡으로, 들판을 배경으로 한 형제의 갈등을 보여 주고 있다. 작품의 배경과 인물 간의 갈등을 어떤 방식으로 형상화하였는지 파악해 본다.

❶ 극 중 배경을 봄날의 들판 풍경을 그린 ❶(ㄱㄱㄱㄹ)이라는 무대 장치로 보여 주고, '밧줄'이 라는 ❷(ㅅㅍ)을 사이에 두고 형제가 가위바위보를 하는 사건을 보여 주고 있다. 이 사건은 형제의 행동과 말을 통해 드러나며, 실제로는 배우의 연기로 구체화된다.

❷ 걸개그림은 극 중 시간적·공간적 배경이 봄날의 들판임을 관객에게 단적으로 보여 주며, 아름답고 평화로운 분위기를 조성한다. '밧줄'은 형과 아우 사이의 경계를 만들고 형제가 갈등하는 계기로 작용하고 있다. 그리고 형을 약 올리는 아우의 태도, 기분이 상한 형의 심리를 배우의 연기를 통해 표현하여 형제가 ❸(ㄱㄷ)하는 상황을 실감 나게 보여 주고 있다.

빈칸 답
❶ 걸개그림 ❷ 소품 ❸ 갈등

바로 확인

정답과 해설 37쪽

 도움말

이 작품은 드라마 촬영이 목적인 시나리오로, 제시된 장면에서 성태는 온반 식당을 운영하셨던 할머니의 뒤를 잇겠다고 결심하고 있다. 배우의 연기 방식과 소품의 역할 등을 파악한 뒤, 이를 효과적으로 촬영할 수 있는 방식을 생각해 본다.

● **온반** | 밥에 장국을 붓고, 산적과 소의 엉덩이살을 넣은 다음 고명을 얹은 북한 음식.
● **가업** | 대대로 물려받는 집안의 생업.
● **승계** | 다른 사람의 권리나 의무를 이어받음.
● **슴슴하다** | '심심하다(음식 맛이 조금 싱겁다)'의 북한어.

S# 19. 식당 / 낮

그때, 할머니가 먼저 입가에 웃음을 가득 띤 채로 성태가 만든 온반을 먹기 시작한다. 그 모습을 못 미더운 듯 바라보는 엄마와 아빠. 아빠가 일단 한 수저 떠 본다. 쩝쩝— 입맛을 다시는 아빠. 꽤 맛있다. 표정을 보더니 엄마도 한 수저 입에 넣는다. (사이)

한 그릇을 모두 싹싹 비운 할머니와 엄마, 아빠. ㉠아빠는 이마에 땀까지 송골송골 맺혔다.

S# 20. 식당 앞 / 밤

㉡아빠가 할머니를 모시고 앞장서자 곧이어 엄마도 따라 나온다. 불이 꺼지는 식당. 마지막으로 나온 성태가 식당 문을 잠근다.

엄마: 성태야, 얼른 와.

홀로 잠시 서서 식당 안을 들여다보던 성태, 문에 붙은 '임시 휴업' 종이를 뗀다.

S# 21. 성태 집 / 성태 방, 밤

책상 위에는 계속 들고 다녀 꼬깃꼬깃해진 진로 계획서가 놓여 있다. 성태, 뭔가 결심한 듯 두꺼운 펜을 꺼내 들더니 ㉢전에 써 놓은 '가업 승계'라는 글자 위에 한 번 더 꾹꾹 눌러 가며 '가업 승계'라고 적는다.

– 민예지·김태희, 〈슴슴한 그대 – 5화〉에서

1 이 글을 바탕으로 하여 드라마를 촬영할 때 감독의 요청으로 적절하지 <u>않은</u> 것은?

① 'S# 19'에서 '엄마' 역의 배우는 처음부터 성태가 만든 음식에 호감을 보여 주세요.
② 'S# 20'에서 '성태' 역의 배우는 확신에 찬 모습으로 문 앞에 붙은 종이를 떼 주세요.
③ 'S# 21'에서 소품 담당자는 꼬깃꼬깃해진 진로 계획서를 책상 위에 올려놓아 주세요.

2 ㉠~㉢ 중, C.U.(클로즈업)의 촬영 기법을 활용하기에 적절하지 <u>않은</u> 것은?

① ㉠   ② ㉡   ③ ㉢

01 나의 모국어는 침묵 | 류시화

이 작품은 글쓴이가 인디언을 만났던 경험을 통해 얻은 깨달음을 전하고 있는 현대 수필이다. 글쓴이의 경험과 깨달음이 무엇인지 파악하고, 이를 개성적으로 표현한 방법에 주목하며 작품을 읽어 보자.

핵심 짚기

● 제재

　❶ ㅇㄷㅇ 들과 만나 침묵의 응대를 받은 경험

● 글쓴이의 생각

　마음속에서 우러나오는 ❷ ㅊㅁ 을 통해 상대방의 존재를 더 잘 느낄 수 있음.

● 표현상 특징

・❸ ㅇㅅ 법이 쓰인 인디언의 말을 인용하여 전하고자 하는 의미를 강조함.
・경험을 통해 느낀 바를 친근하고 솔직담백하게 표현하는 고백체가 쓰임.

빈칸 답
❶ 인디언 ❷ 침묵 ❸ 역설

● 넌지시 | 드러나지 않게 가만히.
● 전통 | 어떤 집단이나 공동체에서 지난 시대부터 전해 내려오면서 고유하게 만들어진 사상·관습·행동 따위의 양식.
● 침묵 | 아무 말도 없이 잠잠히 있음. 또는 그런 상태.
● 괴팍하다 | 붙임성이 없이 까다롭고 별나다.
● 모국어 | 자기 나라의 말. 주로 외국에 나가 있는 사람이 고국의 말을 이를 때에 쓴다.

㉮ 한국을 떠나 미국의 애리조나주 투손시의 인디언 축제에 참가했을 때의 일이다. 인디언 천막 안에서 인디언 노인들과 흥미 있는 대화를 주고받으리라 기대했던 나는 아주 뜻밖의 일을 경험했다. 천막 안으로 들어가 그들과 마주 앉자마자, 나는 내 소개를 하기 시작했다. 나는 글을 쓰는 작가이며, 인디언 세계에 무척 관심이 많고, 잘 부탁한다는 말까지 잊지 않았다. 인디언들의 철학과 역사를 많이 알고 있다는 것도 넌지시 내비쳤다.

　그런데 그들은 아무런 반응도 보이지 않았다. 다만 허리를 꼿꼿이 세우고 묵묵히 앉아 있을 뿐이었다.

㉯ 훗날에야 나는 그것이 인디언 부족들의 전통인 것을 알았다. 누군가를 만나면 그들은 대화를 시작하기 전에 그렇게 한동안 침묵으로 상대방을 느끼는 것이다. 자기 앞에 있는 존재를 가장 잘 느끼는 방법은 말을 통한 것이 아니라 침묵을 통한 것임을 그들은 깨닫고 있었다.

㉰ 그 후 미국에서 돌아와 나는 누군가를 만날 때마다 인디언들 흉내를 내고는 했다. 상대방의 존재를 느낀답시고 입을 다물고 오 분이고 십 분이고 앉아 있었다. 그 결과, 아주 괴팍하고 거만한 사람이라는 평을 듣게 되었다. 침묵은 흉내가 아니라 존재의 평화로움에서 저절로 나오는 것임을 미처 몰랐다.

㉱ 몇 번의 여행을 인디언들과 함께하면서 나는 그들에게서 두 개의 인디언식 이름을 얻었다. 그중의 하나가 '너무 많이 말해'였다. 내가 뭘 얼마나 떠들었기에 그런 식으로 나를 부르는가 따지고 싶었지만, 그랬다가는 '너무 많이 따져'라는 이름을 또 얻게 될까 봐 그럴 수도 없는 노릇이었다.

　그렇다. 고백하지만, 나는 그들의 침묵에는 턱없이 모자랐고, 그들의 말에는 더없이 넘쳐 났다. 나는 이 생에서 쓸데없는 말을 너무 많이 하며 살고 있지 않은가?

㉲ 라코타족 인디언인 '서 있는 곰'은 말한다.

　"침묵은 라코타족에게 의미 깊은 것이었다. 라코타족은 대화를 시작할 때, 잠시 침묵하는 것을 진정한 예의로 알고 있었다. '말 이전에 침묵이 먼저'라는 것을 알았던 것이다. 슬픈 일이 닥쳤거나 누가 병에 걸렸거나, 또는 누가 죽었을 때, 나의 부족은 먼저 침묵하는 것을 잊지 않았다. 어떤 불행 속에서도 침묵하는 마음을 잃지 않았다."

　인디언들은 여러 부족으로 이루어져 있고, 부족마다 언어도 매우 다르다. 그래서 나는 인디언을 만나면 그들의 부족 언어를 묻곤 했다.

　"당신의 모국어는 무엇입니까?" / 그러면 그들은 이렇게 답하곤 했다.

　"㉠우리의 모국어는 침묵입니다."

글쓴이의 경험 파악하기 **1**

이 글에 나타난 글쓴이의 경험으로 적절하지 <u>않은</u> 것은?

① 여러 인디언 부족을 만나 각기 다른 부족의 언어를 배운 일

② 인디언을 만나 그들의 부족 언어를 묻고, 침묵의 의미에 대해 들은 일

③ 인디언 흉내를 내어 침묵하다, 괴팍하고 거만한 사람이라는 평을 들은 일

④ 인디언들과 여행을 하면서, '너무 많이 말해'라는 인디언식 이름을 얻은 일

⑤ 인디언 축제에서 인디언들과 대화하려고 했으나, 인디언들이 아무런 반응을 보이지 않은 일

내재적 관점으로 감상하기 **2**

➕ **인용**
자신의 생각을 선명하게 드러내기 위하여 남의 말이나 글을 따오는 수사법.

이 글을 읽고 보인 반응으로 적절하지 <u>않은</u> 것은?

① 글쓴이는 인디언들의 문화에 관심이 많은 사람이로군.

② 인디언과의 대화를 인용해 글을 마무리하여 여운을 주고 있군.

③ 글쓴이는 처음부터 인디언들의 침묵에 대해 긍정적인 태도를 보였군.

④ 글쓴이가 자신의 단점에 대해 솔직하게 고백하는 점이 감동을 주는군.

⑤ 글쓴이는 인디언들과의 만남을 통해 자신의 언어 습관을 되돌아보고 있군.

글쓴이의 생각 파악하기 **3**

〈보기〉와 같이 글쓴이에게 질문할 때, 글쓴이의 대답으로 가장 적절한 것은?

> ── 보기 ──
> 질문: 누군가를 만나 대화를 하기 전에 침묵하시는 이유가 무엇인가요?
> 글쓴이: _____

① 어떤 화제로 이야기를 나누어야 할지 고민되기 때문입니다.

② 제가 좋아하는 인디언들의 전통을 흉내 내고 싶기 때문입니다.

③ 상대방에게 얕보이지 않고 대화의 주도권을 갖고 싶기 때문입니다.

④ 말을 너무 많이 하는 습관을 고치려고 노력하는 중이기 때문입니다.

⑤ 침묵이 자기 앞에 있는 존재를 가장 잘 느낄 수 있는 방법이기 때문입니다.

표현상 특징 파악하기 **4**

💡 **도움말**
'모국어'는 자기 나라에서 의사소통의 수단이 되는 말이고, '침묵'은 아무 말도 하지 않고 있는 상태를 의미한다는 점을 생각해 본다.

고난도

㉠과 같은 표현 방법이 사용되지 <u>않은</u> 것은?

① 이것은 소리 없는 아우성 　　　　　　　　　　　　　　　 – 유치환, 〈깃발〉에서

② 두 볼에 흐르는 빛이 / 정작으로 고와서 서러워라. 　　　　 – 조지훈, 〈승무〉에서

③ 님은 갔지마는 나는 님을 보내지 아니하였습니다. 　　　　 – 한용운, 〈님의 침묵〉에서

④ 먼 훗날 당신이 찾으시면 / 그때에 내 말이 '잊었노라' 　　 – 김소월, 〈먼 후일〉에서

⑤ 나는 아직 기다리고 있을 테요, / 찬란한 슬픔의 봄을. 　　 – 김영랑, 〈모란이 피기까지는〉에서

작품 정리하기

전체 구성

처음 '나'는 미국 인디언 축제에 참여해 자기소개를 하였으나 인디언들은 '나'의 말에 전혀 대답을 하지 않았다.
··· 146쪽 (가) 수록

중간 '나'는 대화 시작 전 침묵을 지키는 것이 인디언의 전통임을 알게 된다. 그 후 '나'는 인디언들을 흉내 내었다가 거만 하다는 오해를 산다. 또한 '너무 많이 말해'라 는 인디언식 이름을 얻기도 한다. 이를 통해 '나'는 자신의 언어생활을 돌아보게 된다.
··· 146쪽 (나)~(라) 수록

끝 '나'는 라코타족 인디언인 '서 있는 곰'의 말을 떠올리며, 침묵을 통해 상대를 더 잘 이해하고자 하는 인디언들의 삶 의 방식을 되새긴다. ··· 146쪽 (마) 수록

해제

이 작품은 글쓴이가 인디언들과 만난 경험 을 통해 깨닫게 된 침묵의 가치에 대해 전하는 현대 수필이다. '나의 모국어는 침묵'이라는 역 설적인 표현을 통해 침묵으로 상대를 배려하 고, 상대의 참모습을 이해하려는 인디언들의 의사소통 방식을 인상적으로 표현하고 있다.

주제

침묵의 진정한 가치

글쓴이의 경험과 깨달음

글쓴이의 경험
인디언 축제에 참여하여 자기소개를 하였다가 인디언들에게 침묵의 응대를 받고 당황함.
누군가를 만날 때 인디언의 흉내를 낸 결과 괴팍하고 거만한 사람이라는 평을 들음.
인디언들이 '너무 많이 말해'라는 이름을 지어 줌.

글쓴이의 깨달음
대화를 하기 전 침묵으로 상대방을 느끼는 것이 인디언들의 전통임을 깨달음.
침묵은 흉내가 아니라 존재의 ❶□□□에서 저절로 나오는 것임.
쓸데없는 말을 너무 많이 하면서 살고 있음.

'침묵'의 의미

글쓴이는 라코타족 인디언인 '서 있는 곰'의 말을 인용하여 침묵에 대한 인디언 들의 인식을 드러내고 있다. 인디언들에게 침묵은 자기 앞에 있는 상대를 가장 잘 느낄 수 있는 방법에 해당한다.

침묵에 대한 인디언의 인식	• ❷□□를 시작할 때 잠시 침묵하는 것이 진정한 예의임. • 어떤 불행 속에서도 침묵하는 마음을 잃지 않음. • 침묵은 상대를 온전히 알고 느끼기 위한 또 하나의 언어임.

역설법의 의미와 효과

'모국어는 침묵'이라는 표현은 겉보기에 모순처럼 보이나, 그 속에는 침묵이 상 대를 이해하는 가장 좋은 의사소통 방법이라는 의미가 담겨 있다. 이러한 역설법을 통해 글쓴이는 인디언의 의사소통 문화를 강조하고 있다.

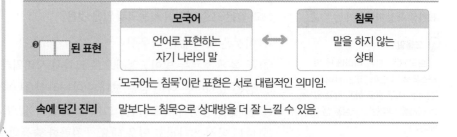

❸□□된 표현	모국어		침묵
	언어로 표현하는 자기 나라의 말	⟷	말을 하지 않는 상태
	'모국어는 침묵'이란 표현은 서로 대립적인 의미임.		
속에 담긴 진리	말보다는 침묵으로 상대방을 더 잘 느낄 수 있음.		

어휘
다지기

1 제시된 초성과 뜻을 참고하여 괄호 안에 들어갈 알맞은 단어를 쓰시오.

(1) ㅈ ㅌ : 어떤 집단이나 공동체에서, 지난 시대부터 전해 내려오면서 고유하게 만들어진 사상·관습·행동 따위의 양식.

예 훗날에야 나는 침묵이 인디언 부족들의 (   )인 것을 알았다.

(2) ㅊ ㅁ : 아무 말도 없이 잠잠히 있음. 또는 그런 상태.

예 (   )은 존재의 평화로움에서 저절로 나오는 것이다.

(3) ㅁ ㄱ ㅇ : 자기 나라의 말. 외국어에 상대하여 자기 언어를 이르는 말.

예 "당신의 (   )는 무엇입니까?" "우리의 (   )는 침묵입니다."

2 다음 밑줄 친 말과 바꾸어 쓸 수 없는 말은?

(1)
> 인디언의 역사와 철학을 많이 알고 있다는 것도 넌지시 내비쳤다.

① 마구   ② 가만히   ③ 살며시   ④ 은근히   ⑤ 슬그머니

(2)
> 나는 인디언을 흉내 내다가 괴팍한 사람이란 평가를 듣게 되었다.

① 고약한   ② 상냥한   ③ 포악한   ④ 불친절한   ⑤ 우악스러운

개념어

3 다음 괄호 안에 들어갈 알맞은 말을 쓰시오.

💡 도움말
이 작품에 사용된 수사법이 무엇인지, 작품에서 글쓴이가 인디언의 침묵과 자신의 언어생활에 대해 어떤 반응을 보이는지 떠올려 본다.

(1) 이 글의 "우리의 모국어는 침묵입니다."는 말보다 침묵으로 상대방을 더 잘 느낄 수 있다는 의미를 담고 있는 문장으로, 겉보기에는 모순되지만 그 속에 진실을 담고 있는 (   )법이 쓰였다.

(2) 이 글의 글쓴이는 침묵이 인디언 부족의 전통임을 알고 자신의 언어 습관을 되돌아보고 반성하고 있는데, 이처럼 자신의 지나간 일을 되돌아보며 반성하고 살피는 태도를 (   ) 태도라고 한다.

(3) 이 글의 글쓴이는 라코타족 인디언인 '서 있는 곰'의 말을 따와 글을 마무리하여, 여운을 부여하고 깨달은 바를 강조하고 있다. 이처럼 다른 사람의 말이나 글을 따와 표현하고자 하는 바를 강조하는 수사법을 (   )법이라 한다.

실전 02 실수

| 나희덕

이 작품은 실수와 관련된 일화를 통해 얻은 실수의 새로운 의미를 전하고 있는 현대 수필이다. 실수에 대한 글쓴이의 생각과 관점을 파악하고, 글쓴이의 개성적 표현에 주목하며 작품을 읽어 보자.

핵심 짚기

● 제재
- 곽휘원의 실수: 아내에게 편지 대신에 ❶ ㅎㅈㅇ 를 보냄.
- '나'의 실수: 절에서 스님에게 빗을 빌려 달라고 함.

● 글쓴이의 관점·태도
실수를 ❷ ㄱㅈ 적으로 생각하는 반면에, 실수를 용납하지 않는 세상을 부정적으로 생각함.

● 표현상 특징
- 실수와 관련된 두 가지 ❸ ㅇㅎ 를 제시함.
- 비유적 표현, 속담, 관용구를 활용하여 글쓴이의 생각을 표현함.

빈칸 답
❶ 흰 종이 ❷ 긍정 ❸ 일화

● **벽사창** : 짙푸른 빛깔의 비단을 바른 창.
● **글월** : '편지'를 달리 이르는 말.
● **의례적** : 형식이나 격식만을 갖춘 것.
● **문안** : 웃어른께 안부를 여쭘. 또는 그런 인사.
● **악의** : 나쁜 마음. 또는 좋지 않은 뜻.
● **불화** : 서로 화합하지 못함. 또는 서로 사이좋게 지내지 못함.
● **각박하다** : 인정이 없고 삭막하다.
● **용납되다** : 말이나 행동이 너그러운 마음으로 받아들여지다.
● **십상** : 열에 여덟이나 아홉 정도로 거의 예외가 없음.

가 옛날 중국의 곽휘원이란 사람이 떨어져 살고 있는 아내에게 편지를 보냈는데, 그 편지를 받은 아내의 답 시는 이러했다.

벽사창에 기대어 당신의 글월을 받으니
처음부터 끝까지 흰 종이뿐이옵니다.
아마도 당신께서 이 몸을 그리워하심이
차라리 말 아니 하려는 뜻임을 전하고자 하신 듯하여이다.

이 답 시를 받고 어리둥절해진 곽휘원이 그제야 주위를 둘러보니, 아내에게 쓴 의례적인 문안 편지는 책상 위에 그대로 있는 게 아닌가. 아마도 그 옆에 있던 흰 종이를 편지인 줄 알고 잘못 넣어 보낸 것인 듯했다. 백지로 된 편지를 전해 받은 아내는 처음엔 무슨 영문인가 싶었지만, 꿈보다 해몽이 좋다고 자신에 대한 그리움이 말로 다할 수 없음에 대한 고백으로 그 여백을 읽어 내었다. 남편의 실수가 오히려 아내에게 깊고 그윽한 기쁨을 안겨 준 것이다. 이렇게 실수는 때로 삶을 신선한 충격과 행복한 오해로 이끌곤 한다.

나 절에서 빗을 찾은 나의 엉뚱함도 우물가에서 숭늉 찾는 격이려니와, 빗이라는 말 한마디에 그토록 당황하고 어리둥절해하던 노스님의 표정이 자꾸 생각나서였다. 그러나 그 순간 나는 보았다. 시간을 거슬러 올라가 검은 머리칼이 있던, 빗을 썼던 그 까마득한 시절을 더듬고 있는 그분의 눈빛을. 이십 년 또는 삼십 년, 마치 물길을 거슬러 올라가는 연어 떼처럼 참으로 오랜 시간이 그 눈빛 위로 스쳐 지나가는 듯했다. 〈중략〉

이처럼 악의가 섞이지 않은 실수는 봐줄 만한 구석이 있다. 그래서인지 내가 번번이 저지르는 실수는 나를 곤경에 빠뜨리거나 어떤 관계를 불화로 이끌기보다는 의외의 수확이나 즐거움을 가져다줄 때가 많았다. 겉으로는 비교적 차분하고 꼼꼼해 보이는 인상이어서 나에게 긴장을 하던 상대방도 이내 나의 모자란 구석을 발견하고는 긴장을 푸는 때가 많았다.

다 결국 ㉠실수는 삶과 정신의 여백에 해당한다. 그 여백마저 없다면 이 각박한 세상에서 어떻게 숨을 돌리며 살 수 있겠는가. 그리고 발 빠르게 돌아가는 세상에 어떻게 휩쓸려 가지 않고 남아 있을 수 있겠는가. 어쩌면 사람을 키우는 것은 능력이 아니라 실수의 힘일지도 모른다.

그러나 날이 갈수록 실수가 용납되는 땅은 점점 좁아지고 있다. 사소한 실수조차 짜증과 비난의 대상이 되기가 십상이다. 남의 실수를 웃으면서 눈감아 주거나 그 실수가 나오는 내면의 풍경을 헤아려 주는 사람을 만나기도 어려워져 간다.

표현상 특징 파악하기

1

이 글의 특징으로 적절하지 <u>않은</u> 것은?

① 실수와 관련된 일화들을 제시하고 있다.

② 역순행적 구성에 따라 내용을 전개하고 있다.

③ 설의적 표현을 활용하여 의미를 강조하고 있다.

④ 비유적 표현을 활용하여 대상을 인상적으로 표현하고 있다.

⑤ 속담, 관용구를 활용하여 내용을 효과적으로 전달하고 있다.

세부 내용 파악하기

2

주관식

(가)의 '곽휘원'의 이야기, (나)의 '나'의 이야기를 통해 알 수 있는 실수의 긍정적인 효과를 두 가지 쓰시오.

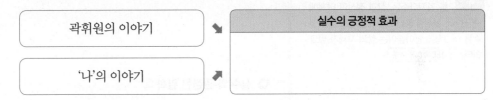

곽휘원의 이야기	➜	실수의 긍정적 효과
'나'의 이야기	➜	

글쓴이의 관점 파악하기

3

(다)에 나타나는 오늘날의 세태에 대한 글쓴이의 생각으로 적절하지 <u>않은</u> 것은?

① 실수를 용납하지 않는 삭막한 세상이다.

② 발 빠르게 돌아가는 세상에 휩쓸리기 쉽다.

③ 남의 사소한 실수조차 쉽게 짜증과 비난의 대상이 된다.

④ 남의 실수를 보고도 못 본 체하는 사람들을 만나기 어렵다.

⑤ 자신의 실수에는 너그럽고 남의 실수에 엄격한 경향이 있다.

글쓴이의 생각 파악하기

4

㉠을 통해 글쓴이가 말하고자 하는 의미로 가장 적절한 것은?

① 실수는 삶에 집중하고 있지 않을 때 일어난다.

② 실수를 통해 삶과 정신에 여유를 느낄 수 있다.

③ 실수를 하면 삶과 정신에 큰 타격을 입을 수 있다.

④ 실수를 통해 자신의 삶과 정신의 문제점을 확인할 수 있다.

⑤ 실수를 해도 이를 바로잡으면 건강한 삶과 정신을 유지할 수 있다.

작품 정리하기

전체 구성

처음 중국의 곽휘원이란 사람이 아내에게 문안 편지 대신 실수로 흰 종이를 잘못 보낸다. 흰 종이를 받은 그의 아내는 그리움을 말로 다할 수 없다는 고백으로 그 여백을 받아들여 감동한다. -- 150쪽 (가) 수록

중간 '나'는 절에 묵으면서 노스님에게 빗을 빌려 달라고 말했다가 곧 그것이 실수임을 깨닫는다. 노스님은 '나'의 실수를 너그럽게 이해했고, '나'는 자신의 실수가 노스님에게 추억을 선물했다고 생각한다. -- 150쪽 (나) 수록

끝 실수는 바쁘고 각박한 세상에 여유를 가져다주는, 삶과 정신의 여백에 해당한다. 실수를 용납하지 않는 삶보다는 실수를 너그럽게 받아들이는 삶의 자세가 필요하다. -- 150쪽 (다) 수록

해제

이 작품은 구체적인 일화를 바탕으로 하여 실수의 긍정적인 의미에 대해 전달하고 있는 현대 수필이다. 글쓴이는 실수와 관련된 두 가지 일화를 통해 실수를 새로운 시각에서 바라보며, 실수가 오히려 삶에 신선한 충격과 여유를 가져다줄 수 있다는 깨달음을 전하고 있다.

주제

실수의 긍정적 의미, 실수를 너그럽게 용납해 주는 태도의 필요성

'실수'와 관련된 일화 ①

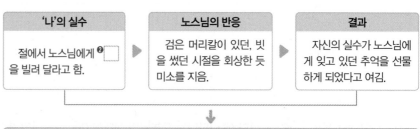

곽휘원의 실수	아내의 반응	결과
떨어져 사는 아내에게 실수로 문안 편지 대신에 흰 종이를 보냄.	남편이 그리움의 감정을 말로는 다할 수 없어 흰 종이를 보낸 것이라 생각함.	남편의 실수가 오히려 아내에게 기쁨을 줌.

글쓴이가 생각하는 실수의 효과

우리 삶에 신선한 충격과 ❶☐☐을 주기도 함.

'실수'와 관련된 일화 ②

'나'의 실수	노스님의 반응	결과
절에서 노스님에게 ❷☐을 빌려 달라고 함.	검은 머리칼이 있던, 빗을 썼던 시절을 회상한 듯 미소를 지음.	자신의 실수가 노스님에게 잊고 있던 추억을 선물하게 되었다고 여김.

글쓴이가 생각하는 실수의 효과

우리 삶에 의외의 수확이나 즐거움을 가져다주기도 함.

'실수'에 대한 글쓴이의 깨달음

글쓴이는 남의 사소한 실수조차 짜증과 비난의 대상이 되기 쉬운 오늘날의 세태를 부정적으로 바라보면서, 실수의 긍정적인 의미에 주목하여 서로의 실수를 너그럽게 받아들이는 삶의 자세가 필요함을 강조하고 있다.

오늘날의 세태	발 빠르게 돌아가는 세상에서 사소한 실수조차 용납되지 않음.

글쓴이의 깨달음	• 실수는 삶과 정신에 ❸☐☐를 가져다주는 여백임. • 실수를 너그럽게 받아들이는 삶의 자세가 필요함.

어휘
다지기

1 다음 뜻에 해당하는 단어를 말 상자에서 찾아 표시하시오.

(1) 나쁜 마음. 또는 좋지 않은 뜻.

(2) 웃어른께 안부를 여쭘. 또는 그런 인사.

(3) 열에 여덟이나 아홉 정도로 거의 예외가 없음.

(4) 종이 따위에, 글씨를 쓰거나 그림을 그리고 남은 빈 자리.

여	백	십	어	문
의	상	용	악	선
례	구	납	의	글
적	버	칭	불	월
릇	문	안	화	기

2 다음 뜻을 참고하여 괄호 안에서 알맞은 단어를 고르시오.

(1) 말이나 행동이 너그러운 마음으로 받아들여지다.

　　예 날이 갈수록 실수가 (용납되는, 용서되는) 땅은 점점 좁아지고 있다.

(2) 형식이나 격식만을 갖춘 것.

　　예 곽휘원은 떨어져 살고 있는 아내에게 (의례적, 의식적)인 편지를 보냈다.

3 다음 밑줄 친 관용구의 뜻을 찾아 바르게 연결하시오.

(1) 요즘 세상은 <u>발 빠르게</u> 돌아간다. ・

　　　　　　　　　　　　　　　　　　　　・① 동작이나 대응 따위가 빠르다.

(2) 실수마저 없다면 이 각박한 세상에서 <u>숨을 돌리며</u> 살기 어려울 것이다. ・

　　　　　　　　　　　　　　　　　　　　・② 잠시 여유를 얻어 휴식을 취하다.

4 다음 속담의 뜻을 참고하여 빈칸에 들어갈 단어를 〈보기〉의 글자를 조합하여 쓰시오.

　　보기

　　　　가　　능　　몽　　물　　승　　우　　해

(1) 하찮거나 언짢은 일을 그럴듯하게 돌려 생각하여 좋게 풀이함을 비유적으로 이르는 말. ➡ 꿈보다 (　　　　　)이 좋다

(2) 모든 일에는 질서와 차례가 있는 법인데 일의 순서도 모르고 성급하게 덤빔을 비유적으로 이르는 말. ➡ (　　　　)에서 (　　　　) 찾는다

실전 **03 이옥설** | 이규보

다음은 글쓴이가 행랑채를 수리하는 과정에서 얻은 깨달음을 전하고 있는 고전 수필이다. 글쓴이의 경험과 이를 통해 얻은 깨달음이 무엇인지 파악하며 작품을 읽어 보자.

✎ 핵심 짚기

● **제재**

비가 샌 **ㅎㄹㅊ**를 수리한 글쓴이의 경험

● **글쓴이의 생각**

> 비가 샌 지 오래된 것은 그렇지 않은 것에 비해 수리비가 많이 듦.
>
> ⋮
>
> **ㅈㅁ**을 알았을 때에는 바로 고쳐야 함.

● **표현상 특징**

· 크게 경험과 **ㄲㄷㅇ**으로 구성됨.
· 일상의 경험에서 얻은 깨달음을 사람, 정치로 확장하여 적용함.

빈칸 답
❶ 행랑채 ❷ 잘못 ❸ 깨달음

행랑채가 퇴락하여 지탱할 수 없게끔 된 것이 세 칸이었다. 나는 마지못하여 이를 모두 수리하였다. 그런데 그중의 ㉠두 칸은 비가 샌 지 오래되었으나, 나는 그것을 알면서도 이럴까 저럴까 망설이다가 손을 대지 않았던 것이고, ㉡나머지 한 칸은 처음 비가 샐 때 서둘러 기와를 갈았던 것이다. 이번에 수리하려고 보니 비가 샌 지 오래된 것은 그 서까래, 추녀, 기둥, 들보가 모두 썩어서 못 쓰게 된 까닭으로 수리비가 엄청나게 들었고, 한 번밖에 비가 새지 않았던 한 칸의 재목들은 온전하여 다시 쓸 수 있었기 때문에 그 비용이 많이 들지 않았다.

나는 이에 느낀 것이 있었다. 사람의 경우도 마찬가지라는 사실이다. 잘못을 알고서도 바로 고치지 않으면 곧 그 자신이 나쁘게 되는 것이 마치 나무가 썩어서 못 쓰게 되는 것과 같다. 잘못을 알고 고치기를 꺼리지 않으면 해(害)를 받지 않고 다시 착한 사람이 될 수 있으니, 저 집의 재목처럼 말끔하게 다시 쓸 수 있는 것이다.

그뿐만 아니라 나라의 정치도 이와 같다. 백성을 좀먹는 무리들을 내버려 두었다가는 백성들이 도탄에 빠지고 나라가 위태롭게 된다. 그런 뒤에 급히 바로잡으려 해도 이미 썩어 버린 재목처럼 때는 늦은 것이다. 어찌 삼가지 않겠는가?

● **행랑채** | 대문간 곁에 있는 집채.

● **퇴락하다** | 건물 등이 낡아서 무너지고 떨어지다.

● **서까래** | 마룻대에서 도리 또는 보에 걸쳐 지른 나무.

● **추녀** | 네모지고 끝이 번쩍 들린, 처마의 네 귀에 있는 큰 서까래. 또는 그 부분의 처마.

● **들보** | 칸과 칸 사이의 두 기둥을 건너지르는 나무.

● **재목** | 목조의 건축물, 기구 등을 만드는 데 쓰는 나무.

● **좀먹다** | 어떤 사물에 드러나지 않게 조금씩 조금씩 자꾸 해를 입히다.

● **도탄** | 몹시 곤궁하여 고통스러운 지경을 이르는 말.

● **삼가다** | 몸가짐이나 언행을 조심하다.

작품의 특징 파악하기 **1**

＋ 설(說)
　사물의 이치를 풀이하고 자신의 의견을 덧붙여 서술하는 한문 문체로, 수필에 가까운 글이다. 보통 글쓴이의 의견을 비유나 우의적 표현을 사용하여 드러낸다.

이 글에 대한 설명으로 적절하지 않은 것은?

① 독자에게 교훈을 전달하는 글이다.
② 고전 수필의 한 갈래인 설(說)에 해당한다.
③ 크게 글쓴이의 경험과 깨달음으로 구성되어 있다.
④ 사례를 활용하여 글쓴이의 의견을 이끌어 내고 있다.
⑤ 통념을 깨는 방식으로 글쓴이의 의도를 드러내고 있다.

구성 방식 파악하기 **2**

＋ 유추
　두 대상이 여러 면에서 비슷하다는 것을 근거로 하여 다른 속성도 유사할 것이라고 추론하는 방법.

`고난도` `고1 학력평가 기출`
이 글의 구조를 다음과 같이 정리할 때, 이 글을 이해한 내용으로 적절하지 않은 것은?

경험		의미 유추＋		의미 확장
A	→	B	→	C

① A에는 행랑채를 수리한 경험이 구체적으로 드러난다.
② B에는 A와 사람의 유사성을 근거로 한 추론이 나타난다.
③ C에서는 B의 깨달음을 나라의 정치라는 영역으로 확장하고 있다.
④ A → B → C의 과정을 거치며 사회적 차원으로 인식이 확대되고 있다.
⑤ C에서 글쓴이는 부패한 정치를 개혁해야 한다는 주장을 다시 반복하고 있다.

글쓴이의 생각 파악하기 **3**

이 글에 드러난 글쓴이의 생각으로 가장 적절한 것은?

① 잘못을 알았을 때에는 바로 고쳐야 합니다.
② 잘못을 저지르지 않도록 항상 조심해야 합니다.
③ 신분과 관계없이 능력 있는 인재를 선발해야 합니다.
④ 정치가들은 모든 일에 삼가는 태도를 지녀야 합니다.
⑤ 일을 시작할 때에는 기초를 잘 다지는 것이 중요합니다.

세부 내용 파악하기 **4**

㉠, ㉡에 대한 설명으로 적절하지 않은 것은?

① ㉠은 잘못을 고치지 않고 미루어 둔 것에 해당한다.
② ㉠은 피해가 심한 것에 비해 수리비가 적게 들었다.
③ ㉡은 잘못을 안 지 얼마 안 되어 고친 것에 해당한다.
④ ㉡은 재목들을 다시 쓸 수 있어 수리비가 적게 들었다.
⑤ ㉠과 ㉡은 모두 사람과 나라에 빗대어 설명할 수 있다.

전체 구성

처음 '나'는 비가 새어 낡은 행랑채 세 칸을 수리하였다. 그중 비가 샌 지 오래된 두 칸은 재목이 모두 썩어서 수리비가 많이 들었지만, 비가 샌 지 오래되지 않은 한 칸은 재목을 다시 쓸 수 있어 수리비가 많이 들지 않았다.

중간 '나'는 집의 경우와 마찬가지로 사람도 잘못을 알고서 바로 고치면 다시 착한 사람이 될 수 있다고 생각한다.

끝 '나'는 나라의 정치 역시 탐관오리를 한시바삐 제거하지 않으면 백성들이 도탄에 빠지고 나라가 위태롭게 되므로, 이를 경계해야 한다고 생각한다.

※ **154쪽**에 전문이 수록되어 있음.

해제

이 작품은 퇴락한 행랑채를 수리한 경험에서 얻은 깨달음을 사람과 나라의 정치에 적용하고 있는 고전 수필이다. 글쓴이는 정치 개혁이라는 다소 무거운 주제를 전하고 있는데, 이를 일상적 경험을 바탕으로 한 깨달음과 의미 확장이라는 구조를 통해 제시함으로써 독자가 글쓴이의 생각을 자연스럽게 받아들이게 한다.

주제

— 어떤 일이나 행동에서 나타나는 옳지 못한 경향이나 해로운 현상.

• 잘못을 알고 바로 고치는 자세의 중요성
• 탐관오리의 폐단을 없애고 나라를 바로 세우는 정치 개혁의 필요성

제목 '이옥설'의 의미

이옥(理 고칠 이, 屋 집 옥)		설(說 말씀 설)
집을 고치다.	＋	사물의 이치를 풀이하고 글쓴이의 의견을 덧붙여 서술하는 글

↓

집을 수리하면서 얻은 이치와 그에 대한 글쓴이의 ❶☐☐을 서술한 글

글쓴이의 경험과 깨달음

경험	• 비가 샌 지 오래된 두 칸은 바로 고치지 않아 재목들을 못 쓰게 됨. • 비가 샐 때 바로 고친 한 칸은 재목들이 온전하여 다시 쓸 수 있었음.

▽

깨달음	❷☐☐을 알았을 때에는 바로 고쳐야 한다.

구성상 특징

이 글은 크게 '글쓴이의 경험 – 깨달음'의 2단 구성으로 이루어져 있으며, 좀 더 세부적으로 나누면 '경험 – 의미 ❸☐☐(의미 발견) – 의미 확장'의 구성으로 파악할 수 있다.

경험	**행랑채 수리**
	일상생활의 구체적인 경험 제시

↓ 유추(경험에서 얻은 깨달음의 적용)

의미 유추	**사람의 경우**
	• 사람이 잘못을 바로 고치지 않으면 나쁘게 됨. • 사람이 잘못을 알고 바로 고치면 다시 착한 사람이 될 수 있음.

↓ 유추 및 확장(깨달음의 확대 적용)

의미 확장	**나라 정치의 경우**
	• 백성을 좀먹는 무리들을 내버려 두면 백성들이 도탄에 빠지고 나라가 위태롭게 됨. • 백성을 좀먹는 무리들의 잘못을 즉시 고쳐야 나라가 바로 서게 됨.

빈칸 답 ❶ 의견 ❷ 잘못 ❸ 유추

어휘
다지기

1 다음 단어의 뜻을 찾아 바르게 연결하시오.

(1) 재목 • • ① 몸가짐이나 언행을 조심하다.

(2) 삼가다 • • ② 목조의 건축물, 기구 등을 만드는 데 쓰는 나무.

(3) 좀먹다 • • ③ 어떤 사물에 드러나지 않게 조금씩 조금씩 자꾸 해를 입히다.

2 다음 밑줄 친 단어와 바꾸어 쓸 수 있는 단어로 알맞은 것은?

> 행랑채가 <u>퇴락하여</u> 지탱할 수 없게끔 된 것이 세 칸이었다.

① 낡아　　② 뒤쳐져　　③ 감소하여　　④ 발전하여　　⑤ 하락하여

3 다음 한옥 구조와 뜻을 참고하여 초성에 해당하는 단어를 쓰시오.

➕ 한옥의 구조와 관련된 말
• **용마루**: 지붕 가운데 부분에 있는 가장 높은 수평 마루.
• **처마**: 기둥 밖으로 나와 있는 지붕의 일부.
• **대청**: 방과 방 사이에 있는 큰 마루.
• **주춧돌**: 기둥 밑에 기초로 받쳐 놓은 돌.

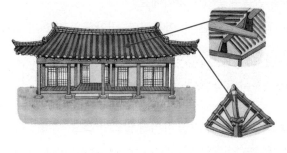

(1) ㅅㄲㄹ : 마룻대에서 도리 또는 보에 걸쳐 지른 나무.
.... (　　　　)

(2) ㅊㄴ : 처마의 네 귀에 있는 큰 서까래. 또는 그 부분의 처마.
.... (　　　　)

어휘➕ 글의 내용과 관련된 속담

4 〈보기〉의 밑줄 친 부분과 관련 깊은 속담을 골라 ✓ 표시를 하시오.

> **보기**
>
> 　백성을 좀먹는 무리들을 내버려 두었다가는 백성들이 도탄에 빠지고 나라가 위태롭게 된다. <u>그런 뒤에 급히 바로잡으려 해도 이미 썩어 버린 재목처럼 때는 늦은 것이다.</u>

☐ ① 언 발에 오줌 누기　　　　☐ ② 소 잃고 외양간 고친다

실전 **04 오아시스 세탁소 습격 사건** | 김정숙

교과서 **중3** _ 비상

이 작품은 할머니의 재산을 차지하기 위해 다투는 인물들을 통해 현대인의 탐욕을 비판하고 있는 희곡이다. 작품에 반영된 현대 사회의 세태와 등장인물의 가치관을 파악하며 작품을 읽어 보자.

핵심 짚기

발단 **전개** 절정 하강 대단원

● **인물**
· **안씨 가족**: 할머니의 임종을 앞두고도 ❶ ㅈ ㅅ 에만 신경을 씀.
· **서옥화**: 할머니의 간병인. 안씨 가족의 행태를 비판함.
· **강태국, 장민숙**: 세탁소의 주인. 안씨 가족의 행동에 당황해함.

● **배경**
(시간) 현대
(공간) 오아시스 ❷ ㅅ ㅌ ㅅ

● **사건**
안씨 가족이 재산과 관련된 할머니의 ❸ ㅇ 을 찾기 위해 세탁소를 찾아와 난동을 부림.

빈칸 답
❶ 재산 ❷ 세탁소 ❸ 옷

● **난동** | 질서를 어지럽히며 마구 행동함. 또는 그런 행동.
● **궁리** | 마음속으로 이리저리 따져 깊이 생각함. 또는 그런 생각.
● **풍** | 풍사로 인하여 생긴 풍증. 중풍, 전신마비, 언어 곤란 따위의 증상을 이른다.
● **인전** | '인제'의 방언.
● **쑥대밭** | 매우 어지럽거나 못 쓰게 된 모양을 비유적으로 이르는 말.
● **요사** | 요망하고 간사함.
● **요물** | 요망스러운 것. 간사하고 간악한 사람을 이르는 말.
● **임종** | 죽음을 맞이함. 부모가 돌아가실 때 그 곁을 지키고 있음.

앞부분의 줄거리 강태국은 아버지께 물려받은 오아시스 세탁소를 운영하고 있다. 아내 장민숙은 세탁소를 정리하자고 하지만, 강태국은 세탁 일이 사람의 마음을 깨끗하게 한다고 생각하며 자신의 직업에 자부심을 느끼고 있다. 그러던 어느 날, 할머니의 자식인 안유식, 안경우, 안미숙과 큰며느리인 허영분이 할머니의 간병인인 서옥화와 함께 세탁소에 쳐들어와 할머니의 옷을 내놓으라고 난동을 부린다.

가 안유식: (일단은 떠밀려 나와) 흐흠, 미안하오. (궁리를 하듯) 우리 어머니가, 병이 오래되셨는데, 뭐, 오늘을 넘기기가 힘들다고 한단 말이지요. 그래서 하는 말인데…… (또 궁리) 으흠, (포기하고) 아는 사람은 알겠지만, 우리 어머님이 재산이 꽤 됩니다. 아버님 집안이 재산가이신 데다가 우리 집이 부동산이 워낙 많았고, 아버님 돌아가시고 난 다음에 이 노인네가 재산을 관리하면서 어디다 잘 둔다고 하긴 한 모양인데, 건강하실 때 다두루 분배두 하구 알려두 주고 해야 할 일을, 말 한마디 못하고 덜커덕 풍을 맞아 갖구, 저렇게 식물인간으루다가 누워 지내다가 오늘 돌아가신다 하니까, ㉠무슨 정신이 나는지 '세탁', '세탁' 이렇게 두 마디 간신히 하고 입을 달싹 못 하시니 노인네는 인전 가신다고 봐야겠고 재산은 보전해야 되는 게 장남의……

안경우, 안미숙: ㉡(자신들의 존재를 알리는 헛기침) 힘! / 허영분: (비아냥) 흥!

안유식: (안 패거리 눈치 보고) 또 자식들 된 도리가 아닌가 하는 말이지요. 나는 똥 싼 바지에다 숨기셨나 했는데 그건 아닌 거 같고, 뭔가 이 세탁소에다 뭘 하시긴 한 것 같은데, 통 모르겠단 말이지……

장민숙: (설움이 북받쳐) 아니 그래, 그 통 모르겠는 일을 가지고 남의 세탁소를 이렇게 쑥대밭을 만들어 놓았단 말이에요?

허영분: ㉢(아주 고상한 척) 아주머니, 미안해요. 저희가 급한 마음에……. 용서하세요, 보상은 섭섭지 않게 해 드리겠어요.

서옥화: ㉣돈이 요사를 떠는 것이냐, 사람이 본디 요물이냐. 통 모르겠네……

나 강태국: 그러니까 지금 할머님 말씀만 듣고 '세탁', '세탁' 해서 오셨는데, 한두 푼 찾는 것도 아니고 전 재산 운운하시니까 참 난감합니다. 세탁소가 은행도 아니고……

안미숙: 근데 '세탁', '세탁' 그랬대요. 쓰러지고 그게 처음 말한 거예요.

안유식: 엄마 쓰러지신 지 얼마 됐지? / 안미숙: 오 년, 육 년?

서옥화: 사 년 칠 개월! / 안경우: 와 미치겠네, 진짜. 노인네 정말……

안유식, 휴대 전화가 울린다.

안유식: (받는다.) 여보세요. 아, 김 박사님. 예? 임종이요? 아니 찾지도 못했는데…… 아, 예, 그런 게 있어요. 아, 가야지요. ㉤(소리 지른다.) 지금 간다니까! (끊는다.)

형상화 방식 파악하기 **1** 이 글에 대한 설명으로 적절하지 <u>않은</u> 것은?

① 등장인물의 이름을 활용하여 대상을 풍자하고 있다.

② 공간이 변화함에 따라 인물 사이의 갈등이 고조되고 있다.

③ 지시문을 활용하여 인물의 말과 행동에 대한 이해를 돕고 있다.

④ 무대에 등장하지 않는 인물이 한 말로 인해 사건이 발생하고 있다.

⑤ 소품을 활용하여 무대 밖에서 일어난 사건을 자연스럽게 드러내고 있다.

인물의 태도 평가하기 **2** 안씨 가족을 평가한 말로 가장 적절한 것은?

💡 **도움말**

안씨 가족이 할머니의 재산에 대해 어떻게 반응하고 있는지 살펴본다.

① 물질만 중시하는 탐욕스럽고 비정한 인물들이야.

② 자신의 의견만 옳다고 주장하는 독선적인 인물들이야.

③ 모든 일을 의심하며 사람을 잘 믿지 못하는 인물들이야.

④ 자신의 책임을 회피하기 위해 남의 탓을 하는 인물들이야.

⑤ 남에게 잘 보이는 것을 중시하여 자신의 능력을 과장하는 인물들이야.

세부 내용 파악하기 **3** ㉠~㉤에 대한 설명으로 적절하지 <u>않은</u> 것은?

① ㉠: 안씨 가족이 세탁소를 습격한 이유가 드러나 있다.

② ㉡: 장남인 안유식이 어머니의 재산을 독차지할까 봐 경계하고 있다.

③ ㉢: 장민숙에 대한 미안함으로 인해 상냥하고 협조적인 태도를 보이고 있다.

④ ㉣: 할머니의 건강 상태보다 재산에 더 관심이 많은 안씨 가족을 비판하고 있다.

⑤ ㉤: 어머니의 임종을 지키러 가야 하는 상황에 대한 불만이 드러나 있다.

외재적 관점으로 감상하기 **4** 〈보기〉를 참고할 때, 이 글에 반영된 사회·문화적 배경으로 가장 적절한 것은?

› **보기** ‹

　문학 작품에는 창작 당시 사회·문화적 상황이 배경으로 반영되며, 문학 작품 속 인물의 사고방식이나 행동은 이러한 배경의 영향을 받는다. 따라서 작품을 감상할 때에는 인물의 행동이나 사고방식을 사회·문화적 배경과 관련지어 이해해야 한다.

① 돈을 최고의 가치로 중시하는 세태

② 직업에 따라 사람을 차별하는 세태

③ 공동체적인 온정이 사라지고 있는 세태

④ 성공을 위해 수단과 방법을 가리지 않는 세태

⑤ 노년층과 청장년층 간의 갈등이 심해지는 세태

● **인물**

강태국: ❶ ㅈㅈ 하고 성실하게 살아가고자 함. 물질보다는 인간으로서의 도리를 중요하게 여김.

● **사건**

• 할머니의 재산을 찾기 위해 사람들이 세탁소에 몰래 숨어듦.
• 강태국은 나머지 사람들을 ❷ ㅅㅌ 하고 할머니의 비밀을 지킴.

● **갈등 양상**

갈등의 진행
탐욕스러운 사람들에게 분노하는 ❸ ㄱㅌㄱ
⇅
할머니의 재산을 탐내는 나머지 사람들

갈등의 해소
❸ ㄱㅌㄱ 이 탐욕스러운 사람들을 세탁하여 정화함.

빈칸 답
❶ 정직 ❷ 세탁 ❸ 강태국

● **방백** | 연극에서, 등장인물이 말을 하지만 무대 위의 다른 인물에게는 들리지 않고 관객만 들을 수 있는 것으로 약속되어 있는 대사.
● **잡기장** | 여러 가지 잡다한 것을 적는 공책.
● **굉음** | 아주 요란한 소리.
● **고름** | 옷고름. 저고리나 두루마기의 깃 끝과 그 맞은편에 하나씩 달아 양편 옷깃을 여밀 수 있도록 한 헝겊 끈.
● **화수분** | 재물이 계속 나오는 보물단지. 그 안에 온갖 물건을 담아 두면 끝없이 새끼를 쳐 그 내용물이 줄어들지 않는다는 설화 속의 단지.

생략된 부분의 줄거리 안유식이 할머니의 재산을 가장 먼저 찾는 사람에게 절반을 주겠다고 하자 안씨 가족뿐만 아니라 서옥화, 세탁소 직원인 염소팔, 강태국의 가족인 장민숙과 강대영까지 재산을 찾으려고 세탁소에 몰래 숨어든다.

㉮ 강태국: 아버지, 미안해요. (다시 상자를 뒤지며 세탁대 밑에서 소주병을 꺼내며 먼지를 닦아 한 모금 마신다.) 세상이 어떤 세상인데 세탁소를 하나? (또 한 모금 마신다.) 인간 강태국이 세탁소 좀 하면서 살겠다는데 그게 그렇게도 이 세상에 맞지 않는 짓인가? 이때 많은 세상 한 귀퉁이 때 좀 빼면서, 그거 하나 지키면서 보람 있게 살아 보겠다는데 왜 흔들어? 돈이 뭐야? 돈이 세상의 전부야? (술 한 모금 마시고) 느이놈들이 다 몰라줘도 나 세탁소 한다. 그게 내 일이거든…….

　　사람들 자기 자리에 숨어서 강태국을 보며 제각기 분통을 터뜨린다.

[A] ┌ **강대영:** (방백) 진짜 짜증 나, 아버지 왜 저러지? / **허영분:** (방백) 미쳤어!
　　└ **염소팔:** (방백) 돌아 버리겠네.

㉯ 잠깐 놀란 듯이 멈추며 옷을 들고 서 있다가 세탁대로 와서 아버지의 잡기장을 뒤진다.

강태국: 그렇지, 할머니가 처음 세탁물을 맡겼을 때가 아버지가 살아 계셨을 때니까. (세탁대에 앉아 잡기장을 읽으며 고개를 끄덕인다.) 아버지! 그래, 여기 있네, 있어.

㉰ 강태국: 당신들이 사람이야? 어머님 임종은 지키고 온 거야? / **사람들:** 아니!

강태국: 에이, 나쁜 사람들. (옷을 가지고 문으로 향하며) 나 못 줘! (울분에 차서) 이게 무엇인지나 알어? 나 당신들 못 줘. 내가 직접 할머니 갖다 드릴 거야.

장민숙: 여보, 나 줘! / **강대영:** 아버지, 나요!

강태국: 안 돼, 할머니 갖다 줘야 돼. 왠지 알어? 이건 사람 것이거든. 당신들이 사람이믄 주겠는데, 당신들은 형상만 사람이지 사람이 아니야. 당신 같은 짐승들에게 사람의 것을 줄 순 없어.

㉱ 강태국, 재빨리 옷을 세탁기에 넣는다. 사람들 서로 먼저 차지하려고 세탁기로 몰려 들어간다. 강태국이 얼른 세탁기 문을 채운다. 놀라는 사람들, 세탁기를 두드린다. 강태국, 버튼 앞에 손을 내밀고 망설인다. 사람들 더욱 세차게 세탁기 문을 두드린다. 강태국, 버튼에 올려놓은 손을 부르르 떨다가 강하게 누른다. 음악이 폭발하듯 시작되고 굉음을 내고 돌아가는 세탁기.

㉲ 강태국: (눈물 고름을 받쳐 들고) 할머니, 비밀은 지켜 드렸지요? 그 많은 재산, 이 자식 사업 밑천, 저 자식 공부 뒷바라지에 찢기고 잘려 나가도, 자식들은 부모 재산이 화수분인 줄 알아서, 이 자식이 죽는 소리로 빼돌리고, 저 자식이 앓는 소리로 빼돌려, 할머니를 거지를 만들어 놓았어도 불효자식들 원망은커녕 형제간에 의 상할까 걱정하시어 끝내는 혼자만 아시고 아무 말씀 안 하신 할머니의 마음, 이제 마음 놓고 가셔서 할아버지 만나서 다 이르세요.

인물의 특성 파악하기 **5**

강태국에 대한 이해로 적절하지 <u>않은</u> 것은?

① 세탁 일을 하는 것에 자부심을 가지고 있다.

② 힘들지만 자신의 신념을 지키며 살아가려고 하고 있다.

③ 세탁 일로 남들에게 인정받고 세탁소로 성공할 것을 확신하고 있다.

④ 물질에 눈이 멀어 비인간적인 행동을 하는 인물들을 비판하고 있다.

⑤ 정직하고 성실한 사람이 인정받지 못하는 세상에 대해 불만을 드러내고 있다.

형상화 방식 파악하기 **6**

이 글을 연극으로 공연할 때, [A]를 표현하는 방법으로 가장 적절한 것은?

① 강대영, 허영분, 염소팔이 차례대로 강태국에게 말을 한다.

② 강대영, 허영분, 염소팔이 자기들끼리 귓속말로 대화를 한다.

③ 강대영, 허영분, 염소팔이 관객들과 함께 대화하며 공감을 구한다.

④ 강대영, 허영분, 염소팔이 각자 말을 하고, 다른 인물들은 그 말을 듣지 못한 척한다.

⑤ 강대영, 허영분, 염소팔이 조용히 말을 하고, 강태국은 그들의 말을 들었으면서도 못 들은 척한다.

장면의 의미 파악하기 **7**

 고난도

〈보기〉는 이 글의 마지막 장면이다. 이를 바탕으로 (라)에 제시된 세탁 장면에 대해 토의한 내용으로 적절하지 <u>않은</u> 것은?

● **혼백** | 넋. 사람의 몸에 있으면서 몸을 거느리고 정신을 다스리는 비물질적인 것.

┌─ ● 보기 ─────────────────────
음악 높아지며, 할머니의 혼백처럼 눈부시게 하얀 치마저고리가 공중으로 올라간다. 세탁기 속의 사람들도 빨래집게에 걸려 죽 걸린다.

강태국: (바라보고) 깨끗하다! 빨래 끝! (크게 웃는다.) 하하하.
└────────────────────────────

① 사람들의 탐욕스러운 마음이 깨끗하게 변하는 과정을 나타내는군.

② 현실에서는 일어나기 어려운 일을 활용하여 극을 진행시키고 있군.

③ 사건의 개연성을 확보하기 위해 작가가 의도적으로 설정한 장치로군.

④ 사람들을 세탁함으로써 사람들과 강태국 사이의 갈등이 해소되고 있군.

⑤ 오아시스 세탁소가 사람들을 정화해 주는 공간이라는 것을 드러내는군.

세부 내용 파악하기 **8**

 주관식

비밀의 내용을 다음과 같이 정리할 때, ⓐ, ⓑ에 들어갈 알맞은 말을 이 글에서 찾아 쓰시오.

┌────────────────────────────
자식들을 (ⓐ)하느라 (ⓑ)을 다 써 버리고도 말하지 못한 것이다.
└────────────────────────────

전체 구성

발단 아버지의 대를 이어 오아시스 세탁소를 운영하는 강태국은 자신의 일에 신념과 자부심을 가지고 있다.

전개 재산과 관련된 할머니의 옷을 찾으러 온 안씨 가족들이 세탁소를 쳐들어와서 난장판으로 만든다. 안유식은 할머니 옷을 찾으면 유산의 반을 나누어 주겠다고 사람들을 꾀어낸다. ········ **158쪽 수록**

절정 강태국을 제외한 사람들이 할머니의 옷을 찾기 위해 세탁소에 몰래 숨는다. 강태국은 아버지를 떠올리며 울분을 토로한다. 그러던 중 아버지의 잡기장을 살피다가 할머니의 옷을 찾는다. ···· **160쪽 (가), (나) 수록**

하강 강태국은 사람들의 탐욕스러운 모습에 분노하고, 이들을 세탁기에 넣고 돌린다. ··· **160쪽 (다), (라) 수록**

대단원 강태국은 할머니의 비밀이 담긴 옷고름을 불태운다. 그는 깨끗이 세탁된 사람들을 보며 크게 기뻐한다. ····· **160쪽 (마) 수록**

해제

이 작품은 물질 만능주의가 만연한 현대 사회를 비판하고 있는 희곡이다. 자식의 도리를 잊고, 할머니의 재산만 밝히는 안씨 가족의 모습을 통해 현대인의 탐욕을 풍자하고 있다. 또한 성실하게 세탁소를 운영해 온 정직한 강태국이 할머니의 재산을 탐내는 나머지 사람들을 세탁하는 장면을 통해 사람들이 순수해지기를 바라는 소망을 드러내고 있다.

주제

이기적이고 탐욕스러운 인간에 대한 풍자와 순수한 인간성에 대한 지향

등장인물

세탁소 사람들
• **강태국**: 세탁소 주인
• **장민숙**: 강태국의 아내
• **강대영**: 강태국과 장민숙의 딸
• **염소팔**: 세탁소 직원

할머니 관련 인물
• **안유식**: 할머니의 첫째아들
• **허영분**: 안유식의 아내
• **안경우**: 할머니의 둘째아들
• **안미숙**: 할머니의 막내딸
• **서옥화**: 할머니의 간병인

갈등 양상

이 작품의 전반부에는 할머니의 옷을 두고, 안씨 가족과 세탁소 사람들 사이의 갈등이 나타난다. 이후 안유식이 할머니의 옷을 찾는 사람에게 재산의 절반을 나누어 주겠다고 제안하면서 강태국과 나머지 인물들 사이의 갈등이 나타난다. 강태국이 할머니의 재산을 탐내는 인물들을 세탁함으로써 극 중 갈등이 해소된다.

	안씨 가족		세탁소 사람들
작품 전반부 갈등	재산의 행방과 관련된 할머니의 ❶ ☐을 찾으려고 세탁소를 엉망으로 만듦.	↔	세탁소를 엉망으로 만드는 안씨 가족들을 막으려 함.

⬇ 안유식의 제안

	❷ ☐☐☐ 외 인물들		❷ ☐☐☐
작품 후반부 갈등	할머니의 옷을 찾아 재산을 받기 위해 세탁소에 몰래 들어옴.	↔	할머니의 재산에 욕심 내지 않고, 탐욕스러운 인물들에게 분노함.

⬇

갈등 해소	강태국이 나머지 인물들을 세탁기에 넣고 빨래하여 정화시킴.

공간적 배경의 의미

오아시스 세탁소는 사막처럼 각박한 삶을 살아가는 현대인들이 자신의 삶을 되돌아보며 순수함을 찾도록 해 주는 공간이라는 상징적 의미를 지닌다.

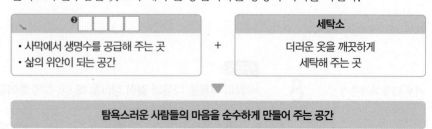

❸ ☐☐☐		세탁소
• 사막에서 생명수를 공급해 주는 곳 • 삶의 위안이 되는 공간	+	더러운 옷을 깨끗하게 세탁해 주는 곳

▼

탐욕스러운 사람들의 마음을 순수하게 만들어 주는 공간

빈칸 답 ❶ 옷 ❷ 강태국 ❸ 오아시스

1 다음 뜻과 예를 참고하여 해당하는 단어를 말 상자에서 찾아 표시하시오.

(1) 아주 요란한 소리.
　　예 세탁기가 (　　　　　)을 내며 돌아간다.

(2) 여러 가지 잡다한 것을 적는 공책.
　　　예 강태국이 아버지의 (　　　　　)을 뒤졌다.

(3) 요망스러운 것. 간사하고 간악한 사람을 이르는 말.
　　　예 돈이 요사를 떠는 것이냐, 사람이 본디 (　　　　　)이냐.

(4) 죽음을 맞이함. 부모가 돌아가실 때 그 곁을 지키고 있음.
　　　예 당신들, 어머님 (　　　　　)은 지키고 온 거야?

잡	기	장	화	끝
울	풍	임	수	귀
인	굉	종	분	통
전	고	음	유	이
요	물	상	산	통

2 다음 문장의 괄호 안에 들어갈 알맞은 말을 고르시오.

💡 **도움말**
인물의 행동과 대사를 떠올리며 문맥에 알맞은 말을 골라 본다.

(1) 허영분은 아주 (고상한 , 저속한) 척하며 장민숙에게 사과를 건넸다.
(2) 남의 세탁소를 이렇게 (쑥대밭 , 화수분)으로 만들어 놓았단 말이에요?
(3) 안유식은 어머니가 물려준 재산을 (보전하는 , 탕진하는) 것이 장남의 도리라고 말했다.

개념어

3 다음 희곡의 구성 요소와 그에 해당하는 뜻을 바르게 연결하시오.

(1) 독백　　•
　　　　　　　•ㄱ 등장인물이 무대에서 상대방 없이 혼자 하는 말.

(2) 방백　　•
　　　　　　　•ㄴ 작품의 맨 앞부분에서 필요한 무대 장치, 배경, 인물 등을 설명하는 부분.

(3) 해설　　•
　　　　　　　•ㄷ 등장인물의 동작, 표정, 말투와 무대의 효과음, 조명 등을 지시하고 설명하는 부분.

(4) 지시문　•
　　　　　　　•ㄹ 관객에게는 들리지만 무대 위 다른 등장인물에게는 들리지 않는 것으로 약속하고 하는 말.

05 세상에서 가장 아름다운 이별 | 노희경 원작, 민규동 각색

이 작품은 시한부 판정을 받은 어머니와 그의 가족들의 이야기를 통해 가족의 소중함을 그리고 있는 시나리오이다. 어머니의 죽음을 앞둔 상황에서 등장인물들의 심리가 어떤 방식으로 드러나는지에 주목하며 작품을 읽어 보자.

∞교과서 고1 _ 지학사, 창비

✏️ 핵심 짚기

발단 **전개** **절정** 하강 대단원

● **인물**
• 인희: 50대 가정주부. 가족들 뒷바라지를 하며 헌신적으로 살아옴.
• 정철: 인희의 남편. 아내와 집안일에 **❶ㅁㅅ**함.

● **배경**
(시간) 현대
(공간) 대학 병원, 인희의 집

● **사건**
• 인희의 **❷ㅂ**이 매우 심각하다는 것을 정철이 알게 됨.
• 시한부 판정을 받은 인희가 속마음을 털어놓음.

● **인물의 심리**
• 정철: 아내의 병을 알지 못한 것을 자책함.
• 인희: 죽음을 앞두고 살고 싶은 마음과 죽음에 대한 **❸ㄷㄹㅇ**을 이야기함.

┌ **빈칸 답**
❶ 무심 ❷ 병 ❸ 두려움

● **오줌소태** | 방광염이나 요도염으로 오줌이 자주 마려운 부인병.
● **판독실** | 방사선, 초음파, 엠아르아이(MRI) 등으로 촬영한 신체 부위 사진이나 영상을 살펴 질병의 상태 따위를 알아보는 곳.
● **자조적** | 자기를 비웃는 듯한. 또는 그런 것.
● **명의** | 병을 잘 고쳐 이름난 의원이나 의사.
● **돌팔이** | 제대로 된 자격이나 실력이 없이 전문적인 일을 하는 사람을 속되게 이르는 말.
● **판정하다** | 판별하여 결정하다.

앞부분의 줄거리 50대 가정주부인 인희는 월급 의사로 일하는 남편 정철, 중증 치매 환자인 시어머니, 다 큰 자식들의 뒷바라지로 바쁘게 지낸다. 항상 꿈꾸던 전원주택을 짓느라 분주하던 인희는 오줌소태가 심해져 병원에서 검사를 받는다.

㉮ S# 42. 대학 병원, 판독실 / 낮

㉠장 박사, 여러 모니터를 살펴보며 정철의 안색을 살피고는.

장 박사: 수술 못 해.

정철: (사납게 보며) 왜? / 장 박사: 알잖아.

정철: (자조적) ㉡내가 뭘 알아? 명의라고 소문난 너나 알지. 나 같은 돌팔이 의사가 뭘 알아? 난 위염을 위궤양이라고, 맹장을 장염으로 판정한 적도 있어. 난 몰라. 챙피한 소리지만, 낼모레면 아랫것들한테 밀려, 30년 의사질도 그만이야. 나, 그때까지 기다릴 것도 없어. 나, 지금 그만둔다. 나 지금부터 의사 아니야. 그니까 찬찬히 알아듣게 설명해.

장 박사: (차트 판을 끄며) 이미 늦었어.

㉯ S# 43. 병원 앞, 버스 정류장 앞 / 낮

정철: ㉢(짜증 난 얼굴) 집은 나중에 겨두 돼. 아픈 사람이 어딜 가?

인희: (뿌리치며) ㉣어머니 그 집서 겨울나기 힘들다고 몇 번을 말해?

정철: (반대쪽 팔을 이끌며) 집에 가.

인희: (뿌리치며) 진즉에 좀 걱정하지. 젊어서 애 날 때두 옆에 없던 사람이. 병원 가요. 일 두 안 하구 월급 받을 거야? (정류장 쪽으로 가고)

정철: (한숨 쉬고 따라가, 다시 팔을 잡고, 택시를 세우려고 한다.)

인희: (뿌리치고) 버스 놔두고 무슨 택시? 돈이 썩어 나? 죽을병도 아닌데……

생략된 부분의 줄거리 검사 결과, 인희는 자궁암 말기로 판정되고, 수술도 실패한다. 인희의 병을 알게 된 자식들은 슬픔에 복받쳐 울음을 터뜨리고, 그 모습을 보던 인희는 방을 뛰쳐나가 벽에 주저앉으며 속 얘기를 터뜨린다.

㉰ S# 142. 인희의 집 / 밤

인희: ㉤나도…… 나도, 살고 싶어. 죽으면 천국, 지옥 있다는데, 지옥 갈까 봐 무섭구. 앞으로 얼마나 더 아파야 하는지 너무 무서워. 죽을 때도 많이 아플까? 정수 대학 들어가는 것만 봤으면 좋겠어. 아니, 연수 결혼하는 것만 보고. 아니, 정수 애 낳는 것만 보고. 내 새끼도 이렇게 이쁜데 손주들은 얼마나 이쁠까. 나 벌 받나 봐. 너무 힘들 땐 어머니 언제 돌아가실라나. 생각했었는데. 우리 정수 처음 사고 났을 때, 보청기 끼고라도 들을 수만 있으면, 내 통장 전부 다 내놓겠다고, 평생 봉사하고 살겠다고, 기도했는데, 그것도 못 지켰고. 그래서 나 벌 받나 봐……

갈래적 특성 파악하기

1 **이와 같은 글의 갈래적 특성으로 적절하지 <u>않은</u> 것은?**

① 사건을 현재형으로 보여 준다.
② 말과 행동을 통해 인물의 심리를 드러낸다.
③ 설명과 묘사를 중심으로 이야기를 전개한다.
④ 희곡에 비해 시간이나 공간의 제약을 덜 받는다.
⑤ 희곡에 비해 등장하는 인물의 수에 제한이 거의 없다.

인물의 특성 파악하기

2 **이 글을 바탕으로 제작한 영화를 홍보하고자 할 때, '인희'를 소개할 문구로 가장 적절한 것은?**

💡 **도움말**
　지금까지 인희가 살아온 삶과 가족들에 대한 인희의 태도를 살펴본다.

① 가족들을 위해 지치지 않고 병마와 싸우는 어머니
② 가족들 뒷바라지에 자신의 삶을 바친 헌신적인 어머니
③ 자식들을 위해서라면 어떤 일이든지 해내고 마는 어머니
④ 자신의 병을 운명으로 받아들이고 운명에 순응하는 어머니
⑤ 가부장적인 가족 제도의 문제점을 폭로하고 이를 바꾸고자 하는 어머니

세부 내용 파악하기

3 **㉠~㉤에 대한 설명으로 적절하지 <u>않은</u> 것은?**

① ㉠: 장 박사가 정철에게 좋지 않은 소식을 전할 것임을 암시하고 있다.
② ㉡: 정철이 자신을 무시하는 장 박사를 직접적으로 비난하고 있다.
③ ㉢: 아픈 아내에 대한 정철의 걱정과 속상한 마음이 드러나 있다.
④ ㉣: 인희가 시어머니를 위해 전원주택 공사를 서두르고 있음을 알 수 있다.
⑤ ㉤: 죽음을 앞둔 인희가 자신의 복잡한 심정을 토로하고 있다.

구절의 의미 파악하기

4 주관식
이 글에서 〈보기〉의 설명에 해당하는 표현을 찾아 두 어절로 쓰시오.

─● 보기 ●─
• 아내의 병이 심각하다는 사실에 절망하는 정철의 심리를 드러낸다.
• 정철이 스스로를 아내의 병도 알지 못하는 실력 없는 의사라고 생각하고 있음을 나타낸다.

✎ 핵심 짚기

| 발단 | 전개 | 절정 | 하강 | 대단원 |

● 사건

　인희가 완성된 ❶ㅈㅇㅈㅌ에서 정철과 행복한 시간을 보내면서 죽음을 준비하다가 세상을 떠남.

● 표현상 특징

　S# 163에서 ❷ㅁㅌㅈ 기법을 활용하여 인희와 정철이 전원주택에서 지내는 모습을 나열함.

● 장면의 의미

S# 168에서 숨바꼭질을 하던 할머니가 보는 환상

↓

인희의 ❸ㅈㅇ 암시

빈칸 답
❶ 전원주택 ❷ 몽타주 ❸ 죽음

생략된 부분의 줄거리　인희는 병세가 더욱 나빠지자 자신이 죽은 후 남겨질 가족들을 걱정한다. 그러던 중 인희가 바라던 전원주택이 완성되고, 인희와 정철은 새집에서 시간을 보낸다.

가　**S# 163. 전원주택, 몽타주 / 저녁 – 아침 – 낮**

1. 인희, 평상복 차림으로 더욱 아픈 모습으로 식탁에 앉아, 정철이 상 차리는 모습을 보고 있다. 밥 하다 말고, 우스꽝스러운 엉덩이춤을 추며 인희를 배꼽 잡게 하는 정철.

2. 잠시 후, 정철, 인희에게 죽을 떠먹여 주고, 인희, 힘겹게 받아먹고.

3. 무릎 베고 누운 인희에게 앨범을 보여 주며 수다 떠는 정철. 인희는 재미있는지 환하게 웃고.

4. 정원에서 버섯을 주워 들고 신기하다는 듯 행복한 얼굴을 한 인희와 정철.

나　**S# 167. 전원주택, 침실 / 밤**

인희: 나 무덤 만들어 줘. / 정철: 언젠 답답해서 싫다구 화장해 달라며?

인희: 우리 엄마 화장하니까 별루더라. 남한강에 뿌렸는데, 하두 오래되니까 여기다 뿌렸는지, 저기다 뿌렸는지 도통 기억에 없구, 여기 가서 울다 저기 가서 울다, 꼭 미친 사람처럼, 당신하구 애들은 그러지 말라구. / 정철: ……

인희: 이 집 위에 있는 소나무 아래 뼛가루만 한 줌 뿌려 놔 줘. 〈중략〉

인희: 나…… 보고 싶을 거는 같애? / 정철: (끄덕인다.)

인희: ㉠언제? 어느 때? / 정철: ……다. / 인희: 다 언제?

정철: 아침에 출근하려고 넥타이 맬 때. / 인희: (안타까운 맘, 보며) ……또?

정철: (고개 돌려, 눈물을 참으며) 맛없는 된장국 먹을 때. / 인희: 또?

정철: 맛있는 된장국 먹을 때. / 인희: 또?

정철: 술 먹을 때, 술 깰 때, 잠자리 볼 때, 잘 때, 잠 깰 때, 잔소리 듣고 싶을 때, 어머니 망령 부릴 때, 연수 시집갈 때, 정수 대학 갈 때, 그놈 졸업할 때, 설날 지짐이 할 때, 추석날 송편 빚을 때, 아플 때, 외로울 때.

다　**S# 168. 인희의 집 + 전원주택 / 새벽**

　연수, 정수는 잠들어 있고. 할머니는 여전히 숨바꼭질 중. 〈중략〉 인희가 어디 있나 여기저기 찾다가, 문득 인희 방을 열면, 그곳은 전원주택의 온실이다.

　놀란 할머니 앞으로 집에서 가져온 꽃 무더기를 바라보며 혼자 앉아 있는 인희의 뒷모습이 보인다. 울고 있는 것 같기도 하고, 웃고 있는 것 같기도 하다.

　할머니, 서서히 다가서더니, 문득, 상처 난 데에 입김을 불어 주는 듯, 호오오오 해 준다.

　순간, 백만 송이 꽃가루가 흩날리는 눈송이처럼 온실 너머 새벽안개 속으로 피어오른다.

● **몽타주(Montage)**｜영화나 사진 편집 구성의 한 방법. 따로따로 촬영한 화면을 적절하게 떼어 붙여서 하나의 긴밀하고도 새로운 장면이나 내용으로 만드는 일. 또는 그렇게 만든 화면.

● **화장하다**｜시체를 불에 살라 장사 지내다.

● **망령**｜늙거나 정신이 흐려서 말이나 행동이 정상을 벗어남. 또는 그런 상태.

세부 내용 파악하기 **5**

이 글에서 알 수 있는 내용으로 적절하지 <u>않은</u> 것은?

① 인희는 남겨질 가족을 생각해서 무덤을 만들어 주기를 바랐다.

② 인희는 어머니를 화장한 것에 대해 죄송한 마음을 지니고 있었다.

③ 인희와 정철은 이별을 준비하며 서로에 대한 애틋한 마음을 확인하였다.

④ 인희의 소원을 들은 정철은 안타깝고 먹먹한 마음에 말을 잇지 못하였다.

⑤ 인희의 죽음을 앞두고 인희와 정철은 전원주택에서 둘만의 시간을 보냈다.

극의 형상화 방식 파악하기 **6**

(가)를 바탕으로 하여 영화를 제작하려고 할 때, 고려할 사항으로 적절한 것끼리 묶인 것은?

> ⓐ 대사 없이 인물들의 행동을 나열한다.
>
> ⓑ 인물들의 얼굴을 화면에 크게 제시한다.
>
> ⓒ 인물들이 과거를 회상하는 효과를 준다.
>
> ⓓ 하나의 화면에 다른 화면을 겹치게 편집한다.
>
> ⓔ 각각 촬영한 화면들을 붙여서 하나의 내용으로 만든다.

① ⓐ, ⓑ　　② ⓐ, ⓔ　　③ ⓑ, ⓒ　　④ ⓒ, ⓓ　　⑤ ⓓ, ⓔ

구절의 의미 파악하기 **7**

이 글의 내용으로 보아, (나)의 ㉠에 대한 정철의 대답으로 가장 적절한 것은?

① 가족들이 모이면 언제나 당신이 그리울 거야.

② 삶의 모든 순간에 항상 당신이 보고 싶을 거야.

③ 아이들에게 특별한 일이 생기면 당신을 떠올릴 거야.

④ 집안에 남아 있는 당신의 흔적을 보면 당신이 생각날 거야.

⑤ 당신이 나에게 해 준 일들을 내가 하게 되면 당신이 생각날 거야.

형상화 방식의 특징과 효과 파악하기 **8**

⊕ 비현실적 설정
　문학 작품에서 특별한 효과를 주기 위해 현실에서 일어나기 어려운 요소들을 활용하는 것을 말한다.

[고난도]

(다)를 감상한 학생들의 반응으로 적절하지 <u>않은</u> 것은?

① 도윤: 인희의 방이 전원주택의 온실로 연결되는 설정이 비현실적이군.⊕

② 고은: 치매에 걸린 할머니의 환상을 통해 인희의 죽음을 사실적으로 보여 주는군.

③ 윤지: 백만 송이 꽃가루가 흩날리는 모습을 통해 환상적인 분위기를 연출하고 있군.

④ 시하: 할머니가 인희에게 입김을 불어 주는 모습은 마치 할머니가 인희를 따뜻하게 보듬어 주는 것 같군.

⑤ 승준: 독자들은 이 장면을 통해 극의 결말을 비통하게만 느끼지 않고 더 큰 감동과 여운을 느낄 수 있겠군.

작품 정리하기

전체 구성

발단 50대 가정주부인 인희는 가족들을 뒷바라지하느라 항상 분주하게 지낸다. 그러던 어느 날, 오줌소태가 심해져 병원에서 검사를 받는다.

전개 검사 결과, 인희는 자궁암 말기 판정을 받는다. 이를 알게 된 남편 정철은 그동안 아내에게 소홀했던 자신을 탓하며 괴로워한다. --- 164쪽 (가), (나) 수록

절정 인희는 수술을 받지만 이미 암이 전이되어 수술은 실패하고 만다. 인희의 시한부 선고로 가족들은 충격과 슬픔에 잠긴다. --- 164쪽 (다) 수록

하강 인희는 자신의 죽음을 받아들이고, 시어머니, 자식들, 남편과의 이별을 준비한다.

대단원 전원주택이 완성된 후 인희는 그곳에서 정철과 행복한 시간을 보낸다. 할머니는 인희의 죽음을 암시하는 환상을 보고, 다음 날 아침 정철은 인희의 죽음을 확인하고 슬퍼한다. --- 166쪽 수록

해제

이 작품은 죽음을 앞둔 어머니의 삶을 소재로 하여 가족의 의미, 가족 간의 사랑을 그린 시나리오이다. 시한부 판정을 받은 어머니, 그런 어머니와의 이별을 준비하는 가족들의 심리를 현실감 있는 대사와 장면, 몽타주 기법을 활용하여 섬세하게 그리고 있다. 이 작품은 주인공 인희를 통해 어머니, 며느리, 아내의 이름으로 살아가는 우리 사회의 여성들의 고단한 삶을 잘 보여 준다.

주제

가족의 진정한 의미, 영원한 이별을 맞이하는 가족의 슬픔과 사랑

등장인물의 관계

인희
- 가족들에게 ❶[ ]하며 살아옴.
- 죽음을 앞두고 절망에 빠지기도 하지만, 곧 죽음을 받아들임.
- 끝까지 가족들을 걱정함.

정철
- 인희의 남편. 의사로 늘 일에 쫓기며 살아옴.
- 인희의 죽음을 앞두고 자책하고 괴로워함.

할머니
- 인희의 시어머니. 중증 치매 환자임.
- 인희를 구박하기도 하고 의지하기도 하면서 정을 붙이고 살아옴.

연수, 정수
- 인희의 자식들
- 죽음을 앞둔 어머니에게 미안함을 느낌.

형상화 방식의 특징

이 작품은 다양한 촬영 기법이나 편집 기법, 화면 처리 기법 등을 활용하여 극 중 상황을 효과적으로 보여 주고 있다.

S# 163에서 몽타주 기법을 활용하여 전원주택에서 시간을 보내는 인희와 정철의 모습을 교차하여 보여 줌. →
- 짧은 행복 뒤에 죽음이 다가오고 있음을 예고함.
- 죽음을 앞둔 인희의 처지와 대비되어 더욱 비극성을 강조하고 독자들에게 안타까움을 느끼게 함.

S# 168에서 할머니의 ❷[ ]을 통해 인희의 죽음을 표현함. →
- 인희의 죽음을 직접적으로 제시하지 않고 간접적으로 암시함.
- 결말을 인상적으로 처리하여 독자들에게 깊은 감동과 여운을 줌.

제목 '세상에서 가장 아름다운 이별'의 의미

인희의 입장에서	지금껏 가족들에게 받지 못한 따뜻한 사랑을 느끼며 아름답게 죽음(이별)을 맞이함.
가족의 입장에서	┌ 지내는 사이가 두텁지 아니하고 거리가 있어 서먹서먹하다. 그동안 서로에게 소원했던 가족들이 인희의 죽음을 계기로 하여 가족의 소중함과 ❸[ ]을 깨닫게 됨.

1 다음 뜻에 해당하는 단어를 찾아 바르게 연결하시오.

(1) 시체를 불에 살라 장사 지냄. ·   · ① 화장

(2) 자기를 비웃는 듯한. 또는 그런 것. ·   · ② 돌팔이

(3) 제대로 된 자격이나 실력이 없이 전문적인 일을 하는 사람. ·   · ③ 자조적

2 밑줄 친 단어의 뜻을 〈보기〉에서 골라 그 번호를 쓰시오.

┌─ 보기 ─────────────────────────────
① 판별하여 결정하다.
② 지내는 사이가 두텁지 아니하고 거리가 있어서 서먹서먹하다.
③ 자신의 결함이나 잘못에 대하여 스스로 깊이 뉘우치고 자신을 꾸짖다.
└────────────────────────────────────

(1) 장 박사는 인희에게 자궁암 말기라고 <u>판정하였다</u>. ···················· ( )

(2) 인희의 가족은 각자의 일 때문에 바빠서 <u>소원하게</u> 지냈다. ··············· ( )

(3) 인희의 상태가 심각하다는 것을 들은 정철은 <u>자책하며</u> 괴로워했다. ········ ( )

어휘 ➕ 시나리오 용어

3 다음은 이 글 전체에 사용된 시나리오 용어이다. 제시된 뜻에 해당하는 시나리오 용어를 〈보기〉에서 찾아 쓰시오.

┌─ 보기 ─────────────────────────────
S#   OFF   몽타주(Montage)   페이드아웃(Fade-Out)
└────────────────────────────────────

(1) 장면 표시 번호. ·· ( )

(2) 화면이 처음에 밝았다가 점차 어두워지는 것. ·················· ( )

(3) 화면에 나타나지 않는 인물의 목소리나 소리가 들리는 것. ·········· ( )

(4) 따로따로 촬영한 화면을 적절하게 떼어 붙여서 하나의 긴밀하고도 새로운 장면이나 내용으로 만드는 편집 방식. ·························· ( )

테마 특강

생각의 전환이 드러나는 수필 읽기

∞ 150쪽 〈실수〉

나는 문학 천재라서 문천재

수필은 글쓴이만의 독특한 개성이 드러나는 문학 갈래라고 배웠을 거야. 그런데 남과 다른 나만의 개성을 드러내려면 어떻게 해야 할까? 남들이 당연하다고 생각하는 상식이나 통념에 대해 의심해 보고 남들과는 다르게 생각해 봐야겠지. 지금부터 수필이나 일상생활에서 남들과는 다른 생각의 전환이 드러난 경우를 살펴보자.

📄 **참고 자료**

멍때리기는 우리 뇌가 쉬고 있는 상태이다. 뇌과학에 따르면, 뇌는 쉬고 있을 때 자기의식을 다듬느라 더 많은 에너지를 소비한다고 한다. 뇌가 과거의 기억을 통합함으로써 새로운 문제 해결 능력을 주는 것이다.

○○ 일보   202X. X. X

외신이 주목한 멍때리기 대회

세계적인 일간지 W사에서 지난 30일 제주에서 개최된 멍때리기 대회에 관한 기사를 실어 화제가 되었다. 이들은 멍때리기 대회를 코로나 시국의 스트레스를 해소하는 활동으로 소개했다.

멍때리기 대회에서 참가자들은 아무런 생각 없이 넋을 놓고, 아무 것도 하지 않는 상태를 오랫동안 유지해야 한다. 휴대전화를 확인하거나 잡담을 하거나 음악을 듣는 행위 등은 모두 금지된다. 멍때리기 대회 참여자 김○○는 "그동안 여유 없이 생활해 항상 긴장하고 있었는데, 아무 생각 없이 가만히 있으니 스트레스가 날아가는 기분이었다."고 소감을 밝혔다.

멍때리기 대회는 지난 2014년 예술가 웁쓰양이 처음 개최하였다. 당시 웁쓰양은 "현대 사회에서는 비생산적인 활동을 폄하하는 일이 많은데, 멍때리기가 쓸모없는 일이라면 이를 가치 있게 만들어 보자고 생각했다."고 대회를 연 이유를 설명했다.

생각할 거리 ❶

≫ (1) 멍때리기 대회가 열리기 이전에 사람들은 멍때리기를 어떻게 생각했을까?

(2) 멍때리기 대회를 통해 사람들은 멍때리기를 어떤 활동으로 받아들이게 되었을까?

•천재의 힌트

가수 크러쉬가 멍때리기 대회에서 1등했다는 거 들어 본 적 있니? 멍때리기 대회를 들어본 적 없더라도 '불멍(불을 보며 멍하게 있는 것)', '물멍(물을 보며 멍하게 있는 것)'과 같은 신조어를 들어본 적은 있을 거야. 그간 사람들은 아무것도 하지 않고 멍때리는 상태를 쓸모없는 활동이라고 여겼어. 그러나 멍때리기 대회가 열리면서 현대인의 뇌에는 휴식이 필요하다는 공감대가 형성되고, 멍때리기가 지닌 스트레스 해소 등의 긍정적인 가치가 발견되었지. 우리가 배운 수필 중에서도 부정적으로 인식되는 대상에서 긍정적인 가치를 발견한 게 있었는데, ○○은 삶과 정신의 여백에 해당한다! 바로 나희덕의 〈실수〉야.

부정적으로 여겨지는 대상에서 긍정적인 가치나 새로운 의미를 발견한 수필을 좀 더 읽어 볼까? 다음 작품은 교도소에 수감된 글쓴이가 욕설에 대해 새롭게 발견한 가치를 편지글의 형식으로 표현하고 있는 현대 수필이야. 보통 욕설은 하지 말아야 할 대상이나 금지되어야 할 대상에 속하잖아. 그런데 글쓴이는 욕설을 퍽 긍정적으로 바라보고 있어. 그 이유를 찾아보며 작품을 읽어 보자.

그러나 사과가 먼저 있고 사과라는 말이 나중에 생기듯이 욕설로 표현될 만한 감정이나 대상이 먼저 있음이 사실입니다. 징역˙의 현장인 이곳이 곧 욕설의 산지(産地)이며 욕설의 시장인 까닭도 그런 데에 연유하는가˙ 봅니다.

그러나 이곳에서는 욕설은 이미 욕설이 아닙니다.

기쁨이나 반가움마저도 일단 욕설의 형식으로 표현되는 경우가 허다합니다. 이런 경우는 그 감정의 비상함이 역설적으로 강조되는 시적 효과를 얻게 되는데, 이것은 반가운 인사를 욕설로 대신해 오던 서민들의 전통에 오래전부터 있어 온 것이기도 합니다.

저는 오래전부터 욕설이나 은어˙에 담겨 있는 뛰어난 언어 감각에 탄복해˙ 오고 있습니다. 그 상황에 멋지게 들어맞는 비유나 풍자라든가, 극단적인 표현에 치우친 방만한˙ 것이 아니라 약간 못 미치는 듯한 선에서 용케 억제됨으로써 오히려 예리하고 팽팽한 긴장감을 느끼게 하는 것 등은 그것 자체로서 하나의 훌륭한 작품입니다.

'사물'과, 여러 개의 사물이 연계됨으로써 이루어지는 '사건'과, 여러 개의 사건이 연계됨으로써 이루어지는 '사태' 등으로 상황을 카테고리로 구분한다면, 욕설은 대체로 높은 단계인 '사건' 또는 '사태'에 관한 개념화이며, 이 개념의 예술적 형상화 작업이라는 점에서 그것은 고도의 의식 활동이라 할 수 있습니다.

– 신영복, 〈욕설의 리얼리즘〉에서

- **징역** | 죄인을 교도소에 가두어 노동을 시키는 형벌.
- **연유하다** | 어떤 일이 거기에서 비롯되다.
- **은어** | 어떤 계층이나 부류의 사람들이 다른 사람들이 알아듣지 못하도록 자기네 구성원들끼리만 빈번하게 사용하는 말.
- **탄복하다** | 매우 감탄하여 마음으로 따르다.
- **방만하다** | 맺고 끊는 데가 없이 제멋대로 풀어져 있다.

생각할 거리 ❷

≫ (1) 이 글의 글쓴이가 욕설을 긍정적으로 본 까닭은 무엇일까?

(2) 〈실수〉와 〈욕설의 리얼리즘〉의 글쓴이는 제재를 어떤 태도로 대하고 있는가?

천재의 힌트

〈욕설의 리얼리즘〉에서 글쓴이는 욕설 이전에 욕설이 나올 만한 감정이나 상황이 먼저 생겼다고 생각해. 욕설은 부정적인 감정이나 상황에서 비롯된 스트레스를 해소하는 역할을 하는 거지. 글쓴이는 욕설이 지닌 감정 정화의 기능은 오래전부터 계속되었다고 생각해. 〈춘향전〉, 〈토끼전〉처럼 조선 시대 서민(평민)들이 즐긴 작품을 살펴보면, 비속어 표현을 통해 부정적인 관리나 상황을 풍자하고 웃음을 유발하잖아. 이런 점에 근거하여 글쓴이는 욕설을 일종의 예술적인 표현 방식으로도 받아들이고 있어. 〈실수〉와 〈욕설의 리얼리즘〉 글쓴이 모두 부정적이라고 생각하기 쉬운 제재에서 긍정적인 가치를 이끌어 내, 본인만의 독특한 개성을 보여 주고 있네.

다음은 타인이 내게 던진 비방, 모함도 생각의 전환을 통해 긍정적으로 받아들일 수 있음을 강조하고 있는 현대 수필이야. 글쓴이는 우물에 빠진 당나귀 이야기와 인간의 삶이 유사하다는 인식에 바탕하여, 생각의 전환이 필요하다는 깨달음을 설득력 있게 제시하고 있어. 글쓴이가 의미를 확장해 나가는 방식에 주목하며 작품을 읽어 보자.

이런 이야기를 들은 적이 있을 것이다.

당나귀가 빈 우물에 빠졌다. 농부는 슬프게 울부짖는 당나귀를 구할 도리가 없었다. 마침 당나귀도 늙었고, 쓸모없는 우물도 파묻으려고 했던 터라, 농부는 당나귀를 단념하고 동네 사람들에게 도움을 청하기로 했다. 동네 사람들은 우물을 파묻기 위해 제각기 삽을 가져와서는 흙을 파 우물을 메워 갔다.

당나귀는 더욱 더 울부짖었다. 그러나 조금 지나자 웬일인지 당나귀가 잠잠해졌다. 동네 사람들이 궁금해 우물 속을 들여다보니 놀라운 광경이 벌어지고 있었다. 당나귀는 위에서 떨어지는 흙더미를 털고 털어 바닥에 떨어뜨렸다. 그래서 발밑에 흙이 쌓이게 되고, 당나귀는 그 흙더미를 타고 점점 높이 올라오고 있었다. 그렇게 해서 당나귀는 자기를 묻으려는 흙을 이용해 무사히 그 우물에서 빠져나올 수 있었다.

정말 그렇다. 사람들이 자신을 매장하기 위해 던진 비방과 모함과 굴욕의 흙이 오히려 자신을 살린다. 남이 진흙을 던질 때 그것을 털어 버려 자신이 더 성장하고 높아질 수 있는 영혼의 발판으로 만든다. 그래서 어느 날 그 곤경의 우물에서 벗어나 자유롭게 살아갈 수 있는 날을 맞게 된다.

– 이어령, 〈우물에 빠진 당나귀처럼〉에서

- **도리** | 어떤 일을 해 나갈 방도.
- **단념하다** | 품었던 생각을 아주 끊어 버리다.
- **굴욕** | 남에게 눌리어 업신여김을 받음.

생각할 거리 ❸ ≫ (1) 이 글에 따르면, 사람에게 있어서 당나귀를 살린 흙의 역할을 하는 것은 무엇인가?

(2) 이 글을 통해 얻을 수 있는 교훈은 무엇일까?

● 천재의 힌트

〈우물에 빠진 당나귀처럼〉의 글쓴이는 우물에 빠진 당나귀가 자신을 죽이려는 수단이었던 흙의 도움을 받아 목숨을 구한 이야기를 활용해, 인간도 '흙'과 같은 존재인 타인의 비방이나 모함을 통해 한층 더 성장할 수 있음을 강조하고 있어. 글쓴이는 당나귀 이야기와 인간의 삶 사이의 유사성을 바탕으로 바람직한 삶의 자세가 무엇인지 이끌어 내고 있어. 즉 유추의 방식을 활용하여, 생각의 전환을 통해 위기를 기회로 삼으라는 점을 설득력 있게 드러낸 거지.

 이처럼 '생각의 전환'은 남과 다른 나의 개성을 드러낼 수 있을 뿐만 아니라, 삶의 교훈까지 이끌어 낼 수 있기 때문에 수필에서 자주 접할 수 있는 사색의 방식에 해당해! 수필은 다른 문학 갈래에 비해 정해진 형식이 없어서 누구나 쉽게 쓸 수 있잖아. 그러니 우리도 생각의 전환을 통해 부정적인 대상에서 긍정적인 가치를 찾아보고, 한 편의 글을 써 보는 건 어떨까?

중학 DNA 깨우기 시리즈

문학 DNA 깨우기
(예비중~중3)

기본 개념/감상 원리/기출 유형
교과서 작품을 활용한 문학 독해서

비문학 독해 DNA 깨우기
(예비중~중3)

독해 기초/독해 원리/독해 기술/기출 유형
기초부터 심화까지 단계별 독해 원리

문법 DNA 깨우기
(중1~중3)

중학 교과서 필수 문법 총정리

어휘 DNA 깨우기
(중1~중3)

기본/실력
퀴즈로 익히는 1,347개 중학 필수 어휘

CHUNJAE
EDUCATION

해법 중학 국어

문학 DNA 깨우기

2 감상 원리

정답과 해설

천재교육

정답과 해설

와! 지문이 통째로! 상세한 설명!

정답과 해설 활용 안내

- 지문의 내용을 이해하기 쉽게 상세하게 풀이하였습니다.
- 정답과 오답의 이유를 분명하게 풀이하였습니다.

원리

01 화자의 정서·태도 파악하기

바로 확인   본문 9쪽

1 ②   **2** ③

신경림, 〈동해 바다 – 후포에서〉
- **해제** 이 작품은 자연물인 동해 바다를 통해 자신의 삶을 성찰하고 있는 현대시이다. 화자는 널따란 동해 바다를 바라보며 그동안 옹졸했던 자신을 반성하고, 남에게 너그럽고 자신에게 엄격한 사람이 되고 싶다고 말하고 있다.
- **주제** 남에게는 너그럽고 자신에게는 엄격한 삶에 대한 소망

● 감상 원리 01로 작품 분석
- ✔ **화자** 작품에 직접 드러난 '나'
- ✔ **시적 대상·상황** 동해 바다를 내려다보며 화자 자신의 모습을 돌아보고 있음.
- ✔ **화자의 정서·태도** 남에게는 엄격하고 자신에게는 너그러워지는 태도를 반성하고, '동해 바다'와 같이 남에게는 너그럽고 자신에게는 엄격한 사람이 되기를 소망함.

1 '멀리 동해 바다를 내려다보며 생각한다'에서 화자가 바다를 바라보며 생각에 잠겨 있음을 알 수 있다.

> **오답 풀이** ① '내게는 너그러워지나 보다'에서 화자 '나'가 작품에 직접 드러나 있다.
> ③ 동해 바다에서 친구의 잘못을 큰 잘못으로 생각하던 자신의 모습을 반성하고 있을 뿐 친구와 여행을 온 것은 아니다.

2 화자는 동해 바다로부터 남에게는 너그럽고 자신에게는 엄격한 삶의 태도를 발견하고 이를 본받고자 한다. 하지만 화자가 동해 바다를 보며 시련에 굴하지 않는 의지를 다짐하는 내용은 나타나 있지 않다.

02 시어·시구의 의미와 기능 파악하기

바로 확인   본문 11쪽

1 ①   **2** 단종, 충성심

박팽년, 〈까마귀 눈비 맞아〉
- **해제** 이 작품은 조선 시대에 단종의 복위 운동을 펼치던 박팽년이 쓴 평시조이다. 초장과 중장에서 '까마귀'와 '야광명월'을 대조하여 간신과 충신의 이미지를 뚜렷하게 드러낸 뒤, 종장에서 설의법을 통해 단종에 대한 작가의 충성심을 부각하고 있다.
- **주제** 임(단종)을 향한 변함없는 마음

● 감상 원리 02로 작품 분석
- ✔ **주요 시어** 까마귀, 야광명월, 임
- ✔ **시어의 의미**
  - **까마귀**: 본래 검은 존재, 간신, 세조의 왕위 찬탈에 동조한 신하들
  - **야광명월**: 밤에도 밝은 존재, 충신, 단종의 복위 운동을 펼친 신하들
  - **임**: 화자가 변함없는 마음을 지니고 있는 존재, 단종
- ✔ **시어의 기능** '까마귀'와 '야광명월'을 대조하여 대상을 선명하게 드러내고, '임(단종)을 향한 변함없는 마음'이라는 주제를 강조함.

1 '까마귀'는 눈비를 맞아 일시적으로 흰 것처럼 보이지만 결국에는 검은 속성을 지닌 존재로, 화자가 부정적으로 바라보는 대상인 간신배들을 의미한다.

> **오답 풀이** ② '야광명월'은 밤에도 밝게 빛나는 존재로, 화자가 긍정적으로 바라보는 대상인 충신을 의미한다.
> ③ '밤'은 어두운 시간대로, 세조가 단종의 왕위를 빼앗은 부정적인 현실 상황을 의미한다.

2 종장에서 화자는 임을 향한 일편단심이 변하지 않을 것이라고 말하고 있다. 이 시조가 창작된 시대적 배경을 고려할 때 '임'은 단종을 의미하므로, ㉠에서 화자는 단종을 향한 변함없는 충성심을 말하고 있는 것으로 이해할 수 있다.

03 표현상 특징 파악하기_운율, 심상, 수사법

바로 확인   본문 14쪽

1 ②   **2** ②   **3** ①

나희덕, 〈귀뚜라미〉
- **해제** 이 작품은 의인화된 '귀뚜라미'를 화자로 내세워 고된 환경에서도 희망을 잃지 않는 모습을 형상화하고 있는 현대시이다. 화자는 자신의 '울음'을 여름에 강렬하게 울어 대는 '매미 소리'에 대비하여, 가을이 되면 자신의 '울음'도 누군가에게 감동을 줄 수 있는 '노래'가 되기를 소망하고 있다.
- **주제** 누군가에게 감동을 줄 수 있는 노래를 부르고 싶은 소망

● 감상 원리 03으로 작품 분석
- ✔ **운율** '소리', '울음' 등의 시어를 반복하고, 2~3연의 마지막 행에 비슷한 문장 구조를 반복하여 운율을 형성함.
- ✔ **심상** 주로 청각적 심상을 통해 시적 상황을 구체적으로 드러냄.
- ✔ **수사법** '귀뚜라미'를 의인화하여 화자로 내세우고, '귀뚜라미'와 '매미'의 대조하여 주제 의식을 부각함.

1 이 시는 각 행을 규칙적인 단위로 끊어 읽을 수 없으므로, 음보가 규칙적으로 반복되지 않는다.

오답 풀이 ① '소리', '울음', '노래' 등의 시어를 반복하고 있다.
③ '…의 …ㄹ 수 있을까.'라는 유사한 문장 구조를 반복하여 운율을 형성하고 있다.

2 '차가운 바다'라는 촉각적 심상을 활용해 화자의 고달픈 처지를 드러낸다.

오답 풀이 ① 시각적 심상, 청각적 심상을 활용해 이 시의 계절적 배경이 매미 소리가 귀뚜라미의 소리를 압도하는 여름임을 나타낸다.
③ 시각적 심상을 활용해 생명력이 없고 암울한 상황을 강조한다.

3 2연과 3연에서 '… 있을까.'와 같은 의문형 문장을 통해 자신의 '울음'이 '노래'가 되기를 바라는 화자의 조심스러운 기대감을 드러낸다. 그러나 이 시에는 감탄의 형태로 화자의 정서를 강하게 드러내는 영탄법이 쓰이지 않았다.

오답 풀이 ② 귀뚜라미를 의인화하여 자신의 울음이 감동을 주는 노래가 되기를 바라는 화자의 소망을 드러낸다.
③ 여름날 높은 가지 위에서 큰 소리를 내는 '매미'와, 지하도 콘크리트 벽에서 희미하고 나약한 울음을 내는 '귀뚜라미'의 처지를 대조한다.

04 표현상 특징 파악하기 _ 시상 전개 방식

바로 확인   본문 16쪽

1 ㉠ 미래 ㉡ 현재   **2** ②

윤동주, 〈서시(序詩)〉
• **해제** 이 작품은 윤동주의 시적 경향이 잘 드러난 현대시로, 제목인 '서시(序詩)'는 책의 첫머리에 쓰는 서문 대신 쓴 시라는 의미이다. 이 시에서는 '바람'과 '별'의 대조를 통해 일제 강점기라는 암울한 현실을 드러내고 있다. 더불어 시간의 이동에 따른 시상 전개를 통해 현실에 안주하지 않고, 부끄러움이 없는 삶을 살아가겠다는 화자의 의지를 드러내고 있다.

• **주제** 순수한 삶에 대한 소망과 간절한 의지

● **감상 원리 04로 작품 분석**
✔ **시상 전개 방식의 특징**
• 1연의 1~4행은 과거 화자의 모습을, 5~8행은 미래에 대한 다짐을, 2연은 현재의 상황을 말하고 있음.
• 시어 '바람'과 '별'을 대립시켜 시상을 전개함.
✔ **시상 전개 방식의 효과**
• 부끄러움이 없는 순수한 삶을 살고자 한 화자의 고뇌와 다짐의 과정이 효과적으로 표현됨.
• 시어의 대립을 통해 화자가 처한 암울한 현실 상황을 부각함.

1 1연의 1행~4행에서는 화자의 소망과 고뇌를 과거 시점에서 제시하고 있고, 1연의 5행~8행에서는 미래의 삶에 대한 화자의 다짐을 제시하고 있다. 2연에서는 현재 화자가 처한 암울한 상황을 제시하고 있다.

2 화자는 과거에도 부끄러움이 없는 삶을 소망했으며, 미래에도 그 삶을 꾸준히 이어 가겠다고 결심한다.

오답 풀이 ① '과거 → 미래 → 현재'라는 시간의 이동에 따라 부끄러움이 없는 삶을 살고자 했던 화자의 고뇌와 의지를 표현하고 있다.
③ 화자가 추구하는 이상을 의미하는 '별'과, 시련이나 현실의 고난을 의미하는 '바람'을 대립시켜 화자가 처한 부정적 상황을 제시하고 있다.

05 다양한 관점으로 작품 감상하기

바로 확인   본문 19쪽

1 ③   **2** ㉠ 일제 강점기 ㉡ 우리 민족

백석, 〈수라(修羅)〉
• **해제** 이 작품은 거미 가족이 뿔뿔이 흩어진 시적 상황을 통해 일제 강점기에 가족이 해체된 우리 민족의 아픔을 드러내고 있는 현대시이다. 거미 가족이 밖에서나마 다시 만나기를 바라는 화자의 소망을 통해 우리 민족이 가족 공동체를 회복하기를 바라는 시인의 소망을 드러내고 있다.

• **주제** 가족 붕괴에 대한 안타까움과 가족에 대한 그리움

● **감상 원리 05로 작품 분석**
✔ **내재적 감상** 시간의 흐름에 따라 거미 가족이 흩어지는 과정과, 이에 대한 화자의 정서가 점차 심화하는 것을 드러내어 거미 가족이 다시 만나기를 바라는 화자의 소망을 표현함.
✔ **외재적 감상** 이 시가 창작된 일제 강점기(1930년대) 당시에 우리 민족은 가족이 해체되는 비극을 겪음. 반영론적 관점에 따를 때, 이 시는 흩어진 거미 가족을 통해 일제 강점기에 우리 민족이 겪은 비극적 상황을 표현한 것임.
✔ **종합적으로 주제 파악하기** 거미 가족을 통해 가족이 해체된 우리 민족의 아픔과 가족 공동체 회복의 소망을 우회적으로 드러냄.

1 화자가 문밖으로 거미를 버리는 행위를 반복하지만 이는 거미 가족이 해체되는 상황을 나타낼 뿐이다. 이 시에 화자의 현실 극복 의지는 드러나 있지 않다.

오답 풀이 ① 흩어진 거미 가족을 의인화하여 가족 공동체가 회복되기를 바라는 주제 의식을 강조한다.
② 화자는 처음에는 거미에게 무심했다가 점차 슬픔을 느끼게 된다.

2 '수라'의 사전적 의미와, 가족 공동체가 해체된 창작 당시의 시대적 상황을 고려할 때, '수라'는 일제 강점기의 상황을, '거미'는 가족이 해체된 우리 민족의 모습을 의미한다.

실전

01 진달래꽃

본문 20~21쪽

---

1 ②   **2** ③   **3** ①   **4** ⓐ 반어법 ⓑ 임이 떠나지 않기

어휘 다지기   **1** (1) 아름 (2) 역겹다 (3) 즈려밟다 (4) 사뿐히 (5) 진달래꽃   **2** (1) 축복하였다 (2) 체념하였다 (3) 인내하였다 (4) 헌신하였다   **3** (1) ② (2) ①

『나 보기가ˇ역겨워ˇ
화자
가실 때에는ˇ ○: '~우리다'의 반복 → 운율 형성
이별의 상황을 가정함.
말없이ˇ고이 보내ˇ드리우리다ˇ
이별을 묵묵히 받아들이는 체념적 태도, 반어적 표현

『 』: 전체적으로 3음보 율격이 나타남. 문제 3-①
행에 따라 호흡의 속도를 달리하여 리듬의 변화를 줌.

▶ 이별의 상황에 대한 체념

영변(寧邊)에 약산(藥山)
향토적 분위기 형성
진달래꽃
임에 대한 화자의 헌신적 사랑, 화자의 분신 문제 2
아름 따다 가실 길에 뿌리우리다
임이 가시는 길을 축복하겠다는 의미
부처에게 꽃을 뿌리며 공덕을 기리는 '산화공덕(散花功德)'과 관련됨.

── 수미상관 구조
① 구조적 안정감을 부여함.
② 운율을 형성함.
③ 주제를 강조함.

▶ 떠나는 임에 대한 축복

가시는 걸음걸음

놓인 그 꽃을

사뿐히 즈려밟고 가시옵소서
임에 대한 사랑을 전하고 임을 위해 희생하려는 태도

▶ 임에 대한 희생적 사랑

나 보기가 역겨워

가실 때에는

죽어도 아니 눈물 흘리우리다
• 슬프지만 겉으로는 슬픔을 나타내지 않는 애이불비(哀而不悲)의 자세
• 반어적 표현 문제 4

▶ 이별의 슬픔에 대한 승화

어휘 다지기

본문 23쪽

2 오답 풀이 • 순종하다: 순순히 따르다.

• 절제하다: 정도에 넘지 아니하도록 알맞게 조절하여 제한하다.

---

1 화자는 임과 이별하는 슬픔을 인내하겠다는 소극적인 태도를 보이고 있을 뿐, 임과의 재회를 소망하고 있지 않다.

오답 풀이 ① '나 보기가 역겨워 / 가실 때'라고 하며 임과의 이별을 가정하고 있다.

③ '말없이 고이 보내 드리우리다'와 같이 이별을 묵묵히 받아들이는 모습을 보이고 있다.

④ 화자는 임과 이별하는 상황에서도 임을 말없이 고이 보내 드리고 죽어도 눈물 흘리지 않겠다고 말하며 슬픔을 절제하고 있다.

⑤ 자신의 분신과도 같은 '진달래꽃'을 임이 가시는 길에 뿌리겠다고 말하는 부분에 화자의 희생적 태도가 드러난다.

2 '진달래꽃'에서 붉은색을 떠올릴 수 있지만, 이와 대비되는 다른 색을 떠올릴 만한 시어는 찾을 수 없다.

오답 풀이 ①, ②, ④ 화자는 임에게 자신의 분신과 같은 '진달래꽃'을 뿌릴 테니 가시는 걸음마다 밟고 가라고 말한다. 이것은 임에 대한 축복의 자세를 보여 주면서 임을 위해 희생하겠다는 헌신적인 사랑을 드러낸다.

⑤ '진달래꽃'은 '영변에 약산'이라는 실제 지명과 연결되면서 향토적인 분위기가 느껴지게 한다.

3 이 시는 '나 보기가ˇ역겨워ˇ / 가실 때에는ˇ', '말없이ˇ고이 보내ˇ드리우리다ˇ'와 같이 전체적으로 3음보 율격이 나타난다.

오답 풀이 ② '나 보기가 역겨워(7글자) / 가실 때에는(5글자) / 말없이 고이 보내(7글자) 드리우리다(5글자)'와 같이 7·5조가 나타난다.

③ 1연과 4연이 내용상, 형태상 대응되는 수미상관 구조를 이루고 있다.

④ '드리우리다', '뿌리우리다', '흘리우리다'와 같이 종결 어미 '-우리다'가 반복되고 있다.

⑤ 각 연의 1행은 2음보, 2행은 1음보, 3행은 3음보로 이루어져 있어 행마다 호흡의 속도가 달라 리듬이 변화되고 있다.

4 '죽어도 아니 눈물 흘리우리다'는 임이 떠나면 매우 슬퍼할 것이라는 의미가 담긴 반어적 표현에 해당한다. 이 표현에는 임이 떠나지 않기를 간절히 바라는 화자의 마음이 담겨 있다고 이해할 수 있다.

02 나룻배와 행인

본문 24~25쪽

1 ④　　**2** ⑤　　**3** ②　　**4** ②

어휘 다지기　　**1** (1) ② (2) ③ (3) ④ (4) ①　　**2** (1) 회자정리 (2) 거자필반　　**3** (1) 나룻가 (2) 나룻배

나는 나룻배
화자 '나'를 빗댄 보조 관념(은유법)
당신은 행인.
시적 대상 '당신'을 빗댄 보조 관념(은유법)　　　　　　　　　　　▶ '나'와 '당신'의 관계

당신은 흙발로 나를 짓밟습니다. ○: 경어체 사용. '-ㅂ니다'의 반복
　　　　　'당신'의 무심한 태도 ①
나는 당신을 안고 물을 건너갑니다.　　　　　　□: 시련, 고난을 상징함.
㉠나는 당신을 안으면 깊으나 옅으나 급한 여울이나 건너갑니다.
　　　'당신'을 향한 '나'의 희생과 헌신 문제 3　　　　▶ '당신'의 무심함과 '나'의 희생적 자세

「만일 당신이 아니 오시면 나는 바람을 쐬고 눈비를 맞으며 밤에서 낮까지 당신
을 기다리고 있습니다.」
「 」: 시련과 고난을 이겨 내는 인고의 자세
당신은 물만 건너면 나를 돌아보지도 않고 가십니다그려.
　　　　　　　　　'당신'의 무심한 태도 ②
그러나 당신이 언제든지 오실 줄만은 알아요.
　　　'당신'이 돌아올 것이라는 절대적인 믿음. 거자필반(去者必返) 문제 2-⑤
나는 당신을 기다리면서 날마다 날마다 낡아 갑니다.
　　　　　화자의 주된 정서: 기다림　　　　　　　▶ '당신'이 돌아올 것을 확신하며 기다리는 '나'

나는 나룻배 ┐
　　　　　├ 1연의 반복. 1연과 4연이 수미상관 구조를 이룸.
당신은 행인. ┘　　　　　　　　　　　　　　　　　▶ '나'와 '당신'의 관계 확인

어휘 다지기

본문 27쪽

2 **오답 풀이** • 새옹지마(塞翁之馬): 인생의 길흉화복은 변화가 많아서 예측하기가 어렵다는 말.
　　• 전화위복(轉禍爲福): 재앙과 근심, 걱정이 바뀌어 오히려 복이 됨.

---

1 3연에서 화자는 '당신'이 돌아올 것이라고 확신하며 '당신'을 기다리는 모습을 단정적으로 표현하고 있다. 하지만 쉽게 판단할 수 있는 사실을 의문의 형식으로 표현하는 설의적 표현은 쓰이지 않았다.

오답 풀이 ◆ ① '짓밟습니다', '건너갑니다', '있습니다', '낡아 갑니다'와 같이 '-ㅂ니다'의 경어체를 반복하여 운율을 형성하고 있다.
② '나룻배', '행인', '급한 여울', '바람', '눈비' 등의 상징적 시어를 사용하고 있다.
③ 1연과 4연이 반복되는 수미상관 구조를 이루고 있다.
⑤ '나는 나룻배', '당신은 행인'과 같이 은유법을 사용하여 화자와 시적 대상의 관계를 빗대어 표현하고 있다.

2 3연에서 물만 건너면 돌아보지도 않고 가 버리는 '당신'이지만, 화자는 '당신이 언제든지 오실 줄만은 알아요.'라고 말하며 '당신'에 대한 절대적인 믿음을 표현하고 있다.

3 ㉠에는 '당신'을 향한 화자의 희생적, 헌신적 태도가 드러난다. ②에도 조국을 위한 자기희생의 의지를 다짐하는 화자의 태도가 나타난다.

오답 풀이 ◆ ① '구름에 달 가듯이' 길을 가는 나그네의 유유자적한 태도가 드러난다.
③ 자연 속에서 소박하게 살고자 하는 화자의 태도가 드러난다.
④ 밝고 순수한 세계를 동경하는 화자의 태도가 드러난다.
⑤ 임을 '금결'에 빗대어 임을 찬양하는 화자의 태도가 드러난다.

4 이 시가 창작된 당시인 일제 강점기에 시인이 독립운동가였던 점을 주목할 때, '당신'은 독립운동가가 바라던 조국 광복으로 해석할 수 있다. ②는 시인이 승려임을 고려하여 '당신'의 상징적 의미를 해석한 것이다.

1.시

1 ④　　**2** ④　　**3** ⑤　　**4** ⓐ 청포도, 하늘, 푸른 바다, 청포 ⓑ 흰 돛단배, 은쟁반, 하이얀 모시 수건　　**5** ③

어휘 다지기　**1** (1) 알알이 (2) 청포 (3) 고장 (4) 전설　**2** (1) 적시고 (2) 고달프다 (3) 주저리주저리 (4) 마련하려고　**3** (1) ⓒ – ⓐ (2) ⓓ – ⓑ

┌─화자
내 고장 칠월은　　계절적 배경: 여름 문제3-⑤
○: 푸른색 이미지
□: 흰색 이미지　→ 색채 대비 문제4
청포도가 익어 가는 시절」
　시적 대상　　　　「」: 화자에게 고향을 떠올리게 하는 청포도
▶ 청포도가 익어 가는 7월 고향의 풍경

「이 마을 전설이 주저리주저리 열리고」──: 의태어 사용 → 풍요로운 청포도의 모습을 강조함.
　원관념: 청포도 → 신비로운 느낌을 부여함.
먼 데 하늘이 꿈꾸며 알알이 들어와 박혀,
　이상, 꿈, 소망, 동경　　「」: '전설'과 '하늘'의 꿈이 결실을 맺은 것이 청포도임을 형상화함.
　　　　　　　　　　　　　→ 청포도의 귀중함을 강조함. 문제2-④
▶ 청포도 속에 담겨 있는 꿈과 소망

하늘 밑 **푸른 바다**가 가슴을 열고

흰 돛단배가 곱게 밀려서 오면
▶ 흰 돛단배가 밀려 오기를 소망하는 화자

　　　　　　　　　┌ 손님이 고난과 시련을 겪음. - 일제 강점기
내가 바라는 손님은 고달픈 몸으로
화자가 소망하는 대상 - 조국의 광복 문제5-③
청포(靑袍)를 입고 찾아온다고 했으니
　손님이 올 것임을 확신하는 화자
▶ 청포를 입고 찾아오기로 한 손님

내 그를 맞아 이 포도를 따 먹으면
　손님　　　　　　　　미래 상황을 가정함.
두 손은 함뿍 적셔도 좋으련
손님을 헌신적으로 맞이하는 화자의 모습 문제1-④
▶ 손님과 함께 청포도를 따 먹고 싶은 소망

아이야 우리 식탁엔 **은쟁반**에
말을 건네는 방식으로 독자의 주의를 환기함.
하이얀 모시 수건을 마련해 두렴
시적 허용 → '아이야'와 글자 수를 맞추어 운율을 형성함.
▶ 손님맞이를 위한 준비와 기다림의 자세

어휘 다지기

본문 31쪽

3 (1) '파아란'은 파란색의 이미지를 강조하기 위해 일부러 맞춤법에 어긋나게 표현한 것이다.
(2) '푸른 바다 위 흰나비'에는 흰색과 푸른색의 색채 대비가 나타난다.

1 '두 손은 함뿍 적셔도 좋으련'에서 손님을 맞이하기 위해 기꺼이 자신의 두 손이 젖는 것도 상관없다는 화자의 헌신적인 자세가 드러난다.

오답 풀이 ①, ⑤ 화자는 아이가 아니라 손님이 자신을 찾아오기를 바라며, 손님과의 만남이 이루어지리라 확신한다.
② '손님은 고달픈 몸으로'에서 화자가 아닌 손님이 시련을 겪었음이 드러난다.
③ 화자는 '청포도'로 대표되는 풍요로운 고향의 풍경을 떠올린다.

2 '하늘'은 이상, 소망 등을 상징하며, 하늘이 박힌 청포도가 매우 귀중한 존재임을 드러낸다. 또한 이 시의 화자는 부끄러움을 느끼고 있지 않다.

오답 풀이 ① '내 고장 칠월'을 '청포도가 익어 가는 시절'로 떠올린다.
② 청포도를 '마을 전설'이 열린 것처럼 표현해 신비로운 느낌을 준다.
③ 청포도가 '주저리주저리', '알알이' 열려 있다고 표현해 풍족함을 나타낸다.
⑤ 화자는 손님과 함께 청포도를 먹을 수 있기를 바라므로, 청포도는 화자의 소망을 의미한다.

3 이 시는 여름을 배경으로 할 뿐, 계절의 흐름이 드러나지는 않는다.

오답 풀이 ① 1~6연 모두 2행씩 규칙적으로 배열되어 있다.
② 6연에서 '아이야'라고 말을 건네며 독자의 주의를 환기한다.
③ '하이얀'에서 시적 허용을 통해 '아이야'와 글자 수를 맞추어 운율을 형성한다.
④ '주저리주저리', '알알이'라는 의태어를 활용해 청포도의 모습을 생생하게 드러낸다.

4 이 시에서는 푸른색과 흰색의 색채 대비가 드러난다. 푸른색을 떠올리게 하는 시어는 '청포도', '하늘', '푸른 바다', '청포'이며, 흰색을 떠올리게 하는 시어는 '흰 돛단배', '은쟁반', '하이얀 모시 수건'이다.

5 시인 이육사가 독립운동가임을 고려할 때, 이 시의 화자가 기다리는 '손님'은 시인이 바라는 '조국의 광복'으로 볼 수 있다.

04 봄

본문 32~33쪽

1 ⑤　　**2** ②　　**3** ⓐ 물웅덩이 ⓑ 바람　　**4** ③　　**5** ③

어휘 다지기　**1** (1) ④ (2) ③ (3) ② (4) ①　　**2** (1) ② (2) ②　　**3** (1) 의인법 (2) 단정적

ⓐ기다리지 않아도 오고
　겨울이 지나고 봄이 오듯, 봄이 반드시 올 것임을 강조함

ⓒ기다림마저 잃었을 때에도 너는 온다.
　절망적인 상황

「어디 뻘밭 구석이거나
　△: 봄이 오는 것을 가로막는 장애물 문제 3

썩은 물웅덩이 같은 데를 기웃거리다가

한눈 좀 팔고, 싸움도 한판 하고,

ⓒ지쳐 나자빠져 있다가」

다급한 사연 들고 달려간 바람이
　　　　　　　화자의 소망을 전달하는 대상 문제 3

흔들어 깨우면

눈 부비며 너는 더디게 온다.

더디게 더디게 마침내 올 것이 온다.
　봄이 올 것이라는 화자의 확신이 드러남.

ⓒ너를 보면 눈부셔
　봄을 맞이한 화자의 감격

일어나 맞이할 수 없다.

입을 열어 외치지만 소리는 굳어

나는 아무것도 미리 알릴 수가 없다.
화자

ⓒ가까스로 두 팔을 벌려 껴안아 보는
　　　　　　봄을 맞이하는 기쁨의 행동

너, 먼 데서 이기고 돌아온 사람아.
온갖 시련과 역경을 극복하고 돌아온 봄 → 승리자의 모습

○: 단정적 어조 반복
→ 운율 형성, 화자의 확신 강조

└ 시적 대상(봄) → 의인화 문제 2-②

▶봄이 오는 자연의 당위성

『 』: 봄이 오기까지의 시련과 역경을 나타냄. 문제 4-③

▶봄이 오기까지의 더딘 과정

봄을 맞은 후의 모습
→ 봄에 대한 화자의
　예찬적 태도가 드러남.

▶봄을 맞이하는 감격과 기쁨

---

1 화자는 봄이 오기를 간절히 바라고 있으나, 봄을 본받고 싶어 하는 것은 아니다.

오답 풀이 ②, ④ 화자는 봄이 반드시 올 것이라는 생각을 '너는 온다.', '너는 더디게 온다.', '마침내 올 것이 온다.'처럼 단정적으로 표현하고 있다.
③ '너, 먼 데서 이기고 돌아온 사람아.'에서 화자는 온갖 시련과 역경을 이겨 내고 돌아온 봄의 모습에 감탄하고 있다.

2 이 시는 봄을 '너'로 의인화하여 화자가 간절히 기다리는 대상이라는 상징적 의미를 부여하고 있다.

오답 풀이 ① 봄이 오기까지의 더딘 과정과 봄을 맞은 후의 모습을 드러내고 있을 뿐, 시선의 이동은 드러나지 않는다.
③ '너는 온다.'와 같은 평서형 문장을 사용하고 있다.
④ 겉보기에는 모순되는 표현처럼 보이지만, 그 속에 중요한 진실을 담고 있는 역설적 표현은 쓰이지 않았다.
⑤ 화자의 감정을 자연물에 이입하여 마치 그 대상이 그렇게 생각하고 느끼는 것처럼 표현한 부분은 나타나지 않는다.

3 시적 대상인 '봄'이 겪는 시련과 역경을 의미하는 시어는 '뻘밭', '물웅덩이'이고, 봄이 어서 오기를 바라는 화자의 소망을 전달하는 대상은 '바람'이다.

4 ⓒ은 의인화된 '봄'이 시련과 역경을 겪고 지쳐 있는 모습을 나타낸 시구이다.

오답 풀이 ① 자연의 섭리에 따라 겨울이 지나면 봄이 오는 것이 당연함을 드러내고 있다.

5 ③은 이 시가 창작된 1970년대의 시대적 상황과 작품을 관련지어 감상한 것으로, ⓑ(반영론)의 예에 해당한다.

오답 풀이 ①은 ⓒ(표현론), ②·④는 ⓓ(효용론), ⑤는 ⓐ(내재적 감상)의 예이다.

어휘 다지기

본문 35쪽

2 (1) 괄호 안에는 '뒤로 물러나면서 넘어지다.'라는 뜻을 지닌 '나자빠지다'가 들어가야 한다.
(2) 괄호 안에는 '두 팔로 감싸서 품에 안다.'라는 뜻을 지닌 '껴안다'가 들어가야 한다.

05 가난한 사랑 노래

1 ⑤　　**2** ④　　**3** ②　　**4** ⓐ 고향(농촌) ⓑ 위로

어휘 다지기　**1** (1) 육중하다　(2) 호각　(3) 뇌다　(4) 까치밥　**2** (1) 고독감　(2) 공포심　(3) 연정
3 (1) ㉡ – ⓐ　(2) ㉠ – ⓑ

가난하다고 해서 외로움을 모르겠는가
▨ : 설의법, 비슷한 문장 구조의 반복 문제 2 → 젊은이에 대한 연민, 현실에 대한 비판 문제 4
　□ : 화자가 포기해야 하는 감정을 나열함.
너와 헤어져 돌아오는
㉠**눈 쌓인 골목길에 새파랗게 달빛이 쏟아지는데.**　　▶ '너'와 헤어져 돌아오는 길의 외로움
　시각적 심상의 대비(흰색눈 ↔ 파란색달빛) → 시적 상황(겨울밤) 강조
가난하다고 해서 두려움이 없겠는가
㉡**두 점을 치는 소리**
　새벽 두 시를 알리는 소리(청각적 심상)
방범대원의 호각 소리 메밀묵 사려 소리에
　통행금지를 어긴 사람을 잡는 소리(청각적 심상) 문제 3-②
눈을 뜨면 멀리 육중한 기계 굴러가는 소리.　　▶ 고달픈 현실 생활의 두려움
　밤늦게까지 도시 공장에서 일하는 사람들의 모습을 청각적 심상을 통해 형상화함.
가난하다고 해서 그리움을 버렸겠는가
어머님 보고 싶소 수없이 뇌어 보지만 ┐
집 뒤 감나무에 까치밥으로 하나 남았을 ├ 고향을 떠나온 화자의 처지가 드러남. 문제 4
㉢**새빨간 감 바람 소리도 그려 보지만.** ┘　　▶ 어머니와 고향에 대한 그리움
　화자가 그리워하는 대상을 시각적·청각적 심상으로 표현함.
가난하다고 해서 사랑을 모르겠는가
㉣**내 볼에 와 닿던 네 입술의 뜨거움**
　화자가 느끼는 사랑을 촉각적 심상(뜨거움)으로 표현함.
사랑한다고 사랑한다고 속삭이던 네 숨결
㉤**돌아서는 내 등 뒤에 터지던 네 울음.**　　▶ 사랑하면서도 헤어질 수밖에 없는 아픔
　이별의 상황을 청각적 심상(울음소리)으로 표현함.
가난하다고 해서 왜 모르겠는가
『 』: 도치법 → 현실에 체념해야만 하는 화자의 상황을 강조함.
가난하기 때문에 이것들을
이 모든 것들을 버려야 한다는 것을.』　　▶ 가난 때문에 모든 것을 버려야 하는 서러움
　외로움, 두려움, 그리움, 사랑 – 인간적인 감정들

어휘 다지기
본문 39쪽

2 (1) 외로움은 '세상에 홀로 떨어져 있는 듯이 매우 외롭고 쓸쓸함을 느끼는 마음.'을 뜻하는 '고독감'과 바꾸어 쓸 수 있다.
　(2) 두려움은 '두려워하고 무서워하는 마음.'을 뜻하는 '공포심'과 바꾸어 쓸 수 있다.
　(3) 사랑은 '이성을 그리워하고 사랑함.'을 뜻하는 '연정'과 바꾸어 쓸 수 있다.
3 (1) '공든 탑이 무너지랴?'에는 의문의 형식을 통해 공든 탑이 무너지지 않는다는 사실을 강조한 설의법이 쓰였다.
　(2) '가자, 산과 들로!'에는 '산과 들로 가자.'라는 일반적인 어순을 따르지 않고, 말의 차례를 의도적으로 바꾼 도치법이 쓰였다.

1 이 시의 화자는 16~18행에서 가난 때문에 모든 것들(외로움, 두려움, 그리움, 사랑)을 버려야 한다는 것에 서글픔을 느낄 뿐, 현실에 저항하겠다는 의지를 다지고 있지는 않다.

2 이 시에는 설의적인 질문만 나타날 뿐, 화자의 답은 나타나지 않는다.
오답 풀이 ▶ ①, ② 설의법이 쓰인 '가난하다고 해서 …겠는가'를 반복하여 운율을 형성하고, 화자가 가난하지만 여러 인간적인 감정을 생생히 느끼고 있다는 의미를 강조한다.
③ 16~18행에서 도치법을 사용하여 인간적인 감정을 포기해야 하는 화자의 안타까운 상황을 부각한다.
⑤ 화자가 포기해야 하는 감정인 '외로움, 두려움, 그리움, 사랑'을 나열하여 인간적인 감정마저 버려야 하는 화자의 고통을 나타낸다.

3 새벽 두 시를 알리는 시계 소리와 사람들을 단속하는 방범대원의 호각 소리를 통해 통행금지가 있었던 창작 당시 사회 모습을 드러낸다.
오답 풀이 ▶ ① 시각적 심상인 '흰색' 눈과 '새파란' 달빛의 색채 대비를 통해 차갑고 쓸쓸한 느낌을 드러낸다.
③ 화자가 그리워하는 대상인 고향집의 풍경을 '새빨간 감'이라는 시각적 심상과 '바람 소리'라는 청각적 심상을 나란히 제시하여 표현한다.
④ '뜨거움'이라는 촉각적 심상을 통해 사랑의 감정을 표현한다.
⑤ '등 뒤에 터지던 네 울음'이라는 청각적 심상으로 이별하는 상황을 생생히 드러낸다.

4 이 시는 '이웃의 한 젊은이를 위하여'라는 부제를 통해 이 작품이 고향(농촌)을 떠나 도시에서 노동자로 힘겹게 생활하던 당시 젊은이들의 삶을 형상화하고 있음을 드러낸다. 또한 시인이 젊은이를 위하여 이 시를 창작하였다는 사실을 드러내 당시 도시 노동자를 위로하려는 시의 창작 의도를 부각한다.

8 | 문학 DNA 깨우기

1 ⑤　　**2** ⑤　　**3** ③　　**4** ⑤　　**5** 길들이기

어휘 다지기　　**1** (1) ④ (2) ①　　**2** (1) 상징 (2) 점층　　**3** (1) ① (2) ③ (3) ②

시적 대상, 인식의 대상
내가 그의 이름을 불러 주기 전에는
화자, 인식의 주체　　대상을 인식하기 전
그는 다만

하나의 몸짓에 지나지 않았다.　　▶'나'가 '그'의 이름을 부르기 전의 '그'와 '나'의 관계
무의미한 존재

내가 그의 이름을 불러 주었을 때
명명(命名) 행위: 존재를 인식하고 의미를 부여하는 행위 문제 5
그는 나에게로 와서

꽃이 되었다.　　□: 의미 있는 존재　　▶'나'가 '그'의 이름을 불러 주었을 때의 '그'와 '나'의 관계
'그'와 '나'가 의미 있는 관계를 맺게 됨.

내가 그의 이름을 불러 준 것처럼
나의 이 빛깔과 향기에 알맞는
존재가 지니고 있는 본질, 개성적 가치
누가 나의 이름을 불러 다오.
자신의 존재를 누군가가 인식해 주기를 소망함.
그에게로 가서 나도

그의 꽃이 되고 싶다.　　▶누군가 자신의 이름을 불러 주기를 소망하는 '나'
누군가에게 의미 있는 존재가 되고 싶은 소망 문제 3

우리들은 모두
무엇이 되고 싶다.　　'나'의 소망이 '우리'의 소망으로 확대됨.
서로가 서로에게 의미 있는 존재
너는 나에게 나는 너에게

잊혀지지 않는 하나의 눈짓이 되고 싶다.　　▶서로에게 잊히지 않는 눈짓이 되기를 소망하는 '우리'
서로가 서로에게 의미 있는 존재 문제 2-⑤

1 이 시에서는 시인의 관념을 대변하는 추상적 존재인 '꽃'을 통해 존재의 의미를 추구하고 있을 뿐, 구체적 체험을 제시하고 있지 않다.

오답 풀이 ① '몸짓', '꽃' 등과 같은 상징적 시어가 쓰이고 있다.
② '불러 다오', '되고 싶다'라는 시구를 통해 화자의 소망을 간절하게 드러내고 있다.
③ '내가 그의 이름을 불러', '되고 싶다' 등의 시구를 반복하여 의미를 강조하고 있다.
④ 자연물인 '꽃'을 활용하여 존재의 의미라는 추상적인 내용을 제시하고 있다.

2 4연의 '눈짓'은 '나'와 '그'가 '우리'가 되어 서로가 서로에게 의미 있는 존재가 된 상태를 의미한다. '서로의 본질을 인식하기 이전의 상태'를 의미하는 시어는 1연의 '몸짓'이다.

3 3연에서 화자는 자신의 본질, 참모습을 알아봐 주는 누군가와 의미 있는 관계를 맺고 싶다는 소망을 드러내고 있을 뿐, 누군가가 자신에게 도움을 주기를 바라고 있는 것은 아니다.

4 1연에서 무의미한 존재였던 '몸짓'은 2연에서 의미 있는 존재인 '꽃'으로 변화하고, 4연에서 상호 간의 의미 있는 존재인 '무엇', '눈짓'으로 변화하면서 그 의미가 점층적으로 확대되고 있다.

5 '이름 부르기'는 대상에게 의미를 부여하여 의미 있는 관계를 맺는 것을 의미한다. 〈보기〉에서 어린 왕자가 여우를 길들이는 과정을 통해 서로에게 하나밖에 없는 존재가 된다고 하였으므로, 이름 부르는 행위는 길들이는 행위와 의미상 유사하다.

어휘 다지기　　본문 43쪽

1 (1) '지나지 않다'는 '바로 그것밖에 달리 되지 아니하다.'라는 뜻이므로, '어떤 수준에 지나지 않은 상태이다.'라는 뜻을 지닌 '불과하다'로 바꾸어 쓸 수 있다.
(2) '이름을 부르다'는 '사람, 사물, 사건 따위의 대상에 이름을 지어 붙이다.'라는 뜻을 지닌 '명명하다'로 바꾸어 쓸 수 있다.

2 오답 풀이 • '비유'는 표현하려는 대상을 그와 유사한 사물이나 현상에 빗대어 표현하는 방법이다.
• '대비에 따른 시상 전개 방식'은 이미지나 의미가 대조되는 시어를 배치하여 그 둘의 대립 관계를 중심으로 시상을 전개하는 방식이다.

07 상처가 더 꽃이다

본문 44~45쪽

1 ④　　**2** ②　　**3** 진정한 아름다움　　**4** ②

어휘 다지기　**1** (1) 고목 (2) 둥치 (3) 진물 (4) 부적　**2** (1) 험상궂다 (2) 거무죽죽하다 (3) 의연하다
3 (1) 가을 (2) 봄 (3) 겨울 (4) 여름

『어린 매화나무는 꽃 피느라 한창이고
　『 」: 어린 매화나무와 사백 년 고목의 모습을 대조함.
사백 년 고목은 꽃 지느라 한창인데』
　　　　　시적 대상
구경꾼들 고목에 더 몰려섰다　　　　　　　▶ 어린 매화나무보다 고목에 더 몰린 구경꾼들의 모습
구경꾼들이 고목에 더 몰려선 시적 상황을 통해 독자의 호기심을 유발함. 문제 2-②
『둥치도 가지도 꺾이고 구부러지고 휘어졌다
　『 」: 오랜 세월 동안 상처 입어 거칠어진 고목의 모습을 시각적으로 생생하게 묘사함.
갈라지고 뒤틀리고 터지고 또 튀어나왔다』

진물은 얼마나 오래 고여 흐르다가 말라붙었는지

주먹만큼 굵다란 혹이며 패인 구멍들이 험상궂다

거무죽죽한 혹도 구멍도 모양 굵기 깊이 빛깔이 다 다르다』

새 진물이 번지는가 개미들 바삐 오르내려도
　　　　　　현재에도 계속되는 고목의 고통
의연하고 의젓하다
고통을 꿋꿋하게 견뎌 내는 고목의 모습 문제 1-ㄷ
사군자 중 으뜸답다 문제 1-ㄹ　　　　　▶ 상처를 지닌 고목의 의연하고 의젓한 모습
고목의 의연함과 의젓함을 예찬함.
꽃구경이 아니라 상처 구경이다
구경꾼들은 고통을 이겨 낸 상처에서 아름다움을 느끼고 스스로 모임. 문제 4-②
상처 깊은 이들에게는 훈장(勳章)으로 보이는가 ┐ 상처가 있는 사람들에게
　　　　　　　　　　　　　　　　　　　　　 위안을 주는 고목 문제 1-ㄴ
상처 도지는 이들에게는 부적(符籍)으로 보이는가 ┘

백 년 못 된 사람이 매화 사백 년의 상처를 헤아리랴마는
　　　　　고목이 매화나무임이 드러남. → 사람보다 훨씬 긴 시간 동안 상처를 견딤.
감탄하고 쓸어 보고 어루만지기도 한다
　　　　　촉각적 심상 – 고목의 상처에 공감하려는 행동
만졌던 손에서 『향기까지 맡아 본다
　　　　　　　　『 」: 후각적 심상
진동하겠지 상처의 향기』
도치법을 사용해 향기의 강렬함을 강조함.
㉠상처야말로 더 꽃인 것을.　　　　　　　▶ 고목의 상처를 구경하는 사람들의 모습과 상처에서 얻는 깨달음
역설적 표현을 통해 고통을 이겨 낸 상처가 진정한 아름다움을 지녔다는 깨달음을 드러냄. 문제 3

어휘 다지기

본문 47쪽

2 오답 풀이 • '뒤틀리다'는 '꼬인 것처럼 몹시 비틀리다.'라는 뜻이다.
　　• '으뜸답다'는 '많은 것 중에 가장 뛰어난 성질이 있다.'라는 뜻이다.
3 (1) '국화'가 대표하는 계절은 가을이다.　(2) '매화'가 대표하는 계절은 봄이다.
　(3) '대나무'가 대표하는 계절은 겨울이다. (4) '난초'가 대표하는 계절은 여름이다.

---

1 ㄴ. 13~14행에서 상처가 있는 사람들에게 고목의 상처가 훈장이나 부적처럼 보인다고 표현하였다.

ㄷ, ㄹ. 고목은 새 진물이 번지는, 현재까지 지속되는 고통에도 의연한 모습을 보인다. 화자는 이러한 고목을 '사군자 중 으뜸답다'라고 예찬하였다.

오답 풀이 ㄱ. 새 진물 때문에 개미들이 오르내리는 모습은 고목이 느끼는 현재의 고통을 드러내는 것일 뿐이다. 이 시에서 고목이 개미와 더불어 살기 위해 노력하는 것은 아니다.
ㅁ. 사람들이 고목의 상처에 아름다움을 느꼈을 뿐, 사람들의 관심을 끌기 위해 고목이 노력한 것은 아니다.

2 어린 매화나무가 아닌 고목에 몰려 그 상처를 바라보고 어루만지는 구경꾼들의 모습이 드러나 있을 뿐, 구경꾼들의 행동을 실제와 반대로 표현하고 있지 않다.

오답 풀이 ① 4~8행에서 오랜 세월 상처를 입으면서 뒤틀려진 고목의 모습을 시각적으로 표현하였다.
③ 겉으로는 모순되어 보이는 표현을 통해 고통을 이겨 낸 상처가 꽃보다 더 아름답다는 깨달음을 강조하였다.
④ '상처의 향기(가) 진동하겠지'라는 일반적인 어순을 바꾸어 표현한 도치법을 통해 향기의 강렬함을 강조하였다.
⑤ 1~2행에서 꽃이 피는 어린 매화나무와 꽃이 지는 고목을 대조해 각각의 특성을 선명하게 드러냈다.

3 ㉠은 고통을 이겨 낸 상처가 꽃보다 더 아름다운 것임을 나타내는 표현으로, '꽃'은 진정한 아름다움을 의미한다.

4 시인은 고목의 상처에 감탄하는 구경꾼들의 모습을 제시하여, 상처는 오랜 세월 고통을 이겨 내 온 증거이며, 이는 사람들에게 의미 있는 소중하고 아름다운 것임을 이야기하고 있다. 따라서 상처를 긍정적으로 생각하고 상처를 통해 성장할 수 있음을 이야기하는 성화가 시인과 가장 유사한 생각을 지니고 있다.

08 시조 두 편

본문 48~49쪽

1 ④　　　**2** ④　　　**3** ③　　　**4** ③　　　**5** ①

어휘 다지기　　**1** (1) ① (2) ② (3) ③　　**2** (1) 연군 (2) 종장 (3) 사설시조　　**3** (1) 스물 (2) 예수남은

┌─ 임과의 이별 상황을 과장함. → 임과 헤어진 화자의 슬픔을 강조함. 문제 5-①

가　@천만리 머나먼 길에 ⓑ고운 님 여의옵고　　　▶ '고운 님'과의 이별
　　└ 화자　　　　　　　　　　　　유배된 단종
　　㉠내 마음 둘 데 없어 냇가에 앉았으니　　　　▶ 슬픔을 달랠 길 없어 냇가에 앉아 있는 화자
　　단종에 대한 충절·연군의 마음 문제 2-④
　　저 ㉡물도 내 안 같아서 울어 밤길 예놋다　　　▶ 시냇물도 자신처럼 슬퍼한다고 느끼는 화자
　　감정 이입의 대상 문제 3　　　　　물의 의인화

　　　　　　　　　　　　　　　　　　　　　　　　－ 왕방연, 〈천만리 머나먼 길에〉

나　㉢개를 여남은이나 기르되 @요 개같이 얄미우랴　　　▶ 많은 개 중에 유독 얄미운 개
　　　　　　　　　　　　　　└ : 개를 미워하는 화자의 마음이 직설적으로 드러남.
　　「미운 임 오면은 꼬리를 홰홰 치며 치뛰락 내리뛰락 반겨서 내닫고/고운 임 오면
　　┌「 」: 미운 임과 고운 임을 대하는 개의 대조적인 행동. 화자의 마음과 정반대로 행동하는 개의 모습　　대구법
　　은 뒷발을 버둥버둥 무르락 나락 캉캉 짖어서 도로 가게 하느냐」
　　　　　　　　　　　　: 의성어, 의태어의 사용 – 개의 행동을 실감 나게 표현함.
　　　　　　　　　　　　　　　　　　　　　　　▶ 미운 임은 반기고 고운 임은 쫓아내는 개
　　㉣쉰밥이 그릇그릇 난들 너 먹일 줄이 있으랴
　　설의적 표현 – 개가 원망스러워서 밥을 주지 않으려 함.
　　임에 대한 원망을 개에게 전가한 표현 문제 1 문제 4　▶ 개를 원망하는 화자
　　　　　　　　　　　　　　　　　　　－ 작자 미상, 〈개를 여남은이나 기르되〉

1 (나)의 화자는 임이 오지 않는 것이 개 때문이라고 하여 임에 대한 원망을 개에게 전가하여 간접적으로 표현하고 있다.

오답 풀이 ▶ ①, ③ (가), (나) 모두 화자가 임과 헤어져 임을 그리워하므로, 화자가 자신의 처지를 부정적으로 인식하고 있다고 할 수 있다.
② (가)의 화자는 '물'을 활용하여 임과 이별한 슬픔을 드러내고, (나)의 화자는 '개'를 활용하여 임에 대한 원망을 드러낸다.
⑤ (가)의 화자는 '물'이 자신처럼 슬픈 감정을 지녔다고 의인화하여 슬픔을 드러냈지만, (나)의 화자는 '개'를 '너'로 의인화하였을 뿐 이를 통해 슬픔을 드러내지는 않는다.

2 (가)가 창작된 당시의 상황을 고려할 때, '고운 님'은 단종을, '내 마음'은 작가가 지닌 임금(단종)에 대한 충성심과 연군의 마음을 의미한다.

3 ㉡은 화자의 슬픈 감정이 이입된 대상으로, 화자는 냇물이 '내 안(마음)' 같아서 울며 밤길을 흘러간다고 표현하였다. ③에서도 화자의 슬픈 마음을 '사슴의 무리'에 이입하여, 사슴이 슬퍼 운다고 표현하였다.

4 (나)에는 반어적 표현이 쓰이지 않았다. 종장에서 설의적 표현을 사용해 개를 원망하는 화자의 정서를 강조하고 있다.

오답 풀이 ▶ ①, ② 중장에서 '미운 임'과 '고운 임'을 대하는 개의 행동을 대조하고, '… 임 오면은 …을(를) …어서'라는 비슷한 문장 구조를 나란히 배치하여 운율을 형성하였다.
④ '홰홰', '치뛰락 내리뛰락', '버둥버둥 무르락 나락 캉캉'과 같은 의성어와 의태어를 사용해 개의 행동을 실감 나게 드러내었다.

5 @는 '천만'이라는 큰 수치를 활용해 임과 떨어진 화자의 상황을 과장하고, 그로 인한 화자의 슬픔이 깊음을 강조한 표현이다.

오답 풀이 ▶ ② 화자가 안타까워하는 대상이다.
③, ④ 임에 대한 화자의 그리움을 심화시키는 대상이다.
⑤ 개에 대한 화자의 원망이 드러난 소재이다.

어휘 다지기

본문 51쪽

2 (2) 평시조와 사설시조 모두 종장의 첫 음보가 3음절이여야 한다는 형식상의 제약이 있다.

3 (1) 20의 순우리말은 '스물'이다.
　(2) 60이 조금 넘는 수를 뜻하는 순우리말은 '예수남은'이다.

01 인물의 특성과 인물 관계 파악하기

바로 확인 · · · · · · · · · · · · · · · · · · · 본문 58쪽

1 ③　　　**2** ②

허균, 〈홍길동전〉

- **해제** 이 작품은 조선 시대의 문인 허균이 지은 것으로 알려진 고전 소설로, 적서 차별이 심했던 조선 시대의 현실이 잘 반영되어 있다. 홍길동이 서얼 신분을 차별하는 불합리한 현실에 맞서 싸우며 이상국을 건설하는 모습을 '영웅의 일대기적 구성'을 통해 제시하고 있다.

- **주제** 적서 차별이 심했던 부조리한 사회 현실 비판

● **감상 원리 01로 작품 분석**

✔ **등장인물** 길동(주인공), 홍 대감

✔ **등장인물의 특성**
- **길동**: 비범한 능력을 지녔으나 서얼로 태어나 차별을 받음.
- **홍 대감**: 재상 벼슬을 하는 양반. 길동을 아끼고 불쌍히 여김.

✔ **인물 관계** 길동과 홍 대감은 부자(父子) 관계임. 자신의 처지를 하소연하는 길동과, 그런 길동을 꾸짖는 홍 대감은 대립 관계임.

1 길동은 천한 신분 때문에 호부호형(아버지를 아버지라고 부르고 형을 형이라고 부름.)을 못하고 남들에게 천한 대우를 받는 자신의 처지를 한탄하고 있다. 그러나 길동이 '비범한 아이'라고 서술되어 있으므로, 길동이 부족한 능력 때문에 괴로워하고 있다고 보기 어렵다.

> **오답 풀이** ▸ ② "재상의 집안에서 천한 노비에게 태어난 사람이 너뿐이 아니다."라는 대감의 말을 참고할 때, 길동의 아버지가 재상이고 어머니가 노비임을 알 수 있다.

2 길동은 천한 신분 때문에 홍 대감을 아버지라 부르지 못하고 있다. "늘 서러운 것은 아버지를 아버지라 부르지 못하고"라는 길동의 말에서 홍 대감을 아버지라고 부르고 싶어 하는 길동의 심리가 드러난다.

자료 + 　영웅의 일대기적 구성

고귀한 혈통과 비범한 능력을 지닌 주인공이 온갖 어려움을 극복하고 승리자가 되는 이야기를 전개하는 방식이다.

고귀한 혈통 ▶ 비정상적인 출생 ▶ 비범한 능력
위대한 업적 달성 ◀ 위기 극복 ◀ 시련과 위기

02 중심 사건과 갈등 파악하기

바로 확인 · · · · · · · · · · · · · · · · · · · 본문 61쪽

1 ①　　　**2** ③

오정희, 〈소음 공해〉

- **해제** 이 작품은 아파트를 배경으로 층간 소음 때문에 발생하는 이웃 간의 갈등을 다루고 있는 현대 소설이다. 평소 장애인 시설에서 자원봉사를 하는 중년 여성인 '나'가 정작 휠체어를 타는 위층 이웃에게 무관심했다는 반전을 보여 준다. 이를 통해 이웃에 대한 관심과 배려가 부족한 현대 사회의 문제점을 우회적으로 비판하고 있다.

- **주제** 이웃에 대해 무관심한 현대인의 삶의 모습 비판

● **감상 원리 02로 작품 분석**

✔ **중심 사건** 층간 소음 문제로 아파트 아래층 사람인 '나'와 위층 여자가 싸운 일

✔ **갈등 대상, 원인** 위층에서 발생한 소음이 원인이 되어 아래층에 사는 '나'와 위층 여자 사이의 외적 갈등이 발생함.

✔ **갈등의 진행 양상** (가) 인터폰을 통해 소음 문제를 직접 항의하는 '나'에게 위층 여자가 신경질적으로 반응하면서 갈등이 심화됨.
(나) '나'가 위층 여자가 휠체어를 타고 다니는 처지임을 알게 되고, 이웃의 처지를 배려하지 못했던 자신의 행동에 부끄러움을 느끼면서 갈등이 해소됨.

1 이 글은 아파트의 층간 소음 때문에 아래층에 사는 '나'와 위층에 사는 젊은 여자가 싸운 일을 중심 사건으로 다루고 있다.

2 (나)에서 '나'는 휠체어를 탄 위층 여자를 보고 부끄러움을 느끼고 선물로 준비한 슬리퍼를 등 뒤로 감춘다. 이를 통해 '나'가 소음의 원인이 휠체어였음을 알게 된 후, 그동안 이웃의 처지를 알지 못한 채 자신의 불편만 항의했던 행동에 부끄러움을 느끼면서 갈등이 해소된 것으로 볼 수 있다.

> **오답 풀이** ▸ ① (가)에서 "위층이 또 시끄럽습니까?"라는 경비원의 말과 "이틀 거리로 전화를 해 대시니"라는 위층 여자의 말에서, '나'가 경비원을 통해 위층 주민에게 조용히 해 달라고 항의하면서 이웃 간의 갈등이 시작되었음을 짐작할 수 있다.
> ② (가)에서 '나'는 경비원으로부터 전해 들은 "충분히 주의하고 있으니 염려 마시랍니다."라는 위층 여자의 말에 기분이 나빠져서 인터폰으로 직접 위층 여자에게 연락해 항의하고 있다. 이에 위층 여자가 신경질적인 반응을 보이면서 '나'와 위층 여자 사이의 갈등이 심화되고 있다.

03 사건의 구성 방식 파악하기

본문 64쪽

바로 확인

1 ㉠ 발단 ㉡ 절정　　**2** ③

김유정, 〈동백꽃〉

- **해제** 이 작품은 농촌을 배경으로 하여 순박한 소년인 '나'와 소녀 점순이 간의 사랑을 해학적으로 그리고 있는 현대 소설이다. 점순이는 감자로 '나'에게 관심을 드러내고 닭싸움을 붙여 '나'의 관심을 끌려고 하지만, '나'는 점순이가 왜 그런 행동을 하는지 이해하지 못한다. 이런 '나'의 어수룩함이 독특한 재미를 낳고 작품 전체가 해학적 분위기를 띠게 한다.
- **주제** 농촌 마을 소년과 소녀의 풋풋한 사랑

● **감상 원리 03으로 작품 분석**

✔ **중심 사건** (가) 오늘도 점순이가 닭싸움을 붙이며 '나'를 약 올림. → (나) 나흘 전, '나'는 점순이가 주는 감자를 거절함. → (다) '나'가 점순네 수탉을 때려죽임. → (라) '나'가 울음을 터뜨리자 점순이가 '나'를 달램.

✔ **구성 단계** (가) 발단, (나) 전개, (다) 절정, (라) 결말

✔ **구성 유형** '현재(오늘) → 과거(나흘 전) → 현재(오늘)'의 순으로 사건이 전개되는 역순행적 구성 방식임.

---

1 소설의 구성 단계상 (가)는 작품의 시작 부분이며, 주요 인물인 '나'와 점순이가 등장하고 있으므로 발단에 해당한다. (다)는 '나'와 점순이의 갈등이 최고조에 이르러 분노한 '나'가 점순네 수탉을 죽이는 부분이므로 절정에 해당한다.

2 이 글은 '나'와 점순이 사이에 발생한 사건을 중심으로 서술되고 있을 뿐, 이야기 속에 또 다른 이야기가 나오는 액자식 구성을 취하고 있지 않다.

〈오답 풀이〉 ① (가)에는 오늘 점순이가 닭싸움을 붙여 '나'를 약올리는 상황이 제시되어 있고, (나)에는 (가) 사건의 원인이 된 사건 즉, 나흘 전에 '나'가 점순이의 감자를 거절한 사건이 제시되어 있다.

자료 +　그 밖의 구성 유형

- **피카레스크식 구성:** 독립된 각각의 이야기에 동일한 인물이 등장하여 각기 다른 사건들을 경험하고 이를 통해 주제를 드러내는 구성 방식. 연작 소설이 대표적이다.
- **옴니버스식 구성:** 하나의 주제를 바탕으로 하여 독립된 몇 편의 이야기가 나열되며, 각각의 이야기에 다른 주인공들이 등장하여 사건이 전개되는 구성 방식.

---

04 배경과 소재 파악하기

본문 67쪽

바로 확인

1 ③　　**2** 왼손잡이

이효석, 〈메밀꽃 필 무렵〉

- **해제** 이 작품은 일생을 길 위에서 살아가는 장돌뱅이의 삶과 애환을 통해 인간의 근원적인 애정을 다루고 있는 현대 소설이다. 배경인 메밀꽃이 흐드러지게 핀 달밤의 산길을 감각적으로 묘사하여 서정적이고 낭만적인 분위기를 조성하고 있다. 그리고 결말에서 동이 어머니의 고향이 봉평이라는 것, 동이가 허 생원과 마찬가지로 왼손잡이라는 것이 밝혀지면서 동이가 허 생원의 아들임을 암시하여 독자들에게 여운을 주고 있다.
- **주제** 떠돌이 삶의 애환과 육친의 정

● **감상 원리 04로 작품 분석**

✔ **배경과 중심 소재**
- **배경:** 메밀꽃이 흐드러지게 핀 달밤의 산길
- **소재:** 왼손잡이

✔ **기능**
- **배경:** 낭만적 분위기를 조성하고, 과거의 추억을 떠올리게 하는 매개체의 역할을 함.
- **소재:** 동이가 허 생원의 아들임을 암시함.

---

1 (가)는 메밀꽃이 흐드러지게 핀 달밤의 풍경을 묘사한 부분으로, 시대적 배경과 관련된 허 생원의 과거 이야기는 나오지 않는다.

〈오답 풀이〉 ① '짐승 같은 달의 숨소리가 손에 잡힐 듯', '꽃이 소금을 뿌린 듯이', '붉은 대궁이 향기같이' 등에서 직유법을 사용하고 있다.
② 시각적 심상, 공감각적 심상을 활용한 표현('달에 푸르게 젖었다.', '방울 소리가 시원스럽게 딸랑딸랑 메밀밭께로 흘러간다.')을 통해 달밤의 풍경을 생생하게 묘사하고 있다.

2 '오랫동안 아둑시니같이 눈이 어둡던 허 생원도 요번만은 동이의 왼손잡이가 눈에 뜨이지 않을 수 없었다.'에서 허 생원이 자신처럼 왼손잡이인 동이를 아들로 확신하게 되었음을 알 수 있다. 왼손잡이는 실제로는 유전되지 않는 형질이지만 과학적 진실과 다른 문학적 개연성을 강조하며, 두 사람의 혈연관계를 극적으로 제시하여 독자의 상상력을 자극하는 역할을 한다.

2. 소설

05 서술상 특징 파악하기

본문 70쪽

바로 확인

1 ①   **2** ①

양귀자, 〈길모퉁이에서 만난 사람〉
- **해제** 이 작품은 김밥을 만드는 아줌마, 트럭에서 야채와 과일을 파는 아저씨, '긴데요'라는 별명을 가진 김대호 씨 등 우리가 주변에서 흔히 만나는 이웃의 삶에서 찾은 의미를 형상화하고 있는 현대 소설이다. 인물의 갈등보다는 이웃에 대한 서술자의 섬세한 관찰과 묘사, 이들에 대한 서술자의 주관적인 생각을 중심으로 서술되어 있다.
- **주제** 평범한 이웃들의 삶에 대한 심리적 성찰

● **감상 원리 05로 작품 분석**
- ✔ **시점** 이야기 안에 등장하는 서술자 '나'가 이웃을 관찰한 내용을 중심으로 서술함. (1인칭 관찰자 시점)
- ✔ **문체** 김밥 아줌마의 행동과 그에 대한 서술자의 생각을 직접적으로 서술함. 김밥 아줌마를 '예술가'에, 그가 만든 김밥을 '작품'에 빗대어 표현함.
- ✔ **서술자의 태도** 이웃의 삶을 긍정적이고 우호적인 태도로 서술함으로써, 평범한 삶도 가치 있음을 드러냄.

1 이 글은 이야기 안에 등장하는 '나'가 김밥 아줌마를 관찰한 내용을 서술하는 1인칭 관찰자 시점을 취하고 있다.

　오답 풀이 ② 마지막 문단에서 '나'와 김밥 아줌마의 일화가 '나'의 서술을 통해 직접 제시되고 있을 뿐, 두 사람 사이의 대화는 나타나 있지 않다.
③ 3인칭 전지적 시점에 대한 설명이다. 이 글의 서술자 '나'는 김밥 아줌마의 행동을 관찰한 내용을 바탕으로 하여 '늘 화를 내고 있는 것처럼 보이기도 한다.'와 같이 인물의 심리를 추측하여 드러낸다.

2 '나'가 김밥 아줌마가 만든 김밥을 '작품'이라고 부르는 것은, 예술가가 작품을 만드는 것처럼 김밥을 만드는 일에 몰두하는 김밥 아줌마의 태도를 긍정적으로 평가했기 때문이다.

> **자료+ 인물에 대한 서술자의 태도 유형**
> - **긍정적·우호적 태도**: 인물을 긍정적인 입장에서 서술하는 경우이다. 인물에 대한 동경이나 경외, 동정과 연민 등으로 나타난다.
> - **부정적·비판적·적대적 태도**: 인물을 부정적인 입장에서 서술하는 경우이다. 인물에 대한 직접적 비판이나 풍자, 냉소와 조롱, 혐오와 분노 등으로 나타난다.
> - **객관적·중립적 태도**: 인물에 대해 긍정적이거나 비판적인 평가를 내리지 않고, 보이는 그대로의 모습을 비교적 객관적으로 서술하는 경우이다.

06 다양한 관점으로 작품 감상하기

본문 73쪽

바로 확인

1 ③   **2** 표현론

박완서, 〈그 많던 싱아는 누가 다 먹었을까〉
- **해제** 이 작품은 일제 강점기를 거쳐 6·25 전쟁에 이르기까지 작가의 어린 시절부터 대학생이 될 때까지의 자전적 이야기를 그리고 있는 현대 소설이다. 우리나라 근현대사의 시대상을 고스란히 담아내고 있으며, 주인공이 사회와 가족의 변화를 바라보며 내적으로 성장하는 과정을 그리고 있다. 제시된 글은 일제 강점기 말에 주인공이 초등학교 시절을 보낸 당시의 경험을 쓴 부분이다.
- **주제** ① 어린 시절에 대한 추억과 그리움
  ② 일제 강점기와 6·25 전쟁의 비극을 겪은 한 개인의 성장 과정

● **감상 원리 06으로 작품 분석**
- ✔ **내재적 감상** 창씨개명을 둘러싸고 '나'와 가족들이 겪은 이야기를 그림.
- ✔ **외재적 감상**
  - **표현론**: 일제 강점기 말에 작가가 겪은 자전적 이야기를 그린 작품임.
  - **반영론**: 일제 강점기 말 창씨개명을 통해 일제에 순응하려던 사람들과 반대하던 사람들의 갈등을 표현하고 있음.
- ✔ **종합적 감상** 일제 강점기를 거쳐 어른으로 성장하는 '나'와 그의 가족 이야기를 그린 작품임.

1 마지막 문단에서 '나'가 창씨개명을 완강하게 반대하는 오빠를 딴 사람과는 다르다고 생각하고 묘한 긍지를 느꼈다고 한 것으로 보아, 오빠를 긍정적으로 바라보고 있음을 알 수 있다.

　오답 풀이 ① 작품 속 사건에 대한 독자의 반응을 나타내고 있다.
② 작품에 나타난 당시 사회상과 관련지어 작품을 감상하고 있다.

2 민서는 작가의 작품 경향이나 생애와 관련지어 작품을 감상하고 있는데, 이러한 감상 방법을 표현론이라 한다.

실전

01 운수 좋은 날

본문 74~75쪽

1 ④　　2 ②　　3 ③　　4 ②

가 ㉠새침하게 흐린 품이 눈이 올 듯하더니 눈은 아니 오고 얼다가 만 비가 추적추
적 내리는 날이었다.
시간적 배경: 겨울비가 내리는 날 → 음산하고 불길한 분위기 형성, 비극적 사건 암시 문제4
: 시대적 배경을 알 수 있는 소재
이날이야말로 동소문 안에서 인력거꾼
김 첨지의 직업
노릇을 하는 김 첨지에게는 오래간만에
도 닥친 운수 좋은 날이었다. 문안에(거기
도 문밖은 아니지만) 들어간답시는 앞집
마마님을 전찻길까지 모셔다드린 것을
운수 좋은 돈 벌이의 시작
비롯으로 행여나 손님이 있을까 하고 정
류장에서 어정어정하며 내리는 사람 하
나하나에게 거의 비는 듯한 눈결을 보내
인력거를 타 주기를 바라는 눈빛 → 비참한 김 첨지의 상황
고 있다가 마침내 교원인 듯한 양복쟁이

를 동광학교(東光學校)까지 태워다 주기로 되었다.

　첫 번에 삼십 전, 둘째 번에 오십 전 — 아침 댓바람에 그리 흉치 않은 일이었다.
그야말로 재수가 옴 붙어서 근 열흘 동안 돈 구경도 못 한 김 첨지는 십 전짜리 백
한동안 돈을 벌지 못한 김 첨지의 상황
동화 서 푼, 또는 다섯 푼이 찰깍하고 손바닥에 떨어질 제 거의 눈물을 흘릴 만큼
기뻤다. 더구나 이날 이때에 이 팔십 전이란 돈이 그에게 얼마나 유용한지 몰랐
김 첨지의 심리를 직접 제시함
다. 컬컬한 목에 모주 한잔도 적실 수 있거니와 그보다도 앓는 아내에게 설렁탕 한
아내를 생각하는 김 첨지의 마음
그릇도 사다 줄 수 있음이다.　　　　　　　　　　　　▶ 오랜만에 아침부터 돈을 번 김 첨지

　나 그의 아내가 기침으로 쿨룩거리기는 벌써 달포가 넘었다. 조밥도 굶기를 먹다
아내가 앓고 있는 상황을 회상함 문제1-④
시피 하는 형편이니 물론 약 한 첩 써 본 일이 없다. 구태여 쓰려면 못 쓸 바도 아니
김 첨지의 가난하고 궁핍한 생활 형편
로되 그는 병이란 놈에게 약을 주어 보내면 재미를 붙여서 자꾸 온다는 자기의 신
김 첨지의 고지식한 성격, 약을 쓰지 못하는 궁핍한 처지를 합리화함 문제2-②
조(信條)에 어디까지 충실하였다. 따라서 의사에게 보인 적이 없으니 무슨 병인지
는 알 수 없으되 반듯이 누워 가지고 일어나기는새로에 모로도 못 눕는 것을 보면
중증은 중증인 듯. 병이 이토록 심해지기는 열흘 전에 조밥을 먹고 체한 때문이다.
아내의 병세가 나빠진 원인 문제1-④
〈중략〉 그때 김 첨지는 열화와 같이 성을 내며,
　"에이, 조랑복은 할 수가 없어, 못 먹어 병, 먹어서 병! 어쩌란 말이야. 왜 눈을 바
　루 뜨지 못해!"
하고 김 첨지는 앓는 이의 뺨을 한 번 후려갈겼다. 흡뜬 눈은 조금 바루어졌건만 이
가난에 대한 분노를 아내에게 화풀이함
슬이 맺히었다. 김 첨지의 눈시울도 뜨끈뜨끈한 듯하였다.
가난의 설움, 아내에 대한 연민이 담긴 눈물 → 겉으로는 쌀쌀맞지만 속정이 있는 김 첨지의 성격
　이 환자가 그러고도 먹는 데는 물리지 않았다. 사흘 전부터 설렁탕 국물이 마시
김 첨지의 아내　　　　　　　　　　　　　　　　　　　아내의 소망
고 싶다고 남편을 졸랐다.
　"이런! 조밥도 못 먹는 년이 설렁탕은, 또 처먹고 지랄병을 하게."
　　　　　　　　　　　　　　　　비속어 사용
라고 야단을 쳐 보았건만 못 사 주는 마음이 시원치는 않았다.
　　아내에 대한 미안함과 안쓰러움　　　　　▶ 한 달 넘게 집에 앓고 있는 김 첨지의 아내

---

1 과거 회상을 통해 달포 전부터 기침을 하
던 김 첨지의 아내가 열흘 전에 조밥을
먹다가 체한 것 때문에 병이 더 심해졌음
을 드러내고 있다.

오답 풀이 ①, ⑤ 이 글은 3인칭 전지적 시점
을 취하고 있으나, 김 첨지의 행동과 심리를 중
심으로 서술하고 있을 뿐 주변 인물의 심리에
대해서는 서술하고 있지 않다. 또한 시점의 변
화도 나타나지 않는다.
② 1인칭 주인공 시점에 대한 설명이다.
③ (가)에서는 오늘 동소문 근처에서 일어난 사
건을 서술하고 있고, (나)에서는 과거 회상을 통
해 김 첨지의 아내가 앓고 있는 상황을 서술하
고 있다.

2 김 첨지는 가난한 형편 때문에 병에게 약
을 주면 자꾸 온다고 합리화하며 아내를
의사에게 진찰받게 한 적이 없었다.

오답 풀이 ③ 김 첨지는 조밥이라도 먹는 때
보다 굶는 때가 더 많을 만큼 궁핍한 생활을 하
고 있다.
④ 조밥을 급하게 먹다가 체한 아내에게 화를
내면서도 눈시울을 적시고 있는 것을 볼 때, 김
첨지는 겉으로는 쌀쌀맞지만 아내를 위하는 인
물임을 알 수 있다.

3 김 첨지가 앞집 마마님을 전찻길까지 모
셔다드렸다는 내용으로 보아, 당시에 여
성들이 인력거를 탈 수 없었다는 것은 적
절하지 않다.

오답 풀이 ① '십 전짜리 백동화 서 푼, 또는
다섯 푼'을 통해 당시에 백동화를 사용하였음을
알 수 있다.

4 (가)에서 겨울비가 내리는 날씨 덕분에
김 첨지는 오랜만에 돈을 벌게 되어 기뻐
하고 있을 뿐, 날씨 때문에 내적 갈등을
겪고 있지 않다.

오답 풀이 흐린 날씨와 추적추적 내리는 겨울
비는 작품 전반에 걸쳐 음산한 분위기를 형성하
며, 앞으로 비극적 사건이 일어날 것임을 암시
하는 기능을 한다.

5 ⑤　　　　**6** ③　　　　**7** 설렁탕　　　　**8** ⑤

（어휘）다지기　　**1** (1) 인력거꾼 (2) 댓바람 (3) 허장성세　　**2** (1) ② (2) ① (3) ③　　**3** ②　　**4** ②

생략된 부분의 줄거리　김 첨지는 기숙사 학생을 남대문 정거장까지 태워다 주고, 거기에서 또 다른 손님을 인사동까지 태워다 주며 돈을 번다. 거듭되는 행운에 불안감을 느낀 김 첨지는 일을 마치고 곧장 집으로 가지 않고 술집에 들러 친구 치삼이와 함께 술을 마신다.

가　김 첨지는 취중에도 설렁탕을 사 가지고 집에 다다랐다. 집이라 해도 물론 셋집
＿아내에 대한 속깊은 사랑 문제 7
이요, ㉠또 집 전체를 세 든 게 아니라 안과 뚝 떨어진 행랑방 한 칸을 빌려 든 것인
데 물을 길어 대고 한 달에 일 원씩 내는 터이다. 만일 김 첨지가 주기를 띠지 않았
＿김 첨지의 궁핍한 생활 형편
던들 한 발을 대문 안에 들여놓았을 제「그곳을 지배하는 무시무시한 정적 — 폭풍
우가 지나간 뒤의 바다 같은 정적에 다리가 떨리었으리라. 쿨룩거리는 기침 소리
└ 적막하고 불길한 분위기 → 아내의 죽음을 암시함.
도 들을 수 없다. ㉡그르렁거리는 숨소리조차 들을 수 없다. 다만 이 무덤 같은 침
묵을 깨뜨리는 — 깨뜨린다느니보다 한층 더 침묵을 깊게 하고 불길하게 하는 빡
빡 하는 그윽한 소리, 어린애의 젖 빠는 소리가 날 뿐이다. 만일 청각이 예민한 이
같으면 그 빡빡 소리는 빨 따름이요, 꿀떡꿀떡하고 젖 넘어가는 소리가 없으니, 빈
젖을 빤다는 것도 짐작할는지 모르리라.」■: 아내가 죽은 후의 적막하고 불길한 분위기를
＿아내의 죽음 암시, 사건의 비극성 부각　　　청각적 심상을 통해 감각적으로 표현함.
　혹은 김 첨지도 이 불길한 침묵을 짐작했는지도 모른다. 그렇지 않으면 대문에
＿아내의 죽음 암시
들어서자마자 전에 없이, / ㉢"이년, 남편이 들어오는데 나와 보지도 안 해, 이년!"
아내가 죽었을지도 모른다는 불안감을 떨치기 위한 행동 문제 6-③
이라고 고함을 친 게 수상하다. 이 고함이야말로 제 몸을 엄습해 오는 무시무시한
증을 쫓아 버리려는 허장성세(虛張聲勢)인 까닭이다.
　하여간 김 첨지는 방문을 왈칵 열었다.「구역을 나게 하는 추기 — ㉣떨어진 삿자
└ 아내가 죽은 방의 모습을 후각적 심상을 통해 묘사함.
리 밑에서 올라온 먼지내, 빨지 않은 기저귀에서 나는 똥내와 오줌내, 가지각색 때
가 켜켜이 앉은 옷 내, 병인의 땀 썩은 내가 섞인 추기가 무딘 김 첨지의 코를 찔렀
다.」
　방 안에 들어서며 설렁탕을 한구석에 놓을 사이도 없이 주정꾼은 목청을 있는
　　　　　　　　　　　　　　　　　　　　불안감을 떨치려는 김 첨지의 과장된 행동
대로 다 내어 호통을 쳤다.　　　▶ 설렁탕을 사 들고 집으로 돌아와 무서운 정적 속에 불길함을 느끼는 김 첨지

나　발로 차도 그 보람이 없는 걸 보자 남편은 아내의 머리맡으로 달려들어 그야말
　　　　　　　　　　움직이지 않는 걸
로 까치집 같은 환자의 머리를 꺼들어 흔들며,
　「"이년아, 말을 해, 말을! 입이 붙었어? 이년!" / "……."
　└ 아내의 죽음을 믿고 싶지 않아 계속 말을 걸며 확인함.
　"으응, 이것 봐, 아무 말이 없네." / "……."
　"이년아, 죽었단 말이냐, 왜 말이 없어?" / "……."
　"으응, 또 대답이 없네. 정말 죽었나 보이."」
　　　　　　　　　　아내의 죽음을 수긍함.
이러다가 누운 이의 흰창이 검은창을 덮은, 위로 치뜬 눈을 알아보자마자,
　　　　　　　　　　　　　　　　　　　　아내의 죽음을 확인함.
　"이 눈깔! 이 눈깔! 왜 나를 바라보지 못하고 천장만 보느냐? 응."
하는 말끝엔 목이 메었다. 그러자 ㉤산 사람의 눈에서 떨어진 닭똥 같은 눈물이 죽
　　　　　　　　　　　　　　　　아내의 죽음에서 오는 슬픔과 자책감, 연민
은 이의 뻣뻣한 얼굴을 어룽어룽 적신다. 문득 김 첨지는 미친 듯이 제 얼굴을 죽은
이의 얼굴에 한데 비비대며 중얼거렸다.
　결말의 비극성을 부각시킴. 문제 7
　「"설렁탕을 사다 놓았는데 왜 먹지를 못하니, 왜 먹지를 못하니? 괴상하게도 오
늘은 운수가 좋더니만……."」
　　운수 좋은 날이 가장 비참한 날로 마무리됨. → 반어적 결말
　　　　　　　　　　　　　▶ 아내의 죽음을 확인하고 비통해하는 김 첨지

5 이 글에서는 김 첨지의 행동과 말을 통해 김 첨지의 성격을 간접적으로 제시하고 있다. 김 첨지의 말과 행동을 통해 그가 언행은 거칠지만, 아내를 사랑하는 마음이 깊은 사람임을 짐작할 수 있다.

6 ㉢은 아내가 죽었을지도 모른다는 불안 감을 떨쳐 내기 위한 김 첨지의 과장된 행동이라고 볼 수 있다.

（오답 풀이）① 행랑채 한 칸을 빌린 데다가 집 세를 돈으로 다 내지 못하고 노동력까지 제공하 고 있는 것에서 김 첨지가 경제적으로 궁핍한 상황에 처해 있음을 알 수 있다.
⑤ '닭똥 같은 눈물'에는 아내의 죽음에 대한 슬 픔과 안타까움, 자책감 등이 복합적으로 담겨 있다.

7 이 글에서 '설렁탕'은 아내에 대한 김 첨 지의 사랑을 보여 주는 소재이면서, 아내 의 죽음이라는 결말의 비극성을 심화하 는 역할을 한다.

8 제목 '운수 좋은 날'은 '가장 불행하고 비 참한 날'에 대한 반어적 표현으로, 당시 도시 하층민들에게 운수가 좋다는 것이 결코 쉽지 않은 일이었음을 드러낸다. 이 러한 제목을 통해 작가는 1920년대 일제 강점기 도시 하층민들의 비참한 삶을 강 조하고자 하였음을 알 수 있다.

（어휘）다지기　　　　　　　　　　本문 79쪽

3 김 첨지가 병에 대한 자신만의 생각을 굳게 믿고 충실하게 지키고 있다는 내 용이므로, 괄호 안에는 '굳게 믿어 지 키고 있는 생각.'을 뜻하는 '신조'가 들 어가는 것이 적절하다.

4 〈보기〉는 김 첨지가 몹시 궁핍함을 나 타내므로, 늘 굶고 살 정도로 살림이 매 우 가난함을 비유적으로 이르는 말인 ②와 관련이 깊다.

（오답 풀이）① 아무리 힘이나 밑천을 들여도 보람 없이 헛된 일이 되는 상태를 이르는 말.

02 꺼삐딴 리

1 ③   **2** ⑤   **3** ④   **4** ③

앞부분의 줄거리 이인국은 일제 강점기에 제국 대학을 졸업한 뒤 수술 실력이 뛰어난 의사로 이름을 날렸다. 해방 이후 그는 뛰어난 처세술로 위기를 벗어났고, 6·25 전쟁이 터지고 1·4 후퇴 때 남으로 내려와 서울에 병원을 차렸다. 현재 그는 종합 병원의 원장이며, 브라운 씨를 만나러 가는 길이다.
<u>이인국은 6·25 전쟁 이전에는 삼팔선 이북에 살았음.</u>

㉮ 미국 대사관 브라운 씨와의 약속 시간은 이십 분밖에 남지 않았다. <u>이 회중시계</u>
<u>에도 몇 가닥의 유서 깊은 이야기가 숨어 있다.</u> 이인국 박사는 시계를 볼 때마다 참
<u>이인국은 회중시계를 오랫동안 간직해 왔음.</u>   <u>이인국은 회중시계를 들여다보며 과거를 회상하게 됨.</u>
말 '기적'임에 틀림없었던 사태를 연상하게 된다.

왕진 가방과 함께 삼팔선을 넘어온 피란 유물의 하나인 시계. 가방은 미군 의사
에게서 얻은 새것으로 갈아 매어 흔적도 없게 된 지금, <u>시계는 목숨을 걸고 삶의 도</u>
<u>피행을 같이한 유일한 물건이요, 어찌 보면 인생의 반려(伴侶)이기도 한 것이다.</u>
          <u>이인국이 회중시계를 각별하게 생각하는 까닭 → 이인국의 삶의 행적을 보여 줌.</u>
〈중략〉

그 후 삼십여 년, 자기 주변의 모든 것이 변하여 갔지만 시계만은 옛 모습 그대
로다. 주변뿐만 아니라 자기 자신은 얼마나 변한 것인가. 이십대 홍안을 자랑하던
젊음은 어디로 사라진 것인지 머리카락도 반백이 넘었고 이마의 주름은 깊어만 간
다. 일제 시대, 소련군 점령하의 감옥 생활, 6·25 사변, 삼팔선, 미군 부대, 그동안
<u>작품의 시대적 배경을 추측할 수 있음.</u>
몇 차례의 아슬아슬한 죽음의 고비를 넘긴 것인가.
           ▶ 회중시계를 보며 자신이 살아온 과거를 떠올리는 이인국

㉯ <u>1945년 팔월 하순.</u> 아직 해방의 감격이 온 누리를 뒤덮어 소용돌이칠 때였다.
  <u>시대적 배경: 1945년 광복 직후. 이인국이 광복 직후 당시 상황을 떠올림.(역순행적 구성)</u> 문제 2
말복도 지난 날씨언만 여전히 무더웠다. 이인국 박사는 이 며칠 동안 불안과 초
           <u>이인국의 심리를 분석하여 서술함. → 3인칭 전지적 시점</u> 문제 1-②
조에 휘몰려 잠도 제대로 자지 못했다. 무엇인가 닥쳐올 사태를 오돌오돌 떨면서
대기하는 상태였다. 〈중략〉

계단을 구르며 급히 올라오는 발자국 소리가 들려 왔다. 혜숙이다.

"아마 소련군이 들어오나 봐요, 모두들 야단법석이에요……"
  <u>시대적 배경: 소련군 입성 시기</u>
숨을 헐떡이며 이야기하는 혜숙이의 말에 이인국 박사는 아무 대꾸도 없이 눈만
       <u>혜숙과 다르게 이인국은 소련군 입성 소식에도 덤덤한 반응을 보임.</u> 문제 3
껌벅이며 도로 앉았다. 여러 날째 라디오에서 오늘 입성 예정이라고 했으니 인제
정말 오는가 보다 싶었다. 혜숙이 내려간 뒤에도 이인국 박사는 <u>한참 동안 아무 거</u>
<u>동도 못 하고 바깥쪽을 내다보고만 있었다.</u> 무엇을 생각했던지 그는 움찔 자리에
   <u>앞으로 어떻게 처신해야 할지 고민함.</u>
서 일어났다. 그러고는 벽장문을 열었다. 안쪽에 손을 뻗쳐 액자 틀을 끄집어내었
다.

㉠<u>'국어(國語) 상용(常用)의 가(家)'</u>
  <u>일상생활에 늘 일본어를 사용하는 집에 준 표창장 → 이인국의 친일 행적을 증명하는 증거</u> 문제 4-③
해방되던 날 떼어서 집어넣어 둔 것을 그동안 깜박 잊고 있었다.

그는 액자 틀 뒤를 열어 음식점 면허장 같은 <u>두터운 모조지를 빼내어 글자 한 자</u>
<u>도 제대로 남지 않게 손끝에 힘을 주어 꼼꼼히 찢었다.</u>
       <u>친일 행적을 감추기 위한 이인국의 행동</u>
이 종잇장 하나만 해도 일본인과의 교제에 있어서 얼마나 떳떳한 구실을 할 수
있었던 것인가. 야릇한 미련 같은 것이 섬광처럼 머릿속을 스쳐갔다.
           ▶ 광복 직후, '국어 상용의 가'라는 표창장을 찢어 버리는 이인국

---

1 이 글은 3인칭 전지적 시점으로, 서술자가 이야기 밖에 위치해 있으며 주인공 '이인국'의 행동과 심리를 중심으로 서술하고 있다.

오답 풀이 ①은 3인칭 관찰자 시점, ④는 1인칭 주인공 시점, ⑤는 1인칭 관찰자 시점에 대한 설명이다.

2 이 글은 중장년이 된 이인국이 자신이 살아온 과거를 회상하는 방식에 따라 현재에서 과거로, 다시 현재에서 과거로 넘어가는 역순행적 구성으로 이루어져 있다.

오답 풀이 ③ 제시된 시간 구조를 참고할 때, 이 글은 '현재 → 과거 → 현재 → 과거 → 현재'와 같이 현재와 과거가 교차되는 구성을 취하고 있다. 이러한 구성을 활용하면 사건의 인과 관계를 보여 주거나 인물의 행동과 심리의 원인을 드러내어 사건을 입체적으로 전달할 수 있다.

3 이인국은 숨을 헐떡이며 소련군의 입성 소식을 전하는 혜숙이의 말에도 아무 대꾸도 없이 눈만 껌벅이며 덤덤한 반응을 보였다.

오답 풀이 ① 이인국은 삶의 중요한 순간마다 생사를 함께한 회중시계를 인생의 반려로 생각하고 있다.
② 이인국은 6·25 전쟁이 터지고 1·4 후퇴 때 삼팔선 이남으로 내려왔다.

4 '국어(國語) 상용(常用)의 가(家)'는 일본어를 일상적으로 쓰는 집에 준 표창장으로, 이것을 가지고 있다는 것은 이인국이 일제 강점기에 우리말 대신 일본 말을 썼으며 친일 행위를 했다는 확실한 증거가 된다.

5 ⑤   **6** ⑤   **7** ③   **8** ⑤

생략된 부분의 줄거리   현재, 이인국은 자동차 안에서 신문을 읽으면서 소련군이 주둔하던 당시를 회상한다. 이인국은 일제 강점기 때의 행적이 문제가 되어 치안대에 잡혀가서 문초를 당한다. 그러던 중, 감방에서 전염병이 돌자 소련군은 그를 당분간 응급 치료실에서 일하게 한다.
    └ 친일 행위

(가) ㉠이인국 박사는 이 절호의 기회를 최대한으로 활용하고 싶었다. 이제는 죽어
            └ 감방에서 완전히 풀려나 자유의 몸이 되는 방법을 궁리함.
도 한이 없을 것만 같았다. 어떻게 하여 이 보이지 않는 구속에서까지 완전히 벗어
날 수는 없을까.

    그는 환자의 치료를 하면서도 늘 스텐코프의 왼쪽 뺨에 붙은 오리알만 한 혹을
                    └ 이인국이 감방에서 완전히 풀려날 기회로 포착한 것
생각하고 있었다. 「불구라면 불구로 볼 수 있는 그 혹을 가지고 고급 장교에까지 승
진했다는 것은, 소위 말하는 당성(黨性)이 강하거나 그렇지 않으면 전공(戰功)이
특별했음에 틀림없다는 생각이 들었다.」 그것 하나만 물고 늘어지면 무엇인가 완전
        └ 「」: 스텐코프를 분석하여 감방에서 풀려날 기회를 노림.
히 살아날 틈바귀가 생길 것만 같았다.

    이인국 박사의 뜨내기 노어도 가끔 순시하는 스텐코프와 인사말을 주고받을 수
              └ 스텐코프와 친분을 쌓기 위해 노력하는 이인국
있을 정도로 진전되었다. 이 안에서의 모든 독서는 금지되었지만 노어 교본과 당
                      └ 소련과 공산당의 영향력이 컸던 당시의 상황
사(黨史)만은 허용되었다. ㉡이인국 박사는 마치 생명의 열쇠나 되는 듯이 초보 노
                 └ 감방에서 완전히 풀려나기 위해 이인국이 한 행동 ①
어책을 거의 암송하다시피 했다.   ▶ 스텐코프의 혹을 절호의 기회로 활용하기로 한 이인국

(나) 수일 전 소군 장교 한 사람이 급성 맹장염이 터져 복막염으로 번졌다. 그 환자의
실을 뽑는 옆에 온 스텐코프에게 이인국 박사는 말 절반 손짓 절반으로 혹을 수술
                      └ 감방에서 완전히 풀려나기 위해 이인국이 한 행동 ②
하겠다는 의사를 표명했다. 스텐코프는 '하라쇼'를 연발했다.

    그 후 몇 번 통역을 사이에 두고 수술 계획에 대한 자세한 의사를 진술할 기회가
생겼다. 이인국 박사는 일본인 시장의 혹을 수술하던 일을 회상하면서 자신 있는
         └ 이인국은 과거 스텐코프와 비슷한 사례의 혹 제거 수술을 한 경험이 있음.
설복을 했다.

    '동경 경응 대학 병원에서도 못 하겠다는 것을 내가 거뜬히 해치우지 않았던가.'

    그는 혼자 머릿속에서 자문자답하면서 이번 일에 도박 같은 심정으로 생명을 걸
                       └ 수술에 성공하면 감방에서 풀려나지만, 실패하는 죽을 수도 있기 때문에
었다.   ▶ 스텐코프에게 혹 제거 수술을 제안한 이인국

(다) 완치되어 퇴원하는 날 스텐코프는 이인국 박사의 손을 부서져라 쥐면서 외쳤다.

    "꺼삐딴 리, 스바씨보."

    이인국 박사는 입을 헤벌리고 웃기만 했다. 마음의 감옥에서 해방된 것만 같았다.

    "아진, 아진……. 오첸 하라쇼." → 이인국의 실력이 최고라고 칭찬하는 말

    스텐코프는 엄지손가락을 높이 들면서 네가 첫째라는 듯이 이인국 박사의 어깨
를 치며 찬양했다.

    다음 날 스텐코프는 이인국 박사를 자기 방으로 불렀다. 그가 이인국 박사에게
스스로 손을 내밀어 예절적인 악수를 청한 것은 이것이 처음이었다.
                 └ 스텐코프가 이인국에게 호의적인 태도를 보임. 문제 5-⑤
    "적과 적이 맞부딪치면서 이렇게 백팔십도로 전환될 수가 있을까, 노랑 대가리도
               └ 수술 전 스텐코프와 이인국의 관계   └ 스텐코프
역시 본심에서는 하나의 인간임에는 틀림없는 것이 아닌가.'
       └ 「」: 도움을 받은 사람이 도움을 준 사람에게 호의적인 태도를 보이는 점은 스텐코프도 여느 사람과 같다고 생각함.
    "내일부터는 집에서 통근해도 좋소."
            └ 이인국이 감방에서 완전히 풀려나서 자유의 몸이 됨.
    이인국 박사는 막혔던 둑이 터지는 것 같은 큰숨을 삼켜 가면서 내쉬었다.
                      ▶ 스텐코프의 허락으로 집에서 통근하게 된 이인국

5 이인국이 감방에서 완전히 벗어난 것은 이인국이 스텐코프의 혹 제거 수술을 성공한 이후이다. 복막염 수술을 받은 환자가 실을 뽑는 옆에 온 스텐코프에게 이인국이 혹 제거 수술을 제안하였다.

오답 풀이 ① '이인국 박사는 일본인 시장의 혹을 수술하던 일을 회상하면서 자신 있는 설복을 했다.'라는 내용으로 보아, 이인국은 과거 혹을 수술한 경험이 있음을 알 수 있다.
② 완치되어 퇴원하는 날 스텐코프는 이인국에게 "아진, 아진……. 오첸 하라쇼."라고 말하며 그의 수술 실력을 칭찬했다.

6 이인국은 응급 치료실에서 일하면서 이 절호의 기회를 활용하여 지금의 위기 상황에서 완전히 벗어날 방도를 궁리하였다. 이는 아무리 어려운 경우에 처하더라도 살아 나갈 방도가 생긴다는 말인 ⑤와 관련 깊다.

오답 풀이 ① 평소에 흔하던 것도 막상 긴하게 쓰려고 구하면 없다는 말.
② 실행하기 어려운 것을 공연히 의논함을 이르는 말.
③ 강한 자들끼리 싸우는 통에 아무 상관도 없는 약한 자가 중간에 끼어 피해를 입게 됨을 비유적으로 이르는 말.
④ 철없이 함부로 덤비는 경우를 비유적으로 이르는 말.

7 이인국은 감방에서 완전히 벗어날 방도로 스텐코프의 혹을 이용하려 한다. 이를 위해 노어를 익혀서 스텐코프에게 혹 제거 수술을 직접 제안할 기회를 엿보았다.

8 '꺼삐딴'은 '우두머리', '최고'를 뜻으로 쓰인 러시아어이다. 작가는 우리나라의 격동기에 '꺼삐딴'으로 볼 수 없는 부정적인 삶을 산 이인국을 '꺼삐딴'이라고 반대로 표현하여 그의 기회주의적인 면모를 풍자하고 있다.

02 꺼삐딴 리 본문 84~85쪽

9 ② **10** ② **11** 차창을 거쳐 보이는 맑은 가을 하늘이 이인국 박사에게는 더욱 푸르고 드높게만 느껴졌다. **12** ③

어휘 **다지기** **1** (1) 피란 (2) 노어 (3) 유서 (4) 야단법석 **2** (1) ② (2) ① (3) ③ **3** ③ **4** ②

생략된 부분의 줄거리 다시 현재, 이인국은 미국에 가기 위해 브라운 씨의 도움을 받고자 그의 관사를 방문한다.

㉮ 이인국 박사는 자기가 들고 온 상감 진사(象嵌辰砂) 고려청자 화병에 눈길을 돌렸다. 사실 그것을 내놓는 데는 얼마간의 아쉬움이 없지 않았다. 국외로 내보낸다는 _{브라운에게 선물(뇌물)로 주려고 가지고 온 것} 자책감 같은 것은 아예 생각해 본 일이 없는 그였다. 차라리 이인국 박사에게는 저렇게 많으니 무엇이 그리 소중하고 달갑게 여겨지겠느냐는 망설임이 더 앞섰다. _{문화재마저 개인의 출세를 위한 수단으로 생각함.}
_{이미 많은 문화재를 가지고 있는 브라운이 자신의 선물을 특별하게 여기지 않을 것 같다는 의미}
브라운 씨가 나오자 이인국 박사는 웃으며 선물을 내어놓았다. 포장을 풀고 난 브라운 씨가 만면에 미소를 띠며 기쁨을 참지 못하는 듯 생큐를 거듭 부르짖었다. _{이인국의 선물에 매우 만족함.}
〈중략〉

"그거, 국무성에서 통지 왔습니다." _{이인국의 미국 입국 허가와 관련된 내용}
이인국 박사는 뛸 듯이 기뻤으나 솟구치는 흥분을 억제하면서 천천히 손을 내밀어 악수를 청했다. / "생큐, 생큐."
어쩌면 이것은 수술 후의 스텐코프가 자기에게 하던 방식 그대로인지도 모른다는 _{수술 성공 후 스텐코프가 고마움을 표시했던 일} 생각이 들었다. 이인국 박사는 지성이면 감천이라구, 나의 처세법은 유에스에이에도 _{무슨 일이든 정성을 다하면 일이 잘 풀려 좋은 결과가 생김.} 통하는구나 하는 기고만장한 기분이었다. _{권력자에게 잘 보여 살아남은 자신의 처세에 만족해함.}

▶브라운에게 고려청자를 선물한 이인국

㉯ 그의 마음속에는 새로운 포부와 희망이 부풀어 올랐다. 신체검사는 이미 끝난 것 _{미국행에 대한 기대 문제9-②} 이고 외무부 출국 수속도 국무성 통지만 오면 즉일 될 수 있게 담당 책임자에게 교섭이 되어 있지 않은가? 빠르면 일주일 내에 떠나게 될지도 모른다는 브라운 씨의 말이 떠올랐다. 〈중략〉
문득 딸 나미와 아들 원식의 얼굴이 한꺼번에 망막으로 휘몰아 왔다. 그는 두 주먹을 불끈 쥐며 얼굴에 경련을 일으키듯 긴장을 띠다가 어색한 미소를 흘려보냈다.
[A] ┌ '흥, 그 사마귀 같은 일본 놈들 틈에서도 살았고, 닥싸귀 같은 로스케 속에서 살 _{이인국의 기회주의적 삶: 친일, 친소, 친미적 삶을 살아옴.} 아났는데, 양키라고 다를까……. 혁명이 일겠으면 일구, 나라가 바뀌겠으면 바 _{시대 상황이 어떻게 바뀌더라도 살아남을 수 있다는 자신감} 뀌구, 아직 이 이인국의 살 구멍은 막히지 않았다. 나보다 얼마든지 날뛰던 놈 └ 들도 있는데, 나쯤이야…….' _{스스로 합리화하고 있을 뿐 반성하는 모습은 보이지 않음. 문제10-②}
그는 허공을 향하여 마음껏 소리치고 싶었다.
'그러면 우선 비행기 회사에 들러 형편이나 알아볼까…….'
이인국 박사는 캘리포니아 특산 시가를 비스듬히 문 채 지나가는 택시를 불러 세웠다. 그는 스프링이 튈 듯이 복스에 털썩 주저앉았다. / "반도 호텔로……."
차창을 거쳐 보이는 맑은 가을 하늘이 이인국 박사에게는 더욱 푸르고 드높게만 느껴졌다. _{미국행에 들뜬 이인국의 심리를 간접적으로 드러냄. 문제11}
▶미국에 갈 생각에 새로운 포부와 희망에 부푼 이인국

9 이 글은 미국에 갈 생각에 새로운 포부와 희망에 부푼 이인국의 모습을 보여 주면서 이야기를 끝맺고 있으므로, ②의 내용은 적절하지 않다.
오답 풀이 ① '흥, 그 사마귀 같은 일본 놈들 틈에서도 살았고, … 나쯤이야…….'에서 이인국의 지난 삶을 요약하여 제시하고 있다.
⑤ '국외로 내보낸다는 자책감 같은 것은 아예 생각해 본 일이 없는 그였다.', '이인국 박사는 … 나의 처세법은 유에스에이에도 통하는구나 하는 기고만장한 기분이었다.' 등에서 이인국을 부정적으로 바라보는 서술자의 태도가 드러난다.

10 [A]에서 이인국은 지금껏 권력을 가진 외세에 기대어 살아남았음을 인정하고 있다. 하지만 자신의 과거를 반성하기는커녕 자신보다 더한 사람들도 있다고 생각하면서 자신의 기회주의적 삶의 태도를 합리화하고 있다.

11 맑은 가을 하늘이 이인국에게 더욱 푸르고 드높게만 느껴졌다는 표현을 통해 미국행에 들뜬 이인국의 심리를 드러내며, 그의 앞날이 밝을 것임을 암시하고 있다.

12 작품에 반영된 시대 상황에 초점을 두고 감상하는 것을 '반영론'이라 한다. ③은 이 글의 시대적 배경이 된 '일제 강점기에서 해방과 6·25 전쟁으로 이어지는 역사적 전환기'와 관련지어 작품을 감상한 것이므로 반영론에 해당한다.
오답 풀이 ①·⑤는 내재적 감상, ②·④는 효용론의 예이다.

어휘 다지기 본문 87쪽

3 '기고만장하다'는 '일이 뜻대로 잘될 때, 우쭐하여 뽐내는 기세가 대단하다.'를 의미한다.
4 ②는 자기에게 조금이라도 이익이 되면 지조 없이 이편에 붙었다 저편에 붙었다 함을 비유적으로 이르는 말이므로 '기회주의자'와 관련 깊다.
오답 풀이 ① 도저히 불가능한 일을 하려고 애쓰는 어리석음을 비유적으로 이르는 말.

03 기억 속의 들꽃

본문 88~89쪽

1 ② **2** ④ **3** ③ **4** 피란민

앞부분의 줄거리 6·25 전쟁 중 피란 행렬에 섞여 '나'의 마을에 나타난 명선이는 남자아이 옷차림을 한 채 일행들과 떨어져 마을에 홀로 남게 된다. 명선이는 '나'에게 적극적으로 말을 걸고, 배가 고프다면서 '나'의 집까지 따라온다. 한편 어머니는 먹고살기 힘든 상황에서 명선이를 데려온 '나'를 혼낸다.

어머니는 한껏 야멸찬 표정을 하고 도로 부엌으로 들어가려 했다. *서술자*
냉정한 어머니의 성격
「"아줌마!" / 이때 녀석이 또 예의 그 계집애처럼 간드러진 소리로 어머니를 불러
옷차림 때문에 명선이를 남자라고 생각함. *명선이가 여자라는 사실을 암시함.*
세웠다. 「」: 어머니에게 기죽지 않고 당돌하게 행동하는 명선이

"따른 집에나 가 보라니께!" / "아줌마한테 요걸 보여 줄려구요."
금반지
녀석은 엄지와 인지를 붙여 동그라미를 만들어 보였다. 그 동그라미 위에 다른
: 주로 녀석(명선이)의 행동을 관찰하여 서술함. → 1인칭 관찰자 시점 문제 1~2
또 하나의 작은 동그라미가 노란 빛깔을 띠면서 날름 올라앉아 있었다. 뒤란 그늘
금반지
속에서도 그것은 충분히 반짝이고 있었다. 그걸 보더니 어머니의 눈에 환하게 불
이 켜졌다. *금반지에 대한 어머니의 관심과 탐욕*
▶ 어머니에게 금반지를 보여 준 명선

"아아니, 너, 고거 금가락지 아니냐!"
「」: 직유법으로 어머니의 행동을 실감 나게 드러냄.
말이 채 끝나기도 전에 금반지는 어느새 어머니의 손에 건너가 있었다. 「솔개가
어른들의 환심을 사는 생존 수단 → 명선이의 영악한 면모를 부각함. 문제 3
병아리를 채듯」, 서울 아이의 손에서 금반지를 낚아채어 어머니는 「한참을 침떠보
금반지 *어머니*
고 내립떠보는가 하면, 혓바닥으로 침을 묻혀 무명 저고리 앞섶에 싹싹 문질러 보
「」: 진짜 금반지인지 확인함.
다가 나중에는 이빨로 깨물어 보기까지 했다. 마침내 어머니의 얼굴에 만족스러운
진짜 금반지라는 것을 확인했기 때문에
미소가 떠올랐다.

"아가, 너 요런 것 어디서 났느냐?"
금반지 때문에 명선이를 대하는 어머니의 태도가 변화함. 문제 3
옷고름의 실밥을 뜯어 그 속에 얼른 금반지를 넣고 옹숭깊은 저 밑바닥까지 확
금반지를 무척 소중하게 여기고 있음.
실히 닿도록 두어 번 흔들고 나서 어머니는 서울 아이한테 물었다. 놀랍게도 어머
니의 목소리는 서울 아이의 그것보다 훨씬 더 간드러지게 들렸다.
어머니의 간사한 성격
"땅바닥에서 주웠어요. 숙부네가 떠난 담에 그 자리에 가 봤더니 글쎄 요게 떨어
금반지가 더 있음을 들키지 않으려는 명선이의 거짓말
져 있잖아요."

녀석이 이젠 아주 의기양양한 태도로 당당하게 대답했다. 그 말을 어머니는 별
자신의 의도대로 사건이 진행되었기 때문에 → 당돌하고 영악한 명선이의 성격
로 귀담아듣는 기색이 아니었다. 어머니는 연신 싱글벙글 웃어 가며 녀석의 잔등
야멸차게 명선이를 대했으나 금반지를 본 뒤 명선이에게 살갑게 대함. → 어머니의 이해타산적 성격 문제 2-④
을 요란스레 토닥거리고 쓰다듬어 주는 것이었다.

「"아가, 요 담번에 또 요런 것 생기거들랑 다른 누구 말고 꼭옥 이 아줌마한테 가
「」: 어머니의 탐욕스러움과 교활함이 드러남.
져와야 된다. 알았냐?" / "네, 꼭 그렇게 하겠어요."

다음에 다시 금반지를 줍기로 무슨 예정이라도 되어 있는 듯이 녀석의 입에서는
명선이에게 금반지가 더 있다는 것을 암시함.
대답이 무척 시원스럽게 나왔다.

「"어서어서 방 안으로 들어가자. 에린것이 천 리 타관(他官)서 부모 잃고 식구 놓
「」: 금반지를 받고 달라진 어머니의 태도 *혈혈단신(孑孑單身)*
치고 얼매나 배고푸고 속이 짰겠냐." *마음이 괴롭겠냐*
이런 곡절 끝에 명선이는 우리 집에서 살게 되었다. 마지막으로 마을에 남게 된
금반지로 인해 명선이와 '나'가 함께 살게 됨. 문제 3
유일한 피란민이었다.
명선이의 처지, 사회·문화적 배경(6·25 전쟁 중)을 드러냄. 문제 4
▶ 금반지를 준 대가로 우리 집에서 살게 된 명선

---

1 이 글은 1인칭 관찰자 시점으로, 서술자 '나'가 주인공인 명선이의 행동과 말을 관찰하여 전달하는 역할을 하고 있다.

오답 풀이 ①, ④ 1인칭 주인공 시점에 대한 설명이다.
③ 3인칭 전지적 시점에 대한 설명이다.
⑤ 3인칭 관찰자 시점에 대한 설명이다.

2 어머니는 금반지를 보기 전에는 피란민인 명선이를 냉정하게 대하였으나 금반지를 본 뒤에는 명선이를 살갑게 대한다. 이를 통해 어머니가 냉정하며 이해타산적인 인물임을 알 수 있다.

오답 풀이 ① '나'가 명선이를 '녀석'으로 부르는 것으로 보아, '나'는 명선이를 남자아이라고 생각했음을 알 수 있다.
② 명선이는 자신을 야멸차게 대하는 어머니에게 기죽지 않고 금반지를 보여 주며 말을 건넨다. 이를 통해 명선이의 적극적이고 당돌한 성격이 드러난다.
③ 명선이는 어머니의 의심을 피하기 위해 금반지를 땅바닥에서 주웠다고 거짓말한다. 이를 통해 명선이의 영악한 성격이 드러난다.

3 금반지는 피란민이었던 명선이의 생존 수단으로 쓰이고 있다. 명선이는 금반지를 대가로 지불해 어머니의 마음을 돌리고 '나'의 집에 머물게 된다. 또한 어머니의 환심을 사기 위해 금반지를 내놓는 모습에서 어른들의 욕심을 이용하는 명선이의 영악한 면모가 부각된다. 그렇지만 금반지가 '나'와 명선이 사이의 갈등을 일으키지는 않는다.

4 '피란민'은 주요 인물인 명선이의 처지를 나타내며, 이 글이 6·25 전쟁을 배경으로 하고 있음을 드러낸다.

5 ①   **6** ⑤   **7** ④   **8** ③

생략된 부분의 줄거리 부모님은 명선이를 머슴으로 쓰려고 했지만 명선이는 놀고먹기만 한다. 한편 명선이는 '나'에게 피란길에서 공습을 만나 부모님이 죽던 순간과 자신을 죽이려는 숙부를 피해 도망친 이야기를 한다. 어머니는 기대와 달리 밥만 축내는 명선이를 내쫓으려고 한다.

⊙갈수록 밥 얻어먹는 설움이 심해지자, 하루는 또 명선이가 금반지 하나를 슬그머니 내밀어 왔다. 먼젓번 것보다 약간 굵어 보였다. 찬찬히 살피고 나더니 어머니는 한 돈 하고도 반짜리라고 조심스럽게 감정을 내렸다.

"길에서 주웠다니까요."
어머니의 다그침에 명선이는 천연덕스럽게 대꾸했다.
ⓒ"거참 요상도 허다. 따른 사람은 눈을 까뒤집어도 안 뵈는 노다지가 어째 니 눈에만 유독 들어온다냐?"

그러나 어머니는 명선이가 지껄이는 말을 하나도 믿으려 하지 않았다. ⓒ명선이가 처음 금반지를 주워 왔을 때처럼 흥분하거나 즐거워하는 기색도 아니었다. 명선이의 얼굴을 유심히 들여다보는 어머니의 눈엔 크고 작은 의심들이 호박처럼 올망졸망 매달려 있었다.

그날 밤에 아버지는 명선이를 안방으로 불러 아랫목에 앉혀 놓고, 밤늦도록 타일러도 보고 으름장도 놓아 보았다. 하지만 명선이의 대답은 한결같았다.

"거짓말이 아니라구요. 참말이라구요. 길에서 놀다가……."
"너 이놈, 바른대로 대지 못허까!"

아버지의 호통 소리에 명선이는 비죽비죽 울기 시작했다. 우는 명선이를 아버지는 또 부드러운 말로 달래기 시작했다.

[A] "말은 안 혔어도 너를 친자식 진배없이 생각혀 왔다. 너 같은 어린것이 그런 물건을 갖고 있으면은 덜 좋은 법이다. 이 아저씨가 잘 맡아 놨다가 후제 크면 줄 테니께 어따 숨겼는지 바른대로 대거라."

아무리 달래고 타일러도 소용이 없자, 아버지는 마침내 화를 버럭 내면서 명선이의 몸뚱이를 뒤지려 했다. ⓔ아버지의 손이 옷에 닿기 전에 명선이는 미꾸라지같이 안방을 빠져나가 자취를 감추어 버렸다. 그리고 그날 밤 끝내 우리 집에 돌아오지 않았다.

"틀림없다. 몇 개나 되는지는 몰라도 더 있을 게다. 어디다 감췄는지 니가 살살 알아봐라. 혼자서 어딜 가거든 눈치 안 채게 따러가 봐라."

입맛을 쩝쩝 다시던 아버지는 나한테 이렇게 분부했다.
"옷 속에다 누볐는지도 모른다."

어머니가 옆에서 거들었다. 어머니 역시 아버지 못잖게 아쉬운 표정이었다. 아버지의 이마에서는 땀방울이 찌걱찌걱 배어 나오고 있었다. ⓜ아버지는 벌겋게 충혈된 눈을 등잔 불빛에 번들번들 빛내면서 숨을 씩씩거렸다. 꼭 무슨 일을 저지르고야 말 것만 같은 모습이었다.

5 어머니와 마찬가지로 아버지도 명선이를 의심하면서 인물 간의 외적 갈등이 점차 고조되고 있다.

오답 풀이 ②, ⑤ 이 글에는 명선이의 금반지를 차지하려는 '나'의 부모님과, 금반지를 더 내놓지 않으려는 명선이 사이의 외적 갈등이 나타난다.
③ '나'가 아버지의 분부를 들은 뒤 고민하거나 고뇌하는 모습이 나타나지 않으므로, '나'가 내적 갈등을 겪고 있다고 보기 어렵다.
④ 6·25 전쟁으로 인해 식량과 물자가 부족해진 사회적 상황은 '나'의 부모님이 명선이의 금반지를 탐내는 행동에 개연성을 부여한다. 이를 통해 '나'의 부모님과 명선이 사이의 갈등이 부각된다.

6 ㄴ. 어머니와 아버지의 말에서 전라도 방언이 쓰였는데, 이를 통해 배경의 사실성을 부각하고 생생한 현장감을 살리고 있다.
ㄷ. 전쟁으로 인한 어른들의 탐욕을 어린아이인 '나'의 시각으로 전달해 전쟁의 비인간성과 폭력성을 부각한다.
ㄹ. 명선이를 놓친 뒤 아쉬워하는 아버지의 외양을 묘사하여 인물의 탐욕스러운 성격을 간접적으로 제시한다.

오답 풀이 ㄱ. '크고 작은 의심들이 호박처럼', '명선이는 미꾸라지같이'에서 비유가 사용되었으나, 이를 통해 인물의 행동을 강조하고 있다.

7 아버지는 "말은 안 혔어도 너를 친자식 진배없이 생각혀 왔다.", "이 아저씨가 잘 맡아 놨다가 후제 크면 줄 테니께"라고 말하며 명선이를 안심시킨 뒤, 명선이가 반지를 숨긴 장소를 알아내려는 이중적인 태도를 보인다.

8 어머니는 길에서 금반지를 주웠다는 명선이의 말을 듣고 금반지의 출처를 의심하고 있다. 또한 '먼젓번 것보다 약간 굵어 보였다.'라는 내용에서 명선이가 가져온 금반지는 이전 것보다 컸음을 알 수 있다.

9 ②	**10** ④	**11** ④	**12** ②

어휘 다지기　　**1** (1) ② (2) ① (3) ⑦ (4) ⑤　　**2** (1) ③ (2) ④　　**3** 혈혈단신, 천신만고

생략된 부분의 줄거리　명선이가 부잣집의 외동딸이었음이 밝혀지자, '나'의 부모님은 명선이로 인해 생길 이득을 독차지하기 위해 명선이를 집에서 지내게 한다. '나'와 명선이는 종종 끊어진 만경강 다리로 놀러 가고, 어느 날 그곳에서 들꽃을 함께 본다. 명선이가 들꽃의 이름을 묻자 '나'는 즉석에서 쥐바라숭꽃이라는 이름을 지어 답한다.

▨ : 사회·문화적 배경을 드러내는 소재

　남쪽에서 쳐 올라오는 **국방군**에 밀려 **인민군**이 북쪽으로 쫓겨 가기 시작한다는
전쟁 양상의 변화
소문이 돌았다. 생각보다 **전쟁**이 일찍 끝나, 남쪽으로 **피란** 갔던 명선네 숙부가 어
느 날 불쑥 마을에 다시 나타날 경우를 생각하면서 ㉠어머니는 딱할 정도로 조바
숙부가 돌아오면 명선이의 금반지를 차지할 수 없게 될까 봐 걱정함.
심을 치기 시작했다. 내가 벌써 귀띔을 해 줘서 어른들은 명선이가 숙부로부터 버
명선이가 '나'의 마을에 머물게 된 계기 문제 9
림받은 게 아니라 스스로 도망쳤다는 사실을 이미 알고 있었다. 전쟁이 끝나기 전
에 어떻게든 명선이의 입을 열게 하려고 아버지는 수단 방법을 안 가릴 기세였다.
▶명선이의 금반지를 차지하기 위해 조바심을 내는 '나'의 부모님
　그날도 나는 명선이와 함께 부서진 다리에 가서 놀고 있었다. ㉡예의 그 위험천
　　　　　　　　　　　　　　　　　　　명선이가 죽던 날
만한 곡예 장난을 명선이는 한창 즐기는 중이었다. 콘크리트 부위를 벗어나 그 애
명선이가 평소처럼 끊어진 만경강 다리를 건넘. → 숨겨 둔 반지가 안전한지 확인하려 함.
가 앙상한 철근을 타고 거미줄처럼 지옥의 가장귀를 향해 조마조마하게 건너갈 때
끊어진 철근의 끝부분을 빗댄 표현. 명선이의 죽음을 암시함.
였다. 이때 우리들 머리 위의 하늘을 두 쪽으로 가르는 굉장한 폭음이 귀뺨을 갈기
는 기세로 갑자기 울렸다. 푸른 하늘 바탕을 질러 하얗게 **호주기 편대**가 떠가고 있
었다. 비행기의 폭음에 가려 나는 철근 사이에서 울리는 비명을 거의 듣지 못했다.
　　　　　　　　　　　　　　　　　　명선이의 죽음의 직접적인 원인　다리에서 떨어지며 명선이가 낸 소리
다른 것은 도무지 무서워할 줄 모르면서도 유독 비행기만은 병적으로 겁을 내는
　　　　　　　　　　　　　　　　　　　　피란 중에 비행기 공습으로 부모님이 돌아가셨기 때문에
ⓐ서울 아이한테 얼핏 생각이 미쳐 눈길을 하늘에서 허리가 동강이 난 다리로 끌
명선
어 내렸을 때, 내가 본 것은 강심을 겨냥하고 **빠른 속도로 멀어져 가는 한 송이 쥐**
바라숭꽃이었다.　　명선이가 다리에서 떨어져 죽게 됨.
▶비행기 폭음에 놀라 다리에서 떨어져 죽은 명선이

　명선이가 ⓑ들꽃이 되어 사라진 후, 어느 날 한적한 오후에 나는 그때까지 한 번
　　　　　　명선
도 성공한 적이 없는 모험을 혼자서 시도해 보았다. ⓒ겁쟁이라고 비웃는 사람이
　　　　　　　　　　　　끊어진 만경강 다리의 끝까지 가 봄.　　　'나'　　　명선
아무도 없으니까 의외로 용기가 나고 마음이 차갑게 가라앉는 것이었다. ㉢나는
눈에 띄는 그 즉시 거대한 팽이로 둔갑해 버리는 까마득한 강바닥을 보지 않으려
어지러움 때문에 강바닥이 팽이가 빙글빙글 도는 것처럼 보임.
고 생땀을 흘렸다. 엿가락으로 흘러내리다가 가로지르는 선에 얹혀 다시 오르막을
　　　　　　공포심에 빠지지 않기 위해 강물을 보지 않으려고 애씀.
타는 녹슨 철근의 우툴두툴한 표면만을 무섭게 응시하면서, 한 뼘 한 뼘 신중히 건
너갔다. 철근의 끝에 가까이 갈수록 강바람을 맞는 몸뚱이가 사정없이 까불렸다.
그러나 나는 **천신만고**(千辛萬苦) 끝에 마침내 그 일을 해내고 말았다. 이젠 어느
　　　　　　　혼자서 다리를 건넌 것에 뿌듯함을 느낌.
누구도, 제아무리 ⓓ쥐바라숭꽃일지라도 나를 비웃을 수는 없게 되었다.
　　　　　　　명선　　　　　　　▶혼자서 위험한 다리를 건너는 데 성공한 '나'
　지옥의 가장귀를 타고 앉아 잠시 숨을 고른 다음 바로 되돌아 나오려는데, 이때
㉣이상한 물건이 얼핏 시야에 들어왔다. 낚싯바늘 모양으로 꼬부라진 철근의 끝자
　금반지 주머니
락에다 끈으로 친친 동여맨 자그만 헝겊 주머니였다. 명선이가 들꽃을 꺾던 때보
명선이가 금반지를 빼앗기지 않기 위해 다른 사람이 접근하지 못하는 위험한 곳에다가 금반지 주머니를 숨겨 둠.
다 더 위태로운 동작으로 나는 주머니를 어렵게 손에 넣었다. ㉤가슴을 잡죄는 긴
장 때문에 주머니를 열어 보는 내 손이 무섭게 경풍을 일으키고 있었다. 그리고 그
주머니 속에서 말갛게 빛을 발하는 동그라미 몇 개를 보는 순간, ㉥나는 손에 든 물
명선이가 숨겨 놓은 금반지일 것이라는 예감 때문에 문제 10-④　　금반지를 발견하고 충격을 받았기 때문에
건을 송두리째 강물에 떨어뜨리고 말았다.
　　　　　　　　　　　　▶명선이의 금반지 주머니를 발견하나 강물에 떨어뜨리고 마는 '나'

9 명선이는 피란길에 숙부로부터 도망쳐 '나'의 마을로 오게 된다. 따라서 시간상 가장 먼저 오는 사건은 명선이가 피란길에 숙부로부터 도망친 것이다.

10 '나'는 명선이가 숨겨 둔 금반지를 확인한 순간 놀람과 두려움을 느끼고 헝겊 주머니를 떨어뜨린다. 이는 명선이가 어른들에게 금반지를 빼앗기지 않으려고 위험한 놀이를 했고, 이것이 곧 명선이의 죽음으로 이어졌음을 깨닫게 되었기 때문이다.

11 '서울 아이'와 '들꽃', '쥐바라숭꽃'은 모두 명선이를 가리키는 말이다. '겁쟁이'는 '나'를, '이상한 물건'은 금반지 주머니를 가리킨다.

12 글의 결말 처리 방식과 그 효과에 주목하고 있으므로 작품 자체의 내적 요소에 초점을 맞춘 내재적 감상에 해당한다.

오답 풀이 ▶ ①, ③ 표현론적 관점, ④ 반영론적 관점, ⑤ 효용론적 관점으로 작품을 감상한 것이다.

어휘 다지기　　　　　　　　　본문 95쪽

2 (1) '야멸차다'는 '자기만 생각하고 남의 사정을 돌볼 마음이 거의 없다.'라는 뜻으로, '어질고 자애롭다.'라는 뜻인 '인자하다'와는 바꾸어 쓸 수 없다.
(2) '진배없다'는 '그보다 못하거나 다를 것이 없다.'라는 뜻으로, '서로 다르다.'라는 뜻인 '상이하다'와는 바꾸어 쓸 수 없다.

3 '혈혈단신'은 '의지할 곳이 없는 외로운 홀몸.'이라는 뜻이다.

오답 풀이 ▶ '의기양양'은 '뜻한 바를 이루어 만족한 마음이 얼굴에 나타난 모양.'을 뜻한다. '결초보은'은 '죽은 뒤에라도 은혜를 잊지 않고 갚음을 이르는 말.'이다.

04 마술의 손

1 ②　　**2** ⑤　　**3** ③　　**4** 텔레비전

앞부분의 줄거리 〔공간적 배경〕밤골에 전기가 들어온다는 소식이 전해지자 마을 사람들은 들뜨며 기대한다. 마침내 전기가 들어온 날 마을에서는 잔치가 벌어진다. 다음날 텔레비전을 팔려는 낯선 청년들이 밤골 마을을 찾아온다. 청년들은 마을 사람들을 모아놓고, 12개월 할부로 텔레비전을 살 수 있다고 홍보한다. 그러자 마을 사람들 절반 가까이가 텔레비전을 구입한다.
〔사회·문화적 배경: 1970년대(농어촌까지 전기가 보급됨).〕

　며칠이 못 가 어른들 사이에서도 난처한 문제가 생기기 시작했다. 〔텔레비전으로 인한 이웃 간의 갈등 발생.문제4〕매일 밤 안방에서 이웃집 사람들과 북적거릴 수는 없는 일이었다. 그래서 차츰 꺼리는 눈치가 뚜렷해졌다.
〔텔레비전을 보러 온 이웃을 못마땅하게 여김.문제3〕
[A]┌ "애들아, 텔레비전 그만 보고 어서 공부해라."
　　　처음엔 이런 정도였고,
　　　"아이, 피곤해. 우리 그만 잡시다."
　　　며칠이 지나자 이렇게 변했고,
　　　"아유, 이놈의 텔레비전 다시 팔아 치우든지 해야지. 귀찮아서 영 못살겠네."
　이런 지경에까지 다다르게 되면서 이웃끼리의 사이가 고약하게 일그러졌다. 「홧김에 소 잡아먹는다고, 이와 비슷한 꼴을 당한 어떤 집에서는 다음 날로 제꺽 안테나를 드높이 올리기도 했다.」〔「」: 울분을 참지 못하여 경제적 부담을 무릅쓰고 텔레비전을 구입함.〕
　그러나 아무리 껄끄러운 꼴을 당했다 하더라도, 「오기만으로 닭 모가지를 비틀 수 없는 집은 있기 마련이었다. 〔형편이 어려워 도저히 텔레비전을 살 수 없는 집이 존재함.〕어느 사이엔가 그런 집들은 그런 집들끼리 모여 입을 삐쭉거리고 눈을 흘기고 했지만 겉돌기는 매일반이었다.」 예전과는 달리 마을의 화제는 거의가 텔레비전과 연관되어 있었던 것이다. 〈중략〉〔「」: 텔레비전으로 인해 이웃 간의 빈부 격차가 부각됨.문제4〕▶텔레비전으로 인한 이웃 간 갈등
〔마을의 화제가 변화함. → 텔레비전이 없는 사람들은 대화에서 소외됨.〕
　텔레비전 바람은 좀처럼 잠잘 줄을 모른 채 더러 가정불화까지 일으키며 꾸역꾸역 밤골을 먹어 가더니만, 3개월쯤 지난 7월이 되어서는 100개가 넘는 안테나가 서게 되었다. 〔120여 가구 정도인 밤골 마을 사람들 대부분이 텔레비전을 구입함.〕
　「지난해와는 달리 무더운 밤인데도 당산나무 밑에는 모깃불이 지펴지지 않았다.」 〔「」: 마을에 생긴 변화를 서술자가 지난해와 비교하며 직접 제시함.문제1-②〕어둠 속에서 담뱃불이 빨갛게 타고 어른들이 나누는 이야기 소리가 개구리 울음소리에 섞여 두런두런 들리던 밤이 없어졌다. 〔텔레비전이 보급된 후의 모습 ①: 당산나무 밑에서 이야기를 나누지 않음.〕
　그뿐만 아니라 앞개울의 어둠 속에서 물을 튀기는 소리와 함께 여자들의 간지러운 웃음소리도 들을 수 없었다. 〔텔레비전이 보급된 후의 모습 ②: 앞개울에서 물놀이를 하지 않음.〕반딧불을 쫓는 애들의 왁자한 외침도 자취를 감추었고, 〔텔레비전이 보급된 후의 모습 ③: 아이들이 반딧불을 쫓지 않음.〕감자나 옥수수 추렴을 하는 아낙네들의 나들이도 씻은 듯이 없어졌다. 〔텔레비전이 보급된 후의 모습 ④: 감자나 옥수수 추렴을 하는 나들이가 사라짐.문제2-⑤〕집집마다 텔레비전 앞에 매달려 있는 탓이었다. ▶텔레비전으로 인한 여름밤 모습의 변화
〔텔레비전으로 인해 마을 사람들의 관심사가 변화함.문제4〕

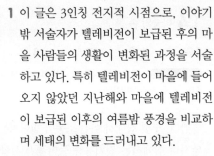

1 이 글은 3인칭 전지적 시점으로, 이야기 밖 서술자가 텔레비전이 보급된 후의 마을 사람들의 생활이 변화된 과정을 서술하고 있다. 특히 텔레비전이 마을에 들어오지 않았던 지난해와 마을에 텔레비전이 보급된 이후의 여름밤 풍경을 비교하며 세태의 변화를 드러내고 있다.

오답 풀이 ▶ ④ 현재 시제가 아닌 과거 시제를 쓰고 있다.
⑤ 이 글에는 인물의 내면 묘사가 나타나지 않는다. 이 글에서는 주로 대화와 행동을 통해 마을 사람들 사이의 외적 갈등을 부각하고 있다.

2 이 글에 따르면, 여름밤에 아낙네들이 감자나 옥수수를 추렴하는 나들이를 하던 모습은 씻은 듯이 없어졌으며, 텔레비전이 보급된 이후 마을 사람들은 각자의 집 텔레비전 앞에 매달려 있게 되었다.

오답 풀이 ▶ ③ 텔레비전이 보급된 이후, 예전과는 달리 마을의 화제는 거의가 텔레비전과 연관되어 있어서 텔레비전이 없는 집들은 겉돌기가 매일반이었다고 하였다.
④ 텔레비전이 보급된 이후, 아이들이 밤에 반딧불을 쫓는 외침이 사라졌다고 하였다.

3 '차츰 꺼리는 눈치가 뚜렷해졌다.'라는 [A]의 앞 문장을 고려할 때, [A]는 모두 텔레비전이 있는 사람들이 텔레비전을 보러 온 이웃집 사람들에게 눈치를 주기 위해 한 말에 해당한다. 즉 [A]에는 텔레비전이 없어서 자기 집으로 텔레비전을 보러 온 이웃들이 얼른 집으로 돌아가기를 바라는 심리가 담겨 있다.

오답 풀이 ▶ ① [A]의 첫 번째 말에서만 드러난 심리이다.

4 텔레비전 시청을 두고 이웃 간에 갈등이 발생했으며, 경제적 형편에 따라 텔레비전을 살 수 있는 집과 없는 집이 나뉘게 됨으로써 이웃 간의 빈부 격차가 부각되었다. 또 텔레비전이 보급되면서 마을의 화제와 여름밤의 모습이 바뀌었다.

정답과 해설 | 23

04 마술의 손

본문 98~99쪽

5 ④　　**6** ⑤　　**7** ⑤　　**8** ②

어휘 다지기　**1** (1) 당산나무 (2) 극성 (3) 고역 (4) 대수　**2** (1) 설다 (2) 궁상스럽다 (3) 북적거리다
3 (1) ① (2) ③ (3) ④ (4) ②

『 』: 이웃 간의 빈부 격차가 드러남.

한편, 『몇몇 집에서 이런 소동이 벌어지는 것과는 아랑곳없이 살림살이가 넉넉한

형편이 어려운 집은 월부금을 내지 못해 텔레비전을 빼앗김.

열너덧 집에서는 전기용품 들여놓기 시합을 벌이고 있었다.』 그들이 시샘을 하듯

형편이 넉넉한 집은 경쟁적으로 전기용품을 구입함.

앞다투어 장만하고 있는 것은 밥통이었다. 그들은 이미 여름이 되면서 선풍기를

들여놓느라고 서로 신경을 곤두세운 일이 있었다.

그 ㉠선풍기라는 것도 참 희한한 기계였다. 부채로는 도저히 맛볼 수 없는 기막

: 마을 사람들의 가치관에 변화를 일으킨 새로운 문물 문제 7　　　선풍기의 이점 ①

힌 시원함을 주었던 것이다. 〈중략〉 선풍기를 틀어 놓으면 모기의 극성이 한결 누

선풍기의 이점 ②

그러졌다. 그 신통한 선풍기 바람이 모기란 놈을 제멋대로 날게 내버려 두지 않았

다. 선풍기를 가진 사람들은 이런 맛도 맛이었지만, 『한편으론 자기들도 도시 사람

들과 마찬가지로 이렇듯 편리하고 근사한 전기용품을 사용하고 있다는 사실을 더

고소한 맛으로 즐기고 있었다.』 『 』: 도시적인 삶의 방식과 관련된 전기용품이 사람들의 과시욕을 채워 줌.

그런데 이젠 ㉡전기밥솥이 여자들을 환장하게 만들고 있었다. 쪼그리고 앉아 먼

지 뒤집어써 가며 짚단을 풀어 불을 땔 필요가 없었다. 뜸을 들이자고 몇 번씩 솥뚜

껑을 열어 뜨거운 김 속에 손을 처넣어 밥알을 집어내 맛을 보는 고역을 치르지 않

아도 되었다. 전기를 꽂으면 빨간 불이 반짝 들어와서는 제대로 보글보글 끓었고,

전기밥솥의 이점 - 가사 부담을 줄여 줌.

불빛이 바뀌면서 딱 먹기 좋게 뜸까지 들이는 게 아닌가. 밥물이 넘치길 하나, 밥이

설기를 하나. 여인네들은 그저 감탄에 감탄을 거듭하는 것이었다.

"이리 좋은 세상을 몰랐으니 여태 헛살았지 뭐야."

"누가 아니래. 나도 당장 사야지. 이러고 있을 때가 아냐."

『 』: 당장 전기밥솥을 사려는 여인네와 비싼 가격 때문에 망설이는 여인네를 대비. → 이웃 간의 빈부 격차를 보여 줌.

"편하긴 참말로 편해서 좋은데, 그게 값이 좀⋯⋯."

"아유, 무슨 걱정이야. 월부 아냐, 월부."

"월부가 아래도 그렇지, 마누라가 모처럼 고생을 좀 덜게 되었는데 까짓 돈 땜

『 』: 전기밥솥 때문에 발생하는 가정 내 입장 차이 문제 5-④

에 벌벌 떠는 남자라면 더 이상 기대할 것도 없지 뭐야."

"그렇고말고. 그런 남자하고 살아 봤자 뻔해. 그건 부부가 아니라 여자만 종노릇

하는 셈이야."

"허지만 그런 게 자꾸 늘어나면 전기료도 그만큼 더 물어야 할 것 아니야?"

『 』: 전기밥솥의 전기료를 걱정하는 여인네와 이를 대수롭지 않게 여기는 여인네를 대비. → 이웃 간의 빈부 격차를 보여 줌.

"아이고, 저런 궁상스러운 여편네. (　　ⓐ　　). 죽기 전에 몸 한번 편해지

는데 까짓 전기료 조금 더 무는 게 무슨 대수라고."

경제적으로 부담이 되더라도 전기밥솥을 꼭 사야 함을 강조함. 문제 6

이렇게 해서 전기밥솥은 집집마다 텔레비전 옆에 의젓하게 자리를 잡아 갔다.

▶전기용품을 사들이는 마을 사람들

가을로 접어들면서 잔칫집이 생겼지만 일손이 예전과 같지 않았다. 누구도 예

전과 같이 밤늦게까지 일을 도와주려 들지 않았다. 날이 어둑어둑해지자 이런저런

공동체적 삶의 모습이 사라짐 문제 8

이유를 대며 슬슬 자리를 뜨기 시작한 것이다. 주인의 입장에서는 품삯을 주는 것

도 아닌데 붙들어 앉힐 수 없는 노릇이었다. 주인은 전에 없던 이 야릇한 변화를 얼

사람들이 밤늦게까지 잔칫집 일을 도와주지 않고 집으로 돌아감.

핏 알아차리지 못했고, 평소에 앙큼한 짓 잘하던 어린 딸년이 텔레비전 때문이라

고 일깨워서야 그렇구나 싶었고, 텔레비전 없는 집만 골라 일손을 모아야 했다.

▶전기용품이 퍼진 이후 잔칫집 모습의 변화

---

5 마을 여자들이 가사 부담을 덜어주는 전기밥솥을 사지 않는 남자들을 비판하고 있으므로, 전기밥솥이 가족 간의 갈등을 불러일으키기도 했다고 볼 수 있다.

6 ⓐ에는 전기료를 더 내더라도 전기밥솥을 꼭 사야 함을 강조한 표현이 들어가야 한다. 따라서 다소 방해되는 것이 있다 하더라도 마땅히 할 일은 하여야 함을 비유적으로 이르는 속담인 ⑤가 가장 적절하다.

오답 풀이 ① 자기는 하고 싶지 아니하나 남에게 끌려서 덩달아 하게 됨을 이르는 속담.
② 모든 일에는 질서와 차례가 있는 법인데 일의 순서도 모르고 성급하게 덤빔을 비유적으로 이르는 속담.
③ 말을 삼가야 함을 비유적으로 이르는 속담.
④ 새로 들어온 사람이 본래 있었던 사람에게 해를 입힘을 비유적으로 이르는 속담.

7 새로운 문물인 텔레비전, 선풍기, 전기밥솥이 퍼지면서 마을 사람들의 삶은 개인주의적으로 바뀐다. 즉 '마술의 손'은 사람들의 삶의 방식과 가치관을 크게 바꾸어 놓은 새로운 문물을 의미한다.

오답 풀이 ① 새로운 문물이 삶을 풍요롭게 해 줄 수 있지만, 〈보기〉를 참고할 때 이 글은 새로운 문물이 주는 변화에 초점을 맞추고 있다.
④ 이 글에서는 텔레비전으로 인해 점차 이웃 간의 관계가 단절되는 모습을 보여 주고 있다.

8 이 글의 서술자는 형편이 넉넉한 집들이 경쟁적으로 전기용품을 사들이는 모습과 사람들이 잔칫집 일을 도와주지 않는 모습을 '시샘을 하듯', '야릇한 변화' 등으로 부정적으로 서술한다. 이를 통해 작가는 빈부 격차가 심해지고, 공동체 문화가 사라진 모습을 비판하고 있다.

 다지기

본문 101쪽

2 **오답 풀이** • '고약하다'는 '인심, 풍습 따위가 도리에서 벗어난 데가 있다.'라는 뜻이다. '야릇하다'는 '묘하고 이상하다.'라는 뜻이다.

05 노새 두 마리

본문 102~103쪽

1 ①   **2** ④   **3** ⑤   **4** ⑤

가 우리 동네는 변두리였으므로 얼마 전까지도 모두 그날그날 벌어먹고 사는 사람
들이 많아 연탄 배달도 일거리가 그리 많지 않았다. 기껏해야 구멍가게에서 두서
_{우리 동네의 특성 ①: 구동네 사람들은 경제적 형편이 어려움.}
너 장을 사서는 새끼줄에 대롱대롱 매달고 가는 게 고작이었다. 그랬는데 이삼 년
_{작품에 반영된 사회상 ①: 가정에서 연탄을 난방용으로 많이 씀.}
전부터 아직도 많은 빈터에 집터가 다져지고, 하나둘 문화 주택이 들어서더니 이
_{우리 동네의 특성 ②: 비교적 최근에 개발됨.}
제는 제법 그럴듯한 동네꼴이 잡혀 갔다. 원래부터 있던 허름한 집들과 새로 생긴
_{작품에 반영된 사회상 ②: 도시 인구가 늘고, 국가에서 문화 주택을 공급함.}
집들과는 골목 하나를 경계로 하여 금을 긋듯 나누어져 있었는데, 먼 데서 보면 제
_{우리 동네의 특성 ③: 허름한 집(구동네)과 문화 주택(새 동네)이 나누어져 동네가 단절됨.}
법 그럴싸한 동네로 보였다. 일단 들어와 보면 지저분한 헌 동네가 이웃에 널려 있
지만, 그냥 먼발치로만 보면 2층 슬래브 집들에 가려 닥지닥지 붙은 판잣집 등속이
_{작품에 반영된 사회상 ③: 가난한 사람들이 도시 개발에서 소외됨.}
보이지 않았으므로 서울의 변두리에 흔한 여느 신흥 부락으로만 보였다. 〈중략〉
_{우리 동네의 위치(공간적 배경)}
   그러나 동네의 모습이 이처럼 달라지기는 했어도 구동네와 새 동네 사람들이 서
로 어울리는 법이 없었다. 너는 너, 나는 나 하는 식으로 새 동네 사람들은 문을 꼭
_{우리 동네의 특성 ④: 구동네와 새 동네 사람들 간 교류가 없음. 문제2-④}
꼭 걸어 잠그고 누가 다가오는 것을 거절하고 있었다. 「다만 그들이 들어옴으로 해
서 구동네 사람들의 사는 모습이 조금 달라지기는 했는데 아무도 그걸 입에 올리
_{「 」: 아버지처럼 새 동네 영향으로 벌이가 나아진 구동네 사람들이 있음.}
지는 않았다. ㉠아버지도 배달 일이 늘어나서, 속으로는 새 동네가 생긴 것을 은근
_{아버지의 심리에 대한 '나'의 추측이 드러남. → 자존심 강한 아버지의 성격}
히 싫어하지는 않는 눈치였지만, 식구들 앞에서조차 맞대 놓고 그런 내색을 하지
는 않았다. 그런 가운데에서도 「우리 노새는 온 동네 사람들의 눈길을 모으고 짤랑
짤랑 이 골목 저 골목을 헤집고 다녔다.」아니 그것은 새 동네 쪽에서 더욱 그랬다.
_{「 」: 노새를 끌고 동네에서 연탄 배달 일을 하는 아버지}
원래의 우리 동네에서야 아무도 거들떠보지 않았다.
_{새 동네에서는 노새를 신기한 볼거리로 생각함. 문제3-⑤}
▶ 문화 주택이 생기면서 변화한 우리 동네의 모습

생략된 부분의 줄거리   구동네 사람들은 노새를 함부로 대하지만, 새 동네 사람들은 평소에 보기 힘
든 노새를 귀여워한다. 한편 '나'와 함께 노새 마차로 연탄 배달을 하던 중 아버지가 넘어지고, 마차가
부러지면서 노새가 달아나 버린다.

나 "아버지, 여기서 이렇게 앉아 있으면 어떻게 해요. 노새를 찾아야지요."
   ㉡지나가는 사람들이 우리 부자의 이런 모습을 구경거리나 되는 듯이 잠깐잠깐
쳐다보았다. / "그래."
_{'나'와 아버지의 불행에 무심한 사람들의 모습}
   ㉢아버지는 힘없이 일어났으나, 나는 어디를 어떻게 가야 할지 「그저 막막하기만
했다. 〈중략〉
_{「 」: 지친 아버지의 모습   서술자(어린아이)문제1-①   」: '나'의 심리가 직접적으로 드러남.}
   벌써 거리는 조금씩 어두워지고 있었다. 이미 앞이마에 헤드라이트를 켠 자동차
_{시간의 경과 - 저녁}
도 있었다. ㉣나는 그런 자동차들이 막 뛰어다니는 노새로 보였다. 파랑 노새, 빨강
_{노새를 찾고 싶은 마음에 자동차가 노새처럼 느껴지는 '나'의 모습}
노새, 까만 노새들이 마구 뛰어다니는 것이 아닌가. 바람 같이 달리는 놈, 슬슬 가
는 놈, 엉금엉금 기는 놈, 갑자기 멈추는 놈, 막 가다가 확 돌아서는 놈, 그것은 가
지가지였다. 그런데도 그중에 우리 노새는 없었다. ㉤두 귀가 쫑긋하고 눈이 멀뚱
_{「 」: 노새를 귀엽게 묘사함. → 노새에 대한 '나'의 애정이 드러남. 문제4-⑤}
멀뚱 크고, 코가 예쁘고, 알맞게 살이 찐, 엉덩이에 까맣게 연탄 가루가 묻어 반질
반질하고, 우리 사촌 이모 머리채처럼 꼬리를 길게 늘어뜨린」우리 노새는 안 보였
다.
▶ 노새를 찾아 거리를 헤매는 '나'

---

1 이 글은 이야기 안 등장인물인 '나'를 서
술자로 설정하여, 어린아이의 시선에서
사건을 서술하고 있다.

오답 풀이 ② 주인공의 내면 심리를 직접적으
로 제시하는 것은 3인칭 전지적 시점이나 1인
칭 주인공 시점에 해당한다. 이 글은 1인칭 관
찰자 시점으로, 서술자인 '나'가 주인공인 아버
지의 속마음을 추측해 전한다.
③ '나'와 아버지 사이의 대화가 나타나지만 두
인물이 갈등하고 있는 것은 아니다. 대화를 살
펴보면, '나'는 노새를 잃어버린 아버지를 위로
하고 있다.
⑤ '그저 막막하기만 했다.'에서 서술자 '나'의
감정이 제시되어 있다.

2 구동네 사람들과 새 동네 사람들은 서로 어
울리는 법이 없었고, 새 동네 사람들은 구
동네 사람들과 가까이 지내려 하지 않았다.

오답 풀이 ① 우리 동네는 서울의 변두리에
있으며, 이삼 년 전부터 개발이 이루어졌다.
③ 구동네 사람들이 그날그날 벌어먹고 사는 것
에 비해 새 동네 사람들은 2층 슬래브 집에 사
는 등 살림이 넉넉하였다.
⑤ 새 동네 사람들이 들어옴으로써 구동네 사람
들의 사는 모습이 달라지고, 아버지도 연탄 배
달 일이 늘어났다고 하였다.

3 새 동네 사람들은 평소 노새를 볼 일이
드물었기 때문에 노새에게 관심을 가졌으
며, 이들의 관심은 동물의 권리와는 관
련이 없다.

4 ㉤에서 '나'는 노새의 외양을 사랑스럽게
묘사했다. 이를 통해 '나'가 평소에 노새
를 아끼고 귀여워했음을 알 수 있다.

오답 풀이 ① 아버지는 새 동네 사람들 때문
에 벌이가 나아진 것을 내색하지 않았다.
② 지나가는 사람들은 '나'와 아버지를 구경했
을 뿐, 노새를 잡는 데 도움을 주지 않았다.
③ 힘없이 일어난 아버지의 행동을 볼 때, 아버
지는 노새를 찾을 수 있으리라 확신하고 있지
않다.
④ '나'가 자동차들을 뛰어다니는 노새로 본 이
유는 노새를 찾고 싶은 간절한 마음 때문이다.

5 ④   **6** ③   **7** ⑤   **8** 우리 집 노새, 아버지

어휘 다지기   **1** (1) 시장기 (2) 변두리 (3) 노새 (4) 등속 (5) 대처   **2** (1) 대롱대롱 (2) 닥지닥지
(3) 반질반질 (4) 허둥지둥 (5) 뒤룩뒤룩   **3** (1) 다치고 (2) 바람 (3) 쫓아

가 우리 동네가 저만치 보였을 때 아버지는 바로 앞에 있는 ⊙대폿집에서 발을 멈
추었다. 힐끗 나를 돌아보고 나서 다짜고짜 나를 술집으로 끌고 들어갔다. 〈중략〉
아버지가 노새를 잃어버린 상실감을 털어내고 삶의 의지를 다지는 공간
"아버지, 고만 드세요. 몸에 해로워요." / "으응."
아버지에 대한 '나'의 염려
대답하면서도 아버지는 술잔을 놓지 않았다. 얼마나 지났을까, 안주를 계속 주
노새를 잃은 괴로움을 술로 달램.
워 먹었으므로 어느 정도 시장기를 면한 나는 비로소 아버지를 쳐다보았다.
"이제부터 내가 노새다. 이제부터 내가 노새가 되어야지 별수 있니? 그놈이 도
가족의 생계를 책임지려는 아버지의 모습('노새＝아버지'로 볼 수 있는 근거)
망쳤으니까 이제 내가 노새가 되는 거지."
기분 좋게 취한 듯한 아버지는 놀라는 나를 보고 히힝 한 번 웃었다. 나는 어쩐
대폿집 - 아버지가 잠시 시름을 잊는 공간
지 그런 아버지가 무섭지만은 않았다. 『그러면 형들이나 나는 노새 새끼고, 어머니
술에 취한 아버지에게 친근감을 느끼는 '나'의 모습 문제 5-④   『 』: 대폿집 - '나'가 가족 사이의 동질감을 느끼는 공간
는 암노새고, 할머니는 어미 노새가 되는 것일까? 나도 아버지를 따라 히히힝 웃었
다. 어른들은 이래서 술집에 오는 모양이었다. 나는 안주만 집어 먹었는데도 술 취
순수하면서 낙천적인 '나'의 모습
한 사람마냥 턱없이 즐거웠다. 노새 가족…… 노새 가족은 우리 말고는 이 세상에
어려운 삶을 살아가는 우리 가족의 모습
또 없을 것이다.』   ▶자신이 노새가 되어 가장으로서 책임을 다하겠다 결심하는 아버지

나 그러나 그러한 생각은 아버지와 내가 ⓛ집에 당도했을 때 무참히 깨어지고 말
'나'와 아버지가 품은 기대와 희망이 사라지는 공간 문제 6-③
았다. 우리를 본 어머니가 허둥지둥 달려 나와 매달렸다.
노새가 친 사고 때문에 불안해하는 어머니의 모습
"이걸 어쩌우, 글쎄 경찰서에서 당신을 오래요. 그놈의 노새가 사람을 다치고 가
『 』: 집 - '나'와 아버지가 예상치 못한 소식을 접한 공간   경찰서에서 아버지를 찾는 이유
게 물건들을 박살을 냈대요. 이걸 어쩌지."
"노새는 찾았대?"
"찾고나 그러면 괜찮게요? 노새는 간데온데없고 사람들만 다치고 하니까, 누구
네 노새가 그랬는지 수소문 끝에 우리 집으로 순경이 찾아왔지 뭐유."
『오늘 낮에 지서에서 나온 사람이 우리 노새가 뛰는 바람에 많은 피해를 입었으
『 』: 노새로 인해 또 다른 불행이 닥침. 아버지의 사정을 고려하지 않는 냉정한 현대 사회의 모습을 보여 줌.
니 도로 무슨 법이라나 하는 법으로 아버지를 잡아넣어야겠다고 이르고 갔다는 것
이었다.』 아버지는 술이 확 깨는 듯 그 자리에 선 채 한동안 눈만 뒤룩뒤룩 굴리고
서 있더니 힝 하고 코를 풀었다. 그러고는 아무 말 없이 스적스적 문밖으로 걸어 나
갔다. 나는 '아버지' 하고 따랐으나 아버지는 돌아보지도 않고 어두운 ⓓ골목길을
나아가지 않는 현실에 체념하는 아버지   '나'의 가족의 어두운 미래를 암시하는 공간
나가고 있었다.

   나는 그 순간 ⓐ또 한 마리의 노새가 집을 나가는 것 같은 착각을 일으켰다. 그
사회 변화에 적응하지 못하고 고단한 삶을 살고 있는 아버지를 의미함. 문제 8
러고는 무엇인가가 뒤통수를 때리는 것을 느꼈다. 『아, 우리 같은 노새는 어차피
   『 』: 구시대의 운송 수단 ↔ 새로운 운송 수단
이렇게 비행기가 붕붕거리고, 헬리콥터가 앵앵거리고, 자동차가 빵빵거리고, 자
[A] 전거가 쌩쌩거리는 대처에서는 발붙이기 어려운 것인가 하는 생각이 들었다. 언
   『 』: '노새'의 의미 – 도시에 적응하기 어려운 존재, 도시화에서 소외된 존재 문제 7-⑤
젠가 남편이 택시 운전사인 칠수 어머니가 하던 말, '최소한도 자동차는 굴려야
지 지금이 어느 땐데 노새를 부려.' 했다는 말이 생각났다. 그러나 『그것은 잠깐
노새가 시대에 뒤떨어진 운송 수단이란 인식이 드러남. 사회 변화에 적응하지 못한 아버지를 비꼬는 말
동안이고 나는 금방 아버지를 쫓았다. 또 한 마리의 노새를 찾아 캄캄한 골목길
   『 』: 아버지에 대한 '나'의 걱정 → 산업화·도시화 과정에 소외된 이들을 안타깝게 여기는 작가의 태도가 드러남.
을 마구 뛰었다.』   ▶노새 때문에 순경이 왔다는 소식을 듣고 다시 집을 나가는 아버지

5 '나'는 기분 좋게 취한 듯한 아버지가 무
섭지만은 않았다고 하며, 아버지에게 친
근감을 느끼고 있다.

오답 풀이 ①, ② (가)에서 아버지는 "이제부
터 내가 노새다."라고 말하며 가장의 책임을 다
하려 한다. 이에 '나'는 즐거워하며 우리 가족을
특별한 노새 가족으로 생각하는 등 순수하고 낙
천적인 반응을 보인다.

③, ⑤ (나)에서 노새가 일으킨 사고를 전하려
어머니가 허둥지둥 달려 나오는 행동을 통해 어
머니의 불안한 심리가 드러난다. 이후 아버지가
말없이 문밖으로 걸어 나가는 행동을 통해 아버
지의 체념이 드러난다.

6 ⓛ에서 '나'와 아버지는 노새가 피해를
일으켜 순경이 찾아왔었다는 예상하지
못했던 소식을 접한다. 이 불행한 소식으
로 인해 아버지의 내적 갈등이 심화된다.

오답 풀이 ①, ② ⊙에서 아버지는 노새를 잃
은 슬픔을 술로 달래고, '나'는 우리 가족을 노새
가족으로 인식하며 동질감을 느낀다.

⑤ ⓓ의 어두운 이미지를 통해 '나'의 가족의 미
래가 어두울 것임을 암시한다.

7 '노새'는 비행기, 헬리콥터, 자동차, 자전
거가 다니는 시대에 맞지 않는 존재로,
산업화·도시화라는 시대 변화에 적응하
지 못하고 소외된 존재를 상징한다.

8 ⓐ는 아버지를 의미하여, 제목의 '노새 두
마리'는 실제 노새와 아버지를 가리킨다.

어휘 다지기   본문 107쪽

3 (1) '부딪히거나 맞거나 하여 신체에 상
처가 생기다. 또는 상처를 입다.'라는
뜻의 '다치다'가 알맞다. (2) '뒷말의 근
거나 원인을 나타내는 말.'인 '바람'이
알맞다. (3) '어떤 대상을 잡거나 만나
기 위하여 뒤를 급히 따르다.'라는 뜻
의 '쫓다'가 알맞다.

오답 풀이 (1) 닫히다: (열린 문 등이) 도로
제자리로 가 막히다.

(2) 바래다: 볕이나 습기를 받아 색이 변함.

(3) 좇다: 목표, 꿈, 행복 등을 추구하다.

06 유자소전

본문 108~109쪽

1 ④	**2** ①	**3** ③	**4** 사람들의 존경을 받을 만한/어진 성품을 지닌

한 친구가 있었다. 그냥 보면 그저 그렇고 그런 보통 사람에 불과한 친구였다.
주인공 유재필   겉으로 보기에는 특별한 점이 없음.
그러나 여느 사람처럼 이 땅에 그런 사람이 있는지 마는지 하게 그럭저럭 살다
가 제물에 흐지부지하고 몸을 마친 예사 허릅숭이는 아니었다.

「그의 이름은 유재필(兪哉弼)이다. 1941년 홍성군 광천에서 태어나 보령군 대천
『 』: 유재필의 출생과 성장에 대한 간략한 소개 문제 2   구체적인 연도와 지명을 제시하여 사실성을 부여함.
에 와서 자라고 배웠다. 그리고 그 나머지는 서울에서 살았다. 그는 어려서부터 타
고난 총기와 숫기로 또래에서 별쭝맞고 무리에서 두드러진 바가 있어, 비색(否塞)
한 가운과 불우한 환경 속에서도 여러모로 일찍 터득하고 앞서 나아감에 따라 소
년 시절은 장히 숙성하고, 청년 시절은 자못 노련하고, 장년에 들어서는 속절없
이 노성(老成)하였으니, 무릇 이것이 그가 보통 사람 가운데서도 항상 깨어 있는
삶을 살게 된 바탕이었다.」

그의 생애는 풀밭에서 뚜렷하고 쑥밭에서 우뚝하였다.
유재필의 존재감은 어디에서나 두드러졌음. 군계일학(群鷄一鶴). 낭중지추(囊中之錐)
「그는 애초에 심성이 밝고 깔끔하였다. 매사에 생각이 깊고 침착하였으며, 성품
『 』: 유재필의 성품을 직접적으로 제시함.
이 곧고 굳은 위에 몸소 겪음한 바와 힘써 널리 보고 애써 널리 들은 것을 더하여,
스스로 갖추어진 줏대와 나름껏 이루어진 주견으로 갈피 있는 태도를 흐트리지 아
니하였다.」

「그러므로 주변머리 없이 기대거나 자발머리없이 나대어서 남을 폐롭히거나
유재필이 부정적으로 여기는 인물 유형 ①
누를 끼치는 자는 반드시 장마에 물걸레처럼 쳐다보기를 한결같이 하였고, 분수
쓸데없는 존재
없이 남을 제끼거나 밟고 일어서서 섣불리 무엇인 척하고 으스대는 자는 《삼국
유재필이 부정적으로 여기는 인물 유형 ②
[A] 지》에서 조조 망하기를 기다리듯 미워하여 매양 속으로 밑줄을 그어 두기에 소
조조가 얄미워서 망하기 기다리듯 속으로 벼름.
흡함이 없었다. 또 모름지기 세상의 일에 알면 아는 대로 힘지게 말하고, 모르면
모르는 대로 숫지게 말하여 마땅한 자리임에도 불구하고 어딘지 떳떳지 못하게
유재필이 부정적으로 여기는 인물 유형 ③
주눅부터 들어서 좌우의 눈치에 딱 부러지게 흑백을 하지 못하는 자가 있으면,
마치 말만 한 딸을 서울 가게 하는 데에 힘입어 그날로 이자 돈을 놓는 매몰스러
운 구두쇠를 보듯이 으레 가래침을 멀리 뱉기에 이력이 난 터이었다.」
『 』: 유재필이 부정적으로 여기는 인물 유형과의 대응 문제 3
그의 됨됨이는 물론 그것이 전부는 아니었다. 체취는 그윽하고 체온은 따뜻하며
체질이 묵중한 사내였다. 또한 남의 아픔이 자신의 아픔임을 깨달아 아픔을 나누
고 눈물을 나누되, 자기가 아는 바 사람 사는 도리에 이르기를 진정으로 바라던 위
인이었으니, 짐짓 저 옛말을 빌려서 말한다면 그야말로 때아닌 특립독행(特立獨
行)의 돌출이요, 이른바 "세상 사람들의 걱정거리를 그들보다 앞서서 걱정하고, 세
바람직한 관리나 지도자상을 거론할 때 자주 인용되는 말. 유재필이 어진 성품으로 주변 사람들에게 항상 감동을 주었음을 나타냄.
상 사람들이 즐거워함을 본 연후에야 즐거움을 누린다."라고 말한 선비적인 덕량
(德量)의 본보기라 하지 않을 수 없는 친구였다.
유재필의 어진 성품을 높이 평가함.
"이간감? 나 유가여."
지역 방언의 사용 → 유재필의 순박한 면모를 드러냄. 문제 1-④
그가 내게 전화를 할 때마다 매번 거르지 않던 첫마디였다.
서술자. 1인칭 관찰자 시점
㉠그렇지만 유가는 이미 다른 사람을 이르는 말이었다. 그는 유자(兪子)였다.
유재필을 '유자'라고 표현하여 그에 대한 존경심을 드러냄. 문제 4   ▶ 유자의 출생과 성품 소개

---

1 전화를 할 때마다 유재필의 첫마디였던
"이간가? 나 유가여."에 지역 방언이 쓰
였지만, 이 말은 유재필의 순박한 면모를
드러내는 것일 뿐 인물 간의 갈등과는 관
련이 없다.

오답 풀이 ① "세상 사람들의 걱정거리를 …
연후에야 즐거움을 누린다."라는 옛말을 인용하
여 유재필의 어진 성품을 높이 평가하고 있다.
② 유재필의 특성을 그의 행동과 말을 통해 간
접적으로 드러내지 않고 서술자의 서술을 통해
직접 제시하고 있다.
③ '그는 어려서부터 … 삶을 살게 된 바탕이었
다.' 등과 같이 수식과 설명이 많고 문장의 길이
가 길고 장황한 문장을 사용하고 있다.
⑤ '장마에 물걸레처럼', 《삼국지》에서 조조 망
하기를 기다리듯' 등과 같이 비유적 표현을 활
용하여 유재필이 부정적으로 여기는 인물 유형
에 대한 그의 태도를 드러내고 있다.

2 '비색한 가운과 불우한 환경 속에서도 …
소년 시절은 장히 숙성하고'를 통해 유재
필이 어려운 환경 속에서 또래들보다 일
찍 성숙했음을 알 수 있다.

오답 풀이 ② 유재필은 비색한 가운과 불우한
환경 속에서 성장하였다.
③ 유재필은 겉으로 보기에 보통 사람임에도 깨
어 있는 삶을 살았지만, 그가 건장한 체격이었
는지는 알 수 없다.
④ 유재필은 남을 제끼거나 밟고 일어서서 섣불
리 무엇인 척하고 으스대는 자를 《삼국지》에서
조조가 얄미워서 망하기를 기다리듯 속으로 별
렀을 뿐이다.
⑤ 유재필은 남의 아픔이 자신의 아픔임을 깨달
아 남의 아픔과 눈물을 나누었다.

3 유재필이 '자신의 처지는 생각하지 않고
돈을 헤프게 쓰는 사람'을 부정적으로 여
겼다는 내용은 확인할 수 없다.

4 서술자는 유재필을 두고 '유가'가 아닌
'유자'라고 말하면서 어진 성품을 지닌
유재필에 대한 존경심을 드러내고 있다.

06 유자소전

5 ④　　**6** ⑤　　**7** ④　　**8** ③

어휘 다지기　**1** (1) ① (2) ② (3) ③　**2** (1) ③ (2) ② (3) ① (3) ②　**3** ②　**4** ②

생략된 부분의 줄거리　유재필은 제대한 뒤 재벌 총수의 승용차 운전수로 일하다가 그룹의 노선 상무로 좌천된다.

　그가 다루는 사건도 태반이 가해자의 운전 윤리 마비증이 자아낸 것이었다. 그렇지만 ㉠가해자가 그룹 내의 동료 운전수라 하여 팔이 들이굽는다는 식의 적당주의를 취한 적은 거의 없었다. 다만 사건 처리에 필요한 서류를 갖추기 위해 신상 기록 대장에 있는 주소를 찾아가 보면 일쑤 비탈진 산꼭대기에 더뎅이 진 무허가 주택에서 근근이 셋방살이를 하는 축이 많았고, 더욱이 인건비를 줄이느라고 임시로 쓰던 스페어 운전수들이 사는 꼴이 말이 아닐 때는, ㉡그 운전자의 자질 여부를 떠나서 현실적인 딱한 사정에 괴로워하지 않을 수가 없었던 것이다.

　「스페어 운전수는 대체로 벌이가 시답잖아 결혼도 못 한 채 늙고 병든 홀어미와 단칸 셋방을 살고 있거나, 여편네가 집을 나가 버려 어린것들만 있는 경우가 적지 않았고, 들여다보면 방구석에 먹던 봉지 쌀이 남은 대신 연탄이 떨어지고, 연탄이 있으면 쌀이 없거나 밀가루 포대가 비어 있어, 한심해서 들여다볼 수가 없고 심란해서 돌아설 수가 없는 집이 허다한 것이었다.」

　그는 결국 주머니를 털었다. 스페어 운전수의 사고에는 업무 추진비 명색도 차례가 가지 않아 자신의 용돈을 털게 되는 것이었다. ㉢식구가 단출하면 **쌀**을 한 말 팔아 주고, 식구가 많은 집은 밀가루를 두 포대 팔아 주고, 그리고 **연탄**을 백 장씩 들여놓아 주는 것이 그가 용돈에서 여툴 수 있는 한계였다.

　그는 쌀가게에서 쌀이나 밀가루를 배달하고, ㉣연탄 가게에서 연탄 백 장을 지게로 져 올려 비에 안 젖게 쌓아 주기를 마칠 때까지 그 집을 떠나지 않았다. 그리고 그 집을 나와서 골목을 빠져나오다 보면 늘 무엇인가를 빠뜨리고 오는 것처럼 개운치가 않았다.

　그는 비탈길을 다 내려와서야 그것이 무엇이라는 것을 깨닫곤 하였다. 산동네 초입의 반찬 가게를 보고서야 아까 그 집의 부엌에 간장밖에 없었던 것이 뒤늦게 떠오른 것이었다.

　㉤그러면 다시 주머니를 뒤졌다. 그가 반찬 가게에서 집어 드는 것은 만날 얼간하여 엮어 놓은 새끼 굴비 두름이었다. 바다와 연하여 사는 탓에 밥상에 비린 것이 없으면 먹어도 먹은 것 같지 않아 하는 대천 사람의 속성이 그런 데서까지도 드티었던 것이다. 도로 산비탈을 기어올라 가서 굴비 두름을 개 안 닿게 고양이 안 닿게 야무지게 내달아 주면서

　"빅에 제우 지랑밲이 읇으니 뱁이구 수제비구 건건이가 있으야 넘어가지유. 탄불에 궈 자시던지 뱁솥에 쩌 자시던지 하면, 생긴 건 오죽잖어두 뇌인네 입맛에 그냥저냥 자셔 볼 만헐규."

　쌀이나 연탄을 들여 줄 때는 회사에서 으레 그렇게 돌봐 주는 것이거니 하고 멀건 눈으로 쳐다만 보던 노파도, 그렇게 반찬거리까지 챙겨 주는 자상함에는 그가 골목을 빠져나갈 때까지 눈시울을 적시고 있는 것이 보통이었다.

5 이 글에서는 유재필이 사고를 낸 스페어 운전수 집에 갔을 때의 일화를 소개하여 그의 긍정적인 면모를 강조하고 있다.

6 '스페어 운전수의 사고에는 업무 추진비 명색도 차례가 가지 않'았기 때문에 유재필은 자신의 용돈을 털어서 스페어 운전수 가족을 도왔다.

7 '쌀', '밀가루', '연탄', '새끼 굴비 두름'은 스페어 운전수 가족을 위해 유재필이 용돈을 털어서 사다 준 것들로, 유재필의 자상하고 따뜻한 성품을 드러내는 소재이다. 그러나 '간장'은 스페어 운전수의 가정 형편이 어려움을 드러내는 소재이다.

8 유재필은 식구가 적은 집에는 쌀 한 말을, 식구가 많은 집에는 밀가루 두 포대를 사 주었다. 이것은 식구 수에 따라 쌀이나 밀가루를 사다 준 것일 뿐, 사고 책임의 정도에 따라 다르게 대우했다고 보는 것은 적절하지 않다.

오답 풀이 ① 유재필은 그룹 내의 동료 운전수라고 해서 유리하게 사건을 처리하는 모습을 보이지 않았다.

④, ⑤ 유재필은 자신이 도와줄 수 있는 한도 내에서 최선을 다해 스페어 운전수 가족을 도왔다.

어휘 다지기　본문 113쪽

3 '별쭝맞다'는 '말이나 행동이 보통 사람과 매우 다르고 이상하다.'를 뜻한다. 따라서 '보통과 다르고 이상한 데가 있다.'를 뜻하는 '별스럽다'와 바꾸어 쓸 수 있다.

4 〈보기〉는 유재필의 생애가 많은 사람 중에서도 돋보일 정도로 훌륭하였음을 예찬하는 표현이다. '군계일학'은 많은 사람 가운데서 뛰어난 인물을 이르는 말이다.

오답 풀이 ① 융통성 없이 현실에 맞지 않는 낡은 생각을 고집하는 어리석음을 이르는 말.

07 내가 그린 히말라야시다 그림

본문 114~115쪽

1 ④　　**2** ④　　**3** ⑤　　**4** ③

앞부분의 줄거리　현재 유명한 화가가 된 '나(백선규)'와 그림 감상하기를 좋아하는 가정주부인 '나'는 각각 과거 초등학교 때 군에서 열리는 사생 대회에 나갔던 일을 회상한다.

(가) 1
　　그해 봄에 나는 군 학예 대회에서 글짓기 백일장에 나가지 못했어. 그건 당연하지. 내가 읍에서 몇 번째 안에 드는 부잣집 딸이라고 해서 누가 봐도 재능이 없는데 글짓기 대표로 내보낼 수는 없지. 그 대신 나는 사생 대회 대표로 뽑혔어. 그때 우리 학교는 한 학년이 다섯 반이고 4학년 이상 한 반에 두 명씩 대회에 나가니까 우리 학교에서만 서른 명이 참가하는 거야. 대개는 미술반에 있는 애들이었어. 문예반에 있는 애들은 학교에서 십 리 이십 리 떨어진 데 사는 농촌 애들이 많은데 미술반 애들은 거의 다 읍내 애들이고 좀 잘사는 애들이었어. 〈중략〉
　　사생 대회는 토요일 오전에 우리 학교에서 열렸어. 우리가 다니는 초등학교가 군에서 가장 오래된 학교라서 그랬던 것 같아. 건물도 오래됐고 나무도 커서 그림 그릴 게 많았는지도 몰라. 우리 학교 다니는 애들한테 유리한 것 같긴 했지.
　　우리는 주최 측이 확인 도장을 찍어서 준 도화지를 한 장씩 받아서 그림을 그리기 위해 여기저기로 흩어졌지. 그런데 내 뒤에서 그림을 그리던 녀석, 옷도 지저분하고 검정 고무신을 신은 데다 간장 냄새가 나던 녀석이 기억에 오래 남았어. 그 냄새며 꼴이 싫어서 자리를 옮기려고 했지만 이미 노란색 크레파스로 그 앞의 나무와 갈색 나무 교사의 밑그림을 그린 뒤라서 그럴 수도 없었어. 참 그 냄새, 머리가 아프도록 지독했어. 그건 한마디로 하면 가난의 냄새였어.
　　▶ '나(1)'가 사생 대회에서 자기 뒤에서 그림을 그리던 남자아이를 떠올림.

(나) 0
　　내 앞에는 언제부터인가 여자아이가 두 명 앉아 있었어. 한 아이는 낯이 익었어. 같은 반을 한 적은 없지만, 천수기 선생님하고 같이 가는 걸 몇 번 본 적이 있었지. 자주색 원피스에 검정 에나멜 구두를 신고 있었고 머리에 푸른 구슬 리본을 매고 있는데 무척 얼굴이 희고 예뻤지. 나하고 한 반이었다고 해도 나 같은 촌뜨기에게는 말을 걸지도 않았겠지.
　　그 여자애와 나는 비슷한 점이 하나도 없었어. ㉠크레파스부터 한 번도 쓰지 않은 새것, 한 번만 더 쓰면 더 쓸 수 없도록 닳은 것이라는 차이가 있었어. 처음부터 다른 길에서 출발해서 가다가 우연히 두어 시간 동안 같은 장소에서 비슷한 그림을 그리게 되겠지만 앞으로 영원히 만날 일이 없을 것 같은 사람이야. 그 여자아이도 그걸 의식하고 있는 것 같았어. 나를 한 번 힐끗 넘겨다보고는 코를 찡그리더니 더 이상 눈길을 주지 않았어. 자리를 뜰 것 같았는데 계속 그리기는 하더군. 나를 의식하기 전에 밑그림을 그렸던 게 아까웠겠지.
　　▶ '나(0)'가 사생 대회에서 자기 앞에서 그림을 그리던 여자아이를 떠올림.

---

1 이 글은 〈0〉과 〈1〉로 장면을 나누어 각각의 주인공 '나'가 어린 시절에 있었던 일을 회상하는 방식으로 구성되어 있다.
　오답 풀이 ▶ ② 이 글은 현재에서 과거로 사건이 전개되는 역순행적 구성 방식을 취하고 있다.

2 이 글에서는 〈0〉과 〈1〉에 각각 등장하는 주인공 '나'가 자신의 이야기를 들려주고 있다. 이처럼 두 명의 1인칭 서술자가 번갈아 가며 서술하여 같은 사건을 두 사람의 관점에서 입체적으로 전달해 주고 있다.
　오답 풀이 ▶ ①은 1인칭 관찰자 시점, ②는 3인칭 관찰자 시점, ③은 3인칭 전지적 시점에 대한 설명이다.

3 '나(1)'는 자리를 옮기려고 했지만 밑그림을 그린 뒤라 그럴 수 없었다고 하였다. '나(0)' 역시 '나(1)'가 자리를 옮기지 못한 이유가 밑그림을 그렸던 게 아까웠기 때문일 것이라고 추측하였다.
　오답 풀이 ▶ ① '나(1)'는 사생 대회 장소가 자신의 학교여서 자신의 학교에 다니는 애들에게 유리한 것 같다고 생각하였다.
② '나(1)'는 읍에서 몇 번째 안에 드는 부잣집 딸이었다.
③ '나(1)'는 자신이 재능이 없어 글짓기 대표로 뽑히지 못했다고 하였으며, 이를 당연한 것으로 생각하였다.
④ '나(1)'가 '나(0)'를 '녀석'이라고 지칭하고 '나(0)'가 '나(1)'를 몇 번 본 적이 있는 '여자아이'라고 지칭하는 것으로 보아, 둘은 서로 잘 모르는 사이라는 것을 알 수 있다.

4 '여자애'의 크레파스는 한 번도 쓰지 않은 새것이지만, '나(0)'의 크레파스는 한 번만 더 쓰면 더 쓸 수 없도록 닳은 것이었다. 이와 같이 '크레파스'는 두 인물의 가정 형편의 차이를 대조적으로 보여 주는 역할을 한다.

07 내가 그린 히말라야시다 그림

본문 116~117쪽

5 ③　　**6** ③　　**7** ②　　**8** ④

어휘 **다지기**　**1** (1) ② (2) ① (3) ③　　**2** (1) ① (2) ④ (3) ③ (4) ②　　**3** ①

생략된 부분의 줄거리 사생 대회 이틀 후에 '나(0)'는 조회 시간에 전교생 앞에서 장원 상을 받는다. 강당에서 학예 대회 수상작을 전시하는 마지막 날, '나(0)'는 '장원'이라고 크게 적힌 그림을 보게 된다.

가 1

　　그렇지만 단 한 번 상을 받을 뻔한 적은 있지. 나 자신의 실수 때문에 못 받은 거니까 누구를 원망할 수도 없지만. 그 실수를 인정하고 내가 받을 상이 남에게 간 것을 바로잡을 수 있었을까. 할 수 있었을지도 몰라. 아버지에게 이야기했다면. 아니면 천수기 선생님한테라도. 왜 안 했을까. 그때 나를 스쳐 가던 그 아이, 그 아이의 표정 때문인지도 몰라. 땟국물이 흐르던 목덜미, 전신에서 풍겨 나던 뭔가 찌든 듯한 그 냄새, 그 너절한 인상이 내 실수와 잘못된 과정을 바로잡는 게 너절하고 귀찮은 일이라는 생각을 하게 했을 거야. 어쩌면 그 결과 한 아이가 가지게 될지도 모르는 씻지 못할 좌절감이 내게도 약간 느껴졌는지도 모르지. 상관없어. 나는 그런 상하고는 담을 쌓고 살아도 행복해. 그런 스트레스를 받는 것 자체가 싫어. 왜 내가 그렇게 살아야 하는데?

▶ '나(1)'가 자신의 실수로 상을 받을 기회를 놓침.

나 0

　　그런데, 그런데, 그런데, 그런데 ㉠그 그림은 내가 그린 그림이 아니었어. 풍경은 내가 그린 것과 비슷했지만 절대로, 절대로 내가 그린 그림이 아니야. 아버지가 사 준 내 오래된 크레파스에는 진작에 떨어지고 없는 회색이 히말라야시다 가지 끝 앞부분에 살짝 칠해져 있는 그림이었어. 나는 가슴이 후들후들 떨려서 두 손으로 가슴을 가렸어. 사방을 둘러봤지만 아무도 없었어. 나는 까치발을 하고 손을 최대한 쳐들어서 그림 뒷면의 번호를 확인했어. 네모진 칸 안에 쓰인 숫자는 분명히 124였어. 124, 북한에서 무장간첩을 훈련한 그 124군 부대의 124. 그렇지만 그건 내 글씨가 아니었어. 〈중략〉

　　그 그림을 그린 아이는 천수기 선생님과 함께 다니던 그 아이인 게 틀림없었어. 그러니까 나와 같은 학교에 다니는 아이라는 거지. 그러면 그 아이는 제가 그린 그림을 봤을 거야. 그런데 ㉡왜? 왜 아무 말을 하지 않은 거지? 상품이 필요 없어서? 실수 때문에 처벌을 받을까 봐? 나라면? 나라면 가만히 있었을까?

　　왜 내가 그린 작품은 입선에도 들지 않았을까? 비슷한 풍경이고 비슷한 구도인데도? 가만히 그 그림을 보고 있자니 정말 잘 그린 그림이라는 느낌이 들기 시작했어. 장원을 받을 수밖에 없는 그림, 같은 장소에 있었던 나로서는 발견할 수 없었던 부분, 벽과 히말라야시다 사이의 빈 공간의 처리는 완벽했어. 〈중략〉

　　그 뒤부터 나는 늘 나를 의심하면서 살았어. 누군가 나보다 뛰어난 재능을 가지고 있고 누군가 나와 똑같은 대상을 두고 훨씬 더 뛰어난 작품을 그렸고, 앞으로도 더 뛰어난 작품을 그릴 수 있다는 생각을 벗어나 본 적이 없어. 그러니까 어떤 작품이라도, 그게 포스터 물감으로 그리는 반공 포스터라도 내가 가진 능력 전부를, 그 이상을 쏟아부어야 했지, 언제나, 어디서나.

▶ '나(0)'가 장원작이 자신의 그림이 아님을 알게 되고, 그것이 이후 삶에 영향을 끼침.

5 한 서술자의 시선으로만 서술한다고 해서 인물의 내적 갈등이 사라지는 것은 아니다.

오답 풀이 ④ 〈0〉의 서술자만 서술할 경우, 독자는 '나(0)'가 전해 주는 '나(1)'에 대한 정보만 알게 되어 '나(1)'의 행동 이유나 심리를 추측하여 판단하게 된다.

⑤ 〈0〉의 서술자 '나'가 자신의 심리만 서술하게 되므로 같은 상황에 처한 '나(0)'와 '나(1)'의 심리를 비교하는 재미가 줄어들게 된다.

6 '나(0)'는 전시된 장원작의 뒷면의 숫자가 자신의 참가 번호인 124가 맞지만 자신이 쓴 글씨가 아닌 것을 알아챈다. 이를 통해 '나(0)'가 진짜 장원이 아니라는 사실이 확실해지므로 '나(0)'가 그림 뒷면에 적힌 숫자를 확인하고 큰 충격을 받았을 것이라 추측하는 것이 적절하다.

7 '나(1)'는 안 받아도 그만인 상을 받기 위해 자신의 실수와 잘못된 과정을 바로잡는 것을 너절하고 귀찮은 일이라고 여기면서 진실을 밝히는 것을 포기한다. '할 수 있었을지도 몰라. 아버지에게 이야기했다면. 아니면 천수기 선생님한테라도.'를 통해 수상 결과를 바로잡는 것이 가능했음을 짐작할 수 있다.

8 (나)의 마지막 문단을 통해 초등학교 때 사건이 '나(0)'의 인생에 끼친 영향을 알 수 있다. (나)에서 장원작이 자신의 그림이 아님을 알고 나서 '나(0)'가 사건의 경위를 추측하며 혼란스러워하는 모습은 나오지만, 제3자가 자신의 비밀을 폭로할지도 모른다는 생각에 불안함을 느끼고 있다고 볼 만한 내용은 찾을 수 없다.

 어휘 **다지기**

본문 119쪽

3 '너절하다'는 '허름하고 지저분하다.'를 뜻하므로, '옷차림이나 모양새가 매우 지저분하고 궁상스럽다.'를 뜻하는 '꾀죄죄하다'로 바꾸어 쓸 수 있다.

08 박씨전

본문 120~121쪽

1 ⑤   **2** ⑤   **3** ③   **4** ④

앞부분의 줄거리   조선 인조 때, 이 상공(相公)의 아들 이시백과 박 처사(處士)의 딸 박씨는 부모의 혼인 약속에 따라 혼인하게 된다. 그러나 이시백은 박씨가 매우 못생겼다는 이유로 박씨를 차갑게 대한다. 그러던 중 이시백이 장원 급제하고 이 상공의 집에서 이를 축하하는 잔치가 열린다.
└ 박씨와 이시백이 갈등하는 원인

상공이 시백과 함께 내당(內堂)으로 들어가 촛불을 밝히고 낮을 이어 즐기려 했지만, 얼굴에 나타난 서운한 빛을 감출 수는 없었다. 얼굴 못난 며느리가 손님 보기를 부끄러워하여 피화당에서 나오지 않았기 때문이었다. 상공이 서운해하는 모습
    └ 상공은 박씨가 잔치에 나오지 않은 것을 안타까워함.
    └ 박씨가 여종 계화와 함께 지내는 곳
을 본 부인이 물었다.

"오늘 이 경사는 평생에 두 번 보지 못할 경사입니다. 이런 날, 대감의 낯빛이 좋
    └ 이시백의 장원 급제
지 않은 것은 무슨 까닭입니까? 추한 박씨가 이 자리에 없어서 그런 것입니까?
        └ 상공 부인은 외모로 인물을 평가하여 박씨를 무시하고 냉대함. 문제 4-④
참으로 우습습니다."

상공은 즉시 얼굴빛을 고치고 엄숙하게 말했다.

"부인의 소견이 아무리 얕고 짧다고 한들, 어찌 그렇게 가벼운 말을 하는 것이
오? 며느리의 신통한 재주는 옛날 제갈공명의 부인 황씨를 누를 것이고, 뛰어난
    └ 고사 인용 – 상공은 박씨의 재주와 덕행을 높이 평가함.
덕행은 주나라의 임사(姙姒)에 비할 것이오. 우리 가문에 과분한 며느리이거늘,
부인은 다만 생김새만 보고 속에 품은 재주를 생각하지 않으시니 그저 답답할
    └ 상공은 외모로만 박씨를 판단하는 부인을 비판함. 문제 4-④
따름이오."
    ▶ 박씨에 대한 부인의 태도를 꾸짖는 상공

박씨 곁에는 계화만이 남아 잔치에도 참여하지 못하고 적막한 초당에 앉아 있는
    └ 박씨의 여종
박씨를 위로했다.

"그간 서방님은 한번도 부인께 정을 주지 않으셨고, 대부인의 박대마저 심해 이
    └ 박씨는 이시백(서방님)과 상공 부인(대부인)에게 냉대받고 있음.
렇게 밤낮으로 홀로 지내고 계십니다. 집안의 대소사에 참여하지 못할 뿐 아니
    └ 집안일에 참여하지 못하고 소외된 박씨의 상황
라 오늘같이 기쁜 날에도 독수공방(獨守空房)만 하고 계시니, 곁에서 지켜보는
소인조차도 슬픔을 이길 수 없을 듯합니다."
    └ 계화는 박씨의 상황을 안타까워함.

"사람의 길흉화복은 하늘에 달
    └ 운명에 순응하는 박씨의 태도 문제 3-③
린 것이라 인력으로는 어찌할
수 없다. 그러기에 ⊙탕왕은 하
걸에게 갇힘을 당하고 문왕도
유리옥에 갇혔으며, 공자 같은
    └ 고사 인용 – 운명은 사람의 힘으로 어찌할 수 없음을 강조함.
성인도 진채에게 욕을 보신 것
이 아니겠느냐? 하물며 아녀자
가 되어 어찌 남편의 사랑만 기
다리고 있겠느냐? 그저 분수를
지키며 하늘의 뜻을 기다리는
것이 옳을 터이니, 다시는 그런

말은 하지 말아라. 혹 바깥 사람들이 들으면 나의 행실을 천하다 할 것이다."
    └ 박씨는 사람들로부터 험담을 듣는 상황을 가정했을 뿐 실제로 험담을 들은 것은 아님. 문제 2-⑤
박씨가 오히려 담담하게 말하니, 계화는 부인의 너그럽고 어진 마음에 탄복하였다.
    └ 계화는 박씨의 훌륭한 인품을 존경함.
    ▶ 박씨를 안타까워하는 계화와 자신의 처지를 운명으로 받아들이는 박씨

---

1 이 글은 3인칭 전지적 시점으로, 이야기 안에 등장하지 않는 서술자가 인물의 행동은 물론 심리까지 파악하여 전달하고 있다.

오답 풀이 ▶ ①, ③ 사건을 객관적으로 묘사하거나 서술자가 개입하는 부분은 나타나지 않는다.
② 1인칭 관찰자 시점의 특징이다.
④ 이 글에서는 사건이 시간의 흐름에 따라 진행되고 있으며, 서술자의 과거 회상은 나타나지 않는다.

2 박씨는 자신의 처지에 대해 불만을 드러내면 사람들이 자신의 행실을 비난할 것이라고 했을 뿐, 사람들이 박씨를 험담한다거나 이에 대해 박씨가 원망한다는 내용은 드러나 있지 않다.

오답 풀이 ▶ ① 상공 부인은 박씨가 잔치에 참석하지 않은 것을 당연하게 여기며, 못생긴 외모를 이유로 며느리인 박씨를 홀대했다.
②, ④ 계화는 박씨가 집안의 대소사에 참여하지 못하고 외로이 지내는 것을 슬퍼했다.
③ 박씨가 잔치에 나오지 않자 상공이 서운한 기색을 감추지 못한 것을 볼 때, 상공은 박씨가 잔치에 참석하기를 바랐다.

3 박씨는 사람의 길흉화복은 하늘에 달린 것이라 인력으로 어찌할 수 없다고 하며, 이를 뒷받침하기 위해 탕왕, 문왕, 공자가 시련을 겪은 고사를 제시하고 있다.

4 상공 부인은 박씨를 추하다며 무시하는 반면 상공은 박씨의 재주와 덕행을 칭찬하고 있다. 이를 통해 사람을 외모로 평가하는 상공 부인과 사람의 내면을 중시하는 상공의 가치관 차이가 나타난다.

오답 풀이 ▶ ①, ② 박씨의 추한 외모로 인해 발생한 것은 박씨와 이시백 사이의 갈등이다.
③ 박씨와 이시백 사이의 갈등으로 인해 박씨가 이시백을 축하하는 잔치에 참석하지 못하였고, 이 사건 때문에 상공과 상공 부인 사이의 갈등이 발생하게 된다.

5 ③　　**6** ⑤　　**7** ⓐ 허물 ⓑ 절세가인　　**8** ⑤

생략된 부분의 줄거리　박씨는 구름을 타고 금강산에 가 아버지인 박 처사를 만나고 온다. 박씨는 상공에게 아버지가 방문할 것이라 전하고, 약속한 날에 처사가 상공의 집을 찾아온다.

〔고전 소설의 전기성 ①: 박씨의 비범한 능력을 드러냄.〕

"ⓐ영랑(令郞)이 뛰어난 재주로 과거에 급제하였으니 이 같은 경사는 다시 없을
ᄂ상공의 아들(이시백)
줄 압니다. 그간 제가 시골에 있는 관계로 아직 축하 인사를 드리지 못했습니다."

상공이 술과 안주를 내어 대접하며 처사와 함께 그간 만나지 못한 회포를 풀었다.
술이 반쯤 줄어들고 분위기가 무르익어 갈 무렵, ㉠상공이 어두운 낯빛으로 처사에
게 말하였다.
ᄂ아들 며느리인 박씨를 박대하는 것을 미안해하는 상공

"ⓑ귀한 손님을 뵈니 반가운 마음은 예사롭고 죄송한 마음은 산과 바다와 같습
ᄂ처사
니다."
ᄂ미안한 마음이 무척 큼을 비유적으로 표현함.

「: 상공이 처사에게 죄송하다고 말한 이유
"무슨 말씀이신지요?" / "내 자식이 어리석다 보니 ⓒ어진 아내를 푸대접하여 부
ᄂ박씨
부간의 즐거움을 알지 못하고 있습니다. 제가 늘 타이르곤 하지만 자식이 끝내
아비의 말을 듣지 않더군요. 처사 대하기가 민망할 따름입니다."

처사가 급히 손사래를 쳤다.

"㉡상공께서는 제 못난 딸을 더럽다 않으시고 지금까지 슬하에 두셨습니다. 그
ᄂ자신의 딸이 못났다며 낮추어 말함. → 처사의 겸손함.
넓으신 덕에 감사할 따름이온데 이렇게 말씀하시니 오히려 송구합니다."

"예사롭지 않은 ⓓ며늘애가 늘 외롭고 힘들게 지내기에 드리는 말씀입니다."
ᄂ박씨

"㉢사람의 팔자와 길흉화복은 다 하늘에 달린 것입니다. 어찌 그리 지나친 걱정
ᄂ주어진 운명을 받아들이는 처사의 태도
을 하십니까?" / 처사가 담담하게 말하니 상공도 미안한 마음을 조금 덜 수 있었
다. 이후 상공은 처사와 더불어 날마다 바둑을 두기도 하고 또 피리도 불면서 즐
겁게 지냈다.　　　　　　　　　　　　　　　▶오랜만에 만나 회포를 푸는 처사와 상공

하루는 처사가 후원으로 들어가 딸을 불러 앉혔다.

"너의 액운이 다 끝났으니 누추한 허물을 벗어라."
ᄂ박씨의 추한 외모가 액운 때문임이 드러남. 문제 7
처사는 허물을 벗고 변화하는 술법을 딸에게 가르친 뒤 말하였다.
〔고전 소설의 전기성 ②: 박 처사의 비범한 능력을 드러냄.〕
"허물을 벗거든 버리지 말고 ⓔ시아버지에게 옥으로 된 함을 짜 달라고 해서 그
ᄂ상공
속에 넣어 두거라."

그러고는 딸과 함께 정담을 나누다가 밖으로 나와 상공에게 작별 인사를 드렸
다. ㉣상공이 못내 섭섭해하며 만류했지만 처사는 듣지 않았다. 할 수 없이 한잔 술
ᄂ처사와의 헤어짐을 아쉬워하는 상공의 모습
로 작별을 고하고 문밖으로 나가 전송하였다.

"㉤지금 헤어지면 다시 만나기 어려울 것입니다. 늘 건강하시고 복을 누리시기
ᄂ재회를 기약하기 어려움. → 박 처사가 속세를 떠날 것임을 암시함.
바랍니다." / 상공이 깜짝 놀라며 물었다. / "그것이 무슨 말씀이십니까?"

"이제 상공과 이별하고 산에 들어가면 다시 속세로 나오지 못할 듯하여 드리는
말씀입니다."　　　　　　　　　　　ᄂ상공과 다시 만나기 어렵다고 말한 이유 문제 6-⑤

상공이 슬프게 작별 인사를 하니, 처사는 학을 타고 공중에 올라가 오색구름을
헤치며 나아갔다. 잠시 후 구름이 걷혔는데 처사가 간 곳은 보이지 않았다.
ᄂ고전 소설의 전기성 ③: 처사의 비범한 능력을 드러냄.

그날 밤, 박씨는 몸을 깨끗이 씻은 뒤 둔갑술을 부려 허물을 벗었다.
〔고전 소설의 전기성 ④: 박씨의 비범한 능력을 드러냄.〕
날이 밝은 후, 박씨는 계화를 불렀다. 계화가 들어가 보니 전에 없던 절세가인
(絶世佳人)이 방 안에 앉아 있었다.　　　　　ᄂ외모가 달라진 박씨 문제 7
　　　　　　　　　　　　　　　　　　　▶아버지의 도움으로 허물을 벗고 절세가인이 된 박씨

5 제시된 사건 중 현실에서 일어나기 어려운 신기한 일이 아닌 것을 찾는다. 처사가 상공에게 추한 외모를 지닌 자신의 딸을 내치지 않고, 며느리로 인정해 주어 감사하다고 인사를 하는 사건은 현실에서 일어나기 어려운 신기한 일과는 거리가 멀다.

6 이어지는 처사의 말을 참고할 때, 처사는 다시 속세로 나오지 못할 것을 염두에 두고 ㉤과 같이 말하였다. 처사가 상공 가족과 인연을 끊고자 하는 뜻을 드러낸 것은 아니다.

〔**오답 풀이**〕 ① 상공은 처사에게 죄송한 마음이 산과 바다와 같다고 하면서 아들이 박씨를 푸대접하여 처사를 대하기가 민망하다고 말하였다.
② 처사는 박씨를 '못난 딸'이라고 지칭하며, 겸손하게 답하고 있다.
③ 사람의 팔자와 길흉화복이 하늘에 달렸다고 하는 것은 사람의 힘으로 어찌할 수 없는 운명에 순응하고자 하는 운명론적 인생관에 해당한다.

7 처사가 박씨에게 액운이 끝났으니 누추한 허물을 벗으라고 한 말에서 박씨의 액운이 드러나며, 액운이 풀린 뒤 박씨는 절세가인이 되었다.

8 ⓒ(이시백의 아내)와 ⓓ(상공의 며느리)는 모두 박씨를 가리킨다.

〔**오답 풀이**〕 ⓐ는 이시백, ⓑ는 처사, ⓔ는 상공을 가리킨다.

9 ⑤ **10** ② **11** 신인 **12** ③

[어휘 다지기] **1** (1) 회포 (2) 슬하 (3) 소견 (4) 채비 **2** (1) 미안하다 (2) 못생기다 (3) 어기다 (4) 빌다
(5) 넘치다 **3** (1) ㉠ (2) ㉢ (3) ㉡

┌ 박씨가 허물을 벗음으로써 가정 내 갈등이 사라짐.
생략된 부분의 줄거리 이시백은 그동안 박씨를 차갑게 대한 것을 뉘우치고 부부 사이의 정이 깊어진다. 그러던 중 세력이 커진 청나라가 용골대·용울대 형제를 앞세워 조선을 침범하고 임금은 청에 항복한다. 박씨는 피화당을 침범한 동생 용울대의 목숨을 빼앗는다. 형 용골대는 동생의 복수를 하려고 피화당을 공격하지만 박씨에게 막혀 공격을 포기한다.
└ 병자호란

용골대가 모든 장졸을 뒤로 물린 후, 「왕비와 세자, 대군을 모시고 장안의 재물과 미녀를 거두어 돌아갈 채비를 꾸렸다. 오랑캐에게 잡혀가는 사람들의 슬픈 울음소리가 장안을 진동했다.」
 └ 전쟁 때문에 고통받는 백성들의 모습
 └「」: 전쟁(병자호란)에서 패배하여 인질과 재물을 보내야 했던 역사적 사실이 드러남.

박씨가 계화를 시켜 용골대에게 소리쳤다.
 └ 박씨의 조력자인 계화
「"무지한 오랑캐 놈들아! 내 말을 들어라. 조선의 운수가 사나워 은혜도 모르는
 └ 청나라에 대한 반감을 드러냄. └ 조선이 청나라를 위협하던 가달국을 물리친 일
너희에게 패배를 당했지만, 왕비는 데려가지 못할 것이다. 만일 그런 뜻을 둔다
면 내 너희를 몰살할 것이니 당장 왕비를 모셔 오너라."
 └ 병자호란의 패배를 소설 속에서나마 보상받으려는 의도가 드러남.
┌ 하지만 용골대는 오히려 코웃음을 날렸다.
│ ┌ 계화의 능력을 제대로 알지 못한 채 조선을 얕보는 용골대의 모습 [문제 10]
[A] "참으로 가소롭구나. 우리는 이미 조선 왕의 항서를 받았다. 데려가고 안 데려
└ 가고는 우리 뜻에 달린 일이니, 그런 말은 입 밖에 내지도 마라."

오히려 욕설만 무수히 퍼붓고 듣지 않자 계화가 다시 소리쳤다.
"너희의 뜻이 진실로 그러하다면 이제 내 재주를 한 번 더 보여 주겠다."
 └ 왕비를 데려가려 한다면
「계화가 주문을 외자 문득 공중에서 두 줄기 무지개가 일어나며 모진 비가 천지
를 뒤덮을 듯 쏟아졌다. 뒤이어 얼음이 얼고 그 위로는 흰 눈이 날리니, 오랑캐 군
사들의 말발굽이 땅에 붙어 한 걸음도 옮기지 못하게 되었다.」 그제야 용골대는 사
 └「」: 계화의 비범한 능력 – 고전 소설의 전기성, 여성의 영웅적 활약상을 보여 줌.
태가 예사롭지 않음을 깨달았다.   ▶ 계화를 내세워 용골대에게 왕비를 데려가지 말 것을 요구하는 박씨

"당초 우리 왕비께서 분부하시기를 장안에 신인(神人)이 있을 것이니 이시백의
 └ 박씨 [문제 11] └ 박씨가 있는 피화당
후원을 범치 말라 하셨는데, 과연 그것이 틀린 말이 아니었구나. 지금이라도 부
 └「」: 청나라의 왕비가 박씨의 능력에 대해 경고한 바 있음. [문제 9-⑤] └ 박씨
인에게 빌어 무사히 돌아가는 편이 낫겠다."
용골대가 갑옷을 벗고 창칼을 버린 뒤 무릎을 꿇고 애걸하였다.
 └ 역사적 사실과는 다른 내용: 청나라 장수가 애걸하는 모습을 통해 독자에게 민족적 자긍심을 심어 줌.
"소장이 천하를 두루 다니다 조선까지 나왔지만, 지금까지 무릎을 꿇은 적은 한
 └ 박씨에 대한 용골대의 태도 변화를 보여 줌.
번도 없었습니다. 이제 부인 앞에 무릎을 꿇어 비나이다. 부인의 명대로 왕비는
모셔 가지 않을 것이니, 부디 길을 열어 무사히 돌아가게 해 주십시오."
무수히 애원하자 그제야 박씨가 발을 걷고 나왔다.
"원래는 너희의 씨도 남기지 않고 모두 죽이려 했었다. 하지만 내가 사람 목숨
 └ 청나라에 대한 증오심을 보여 줌.
죽이는 것을 좋아하지 않기에 용서하는 것이니, 네 말대로 왕비는 모셔 가지 마
 └ 왕비를 인질로 데려가지 않았던 역사적 사실을 박씨에 의한 일로 그려 냄. → 박씨의 영웅성 강조
라. 너희가 부득이 세자와 대군을 모셔 간다면 그 또한 하늘의 뜻이기에 거역하
 └ 운명에 순응하는 태도, 세자와 대군이 볼모로 끌려가는 것을 받아들임. [문제 12-③]
지 못하겠구나. 부디 조심하여 모셔 가라. 그렇게 하지 않으면 신장과 갑옷 입은
군사를 몰아 너희를 다 죽인 뒤, 너희 국왕을 사로잡아 분함을 풀고 무죄한 백성
까지 남기지 않을 것이다. 나는 앉아 있어도 모든 일을 알 수 있다. 부디 내 말을
명심하여라."
 └ 박씨의 비범한 능력
      ▶ 용골대에게 세자와 대군을 잘 모시라고 경고하는 박씨

9 용골대가 아닌 청나라 왕비가 전쟁을 앞둔 용골대에게 박씨의 재주를 주의하라고 경고하였다.

10 용골대는 박씨의 조력자인 계화의 능력을 제대로 알지 못하고 우습게 여기고 있다. 따라서 경험이 적고 세상 물정 모르는 사람이 철없이 함부로 덤비는 것을 이르는 ②가 용골대를 평가하기에 가장 적절하다.

[오답 풀이] ① 어리석은 사람이 우연히 일을 이루는 경우를 이르는 속담. ③ 남의 일에 공연히 간섭하고 나서는 경우를 이르는 속담. ④ 노여움을 애매한 다른 데로 옮기는 경우를 이르는 속담. ⑤ 어떤 사물에 몹시 놀란 사람이 비슷한 사물만 보아도 겁내는 경우를 이르는 속담.

11 청나라 왕비는 박씨의 신이한 능력을 용골대에게 경고하면서, 박씨를 이시백의 후원에 있는 '신인'으로 지칭하였다.

12 박씨는 세자와 대군이 청나라로 가는 것은 하늘의 뜻이라 말하였다. 따라서 세자와 대군이 인질로 끌려 간 사실을 숨기고 있지 않다.

[오답 풀이] ① 청나라 군사를 물리치는 박씨와 계화의 모습을 영웅의 활약으로 볼 수 있다. ② 사회적 제약이 많았던 당대 여성들은 뛰어난 여성 주인공의 활약을 보며 대리 만족을 느꼈을 것이다. ④ 역사적 사실과 다른 청나라 장군의 항복을 통해, 전쟁의 상처를 치유하고 민족적 자존심을 회복하려는 작가의 의도가 드러난다.

어휘 다지기 본문 127쪽

2 (1) '송구하다'는 '몹시 미안하여 마음이 편치 않다.'라는 뜻이다. (2) '추하다'는 '외모 따위가 못생겨서 흉하게 보이다.'라는 뜻이다. (3) '거역하다'는 '윗사람의 뜻이나 지시 따위를 따르지 않고 어기다.'라는 뜻이다. (4) '애걸하다'는 '소원을 들어 달라고 애처롭게 빌다.'라는 뜻이다. (5) '과분하다'는 '분수에 넘쳐 있다.'라는 뜻이다.

1 ④　　**2** ④　　**3** ②　　**4** ⑤

양반이란, 선비를 높여서 부르는 말이다.

강원도 정선군에 한 양반이 살고 있었다. ⓐ이 양반은 어질고 글 읽기를 좋아하
여, 군수가 새로 부임할 때마다 몸소 그 집을 찾아가서 인사를 드렸다. 그런데 이 양
반은 가난하여 해마다 관청의 환곡(還穀)을 꾸어다 먹었다. 그 빚을 갚지 못하고 해
마다 쌓여서 천 섬에 이르렀다. 「」: 경제적인 능력을 잃은 당시 양반층의 모습을 반영함.

「강원도 감사가 정선 고을을 돌아보다가 환곡 장부를 조사하고 크게 노하였다.
「」: '감사'가 환곡을 꾸어다 먹고 갚지 않은 '양반'을 벌주려 함.

"어떤 놈의 양반이 나라의

곡식을 축냈단 말이냐?"

감사는 그 양반을 잡아 가

두라고 명했다. 군수는 그 양
군수가 '감사'의 명을 따르지 않음. 문제 1-④

반이 가난해서 빚을 갚지 못

하는 것을 딱하게 여겨 차마

가두지는 못하였다. 그러나

군수도 양반의 빚을 해결할

방법은 없었다.

ⓑ양반은 빚을 갚을 길이
무능한 '양반'의 모습을 과장하여 풍자함. 문제 3-②

없어서 밤낮으로 울기만 하였

다. 그의 아내가 양반을 몰아붙였다.

ⓒ"당신은 평소에 글 읽기만 좋아하더니, 환곡을 갚는 데는 전혀 도움이 안 되는
'아내'의 말을 통해 '양반'의 무능력함을 비판함.

구려. 쯧쯧, 양반이라니……, 한 푼어치도 안 되는 그놈의 양반!"
▶양반이 환곡을 갚지 못해 곤경에 빠짐.

그때 그 마을에 사는 부자가 그 양반의 소문을 듣고 가족과 의논하였다.
조선 후기에 등장한 부유한 평민층

"양반은 아무리 가난해도 늘 귀한 대접을 받고, 우리는 아무리 잘살아도 항상 천
'부자'가 양반 신분을 사 귀한 대접을 받으려 함. 문제 2-④

한 대접을 받는다. 양반이 아니므로 말이 있어도 말을 타지 못한다. ⓓ또한 양반
「」: '부자'가 평민 신분으로 인해 양반층으로부터 겪은 수모를 나열함.

만 보면 굽실거리며 제대로 숨소리도 내지 못하고, 뜰아래 엎드려 절해야 하고,

코를 땅에 박고 무릎으로 기어가야 한다.」 우리 신세가 가엾지 않느냐? 지금 저
「」: 설의적 표현으로 자신의 처지를 한탄함.

양반이 환곡을 갚지 못해서 아주 난처하다고 한다. 그 형편으로는 도저히 양반

의 신분을 지키지 못할 것이다. 그러니 우리가 그의 양반을 사서 양반 신분으로
신분을 사고팔 조선 후기의 상황이 반영됨.

살아 보자."

부자는 곧 양반을 찾아가 환곡을 대신 갚아 주겠다고 청하였다. 양반은 크게 기
부자가 '양반'의 환곡을 갚아 주겠다고 직접 찾아감.

뻐하며 승낙하였다. 부자는 즉시 관청에 가서, 양반 대신 환곡을 갚았다.

군수는 양반이 천 섬이나 되는 환곡을 모두 갚자 몹시 놀랐다. 군수는 환곡을 갚

게 된 사정을 알아보려고 양반을 찾아갔다. ⓔ그런데 뜻밖에 양반이 벙거지에 잠

방이를 입고, 길에 엎드려 '소인(小人), 소인.' 하며 자신을 낮추지 않는가? 그뿐만

아니라 양반은 감히 군수를 쳐다보지도 못하였다.」
「」: '양반'의 옷차림새와 스스로를 낮추는 행동을 통해 평민으로 신분이 변화하였음을 드러냄. 문제 4-⑤
▶부자가 양반의 환곡을 대신 갚아 주고 양반 신분을 삼.

---

1 '군수'는 '감사'가 '양반'을 잡아 가두라고
명하였음에도, '양반'이 가난하여 빚을
갚지 못하는 것을 딱하게 여겨 가두지 못
했다.

　오답 풀이 ▶ ① '아내'는 남편인 '양반'이 경제적
으로 무능하고 비생산적인 글 읽기만 좋아한 것
을 비판했다.

② '부자'가 양반 신분을 얻기 위해, 직접 '양반'
을 찾아가 환곡을 갚아 주겠다고 말했다.

⑤ '부자'는 평소 평민으로서 천대받는 것을 서
럽게 여기고, 양반 신분이 갖는 특혜를 누리고
싶었기 때문에 '양반'의 환곡을 갚아 주고 양반
신분을 샀다.

2 '부자'는 가족에게 "양반은 아무리 가난
해도 늘 귀한 대접을 받고, 우리는 아무
리 잘살아도 항상 천한 대접을 받는다."
라고 말하며, 양반의 신분을 사자고 제안
하였다. 이를 통해 '부자'가 양반 신분을
사 귀한 대접을 받고 싶어 했음을 알 수
있다.

3 ⓑ에서 서술자는 빚을 갚을 해결책을 찾
지 못하는 '양반'의 모습을 '밤낮으로 울
기만 하였다.'라고 과장하여 표현함으로
써, '양반'의 무능함을 풍자하고 있다.

　오답 풀이 ▶ ① '이 양반은 어질고 글 읽기를 좋
아하여'라고, 서술자가 인물의 성격을 직접 제
시하고 있다.

④ "우리 신세가 가엾지 않느냐?"라는 설의적
표현을 활용해, '부자'가 평민 신분으로서 겪은
수모와 부당함을 강조하고 있다.

⑤ '양반'이 평민의 옷차림새를 하고 길에 엎드
려 군수에게 스스로를 소인이라 칭하는 행동을
통해 '양반'의 신분이 평민으로 변화하였음을
알 수 있다.

4 '양반'이 '군수' 앞에서 자신을 낮추는 행
동을 한 이유는 자신의 신분이 평민으로
변화하여 양반인 '군수' 앞에서 예의를
갖추어야 했기 때문이다. 또한 '부자'가
가족에게 한 말을 볼 때, 양반층은 가난
해도 여전히 귀한 대접을 받았음을 알 수
있다.

5 ①　　　　**6** ⑤　　　　**7** ⑤　　　　**8** ⓐ 양반　ⓑ 도둑놈　ⓒ 증서

어휘 다지기　**1** (1) ⓒ　(2) ⓛ　(3) ㄱ　(4) ㄹ　　**2** (1) 어질다　(2) 가엾다　(3) 맹랑하다　　**3** 첫 번째 증
서: ㄱ, ⓒ　두 번째 증서: ⓛ, ㄹ

군수는 관청으로 돌아와서, 부자를 높은 자리에 앉히고, 양반을 낮은 자리에 세
　　　　공간적 배경　　　　　　　　　　　　　신분을 사고팔아 '부자'와 '양반'의 신분이 바뀌었기 때문에
워 두고는 다음과 같이 ㉠증서를 작성하였다.
　　　　　㉠, ㉡의 공통점: 양반의 모습을 과장하여 드러내 양반을 풍자함. **문제 7** **문제 8**

　건륭(乾隆) 10년(1745년, 영조 21년) 9월에 이 증서를 만드노라.
　　　　　　　　　　　　　　첫 번째 양반 매매 증서
　이 문서는 천 섬으로 양반을 사고팔아서 환곡을 갚은 것을 증명한다. 〈중략〉
　「막걸리를 들이켠 다음 수염을 쭉 빨지 말고, 담배를 피울 때는 볼이 움푹 패도록
「 」: 양반이 지켜야 할 행동을 나열함. → 겉치레에 얽매여 있는 양반의 부정적인 모습을 반영함. **문제 7-⑤**
빨지 말아야 한다. / 화가 난다고 아내를 때리지 말고, 그릇을 내던지지 말고, 아이
들에게 주먹질을 하지 말고, 죽으라고 종놈을 야단치지 말아야 한다. 소와 말을 꾸
짖되 그것을 판 주인까지 싸잡아 욕하지 말고, 아파도 무당을 부르지 말고, 제사 지
　　　　　　　　　　　　　　　　　　　　　　　　유교 사상을 중시하는 당시 사회상이 드러남.
낼 때 중을 부르지 말고, 추워도 화로에 곁불을 쬐지 말고, 말할 때 입에서 침을 튀
기지 말고, 소 잡는 일을 하지 말고, 돈으로 노름을 하지 말아야 한다.」
　이러한 사항을 어기면, 이 증서를 토대로 관청에서 양반의 옳고 그름을 따질 것이다.
　　　　　　양반이 지켜야 할 규범을 어길 경우 양반 신분을 빼앗을 수 있음을 의미함.
　정선 군수가 서명하고, 좌수(座首)와 별감(別監)이 증인으로서 서명함.

　이에 관청의 하인(下人)이 탁탁 도장을 찍는데, 그 소리는 마치 북을 치는 것 같
고, 찍어 놓은 모양은 하늘에 별이 펼쳐진 것 같았다. / 호장(戶長)이 증서를 다 읽
　　　　　여러 개의 도장을 찍는 모습에서 위엄과 위압감이 느껴짐을 표현함.
고 나자, 부자는 어처구니가 없어서 한참이나 멍하니 있다가 말하였다.
　　　　　　　의무 사항만 있고 이익이 될 만한 부분이 없기 때문에
　"양반이라는 게 겨우 요것뿐입니까? 저는 양반이 신선 같다고 들었는데, 정말
「 」: 첫 번째 증서를 받고, 그 내용에 실망한 '부자'가 수정을 요구함.　　증서를 받기 전, 양반에 대한 '부자'의 인식: 긍정적
이렇다면 너무 재미가 없는걸요. 원하옵건대 제게 이익이 되도록 문서를 고쳐
　　　　　　　　　　　　　　　　양반 신분을 통해 이익을 얻으려는 '부자'의 의도가 드러남.
주십시오."
　그래서 ㉡증서를 다시 작성하였다.　　　　　　▶부자가 첫 번째 양반 매매 증서의 내용에 실망함.
　　　　두 번째 양반 매매 증서

　하늘이 백성을 낳을 때 넷으로 구분하였다. 네 가지 백성 가운데 가장 높은 것이
사농공상: 옛날에 백성을 나누던 네 가지 계급으로 선비·농부·공장·상인을 이름.
선비이니, 이것이 곧 양반이다. 양반의 이익은 막대하다. 농사도 짓지 않고 장사도
　　　　　　　　　　　　　　　양반의 특권을 다룸.　　무위도식하며 비생산적인 양반의 모습
하지 않는다. 글만 대충 읽어도 크게 되면 문과(文科)에 급제하고, 작아도 진사(進
士)가 된다. 〈중략〉
　「언제나 종들이 양산을 받쳐 주므로 귀밑이 희어지고, 설렁줄만 당기면 종들이
「 」: 신분의 우위를 이용해 게으르고 사치스러운 생활을 하는 양반의 부정적인 모습
'예이.' 하므로 뱃살이 처진다. 방에서는 귀이로 치장한 기생과 노닥거리고, 뜰에
서는 남아도는 곡식으로 학(鶴)을 기른다.」
　　곡식을 사치스럽게 쓰는 양반의 모습 **문제 6-⑤**
　「벼슬을 아니 하고 시골에 살더라도 모든 일을 제멋대로 할 수 있다. 강제로
「 」: 신분을 이용해 다른 계층에게 횡포를 부리는 양반의 부정적인 모습
이웃의 소를 끌어다 먼저 자기 땅을 갈고, 마을의 일꾼을 잡아다 먼저 자기 논의 김
을 맨들, 누가 감히 나에게 대들겠느냐? 네놈들 코에 잿물을 들이붓고, 머리꼬덩이
를 잡아 휘휘 돌리고, 귀밑 수염을 다 뽑아도 누가 감히 나를 원망하겠느냐?」

　부자는 증서 내용을 듣고 있다가 혀를 내둘렀다.
　"그만두시오, 그만두시오. 참으로 맹랑하구먼. 나를 도둑놈으로 만들 작정입니까?"
　　　증서를 받고 난 뒤, 양반에 대한 '부자'의 인식: 부정적
　부자는 머리를 흔들면서 떠나 버렸다. 그러고는 죽을 때까지 다시는 양반이 되
고 싶다는 말을 입에 올리지 않았다.
두 번째 증서를 받고 양반이 되기를 포기하는 '부자' → 상황을 반전시켜 이야기를 마무리함. **문제 5-①**
　　　　　　　　　　　　　　▶부자가 두 번째 양반 매매 증서를 보고, 양반이 되기를 포기함.

5 부자가 양반 신분을 샀다가 양반이 되기
를 포기하는 상황으로, 사건을 반전시키
며 이야기를 마무리하고 있다.

오답 풀이　②, ⑤ 이 글에는 관청이라는 한 공
간에서 시간의 흐름에 따라 양반 매매 증서를
작성하는 사건이 나타난다.
④ 증서라는 소재를 활용하여 양반층의 부정적
인 모습을 나열하고 있을 뿐, '부자'의 체험을 나
열하는 것은 아니다.

6 두 번째 증서에서 양반은 '남아도는 곡식
으로 학을 기른다.'고 하였다. 곡식이 남
으면 굶주리는 사람들에게 나누어 준다
는 내용은 증서에 나타나 있지 않다.

오답 풀이　①, ③, ④ 두 번째 증서에 나타난
내용이다. ② 첫 번째 증서에 나타난 내용이다.

7 ㉠, ㉡ 모두 양반층의 부정적인 모습을
강조하여 양반층을 비판하는 기능을 한
다. ㉠은 체면과 형식에 얽매여 있는 양
반층의 부정적인 모습을, ㉡은 신분의 특
권을 남용하고 다른 계층을 괴롭히는 양
반층의 부정적인 모습을 다루고 있다.

8 이 글에서 주로 풍자하는 대상은 양반이
다. 작가는 글의 마지막 부분에서 '부자'
의 말을 빌려 양반을 '도둑놈'이라 표현
하고, 증서에서 양반의 부정적인 모습을
과장하고 우스꽝스럽게 그림으로써 양반
을 풍자하고 있다.

어휘 다지기　　　　　　　　　　　본문 133쪽

3 첫 번째 증서에서는 양반들이 지나치
게 체면을 중시하고 겉치레에 얽매여
있는 모습을 다루고 있다. 이와 어울
리는 한자 성어는 ㉠, ㉢이다. 두 번째
증서에서는 양반이 신분상의 특권을
이용해 일은 하지 않은 채 게으르고
사치스럽게 생활하며, 백성들을 괴롭
히는 모습을 다루고 있다. 이와 어울
리는 한자 성어는 ㉡, ㉣이다.

원리

01 [수필] 작품의 내용 파악하기

바로 확인
본문 139쪽

1 ①　　　　**2** ②

성석제, 〈어느 날 자전거가 내 삶 속으로 들어왔다〉

- **해제**　이 작품은 글쓴이가 자전거 타는 방법을 배운 경험을 제재로 하는 현대 수필이다. 글쓴이는 운동장에서 실패를 거듭하다가 내리막길을 내려오면서 자전거 타는 법을 익히게 되는데, 이에 따른 글쓴이의 심리 변화가 진솔히 드러나 있다. 또한 '경험–깨달음'의 구조를 통해 경험과 관련하여 글쓴이가 깨닫게 된 세상의 이치가 구체적으로 제시되어 있다.

- **주제**　자전거 타기를 배우며 깨닫게 된 세상의 이치

● 수필 감상 원리 01로 작품 분석

✔ **제재**　'나'가 혼자서 수많은 실패를 거듭하면서 노력한 끝에 자전거 타기에 성공한 경험

✔ **글쓴이의 생각**　자전거 타기처럼 세상의 모든 일은 일단 시작하면 그만둘 수 없고, 노력해도 잘 안되면 본능에 맡겨야 함.

1 '나'가 혼자서 자전거 타는 방법을 익힌 것은 맞지만, 같은 식의 시행착오가 수백 번 거듭되었다는 내용으로 보아, '나'는 힘겹게 자전거 타는 방법을 익혔음을 알 수 있다.

오답 풀이 ▶ ② '나'는 큰집에서 아버지의 자전거보다 더 무겁고 짐받이가 큰 농업용 자전거를 빌려 와 자전거 타기를 연습하였다.
③ '나'는 자전거를 배우자면 꼭 거쳐야 하는, 꼬라박기에 창피함을 느끼고 사람이 없는 운동장으로 가 혼자 자전거를 연습하였다.

2 '나'는 자전거 타기를 배우면서 일단 시작한 일은 중간에 그만두어서는 안 되고, 노력해도 잘되지 않을 때에는 본능에 맡겨야 한다는 점을 깨달았다.

자료 ＋　경수필과 중수필

	경수필	중수필
개념	생활 주변에서 일어나는 사소한 일을 소재로 가볍게 쓴 수필.	철학적이거나 사회적인 사색을 논리적, 객관적으로 쓴 수필.
성격	고백적, 개성적, 주관적	논리적, 이성적, 객관적
특징	• 가볍고 부드러운 느낌의 문장을 사용함. • 대체로 '나'가 겉으로 드러남.	• 무겁고 딱딱한 느낌의 문장을 사용함. • 대체로 '나'가 잘 드러나지 않음.

02 [수필] 글쓴이의 개성 파악하기

바로 확인
본문 141쪽

1 네모난 수박, 인위적인 삶, 인간다움　　**2** ①

정호승, 〈네모난 수박〉

- **해제**　이 작품은 네모난 틀에 넣고 억지로 길러 낸 '네모난 수박'을 제재로 하여 인간의 삶을 성찰하고 있는 현대 수필이다. 글쓴이는 '네모난 수박'을 통해 본성을 억압하는 인위적 형태의 삶을 비판적으로 바라보고 있다. 그러나 '네모난 수박'이 수박으로서의 고유한 맛과 향기를 잃지 않은 것처럼, 현대인도 인간다움을 잃지 않아야 한다는 깨달음을 유추의 방식으로 드러내고 있다.

- **주제**　인간다움을 잃지 않고 사는 삶의 중요성

● 수필 감상 원리 02로 작품 분석

✔ **글쓴이의 관점과 태도**　자연적 형태의 삶을 긍정적으로 인식하고, 인위적 형태의 삶을 부정적으로 인식함. 현대인이 인간다움을 잃지 않는 삶을 살기를 바람.

✔ **표현상 특징**　• '둥근 수박'으로 '자연적 형태의 삶'을, '네모난 수박'으로 '인위적 형태'의 삶을 나타냄.(상징)
• '네모난 수박'과 현대인의 유사한 속성을 근거로 하여 글쓴이의 생각을 드러냄.(유추)

1 글쓴이는 '둥근 수박'과 같은 예전의 자연적 형태의 삶과는 다르게, '네모난 수박'과 같이 외형을 중시하는 오늘날의 인위적 형태의 삶을 비판하고 있다. 그러나 네모난 수박이 수박으로서의 맛과 향기를 잃지 않았듯 현대인들도 인간으로서의 '맛과 향기' 즉 인간다움을 잃어서는 안 된다고 말하고 있다.

2 어릴 때 어머니가 우물 속에 넣어 둔 수박을 건져 주었다는 내용이 나오지만, 이를 통해 고향에 대한 그리움을 표현하고 있지는 않다.

오답 풀이 ▶ ② 인위적인 형태의 '네모난 수박'과 자연적인 형태의 '둥근 수박'을 중심으로 주제를 드러낸다.
③ '네모난 수박'과 현대인의 삶이 인위적이라는 유사한 속성을 통해 '네모난 수박'이 수박으로서 맛과 향기만을 잃지 않았듯이, 현대인도 인간으로서의 맛과 향기만을 잃어서는 안 된다는 생각을 드러내고 있다.

자료 ＋　수필의 형식 요소

- **표현 방법:** 글의 주제를 효과적으로 드러내기 위해 쓰인 상징, 수사법 등
- **구성:** 글의 내용을 일정한 원리에 따라 배열한 순서
- **문체:** 글쓴이의 개성이 드러나는 문장 표현

01 [극] 작품의 내용 파악하기

바로 확인   본문 143쪽

1 ①   **2** ②

이영재, 〈내 마음의 풍금〉

- **해제** 이 작품은 하근찬의 현대 소설 〈여제자〉를 제목을 바꾸어 각색한 시나리오이다. 1960년대 시골을 배경으로, 17세의 나이로 늦게 국민학교(지금의 초등학교)에 입학한 '홍연'이 젊은 남교사인 '수하'를 짝사랑하는 과정을 서정적으로 그려 내고 있다. 소박한 소품과 함축적인 대사를 활용하여 홍연의 순수한 마음을 부각하고 있다.

- **주제** 첫사랑의 순수한 설렘과 애틋한 마음

● 극 감상 원리 **01**로 작품 분석

✓ **인물, 사건, 배경**
- **주요 인물:** 홍연, 홍연 엄마
- **사건:** 홍연 엄마가 소풍 때 선생님께 드릴 점심 도시락을 준비함.
- **배경:** 홍연네 안방, 소풍 당일 이른 아침

✓ **갈등 양상** 김밥을 집어 먹는 동생들을 말리는 홍연을 엄마가 못마땅해함.(갈등 발생) → 홍연이 닭을 잡자고 말하자, 엄마가 홍연을 확 밀치며 크게 화를 냄.(갈등의 심화)

1 음식을 배낭에 넣고 새로 산 운동화를 이리저리 살피는 홍연의 행동에서 소풍 때문에 들뜬 심리가 드러난다.

> **오답 풀이** ②, ③ 홍연은 동생들이 김밥을 먹는 것을 말렸고, 홍연 엄마는 이를 못마땅하게 쳐다보았다.

2 홍연이 선생님의 점심 도시락으로 닭 한 마리를 잡자고 말하자, 홍연 엄마는 크게 화를 낸다. 이어지는 말을 보아 홍연 엄마는 소풍 도시락으로 닭은 지나치다고 생각하고 있을 뿐, 홍연 엄마와 선생님의 관계가 좋지 않다는 것은 이 글에서 알 수 없는 내용이다.

> **자료 +**   **시나리오의 형식적 요소**
>
> 시나리오는 '장면'을 기본 단위로 구성된다. 장면은 같은 장소와 같은 시간에서 동일한 인물들이 일으키는 상황이나 사건을 의미하며, 장면 번호(S#)로 나타낸다. 이 외에 희곡과 마찬가지로 인물의 행동이나 심리, 조명, 음향 효과 등을 설명하는 '지시문', 인물이 하는 말인 '대사' 등이 쓰인다.
>
> ↗장면 번호
> **S# 102. 홍연네 안방/이른 아침** ↘시간적·공간적 배경
> ↗지시문
> 앞다투어 자투리 김밥에 손을 대는 고사리손.
> ↗지시문   ↗대사
> 홍연: (동생들의 손목을 치는) 그만들 좀 먹어라! 도시락 쌀 게 없잖아.

---

02 [극] 형상화 방식 파악하기

바로 확인   본문 145쪽

1 ①   **2** ②

민예지·김태희, 〈슴슴한 그대–5화〉

- **해제** 이 작품은 고등학생인 성태가 진로를 찾아가는 과정을 그린 드라마 시나리오이다. 주인공 성태가 할머니의 요리 비법이 담긴 공책을 접한 뒤, 요리에 흥미를 느끼고 할머니의 식당을 잇겠다고 다짐하는 과정이 드러나 있다. 성태가 느끼는 내적 갈등과 그 해소 과정을 소품과 배우의 연기를 통해 생생하게 형상화하고 있다.

- **주제** 진로를 찾아가는 과정을 통한 성장

● 극 감상 원리 **02**로 작품 분석

✓ **형상화 방식**
- **소품:** 성태가 만든 온반, 가게 문에 붙은 '임시 휴업' 종이, 꼬깃꼬깃해진 '진로 계획서'
- **배우의 연기:** S# 19에서 가족들이 성태가 만든 온반을 맛있게 먹는 모습, S# 20에서 성태가 가게 문에 붙은 '임시 휴업' 종이를 떼는 모습, S# 21에서 꼬깃꼬깃해진 진로 계획서에 '가업 승계'라고 글자를 적는 성태의 행동을 배우의 연기로 보여 줌.

✓ **형상화 방식의 효과** S# 19에서 배우의 연기를 통해 가족들이 성태의 음식 솜씨를 인정한 모습을 보여 줌. S# 20~S# 21에서 소품과 배우의 연기를 통해 오랜 고민 끝에 할머니의 식당을 잇기로 결심한 성태의 의지를 분명하게 드러냄.

1 'S# 19'에서 할머니는 처음부터 성태가 만든 온반을 맛있게 드셨지만, 엄마와 아빠는 그 모습을 못 미더운 듯 바라보며 성태가 만든 음식에 의구심을 드러냈다.

> **오답 풀이** ② '임시 휴업'이라 쓰인 종이를 떼는 성태의 행동을 통해 가업을 잇겠다고 결심한 성태의 심리가 나타나므로, 성태 역의 배우는 확신을 가지고 연기해야 한다.
> ③ 꼬깃꼬깃해진 진로 계획서는 그동안 성태가 진로 때문에 오래 고민했음을 드러내는 소품이므로, 극 중 상황에 알맞게 준비되어야 한다.

2 C.U.(클로즈업)은 인물이나 대상의 특정 부분을 확대하여 촬영하는 방법인데, ⓒ은 인물들의 연속된 동작이 나타나므로 클로즈업의 촬영 기법을 활용하기에 적절하지 않다.

> **오답 풀이** ① ㉠은 아빠의 이마에 맺힌 땀을 드러내야 하므로 클로즈업을 활용하기에 적절하다.
> ③ ㉢은 성태가 쓴 '가업 승계'라는 글자를 확대해야 하므로, 클로즈업을 활용하기에 적절하다.

01 나의 모국어는 침묵

본문 146~147쪽

1 ①　　**2** ③　　**3** ⑤　　**4** ④

[어휘] 다지기　**1** (1) 전통 (2) 침묵 (3) 모국어　**2** (1) ① (2) ②　**3** (1) 역설 (2) 성찰적 (3) 인용

가 한국을 떠나 미국의 애리조나주 투손시의 인디언 축제에 참가했을 때의 일이
다. 인디언 천막 안에서 인디언 노인들과 흥미 있는 대화를 주고받으리라 기대했
_{글쓴이의 경험 ① - 인디언들이 글쓴이에게 아무런 반응을 보이지 않음.}
_{인디언 축제에 참가한 글쓴이가 기대한 내용}
던 나는 아주 뜻밖의 일을 경험했다. 천막 안으로 들어가 그들과 마주 앉자마자, 나
_{인디언과의 만남이 글쓴이의 기대와 달랐음. [문제 2·3]}
는 내 소개를 하기 시작했다. '나는 글을 쓰는 작가이며, 인디언 세계에 무척 관심이
_{「」: 글쓴이의 특성 - 작가이며, 인디언 문화에 관심이 많음.}
많고, 잘 부탁한다는 말까지 잊지 않았다. 인디언들의 철학과 역사를 많이 알고 있
다는 것도 넌지시 내비쳤다.」

　그런데 그들은 아무런 반응도 보이지 않았다. 다만 허리를 꼿꼿이 세우고 묵묵
히 앉아 있을 뿐이었다.
_{침묵으로 응대하는 인디언들}
▶ '나'는 인디언 축제에서 인디언들에게 침묵의 응대를 받음.

나 훗날에야 나는 그것이 인디언 부족들의 전통인 것을 알았다. 누군가를 만나면
_{인디언들의 침묵의 응대}
그들은 대화를 시작하기 전에 그렇게 한동안 침묵으로 상대방을 느끼는 것이다.
자기 앞에 있는 존재를 가장 잘 느끼는 방법은 말을 통한 것이 아니라 침묵을 통한
_{글쓴이의 깨달음 ① - 인디언들에게는 침묵이 가장 훌륭한 의사소통 방식임. [문제 3·⑤]}
것임을 그들은 깨닫고 있었다.
▶ 침묵이 인디언 부족의 전통임을 깨달음.

다 그 후 미국에서 돌아와 나는 누군가를 만날 때마다 인디언들 흉내를 내곤 했
다. 상대방의 존재를 느낀답시고 입을 다물고 오 분이고 십 분이고 앉아 있었다. 그
_{글쓴이의 경험 ② - 인디언들을 흉내 내 대화하기 전에 침묵함.}
결과, 아주 괴팍하고 거만한 사람이라는 평을 듣게 되었다. 침묵은 흉내가 아니라
_{인디언들을 흉내 내는 글쓴이에 대한 사람들의 평가}
존재의 평화로움에서 저절로 나오는 것임을 미처 몰랐다.
_{글쓴이의 깨달음 ② - 침묵은 존재의 평화로움에서 저절로 나오는 것임.}
▶ 인디언의 침묵을 흉내 내다가 괴팍하고 거만한 사람이란 평을 들음.

라 몇 번의 여행을 인디언들과 함께하면서 「나는 그들에게서 두 개의 인디언식 이
_{「」: 글쓴이의 경험 ③ - 인디언들에게 '너무 많이 말해'라는 이름을 얻음}
름을 얻었다. 그중의 하나가 '너무 많이 말해'였다.」 내가 뭘 얼마나 떠들었기에 그
_{인디언식 이름에서 드러난 글쓴이 특성 - 말을 많이 함.}
런 식으로 나를 부르는가 따지고 싶었지만, 그랬다가는 '너무 많이 따져'라는 이름
을 또 얻게 될까 봐 그럴 수도 없는 노릇이었다. 「」: 자신의 인디언식 이름에 대한 글쓴이의 솔직한 반응

　그렇다. 고백하지만, 나는 그들의 침묵에는 턱없이 모자랐고, 그들의 말에는 더
_{글쓴이의 깨달음 - 자신의 언어생활을 고백하고 성찰함.}
없이 넘쳐 났다. 나는 이 생에서 쓸데없는 말을 너무 많이 하며 살고 있지 않은가?
▶ 인디언들을 통해 자신의 언어생활을 돌아봄.

마 라코타족 인디언인 '서 있는 곰'은 말한다.
_{미국 인디언 부족의 하나로, '라코타'는 그들 부족의 언어로 '친구', '동맹자' 등을 의미함.}
"침묵은 라코타족에게 의미 깊은 것이었다. 라코타족은 대화를 시작할 때, 잠시
침묵하는 것을 진정한 예의로 알고 있었다. '말 이전에 침묵이 먼저'라는 것을 알
_{말하는 것보다 침묵하는 것을 더 중요하게 생각하는 인디언들}
았던 것이다. 슬픈 일이 닥쳤거나 누가 병에 걸렸거나, 또는 누가 죽었을 때, 나
의 부족은 먼저 침묵하는 것을 잊지 않았다. 어떤 불행 속에서도 침묵하는 마음
을 잃지 않았다."

　인디언들은 여러 부족으로 이루어져 있고, 부족마다 언어도 매우 다르다. 「그래
서 나는 인디언을 만나면 그들의 부족 언어를 묻곤 했다.」 「」: 글쓴이의 경험 ④ - 인디언들에게 부족 언
_{어를 묻고 모국어가 침묵이라는 답을 들음.}
_{[문제 1·①] → 대화를 인용하여 여운을 줌.}
　"당신의 모국어는 무엇입니까?" / 그러면 그들은 이렇게 답하곤 했다.

　"㉠우리의 모국어는 침묵입니다."
▶ 인디언들에게 침묵이 지닌 의미를 되새김.
_{역설 표현: 상대방을 이해하는 방법으로써 침묵의 중요성을 강조함. [문제 4]}

1 (마)에서 '인디언들은 … 부족마다 언어
도 매우 다르다.'고 하였으나, 이는 글쓴
이가 인디언에게 부족 언어를 묻는 이유
에 해당한다. 글쓴이가 인디언 부족의 언
어를 배운 경험은 나타나 있지 않다.

2 (가)에서 침묵의 응대를 받은 경험을 '뜻
밖의 일'로 표현하고, (나)에서 훗날에야
침묵이 인디언 부족의 전통임을 알았다
고 한 것으로 보아 글쓴이가 처음부터 인
디언들의 침묵에 긍정적으로 반응한 것
은 아니다.

3 글쓴이는 인디언의 전통을 통해 침묵이
상대방을 가장 잘 느낄 수 있는 방법임을
깨닫고, 이를 실천하려고 했다.

[오답 풀이] ② 글쓴이는 인디언을 흉내 내다가
거만하고 괴팍한 사람이라는 평을 들었고, 침묵
이 흉내에서 나오는 것이 아님을 깨달았다.

4 ㉠은 의사소통을 위한 수단인 '모국어'를
말이 없는 상태인 '침묵'이라고 하여, 모
순되게 표현한 역설법이 쓰였다. ④는 임
을 잊지 못하는 마음을 '잊었노라'라고
반대로 표현한 반어법이 쓰였다.

[오답 풀이] ① '떠들썩하게 기세를 올려 지르
는 소리'인 아우성을 소리가 없다고 모순되게
표현한 역설법이 쓰였다.
② '곱다'와 '서럽다'라는 상반된 말이 결합된 역
설법이 쓰였다.
③ 임이 떠나갔지만, 임을 보내지 않았다고 모
순되게 표현한 역설법이 쓰였다.
⑤ '찬란하다'와 '슬픔'이라는 상반된 말이 결합
된 역설법이 쓰였다.

 어휘 다지기

본문 149쪽

2 (1) '넌지시'는 '드러나지 않게 가만히.'
라는 뜻으로, '아무렇게나 함부로.'라는
뜻의 '마구'와 바꾸어 쓸 수 없다.
(2) '괴팍하다'는 '붙임성이 없이 까다
롭고 별나다.'라는 뜻으로, '성질이 싹
싹하고 부드럽다.'라는 뜻의 '상냥하
다'와 바꾸어 쓸 수 없다.

02 실수

본문 150~151쪽

1 ② **2** ・삶에 신선한 충격과 행복을 줌.(깊고 그윽한 기쁨을 안겨 줌.) ・삶에 의외의 수확이나 즐거움을 가져다줌.(다른 사람에게 추억을 떠올리게 함.) **3** ⑤ **4** ②

어휘 다지기 **1** (1) 악의 (2) 문안 (3) 십상 (4) 여백 **2** (1) 용납되는 (2) 의례적
3 (1) ① (2) ② **4** (1) 해몽 (2) 우물가, 숭늉

㉮ 옛날 중국의 곽휘원이란 사람이 떨어져 살고 있는 아내에게 편지를 보냈는데, 그 편지를 받은 아내의 답 시는 이러했다.
_{받은 편지에 대한 답장으로 보낸 시}

> 벽사창에 기대어 당신의 글월을 받으니
> 처음부터 끝까지 흰 종이뿐이옵니다.
> _{실수로 편지 대신에 흰 종이를 넣음.}
> 「아마도 당신께서 이 몸을 그리워하심이
> 「」: 흰 종이를 말로 표현하지 못할 정도로 아내를 그리워하고 있다는 뜻으로 이해함.
> 차라리 말 아니 하려는 뜻임을 전하고자 하신 듯하여이다.」

이 답 시를 받고 어리둥절해진 곽휘원이 그제야 주위를 둘러보니, 아내에게 쓴 의례적인 문안 편지는 책상 위에 그대로 있는 게 아닌가. 아마도 그 옆에 있던 흰 종이를 편지인 줄 알고 잘못 넣어 보낸 것인 듯했다. 백지로 된 편지를 전해 받은 아
_{곽휘원의 실수}
내는 처음엔 무슨 영문인가 싶었지만, 꿈보다 해몽이 좋다고 자신에 대한 그리움
_{속담 사용}
이 말로 다할 수 없음에 대한 고백으로 그 여백을 읽어 내었다. 남편의 실수가 오히
_{곽휘원의 실수를 아내가 더욱 좋게 해석함.}
려 아내에게 깊고 그윽한 기쁨을 안겨 준 것이다. 이렇게 실수는 때로 삶을 신선한
_{곽휘원의 실수가 불러온 결과} _{실수의 긍정적인 효과 문제2}
충격과 행복한 오해로 이끌곤 한다.
▶ 문안 편지 대신에 흰 종이를 보내 아내에게 기쁨을 준 곽휘원의 실수

㉯ 절에서 빗을 찾은 나의 엉뚱함도 우물가에서 숭늉 찾는 격이려니와, 빗이라는
_{'나'의 실수: 노스님에게 빗을 빌려 달라고 함.} _{속담 사용}
말 한마디에 그토록 당황하고 어리둥절해하던 노스님의 표정이 자꾸 생각나서였
다. 그러나 그 순간 나는 보았다. 「시간을 거슬러 올라가 검은 머리칼이 있던, 빗을
「」: '나'의 실수가 불러온 결과 – 노스님에게 과거의 기억을 떠올리게 함.
썼던 그 까마득한 시절을 더듬고 있는 그분의 눈빛을. 이십 년 또는 삼십 년, 마치
물길을 거슬러 올라가는 연어 떼처럼 참으로 오랜 시간이 그 눈빛 위로 스쳐 지나
_{노스님이 속세에서의 시간을 추억하는 모습을 비유적으로 나타냄.(직유법)}
가는 듯했다.」〈중략〉

이처럼 악의가 섞이지 않은 실수는 봐줄 만한 구석이 있다. 그래서인지 내가 번
번이 저지르는 실수는 나를 곤경에 빠뜨리거나 어떤 관계를 불화로 이끌기보다는
의외의 수확이나 즐거움을 가져다줄 때가 많았다. 겉으로는 비교적 차분하고 꼼꼼
_{실수의 긍정적인 효과 문제2}
해 보이는 인상이어서 나에게 긴장을 하던 상대방도 이내 나의 모자란 구석을 발
견하고는 긴장을 푸는 때가 많았다. ▶ 노스님에게 빗을 빌려 달라고 한 글쓴이의 실수와 그에 대한 깨달음

㉰ 결국 ㉠실수는 삶과 정신의 여백에 해당한다. 「그 여백마저 없다면 이 각박한 세
_{실수에 대한 글쓴이의 생각: 삶과 정신에 여유를 줌. 문제4}
상에서 어떻게 숨을 돌리며 살 수 있겠는가. 그리고 발 빠르게 돌아가는 세상에 어
_{잠시 여유를 얻어 휴식을 취하다.} _{동작이나 대응 따위가 빠르다.}
떻게 휩쓸려 가지 않고 남아 있을 수 있겠는가.」어쩌면 사람을 키우는 것은 능력이
「」: 각박하고 빠르게 돌아가는 현대 사회에서는 실수가 필요함.
아니라 실수의 힘일지도 모른다.

그러나 날이 갈수록 실수가 용납되는 땅은 점점 좁아지고 있다. 사소한 실수조
차 짜증과 비난의 대상이 되기가 십상이다. 남의 실수를 웃으면서 눈감아 주거나
_{점점 더 실수가 용납되지 않는 상황을 부정적으로 생각함. 문제3}
그 실수가 나오는 내면의 풍경을 헤아려 주는 사람을 만나기도 어려워져 간다.
_{실수의 까닭을 먼저 헤아려 주는 사람} ▶ 글쓴이가 생각하는 현대 사회에서 실수의 의미

---

1 이 글은 실수와 관련된 일화를 제시하고 이를 바탕으로 하여 실수에 대한 글쓴이의 생각을 말하고 있다. 그러나 역순행적 구성은 나타나지 않는다.

〔오답 풀이〕 ・ ③ (다)에서 '그 여백마저 없다면 … 남아 있을 수 있겠는가.'와 같이 의문문의 형식을 통해 전하고자 하는 의미를 강조하였다.
④ (나)에서 기억을 떠올리는 노스님의 눈빛을 '물길을 거슬러 올라가는 연어 떼'에 비유하여 표현하였다.
⑤ 속담 '꿈보다 해몽이 좋다', '우물가에서 숭늉 찾는 격'을 활용하고, 관용구 '숨을 돌리다', '발 빠르다'를 활용하여 표현하였다.

2 (가)에서 곽휘원이 아내에게 문안 편지 대신에 흰 종이를 보낸 실수는 아내에게 뜻밖의 기쁨을 느끼게 하였고, (나)에서 '나'가 절에서 빗을 찾은 실수는 노스님에게 잊고 있던 추억을 떠올리게 하였다.

3 글쓴이는 남의 실수가 용납되지 않고 사소한 실수조차 짜증이나 비난의 대상이 되는 오늘날의 세태를 부정적으로 생각하고 있다. 그러나 오늘날의 사람들이 자신의 실수를 너그럽게 여긴다는 내용은 (다)에 나타나 있지 않다.

4 이어지는 내용에서 글쓴이는 실수를 통해 각박한 세상에서 숨을 돌리고 발 빠르게 돌아가는 세상에 휩쓸려 가지 않고 남아 있을 수 있다고 하였다. 이로 보아 ㉠은 실수가 삶과 정신에 여유를 준다는 의미임을 알 수 있다.

어휘 다지기

본문 153쪽

2 〔오답 풀이〕 ・ (1) '용서되다'는 '지은 죄나 잘못한 일로 인해 꾸짖음을 받거나 벌을 받지 아니하고 죄나 잘못이 덮이다.'를 의미한다.
(2) '의식적'은 '어떤 것을 인식하거나 자각하면서 일부러 하는 것.'을 의미한다.

3. 수필·극

1 ⑤	**2** ⑤	**3** ①	**4** ②

어휘 **다지기**　**1** (1) ② (2) ① (3) ③　　**2** ①　　**3** (1) 서까래 (2) 추녀　　**4** ②

행랑채가 퇴락하여 지탱할 수 없게끔 된 것이 세 칸이었다. 나는 마지못하여 이
□: 행랑채에서 얻은 깨달음을 사람, 나라의 정치로 확장함. 문제 2　　　　　행랑채 수리를 오랫동안 미뤄 왔음을 알 수 있음.
를 모두 수리하였다. 그런데 그중의 ㉠두 칸은 비가 샌 지 오래되었으나, 나는 그것
을 알면서도 이럴까 저럴까 망설이다가 손을 대지 않았던 것이고, ㉡나머지 한 칸
　　　　　　　제때 적절한 조치를 취하지 않음.
은 처음 비가 샐 때 서둘러 기와를 갈았던 것이다. 이번에 수리하려고 보니 비가 샌
　　　　　　　　　　　　　　　　　　　제때 적절한 조치를 취함.
지 오래된 것은 그 서까래, 추녀, 기둥, 들보가 모두 썩어서 못 쓰게 된 까닭으로 수
리비가 엄청나게 들었고, 한 번밖에 비가 새지 않았던 한 칸의 재목들은 온전하여
다시 쓸 수 있었기 때문에 그 비용이 많이 들지 않았다. ▶퇴락한 행랑채를 수리한 경험
「 」: 잘못을 알고도 방치한 경우에는 손해가 컸지만, 잘못을 바로 고친 경우에는 손해가 적었음. 문제 4-②
　　나는 이에 느낀 것이 있었다. 사람의 경우도 마찬가지라는 사실이다. 잘못을 알
고서도 바로 고치지 않으면 곧 그 자신이 나쁘게 되는 것이 마치 나무가 썩어서 못
「 」: 행랑채 수리 과정에서 얻은 깨달음을 '사람'에 적용함.
쓰게 되는 것과 같다. 잘못을 알고 고치기를 꺼리지 않으면 해(害)를 받지 않고 다
시 착한 사람이 될 수 있으니, 저 집의 재목처럼 말끔하게 다시 쓸 수 있는 것이다.
　　그뿐만 아니라 나라의 정치도 이와 같다. 백성을 좀먹는 무리들을 내버려 두었
「 」: 깨달음을 '나라의 정치'에 적용함.　　　　　탐관오리
다가는 백성들이 도탄에 빠지고 나라가 위태롭게 된다. 그런 뒤에 급히 바로잡으
려 해도 이미 썩어 버린 재목처럼 때는 늦은 것이다. 어찌 삼가지 않겠는가?
　　　　　　　　　　　늦기 전에 빨리 바로잡아야 함.
　　　　　　　　　　　설의법, 경계의 태도
　　　　　　　　　　　▶깨달음을 '나라의 정치'에 적용함.

1 '통념'은 일반적으로 널리 통하는 개념을
뜻하는데, 이 글에는 이러한 통념을 깨는
방식이 나타나지 않는다.

오답 풀이 ▶ ③ 첫 번째 문단에는 글쓴이의 경
험이 제시되어 있고, 두 번째 문단과 세 번째 문
단에는 글쓴이의 깨달음이 제시되어 있다.

2 A는 행랑채를 수리한 경험을 말하고 있
고, B는 잘못을 알았을 때에는 바로 고쳐
야 한다는 깨달음을 사람의 경우로 유추
하고 있으며, C는 그 깨달음을 정치에 적
용하여 부패한 정치를 개혁해야 한다는
주장을 드러내고 있다. 따라서 C는 B를
확장하여 유추한 결과이지 앞 내용을 반
복한 것이 아니다.

3 글쓴이는 행랑채를 수리한 경험을 바탕
으로 하여 사람이나 정치의 경우에도 잘
못을 알았을 때에는 바로 고쳐야 한다는
깨달음을 전달하고 있다.

4 ㉠은 비가 샌 지 오래되었기 때문에 재목
이 모두 썩어서 수리비가 많이 든 반면
에, ㉡은 비가 한 번밖에 새지 않았기 때
문에 재목들을 온전하게 다시 쓸 수 있어
서 수리비가 적게 들었다.

오답 풀이 ▶ ⑤ ㉠은 사람이 잘못을 알고서도
바로 고치지 않아 나쁘게 되는 것, 탐관오리를
내버려 두었다가 나라가 위태로워지는 것에 빗
대어 설명할 수 있다. 그리고 ㉡은 사람이 잘못
을 알고 바로 고쳐서 착한 사람이 되는 것, 탐관
오리의 잘못을 즉시 고쳐서 나라가 바로 서게
하는 것에 빗대어 설명할 수 있다.

어휘 다지기

본문 157쪽

2 '퇴락하다'는 '낡아서 무너지고 떨어지
다.'라는 의미이다.

4 밑줄 친 부분은 백성을 좀먹는 무리들
때문에 나라에 문제가 생긴 다음에 바
로잡으려 한다면 이미 늦다는 의미이
므로, 일이 이미 잘못된 뒤에는 손을
써도 소용이 없음을 비꼬는 말인 ②와
관련 깊다.

04 오아시스 세탁소 습격 사건

본문 158~159쪽

1 ② **2** ① **3** ③ **4** ①

앞부분의 줄거리　강태국은 아버지께 물려받은 오아시스 세탁소를 운영하고 있다. 아내 장민숙은 세탁소를 정리하자고 하지만, 강태국은 세탁 일이 사람의 마음을 깨끗하게 한다고 생각하며 자신의 직업에 자부심을 느끼고 있다. 그러던 어느 날, 할머니의 자식인 안유식, 안경우, 안미숙과 큰며느리인 허영분이 할머니의 간병인인 서옥화와 함께 세탁소에 쳐들어와 할머니의 옷을 내놓으라고 난동을 부린다.

㉮ 안유식: (일단은 떠밀려 나와) 흐흠, 미안하오. (궁리를 하듯) 우리 어머니가, 병이
　오래되셨는데, 뭐, 오늘을 넘기기가 힘들다고 한단 말이지요. 그래서 하는 말인
　데…… (또 궁리) 으흠, (포기하고) 아는 사람은 알겠지만, 우리 어머님이 재산이
　꽤 됩니다. 아버님 집안이 재산가이신 데다가 우리 집이 부동산이 워낙 많았고,
　아버님 돌아가시고 난 다음에 이 노인네가 재산을 관리하면서 어디다 잘 둔다고
　하긴 한 모양인데, 건강하실 때 다 두루 분배두 하구 알려두 주고 해야 할 일을,
　말 한마디 못하고 덜커덕 풍을 맞아 갖구, 저렇게 식물인간으루다가 누워 지내
　다가 오늘 돌아가신다 하니까, ㉠무슨 정신이 나는지 '세탁', '세탁' 이렇게 두 마
　디 간신히 하고 입을 달싹 못 하시니 노인네는 인전 가신다고 봐야겠고 재산은
　보전해야 되는 게 장남의…….
안경우, 안미숙: (㉡자신들의 존재를 알리는 헛기침) 험! / 허영분: (비아냥) 흥!
안유식: (안 패거리 눈치 보고) 또 자식들 된 도리가 아닌가 하는 말이지요. 나는 똥
　싼 바지에다 숨기셨나 했는데 그건 아닌 거 같고, 뭔가 이 세탁소에다 뭘 하시긴
　한 것 같은데, 통 모르겠단 말이지…….
장민숙: (설움이 북받쳐) 아니 그래, 그 통 모르겠는 일을 가지고 남의 세탁소를 이
　렇게 쑥대밭을 만들어 놓았단 말이에요?
허영분: (㉢아주 고상한 척) 아주머니, 미안해요. 저희가 급한 마음에…… 용서하세
　요, 보상은 섭섭지 않게 해 드리겠어요.
서옥화: ㉣돈이 요사를 떠는 것이냐, 사람이 본디 요물이냐, 통 모르겠네…….
　　　　　　　　　　　　　　　　　　　　　▶ 세탁소를 습격한 이유를 설명하는 안씨 가족

㉯ 강태국: 그러니까 지금 할머님 말씀만 듣고 '세탁', '세탁' 해서 오셨는데, 한두 푼
　찾는 것도 아니고 전 재산 운운하시니까 참 난감합니다. 세탁소가 은행도 아니
　고…….
안미숙: 근데 '세탁', '세탁' 그랬대요. 쓰러지고 그게 처음 말한 거예요.
안유식: 엄마 쓰러지신 지 얼마 됐지? / 안미숙: 오 년, 육 년?
서옥화: 사 년 칠 개월! / 안경우: 와 미치겠네, 진짜. 노인네 정말……,

안유식: 휴대 전화가 울린다.

안유식: (받는다.) 여보세요. 아, 김 박사님. 예? 임종이요? 아니 찾지도 못했는
　데…… 아, 예, 그런 게 있어요. 아, 가야지요. ㉤소리 지른다.) 지금 간다니까!
　(끊는다.)
　　　　　　　　　　　　　▶ 할머니 재산의 행방을 묻자 난감해하는 강태국과 답답해하는 안씨 가족

1 오아시스 세탁소라는 단일한 공간에서 사건이 벌어지고 있다.

오답 풀이 ▶ ① '허영분'의 허영, 상식과 도리에서 벗어난 행동을 하는 형제들을 안('아니'의 준말)씨 성을 활용해 '안유식', '안경우'로 표현하는 등 이름을 통해 안씨 가족을 풍자하고 있다.
③ (궁리를 하듯), (포기하고) 등의 지시문을 활용해 인물의 말과 행동을 설명하고 있다.
④ 무대에 등장하지 않는 할머니의 '세탁'이라는 말 때문에 안씨 가족이 세탁소를 습격하는 사건이 발생하였다.
⑤ '휴대 전화'를 활용해 무대 밖에서 발생한, 할머니가 위독한 사건을 안유식의 대사로 자연스럽게 드러내고 있다.

2 안씨 가족은 어머니의 임종을 앞두고도 어머니의 재산을 찾는 데 열중하고 있으며, 어머니의 재산을 찾기 위하여 무작정 남의 세탁소를 찾아가 난동을 부리는 일을 할 정도로 물질에 눈먼 모습을 보이고 있다.

3 ㉢ 뒤에 이어지는 말로 미루어 보아, ㉢은 허영분이 장민숙에 대한 미안함 때문이 아니라 할머니의 재산을 찾기 위해 상냥하고 협조적으로 태도를 바꾸어 가식적으로 한 말임을 알 수 있다.

오답 풀이 ▶ ① '세탁'이라는 할머니의 말을 듣고, 재산을 찾을 단서가 있다고 생각하여 세탁소를 습격하였음이 드러난다.
② 안경우와 안미숙은 장남임을 내세우는 안유식의 말에 헛기침을 하며, 자신들도 할머니 재산의 상속자임을 알리고 있다.
④ 작가가 전달하고자 하는 바를 등장인물의 대사로 표현한 부분으로, 할머니의 재산에만 관심을 보이는 탐욕스러운 안씨 가족을 비판하고 있다.
⑤ 안유식은 재산과 관련된 단서를 찾지 못한 채 어머니의 임종을 지키러 가야 하는 상황에 화를 내고 있다.

4 어머니의 임종보다 어머니가 남긴 재산을 찾는 데 더 열중하는 안씨 가족의 모습에서 물질 만능주의가 팽배한 현대 사회의 모습이 반영되어 있다.

5 ③　　**6** ④　　**7** ③　　**8** ⓐ 뒷바라지 ⓑ 재산

어휘 **다지기**　**1** (1) 굉음 (2) 잡기장 (3) 요물 (4) 임종　　**2** (1) 고상한 (2) 쑥대밭 (3) 보전하는
3 (1) ㉠ (2) ㉢ (3) ㉡ (4) ㉢

생략된 부분의 줄거리　안유식이 할머니의 재산을 가장 먼저 찾는 사람에게 절반을 주겠다고 하자
안씨 가족뿐만 아니라 서옥화, 세탁소 직원인 염소팔, 강태국의 가족인 장민숙과 강대영까지 재산을
찾으려고 세탁소에 몰래 숨어든다.
└─ 안씨 가족 외에 다른 사람들까지 재산 찾기에 나서게 된 이유

(가) **강태국**: 아버지, 미안해요. (다시 상자를 뒤지며 세탁대 밑에서 소주병을 꺼내며 먼
지를 닦아 한 모금 마신다.) 세상이 어떤 세상인데 세탁소를 하나? (또 한 모금 마
신다.) 인간 강태국이가 세탁소 좀 하면서 살겠다는데 그게 그렇게도 이 세상에
맞지 않는 짓인가? '이 때 많은 세상 한 귀퉁이 때 좀 빼면서, 그거 하나 지키면서
　　　　　　　　정직하고 올바른 사람이 인정받지 못하는 현실 비판
보람 있게 살아 보겠다는데 왜 흔들어? 돈이 뭐야? 돈이 세상의 전부야? (술 한
　　　　　　　　　　　　　　　　　　　　물질 만능주의에 빠진 사회에 대한 비판
모금 마시고) 느이놈들이 다 몰라줘도 나 세탁소 한다. 그게 내 일이거든…….
「 」: 세탁 일에 보람을 느끼며, 부조리한 세상에서 정직하게 살아가려 하는 강태국 **문제 5**
사람들 자기 자리에 숨어서 강태국을 보며 제각기 분통을 터뜨린다.
　　　　　할머니의 재산을 찾는 데 강태국이 방해가 되기 때문에
　강대영: (방백) 진짜 짜증 나, 아버지 왜 저러지? / **허영분**: (방백) 미쳤어!
[A]　강태국의 딸
　염소팔: (방백) 돌아 버리겠네.　　　　▶세상살이의 어려움을 토로하는 강태국과 분통을 터뜨리는 사람들
「 」: 돈에 눈먼 인물들이 정직하고 성실한 인물인 강태국을 비난함.

(나) 잠깐 놀란 듯이 멈추며 옷을 들고 서 있다가 세탁대로 와서 아버지의 잡기장을 뒤진다.
　　　　　아버지가 남기신 잡기장에 할머니가 맡긴 물건에 대한 내용이 있을 것이라고 생각함.
강태국: 그렇지, 할머니가 처음 세탁물을 맡겼을 때가 아버지가 살아 계셨을 때니까.
(세탁대에 앉아 잡기장을 읽으며 고개를 끄덕인다.) 아버지! 그래, 여기 있네, 있어.
　　　　할머니의 옷을 찾는 계기가 되는 소재　　▶아버지의 잡기장에서 할머니가 맡긴 세탁물에 관한 내용을 찾아낸 강태국

(다) 「**강태국**: 당신들이 사람이야? 어머님 임종은 지키고 온 거야? / **사람들**: 아니!」
　　「 」: 물질에 현혹되어 인간성을 상실한 사람들을 비난하는 강태국과 인간의 기본적인 도리를 잊은 사람들 사이의 갈등
강태국: 에이, 나쁜 사람들. (옷을 가지고 문으로 향하며) 나 못 줘! (울분에 차서) 이
게 무엇인지나 알어? 나 당신들 못 줘. 내가 직접 할머니 갖다 드릴 거야.
　자식들에게 재산을 이미 다 빼앗긴 할머니의 기록이 담겨 있음.
장민숙: 여보, 나 줘! / **강대영**: 아버지, 나요!
강태국: 안 돼, 할머니 갖다 줘야 돼. 왜지 알어? 이건 사람 것이거든. 당신들이 사
람이믄 주겠는데, 당신들은 형상만 사람이지 사람이 아니야. 당신 같은 짐승들
에게 사람의 것을 줄 순 없어.　　▶탐욕에 눈이 먼 사람들을 비난하며 할머니의 옷을 주지 않으려 하는 강태국
물질에 눈이 멀어 비인간적인 행태를 보이는 사람들에게 분노하는 강태국 → 작가의 생각을 대변함.

(라) 강태국, 재빨리 옷을 세탁기에 넣는다. 사람들 서로 먼저 차지하려고 세탁기로 몰려
들어간다. 강태국이 얼른 세탁기 문을 채운다. 놀라는 사람들, 세탁기를 두드린다. 강태
국, 버튼 앞에 손을 내밀고 망설인다. 사람들 더욱 세차게 세탁기 문을 두드린다. 강태
국, 버튼에 올려놓은 손을 부르르 떨다가 강하게 누른다. 음악이 폭발하듯 시작되고 굉
음을 내고 돌아가는 세탁기.　　　　　사람들을 세탁하기로 결심함.
　　　　　　　　　　▶할머니의 옷을 차지하려고 세탁기에 들어간 사람들을 세탁하는 강태국
비현실적인 장면 – 사람들의 탐욕을 깨끗이 씻어 냄을 상징함. **문제 7-③**

(마) **강태국**: (눈물 고름을 받쳐 들고) 할머니, 비밀은 지켜 드렸지요? '그 많은 재산,
　　　　　　　　　　　　　　　　　　　「 」: 비밀의 구체적 내용 – 재산을 자식들 뒷바라지하는 데 다 씀. **문제 8**
이 자식 사업 밑천, 저 자식 공부 뒷바라지에 찢기고 잘려 나가도, 자식들은 부모
재산이 화수분인 줄 알아서, 이 자식이 죽는 소리로 빼돌리고, 저 자식이 앓는 소
리로 빼돌려, 할머니를 거지를 만들어 놓았어도, 불효자식들 원망은커녕 형제간
에 의 상할까 걱정하시어 끝내는 혼자만 아시고 아무 말씀 안 하신 할머니의 마
음, 이제 마음 놓고 가셔서 할아버지 만나서 다 이르세요.,
　　　할머니가 자식들에게 재산이 없음을 이야기하지 않은 이유　　▶할머니의 비밀을 지킨 강태국

---

5 (가)에서 강태국은 "느이놈들이 다 몰라
줘도 나 세탁소 한다."라고 말하며, 남들
이 알아주지 않더라도 세탁 일을 계속하
려 한다. 이를 통해 강태국의 신념이 드
러난다.

오답 풀이　①, ⑤ (가)에서 강태국은 세탁 일을
'때 많은 세상 한 귀퉁이 때 좀 빼'는 보람찬 일
로 인식한다. 또한 세탁 일을 '세상에 맞지 않는
짓'으로 여기는 세상에 대해 불만을 드러낸다.
④ (다)에서 강태국은 할머니의 임종도 지키지
않고 할머니의 옷에만 달려드는 사람들을 짐승
이라 비판한다.

6 방백은 연극에서 등장인물이 한 말이 무
대 위 다른 인물들에게는 들리지 않고, 관
객들만 들을 수 있는 것으로 약속된 대사
이다. 따라서 강대영, 허영분, 염소팔은
각자 몰래 숨어든 장소에서 말을 하고, 다
른 인물들은 그 말을 듣지 못한 척 연기해
야 한다.

7 개연성은 작품 속 사건이 현실에서 일어
날 법한 성질의 것임을 나타낸다. (라)에
서 사람을 세탁기에 넣고 돌리는 것은 현
실에서는 일어나기 어려운 상황으로 사
건의 개연성을 확보하는 것과는 거리가
멀다.

오답 풀이　①, ④, ⑤ 물질에 눈먼 사람들을 세
탁하는 행위는 사람들의 탐욕스러운 마음이 정
화되는 것을 의미한다. 이를 통해 탐욕스러운
사람들과 강태국의 사이 갈등이 해소되며, 오아
시스 세탁소가 지닌 공간적 의미도 드러나게 된
다.

8 이어지는 강태국의 대사에서 자식들을
뒷바라지하느라 할머니에게 남은 재산이
없었지만, 형제간에 의가 상할까 걱정되
어 이를 숨긴 할머니의 사연이 드러난다.

 어휘 **다지기**　　　　　　　　본문 163쪽

2 오답 풀이　(1) '저속하다'는 '품위가 낮고 속
되다.'라는 뜻이다. (3) '탕진하다'는 '재물 따
위를 다 써서 없애다.'라는 뜻이다.

05 세상에서 가장 아름다운 이별

본문 164~165쪽

1 ③　　**2** ②　　**3** ②　　**4** 돌팔이 의사

앞부분의 줄거리　50대 가정주부인 인희는 월급 의사로 일하는 남편 정철, 중증 치매 환자인 시어머니, 다 큰 자식들의 뒷바라지로 바쁘게 지낸다. 항상 꿈꾸던 전원주택을 짓느라 분주하던 인희는 오줌 소태가 심해져 병원에서 검사를 받는다.
└─ 그동안 인희가 가족들을 위해 헌신하며 살아옴.

⑦ S# 42. 대학 병원, 판독실 / 낮
　　　　　장면 번호　　　공간적 배경　　시간적 배경
　⊙장 박사, 여러 모니터를 살펴보며 정철의 안색을 살피고는.
　　　　　　　　정철에게 나쁜 소식을 전해야 함.

장 박사: 수술 못 해.
　　　　인희의 상태가 아주 좋지 않음.
정철: (사납게 보며) 왜? / 장 박사: 알잖아.

정철: (자조적) ⓛ내가 뭘 알아? 명의라고 소문난 너나 알지. 나 같은 돌팔이 의사가
　　　　　아내의 병이 심각하다는 것을 믿고 싶지 않은 마음 [문제 3-②]　아내의 병을 알지 못한 것을 자책함. [문제 4]
뭘 알아? 난 위염을 위궤양이라고, 맹장을 장염으로 오진한 적도 있어. 난 몰라.
창피한 소리지만, 낼모레면 아랫것들한테 밀려, 30년 의사질도 그만이야. 나, 그
때까지 기다릴 것도 없어. 나, 지금 그만둔다. 나 지금부터 의사 아니야. 그니까
찬찬히 알아듣게 설명해.
└─ 의사가 아닌 일반인에게 설명하듯이 인희의 상태를 구체적으로 설명할 것을 요구함.

장 박사: (차트 판을 끄며) 이미 늦었어.　　　▶인희의 상태가 위중하다는 사실을 알게 된 정철

⑭ S# 43. 병원 앞, 버스 정류장 앞 / 낮

정철: ⓒ(짜증 난 얼굴) 집은 나중에 져두 돼. 아픈 사람이 어딜 가?
　　　　　정철이 아픈 아내를 걱정하고 사랑하는 방식이 드러남.
인희: (뿌리치며) ⓔ어머니 그 집서 겨울나기 힘들다고 몇 번을 말해?
　　　　　　　　시어머니를 위하는 인희의 마음이 드러남.
정철: (반대쪽 팔을 이끌며) 집에 가.
인희: (뿌리치며) 진즉에 좀 걱정하지. 젊어서 애 날 때두 옆에 없던 사람이. 병원 가
　　　　　　　그동안 정철이 집안일과 인희에게 무심했음이 드러남.
　요. 일두 안 하구 월급 받을 거야? (정류장 쪽으로 가고)
정철: (한숨 쉬고 따라가, 다시 팔을 잡고, 택시를 세우려고 한다.)
인희: (뿌리치고) 버스 놔두고 무슨 택시? 돈이 썩어 나? 죽을병도 아닌데……
　　　　　　　　평소 돈을 아끼며 검소하게 살아옴.　　　▶자신의 병을 모르고 전원주택을 보러 가려는 인희

생략된 부분의 줄거리　검사 결과, 인희는 자궁암 말기로 판정되고, 수술도 실패한다. 인희의 병을 알게 된 자식들은 슬픔에 복받쳐 울음을 터뜨리고, 그 모습을 보던 인희는 방을 뛰쳐나가 벽에 주저앉으며 속 얘기를 터뜨린다.

⑭ S# 142. 인희의 집 / 밤

인희: ⓜ나도…… 나도, 살고 싶어. 죽으면 천국, 지옥 있다는데, 지옥 갈까 봐 무
섭구. 앞으로 얼마나 더 아파야 하는지 너무 무서워. 죽을 때도 많이 아플까?
　　　　　죽음을 앞두고 있는 인희의 복잡한 심정이 드러남.
「정수 대학 들어가는 것만 봤으면 좋겠어. 아니, 연수 결혼하는 것만 보고. 아니,
「」: 인희가 바라는 소박한 소망
정수 애 낳는 것만 보고. 내 새끼도 이렇게 이쁜데 손주들은 얼마나 이쁠까.」 나
벌 받나 봐. 너무 힘들 땐 어머니 언제 돌아가실라나. 생각했었는데. 우리 정수
　　　　　　　　　치매 시어머니를 모시고 사는 것이 힘겨웠음을 알 수 있음.
처음 사고 났을 때, 보청기 끼고라도 들을 수만 있으면, 내 통장 전부 다 내놓겠
다고, 평생 봉사하고 살겠다고, 기도했는데, 그것도 못 지켰고. 그래서 나 벌 받
나 봐……　　　　　　　　병에 걸린 것이 그동안 잘못했던 일에 대한 벌인 것 같다고 생각함.
　　　　　　　　　　　　　▶죽음을 앞두고 속마음을 털어놓는 인희

---

1 이 글은 영화 상영을 목적으로 쓰인 시나리오이다. 설명이나 묘사 등으로 사건을 전달하는 소설과 달리, 시나리오는 인물의 대사와 행동을 중심으로 이야기를 전개한다.

오답 풀이　① 시나리오는 현재 시제를 사용하여 표현한다.
④, ⑤ 희곡은 배우가 무대 위에 서서 관객에게 실시간으로 사건을 보여 주어야 하기 때문에 시간이나 공간의 제약이 많고, 무대에 올라갈 수 있는 인물의 수도 제한된다. 이에 반해 시나리오는 배우의 연기를 카메라로 촬영한 뒤에, 편집과 컴퓨터 그래픽 등의 기술적 도움을 받을 수 있다. 따라서 시나리오는 희곡에 비해 시간이나 공간, 등장인물의 수의 제약을 덜 받게 된다.

2 인희는 치매 환자인 시어머니, 가정에 무관심한 남편, 다 큰 자식들의 뒷바라지를 하면서 가족들을 위해 헌신한 인물이다. 병원에 다녀오는 길에도 시어머니를 위해 전원주택을 보러 가고, 죽음을 앞두고서 자식이 대학 가고 결혼하고 사는 모습을 보고 싶다고 말하는 모습을 통해 인희가 가족들을 지극히 사랑하는 인물임을 알 수 있다.

3 ⓛ은 아내의 병이 심각하다는 사실을 믿고 싶지 않은 정철의 마음을 드러낸다. 장 박사가 정철을 무시하고 있는 것이 아니라, 의사이면서도 아내의 병을 알지 못한 정철이 스스로를 비하하고 있을 뿐이다.

오답 풀이　③ 수술도 하지 못할 정도로 병이 위중한 상황에서 전원주택 공사 현장에 가겠다는 아내 때문에 속상한 마음이 짜증스러운 표정과 말로 드러나고 있다.
⑤ 죽음을 앞둔 인희가 살고 싶은 마음, 죽음에 대한 두려움이나 무서움 등 복잡한 심정을 토로하고 있다.

4 정철은 평소 아내에게 무심하여 의사이면서도 아내의 병이 심각해질 때까지 알지 못한 사실에 절망하고, 자신을 탓하며 스스로를 '돌팔이 의사'라고 비하하고 있다.

05 세상에서 가장 아름다운 이별

5 ②   **6** ②   **7** ②   **8** ②

어휘 다지기   **1** (1) ① (2) ③ (3) ②   **2** (1) ① (2) ② (3) ③   **3** (1) S# (2) 페이드아웃 (3) OFF
(4) 몽타주

생략된 부분의 줄거리   인희는 병세가 더욱 나빠지자 자신이 죽은 후 남겨질 가족들을 걱정한다. 그러던 중 인희가 바라던 전원주택이 완성되고, 인희와 정철은 새집에서 시간을 보낸다.

가 S# 163. 전원주택, 몽타주 / 저녁 - 아침 - 낮

1. 인희, 평상복 차림으로 더욱 아픈 모습으로 식탁에 앉아, 정철이 상 차리는 모습을
『 』: 인희와 정철이 전원주택에서 지내는 모습을 각각 촬영한 후, 여러 컷을 붙여서 하나의 장면으로 보여 줌. **문제 6**
     보고 있다. 밥 하다 말고, 우스꽝스러운 엉덩이춤을 추며 인희를 배꼽 잡게 하는
     정철.
2. 잠시 후, 정철, 인희에게 죽을 떠먹여 주고, 인희, 힘겹게 받아먹고.
     행복한 일상 속에 인희의 아프고 힘겨운 모습을 보여 주어 안타까운 마음을 느끼게 함.
3. 무릎 베고 누운 인희에게 앨범을 보여 주며 수다 떠는 정철. 인희는 재미있는지 환
     하게 웃고.
4. 정원에서 버섯을 주워 들고 신기하다는 듯 행복한 얼굴을 한 인희와 정철.

▶ 전원주택에서 행복하게 지내는 인희와 정철

나 S# 167. 전원주택, 침실 / 밤

인희: 나 무덤 만들어 줘. / 정철: 언젠 답답해서 싫다구 화장해 달라며?
        인희의 소원
인희: 『우리 엄마 화장하니까 별로더라. 남한강에 뿌렸는데, 하두 오래되니까 여기다
『 』: 인희가 무덤을 만들어 달라고 한 이유. 늘 가족을 먼저 생각하는 인희의 성격을 엿볼 수 있음. **문제 5**
     뿌렸는지, 저기다 뿌렸는지 도통 기억에 없구, 여기 가서 울다 저기 가서 울다, 꼭
     미친 사람처럼, 당신하구 애들은 그러지 말라구.』 / 정철: ……
                                       인희의 마음을 알고 말을 잇지 못함.
인희: 이 집 위에 있는 소나무 아래 **뼛가루만** 한 줌 뿌려 놔 줘. 〈중략〉
              전원주택에서 가족들과 함께하고 싶은 마음
인희: 나…… 보고 싶을 거는 같애? / 정철: (끄덕인다.)
인희: ㉠언제? 어느 때? / 정철: ……다. / 인희: 다 언제?
정철: 『아침에 출근하려고 넥타이 맬 때. / 인희: (안타까운 맘, 보며) ……또?
『 』: 사소한 일상의 상황을 나열하여, 인희가 항상 보고 싶을 것이라고 말함. **문제 7**
정철: (고개 돌려, 눈물을 참으며) 맛없는 된장국 먹을 때. / 인희: 또?
정철: 맛있는 된장국 먹을 때. / 인희: 또?
정철: 술 먹을 때, 술 깰 때, 잠자리 볼 때, 잘 때, 잠 깰 때, 잔소리 듣고 싶을 때, 어
     머니 망령 부릴 때, 연수 시집갈 때, 정수 대학 갈 때, 그놈 졸업할 때, 설날 지짐
     이 할 때, 추석날 송편 빚을 때, 아플 때, 외로울 때.』

▶ 이별을 준비하며 애틋한 사랑을 표현하는 인희와 정철

다 S# 168. 인희의 집 + 전원주택 / 새벽

연수, 정수는 잠들어 있고. 할머니는 여전히 숨바꼭질 중. 〈중략〉『인희가 어디
                   할머니의 치매 증상을 보여 줌.
나 여기저기 찾다가, 문득 인희 방을 열면, 그곳은 전원주택의 온실이다.
                                           환상 속 공간
     놀란 할머니 앞으로 집에서 가져온 꽃 무더기를 바라보며 혼자 앉아 있는 인희
                                             인희가 죽었음을 암시함.
의 뒷모습이 보인다. 울고 있는 것 같기도 하고, 웃고 있는 것 같기도 하다.
     할머니, 서서히 다가서더니, 문득, 상처 난 데에 입김을 불어 주는 듯, 호오오오
                        인희에 대한 할머니의 위로와 사랑을 드러냄.
해 준다.
     순간, 백만 송이 꽃가루가 흩날리는 눈송이처럼 온실 너머 새벽안개 속으로 피
어오른다.『 』: 인희의 죽음을 할머니의 환상으로 처리함. **문제 8**   ▶ 환상 속에서 인희를 위로해 주는 할머니

---

5 S# 167에서 인희는 친정어머니를 화장했던 일을 언급하면서 친정어머니의 **뼛가루를 어디에 뿌렸는지 기억이 희미해져서 별로라고** 말했을 뿐, 어머니에게 미안한 마음을 갖고 있다는 내용은 확인할 수 없다.

오답 풀이 ▶ ① 인희는 가족들이 자신처럼 화장한 뼛가루를 어디에 뿌렸는지 몰라 헤매지 않도록 무덤을 만들어 달라고 말하였다.
④ 정철은 인희가 무덤을 만들어 달라는 것이 가족들을 위한 것임을 알고 나서 슬프고 가슴이 답답하여 말을 잇지 못하였다.

6 몽타주는 각각 촬영한 화면들을 떼어 붙여서 하나의 장면이나 내용으로 만드는 편집 방식이다. (가)에는 전원주택에서 지내는 인희와 정철의 다양한 행동이 나열되어 있다.

오답 풀이 ▶ ⓑ 인물의 특정 부분을 확대하여 촬영하는 것은 C.U.(클로즈업)이다.
ⓓ 하나의 화면에 다른 장면을 겹쳐 장면을 전환하는 것은 O.L.(오버랩)이다.

7 언제 자신이 보고 싶을 것 같냐는 인희의 질문에 대해 정철은 소소한 일상들을 나열하여 대답하고 있다. 이는 정철이 삶의 모든 순간마다 인희를 떠올리며 그리워할 것임을 의미한다.

8 할머니가 보는 환상 속에서 할머니가 인희에게 입김을 불어 주자 인희가 백만 송이 꽃가루로 흩날리는 모습을 통해 인희가 죽었음을 간접적으로 암시하고 있다.

오답 풀이 ▶ ③, ⑤ 꽃가루가 흩날리는 장면은 아름답고 환상적인 분위기를 조성한다. 이를 통해 인희의 죽음을 처절한 비극이 아닌, 슬프지만 아름다운 이별로 느끼게 하여 독자들에게 깊은 감동과 여운을 준다.

 어휘 다지기   본문 169쪽

3 (1) 시나리오에서 장면은 같은 장소와 같은 시간에서 동일한 인물들이 일으키는 상황이나 사건을 의미하며, 장면 번호(S#)로 표시한다.

기초부터 다지는 중학 국어 공부력!

국어 실력이 쑥쑥!

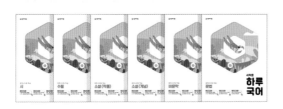

시작은 하루 국어
중1~3 (시/소설(개념)/소설(작품)/문법/비문학/수필)
★⯪☆☆☆
1일 6쪽, 4주 완성으로 국어를 쉽고 재밌게!

7일 끝 국어
중2~3 (천재 박영목 / 천재 노미숙, 학기별)
★★☆☆☆
7일이면 끝나는 중간·기말 대비서

중학 국어전략
중1~중3 (학년별)
★★★☆☆
9종 교과서 대비 내신 공통서

중학 일등전략 국어
중1~3 (문학①, ②, ③, 문법①, ②, ③)
★★★★☆
영역별 심화 학습이 가능한 내신서

문학 DNA 깨우기
예비중~중3 (기본 개념 / 감상 원리 /
기출 유형)
★★★⯪☆
교과서 작품을 활용한 문학 독해서

비문학 독해 DNA 깨우기
예비중~중3 (독해 기초 / 독해 원리 /
독해 기술 / 기출 유형)
★★★⯪☆
기초부터 심화까지 단계별 독해 원리

어휘 DNA 깨우기
중1~3 (기본편 / 실력편)
★★⯪☆☆
퀴즈로 익히는 1,347개 중학 필수 어휘

문법 DNA 깨우기
중1~3 (1권)
★★★☆☆
중학 교과서 필수 문법 총정리

재미있는 국어문법
중1~고1 (단행본)
★★★⯪☆
중고등 국어 문법이 한 권에 쏙!

문학 DNA
깨우기

2
감상 원리

정답과 해설

배움으로 행복한 내일을 꿈꾸는
천재교육 커뮤니티 안내 . . . .

교재 안내부터 구매까지 한 번에!
천재교육 홈페이지

자사가 발행하는 참고서, 교과서에 대한 소개는 물론
도서 구매도 할 수 있습니다. 회원에게 지급되는 별을 모아
다양한 상품 응모에도 도전해 보세요!

다양한 교육 꿀팁에 깜짝 이벤트는 덤!
천재교육 인스타그램

천재교육의 새롭고 중요한 소식을 가장 먼저 접하고 싶다면?
천재교육 인스타그램 팔로우가 필수!
깜짝 이벤트도 수시로 진행되니 놓치지 마세요!

수업이 편리해지는
천재교육 ACA 사이트

오직 선생님만을 위한, 천재교육 모든 교재에 대한 정보가 담긴
아카 사이트에서는 다양한 수업자료 및 부가 자료는 물론
시험 출제에 필요한 문제도 다운로드하실 수 있습니다.

https://aca.chunjae.co.kr

천재교육을 사랑하는 샘들의 모임
천사샘

학원 강사, 공부방 선생님이시라면 누구나 가입할 수 있는 천사샘!
교재 개발 및 평가를 통해 교재 검토진으로 참여할 수 있는 기회는 물론
다양한 교사용 교재 증정 이벤트가 선생님을 기다립니다.

아이와 함께 성장하는 학부모들의 모임공간
튠맘 학습연구소

튠맘 학습연구소는 초·중등 학부모를 대상으로 다양한 이벤트와 함께
교재 리뷰 및 학습 정보를 제공하는 네이버 카페입니다.
초등학생, 중학생 자녀를 둔 학부모님이라면 튠맘 학습연구소로 오세요!